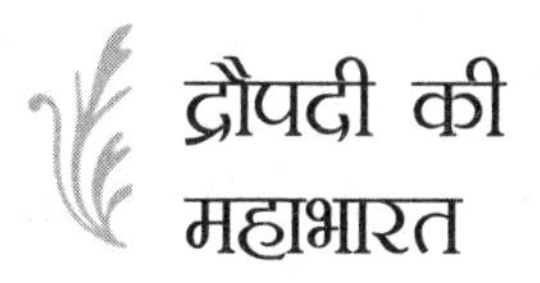

# द्रौपदी की महाभारत

चित्रा बैनर्जी दिवाकरुणी की अत्यंत लोकप्रिय पुस्तकों में *द मिस्ट्रेस ऑफ़ स्पाइसिज़*, *क्वीन ऑफ़ ड्रीम्स* और *सिस्टर ऑफ़ माय हार्ट*, पुरस्कृत कहानी संग्रह *अरेंज्ड मैरिज* एवं *द अननोन एरर्स ऑफ़ माय लाइफ़* तथा बच्चों की श्रृंखला 'कॉन्च बियरर' शामिल हैं।

वह ह्यूस्टन विश्वविद्यालय में रचनात्मक लेखन का विषय पढ़ाती हैं और अपना समय ह्यूस्टन एवं सैन फ़्रांसिस्को बे-एरिया में बिताती हैं।

# द्रौपदी की महाभारत

## पांचाली के परिप्रेक्ष्य से वर्णित महागाथा

चित्रा बैनर्जी दिवाकरुणी

अनुवाद : आशुतोष गर्ग

मंजुल पब्लिशिंग हाउस

**मंजुल पब्लिशिंग हाउस**

*कॉरपोरेट एवं संपादकीय कार्यालय*

• द्वितीय तल, उषा प्रीत कॉम्प्लेक्स, 42 मालवीय नगर, भोपाल-462003

*विक्रय एवं विपणन कार्यालय*

•सी-16, सेक्टर 3, नोएडा, उत्तर प्रदेश - 201301, इंडिया

वेबसाइट : www.manjulindia.com

*वितरण केन्द्र*

अहमदाबाद, बेंगलुरू, भोपाल, कोलकाता, चेन्नई,
हैदराबाद, मुम्बई, नई दिल्ली, पुणे

चित्रा बैनर्जी दिवाकरुणी द्वारा लिखित मूल अंग्रेजी उपन्यास
*द पैलेस ऑफ़ इल्यूशन्स*, जिसका पहला पेपरबैक संस्करण 2009 में
पिकाडॉर (पैन मैक्मिलन लिमिटेड, यू. के. का इम्प्रिट)
द्वारा प्रकाशित किया गया, का हिन्दी अनुवाद

*The Palace of Illusions* by *Chitra Banerjee* – Hindi Edition



यह अनुवादित हिन्दी संस्करण भारत में पहली बार 2015 में
मंजुल पब्लिशिंग हाउस द्वारा प्रकाशित।
8वीं आवृत्ति 2023

**ISBN 978-81-8322-580-9**

हिन्दी अनुवाद : आशुतोष गर्ग

मुद्रण व जिल्दसाज़ी : पार्कसन्स ग्राफ़िक्स प्रा.लि.

*मेरे जीवन में आए तीन पुरुषों*

अभय

आनंद

मूर्ति

*को समर्पित।*

*सदैव।*

तुम्हारी बहन कौन है? वह मैं हूँ।
तुम्हारी माँ कौन है? वह मैं हूँ।
दिवस का आरंभ तुम्हारे व मेरे लिए एक समान होता है।

*इनाना'ज़ जर्नी टु हेल* से उद्धृत,
तीसरी सहस्राब्दी ई.पू.
एन. के. सैंडर्स द्वारा सुमेरी भाषा से अनूदित

# आभार

इन सभी को मेरा हार्दिक धन्यवाद :

मेरी एजेंट सांद्रा दाइक्स्त्रा और मेरी संपादक डेब फ़्यूटर को,
मार्गदर्शन के लिए

एंटोन्या नेल्सन एवं किम चर्निन को,
प्रोत्साहन हेतु

मेरी माँ तातिनी बैनर्जी तथा मेरी सास सीता दिवाकरुणी को,
शुभकामनाओं के लिए

मूर्ति, आनंद और अभय को स्नेह के लिए

बाबा मुक्तानंद, स्वामी चिन्मयानंद, और स्वामी विद्यादिशानंद को
आशीर्वाद देने के लिए।

# लेखकीय कथन

अनेक दूसरे भारतीय बच्चों की भांति, मैं भी *महाभारत* की विस्तृत, विविध एवं मनोहर कथाएँ सुनकर बड़ी हुई। हिंदू धर्मग्रंथों में उल्लिखित द्वापर युग अर्थात् मनुष्य के तृतीय युग (जो अनेक विद्वानों के मतानुसार 6000 ई.पू. तथा 5000 ई.पू. के बीच), वह कालखंड जब मनुष्य और देवताओं का जीवन एक-दूसरे को काटता था, के अंत में घटित यह महाकाव्य मिथक, इतिहास, धर्म, विज्ञान, दर्शन, अंधविश्वास और शासन कला को असंख्य अंतर्कथाओं में गूँथकर मनोवैज्ञानिक जटिलता से समृद्ध व परिपूर्ण संसार तैयार करता है। यह अत्यंत अभिज्ञेय मानव संसार तथा यक्ष व अप्सराओं से युक्त जादुई प्रभुता के बीच आकर्षक आनंद के साथ आगे बढ़ता है तथा इन सबको इतने उत्कृष्ट कौशल के साथ दर्शाता है कि मुझे प्रायः इस बात पर संदेह होता था कि जितनी बातें मैं तर्क और विवेक से समझ सकती हूँ, क्या वास्तव में उससे अधिक चीज़ों का अस्तित्व है।

इस महाकाव्य के मूल में कुरु वंश की दो शाखाओं, पांडवों तथा कौरवों के बीच की शत्रुता है। हस्तिनापुर के राजसिंहासन के लिए चचेरे भाइयों के बीच आजीवन चले झगड़े का अंत कुरुक्षेत्र के रक्तरंजित युद्ध के साथ होता है, जिसमें उस समय के अधिकतर राजाओं ने भाग लिया और मारे गए। यद्यपि, महाभारत के संसार में अनेक ऐसे पात्र हैं जिन्होंने इसे आकर्षण व निरंतर औचित्य प्रदान किया है। प्रेरक मूल्यों व घातक दोषों के प्रतीक, इन जीवन से बड़े नायकों ने मेरी बाल-चेतना में अनेक चेतावनीपूर्ण मूल्यों को उकेर दिया था। मेरे कुछ पसंदीदा पात्र जिन्होंने इस पुस्तक में महत्त्वपूर्ण भूमिका निभाई है, इस प्रकार हैं : इस महाकाव्य के रचयिता और कुछ महत्त्वपूर्ण क्षणों के भागीदार, महर्षि व्यास; प्रिय व रहस्यमय कृष्ण जो भगवान विष्णु के अवतार तथा पांडवों के मार्गदर्शक थे; अपने वंश के वयोवृद्ध भीष्म, जिन्हें कुरु राजसिंहासन की रक्षा हेतु प्रतिज्ञाबद्ध होने के कारण अपने प्रिय पौत्रों के विरुद्ध युद्ध करना पड़ा; ब्राह्मण-क्षत्रिय द्रोण जो कौरव तथा पांडव दोनों के गुरु बने; पंचाल नरेश द्रुपद, जिनकी द्रोण से प्रतिशोध लेने की इच्छा ने नियति-चक्र को घुमाया और कर्ण जो इसलिए अभिशप्त रहा क्योंकि उसे अपने कुल का ही पता नहीं था।

अपने पितामह के ग्रामीण आवास में बैठकर दीपक के उजाले में संध्याकाल के समय *महाभारत* की कथाएँ सुनकर अथवा बाद में, अपने माता-पिता के कोलकाता स्थित आवास पर चमड़े की जिल्द में बँधी हज़ार पृष्ठों की इस पुस्तक को पढ़कर, मैं नारी के चित्रण से संतुष्ट नहीं थी। ऐसा नहीं है कि इस महाकाव्य में, घटनाक्रम को प्रधान रूप से प्रभावित करने वाले सशक्त और जटिल नारी पात्र नहीं थे। उदाहरण के लिए, विधवा नारी एवं पांडवों की माता कुंती थी जिसने अपना संपूर्ण जीवन अपने पुत्रों को राजा बनाने के लिए समर्पित कर दिया। नेत्रहीन कौरव नरेश धृतराष्ट्र की पत्नी गांधारी थी जिसने विवाह के समय ही अपनी आँखों पर पट्टी बाँधकर, रानी व माता होने के अपने अधिकार का त्याग कर दिया था। इनसे सबसे ऊपर, राजा द्रुपद की सुंदर कन्या पांचाली थी (जिसे द्रौपदी भी कहा जाता है) जिसे एक साथ पाँच पुरुषों से विवाह करने का गौरव प्राप्त था - अपने समय के सबसे महान नायक, पाँच पांडव। कुछ लोगों का मत हो सकता है कि पांचाली के अड़ियल व्यवहार के कारण द्वापर युग का विनाश हुआ। यद्यपि, कुछ संदर्भों में, इन सभी नारियों के धुँधले चरित्र थे, उनके विचार एवं उद्देश्य रहस्यमय थे और उनके भाव सिर्फ़ उसी समय व्यक्त हो पाते थे जब वे अपने पुरुष नायकों के जीवन को प्रभावित करती थीं और उनकी भूमिकाएँ उनके पिता या पति, भाइयों अथवा पुत्रों की भूमिका की तुलना में गौण थीं।

मुझे याद है, मैं सोचती थी कि यदि मैं कभी कोई पुस्तक लिखूँगी (यद्यपि, उस समय मुझे नहीं लगता था कि ऐसा कभी हो पाएगा) तो मैं घटनाक्रम में नारी को आगे रखूँगी। पुरुषों के पराक्रम की तह के भीतर अदृश्य कथा को मैं उजागर करूँगी। इससे बेहतर है कि मैं उन्हीं में किसी एक नारी पात्र द्वारा ही इस कथा को वर्णित करूँगी जिसमें उसकी प्रसन्नता व संदेह, उसके संघर्ष और विजय, उसके मर्मभेदी दुख, उसकी उपलब्धियाँ और संसार को देखने का उसका विशिष्ट नारी-परक दृष्टिकोण और उस संसार में उसका अपना स्थान उद्घाटित होगा। और ऐसा करने के लिए पांचाली से अधिक उपयुक्त कौन हो सकता है?

मैं आपको पांचाली के जीवन, उसकी आवाज़, उसके प्रश्न और उसका स्वप्न समझने हेतु *माया महल* में आमंत्रित करती हूँ।

# कुरु वंश के प्रमुख पात्रों का पारिवारिक रेखाचित्र

*(नारी पात्रों को तिरछे अक्षरों में दर्शाया गया है)*
*(वि. = विवाहित)*

*सत्यवती* वि. शांतनु वि. *गंगा*

*अंबिका* एवं *अंबालिका* वि. विचित्रवीर्य — भीष्म

*गांधारी* वि. धृतराष्ट्र (नेत्रहीन राजा)

दुर्योधन, दुःशासन तथा
98 अन्य भाई
(कौरव)

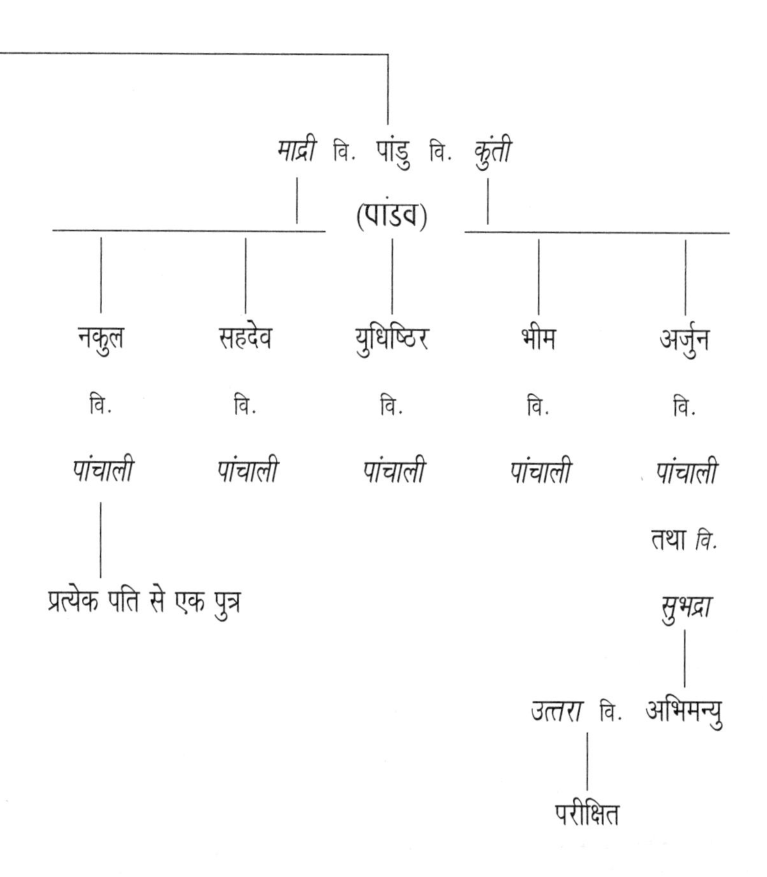

माद्री वि. पांडु वि. कुंती
(पांडव)
नकुल
वि.
पांचाली
सहदेव
वि.
पांचाली
युधिष्ठिर
वि.
पांचाली
भीम
वि.
पांचाली
अर्जुन
वि.
पांचाली
तथा वि.
सुभद्रा
प्रत्येक पति से एक पुत्र
उत्तरा वि. अभिमन्यु
परीक्षित

# अन्य प्रमुख पात्र

**अश्वत्थामा** : द्रोण का पुत्र

**धृष्टद्युम्न** : पांचाली का भाई (जिसे प्रायः धृ कहा गया है)

**द्रोण** : कौरव और पांडव राजकुमारों के युद्ध-कौशल के गुरु; धृष्टद्युम्न के गुरु

**द्रुपद** : पंचाल नरेश, पांचाली (द्रौपदी) और उसके द्विज-भाई धृष्टद्युम्न के पिता; द्रोण के किसी समय के मित्र और अब उनके शत्रु

**कर्ण** : दुर्योधन का सबसे प्रिय मित्र और अर्जुन का प्रतिद्वंद्वी; अंग देश का राजा; इसे शिशु रूप में गंगा नदी में तैरते हुए अधिरथ नामक सारथी ने पाया था और फिर उन्होंने ही इसका पालन-पोषण किया।

**कीचक** : सुदेष्णा का भाई और मत्स्य सेना का सेनापति

**कृष्ण** : भगवान विष्णु के अवतार; यदु वंश के शासक; पांडवों के मार्गदर्शक और अर्जुन के सबसे प्रिय सखा; पांचाली के अच्छे मित्र; अर्जुन की पत्नी सुभद्रा के भाई

**सुदेष्णा** : विराट की पत्नी; उत्तरा की माता

**विराट** : मत्स्य का वृद्ध राजा; उत्तरा का पिता

**विदुर** : धृतराष्ट्र का मुख्य मंत्री और अनाथ पांडवों का मित्र

**व्यास** : त्रिकालदर्शी ऋषि तथा *महाभारत* के रचयिता जो इसमें एक पात्र के रूप में भी प्रकट होते हैं

# द्रौपदी की महाभारत

# 1

## अग्नि

अपने लंबे एकाकी बाल्यकाल के दौरान जब अपने पिता के महल में मेरा दम घुटने लगता था, तो मैं अपनी दाई माँ के पास जाकर उनसे कोई कहानी सुन लेती थी। यद्यपि, उन्हें बहुत-सी आश्चर्यजनक व शिक्षाप्रद कहानियाँ आती थीं, किंतु जो कहानी मैं उनसे बार-बार सुनने का आग्रह करती थी, वह थी मेरे अपने जन्म की कथा। मुझे लगता है कि वह मुझे इसलिए अच्छी लगती थी क्योंकि उसे सुनकर मुझे विशिष्ट होने का एहसास होता था और उन दिनों मेरे जीवन में इस प्रकार का एहसास दिलाने के लिए अधिक कुछ नहीं था। शायद दाई माँ को भी यह पता था। शायद यही कारण था कि वह मेरी सब माँगों को मान लेती थीं यद्यपि, हम दोनों जानते थे कि मुझे अपना समय अधिक लाभप्रद कार्यों में व्यतीत करना चाहिए, ऐसे कार्यों में, जो भारतवर्ष के सर्वाधिक धनाढ्य राज्य पंचाल के राजा द्रुपद की पुत्री को करने शोभा देते हों।

उस कथा को सुनकर मुझे अपने लिए अनोखा नाम रखने की प्रेरणा मिलती थी : प्रतिशोध की संतान, अथवा अनपेक्षित। दाई माँ मेरे नाटक करने के स्वभाव पर हँसकर मुझे अनिमंत्रित कन्या कहती थीं। किसे पता, हो सकता है उनका कहना ज्यादा सही हो।

शरद ऋतु की दोपहर में, मेरी खिड़की के झरोखे से किसी तरह भीतर आती मंद धूप में पैर मोड़कर बैठी हुई दाई माँ ने कहा, "जब तुम्हारा भाई यज्ञाग्नि में से निकलकर महल के सभा-गृह के ठंडे पत्थर की शिला पर उतरा, तो समस्त सभा हतप्रभ हो उठी।"

वह मटर छील रही थीं। मैं उनकी चपल अंगुलियों को ईर्ष्या से देख रही थी और चाहती थी कि वह मेरी सहायता लें, किंतु दाई माँ के विचार इस संदर्भ में एकदम स्पष्ट थे कि राजकुमारियों के लिए किस प्रकार के कार्य उपयुक्त होते हैं।

"अगले ही क्षण," वह बोलीं, "जब अग्नि में से तुम प्रकट हुईं तो हमें बहुत अचंभा हुआ। उस समय वहाँ इतनी शांति थी कि किसी मक्खी की अधोवायु को भी सुना जा सकता था।"

मैंने उन्हें बताया कि मक्खियाँ यह कार्य नहीं करतीं।

उन्होंने अपनी टेढ़ी दृष्टि से मुस्कराते हुए देखा। "बेटी, ऐसी बातें, जिनके विषय में तुम्हें नहीं पता, इतनी अधिक हैं कि उनसे संपूर्ण क्षीर-सागर भर जाएगा जिसमें भगवान विष्णु विराजते हैं - और वह बातें उस सागर में से भी बाहर छलक जाएँगी।"

मैंने यह सुनकर अपमानित महसूस किया किंतु मैं कथा सुनना चाहती थी। इसलिए मैं शांत रही और कुछ क्षण के बाद उन्होंने कथा दोबारा आरंभ कर दी।

"हम लोग सूर्योदय से लेकर सूर्यास्त होने तक निरंतर तीस दिन से प्रार्थना कर रहे थे। हम सब : तुम्हारे पिता, वे सौ पुरोहित जिन्हें तुम्हारे पिता ने यज्ञ करने हेतु कांपिल्य आमंत्रित किया था, उनके प्रधान, वे धूर्त आँखों वाले युगल याज व उपयाज, रानियाँ, मंत्रिगण और निस्संदेह सेवक आदि। हम लोग व्रत भी कर रहे थे - ऐसा नहीं था कि हमारे पास कोई अन्य विकल्प था - दिन में मात्र एक बार भोजन, जिसमें संध्या के समय दूध में पोहा दिया जाता था। राजा द्रुपद तो वह भी नहीं खाते थे। वह सिर्फ़ गंगा से लाया हुआ जल पीते थे ताकि देवता उनकी प्रार्थना को सुनने के लिए बाध्य हो जाएँ।"

"वह दिखने में कैसे थे?"

"वह तलवार की नोंक के समान पतले थे और उसी की तरह मज़बूत भी। उनके तन की अस्थियों को गिना जा सकता था। उनकी आँखें चेहरे के कोटरों में धँसी हुई थीं जिनमें श्याम-वर्ण के मोती चमकते थे। वह अपना सिर मुश्किल से ऊपर उठा पाते थे किंतु वह अपना विशाल मुकुट सिर पर सदैव धारण किए रहते थे। कभी किसी ने - यहाँ तक कि उनकी रानियों ने भी - उन्हें मुकुट के बिना नहीं देखा। मैंने तो सुना था कि वह सोते समय भी उसे नहीं उतारते थे।"

दाई माँ की दृष्टि बहुत पैनी थी। पिताजी अब भी, लगभग वैसे ही थे, यद्यपि, आयु - और इस विश्वास ने कि वह जो चाहते थे, उन्हें वह मिलने ही वाला था - उनके अधैर्य को कुछ कम कर दिया था।

"कुछ लोग सोचते थे," दाई बोलीं, "कि उनका अंत निकट था, किंतु मुझे ऐसा कोई भय नहीं था। कोई व्यक्ति, जो प्रतिशोध लेने के लिए तुम्हारे राजसी पिता

जितना आतुर हो, वह अपने तन और प्राण इतनी सरलता से नहीं छोड़ सकता।" ऐसा कहते हुए दाई माँ ने मुट्ठी-भर मटर मुँह में डाले और चबाने लगीं।

"अंत में," मैंने उन्हें प्रेरित किया, "वह तीसवां दिन था।"

"मैं तो हार्दिक आभारी थी। दूध और चावल का वक्कल पुरोहितों के लिए तो बहुत अच्छा है किंतु मुझे तो मछली की कढ़ी और हरी मिर्च के साथ इमली का अचार अत्यधिक पसंद है! इसके अतिरिक्त उन अनुच्चारणीय संस्कृत शब्दों को बोल-बोलकर मेरा गला पक गया था और क़सम से, उस अत्यंत ठंडे पत्थर के फ़र्श पर बैठे-बैठे मेरे नितंब रोटी की तरह चपटे हो गए थे।

"मैं भयभीत भी थी और चुपके-से इधर-उधर देखने पर मुझे पता लगा कि मैं उस स्थिति में अकेली नहीं थी। यदि उस यज्ञ के बाद, जैसा कि शास्त्रों में निहित था, वैसा वांछित परिणाम नहीं मिला तो क्या होगा? राजा द्रुपद यह सोचकर हम सबको मृत्यु-दंड तो नहीं दे देंगे कि हमने ठीक से प्रार्थना नहीं की? यदि कोई ऐसा कहता कि राजा ऐसा ही करेंगे तो मैं एक बार तो हँस देती किंतु सभा में द्रोण के आने के बाद स्थिति में परिवर्तन आ गया था।"

मैं द्रोण के विषय में पूछना चाहती थी किंतु मुझे पता था कि वह क्या कहेंगी।

*यद्यपि, अब तुम्हारी आयु विवाह के योग्य हो गई है परंतु तुम्हारे भीतर तेल पर फैले सरसों के बीज जैसी अधीरता है! प्रत्येक कथा अपने समय पर आएगी।*

"तो तुम्हारे राजसी पिता ने ज्यों ही खड़े होकर अग्नि में घृत का अंतिम कलश डाला, हम सबकी श्वास थम गई मैंने इतनी शक्ति के साथ प्रार्थना की, जैसी जीवन में पहले कभी नहीं की - हालांकि वह प्रार्थना मैं विशेष रूप से तुम्हारे भाई के लिए नहीं कर रही थी। कल्लू, जो उस समय रसोइये का शिष्य था, मुझसे प्रेम करता था और मैं एक पुरुष के साथ संभोग का आनंद लिए बिना मरना नहीं चाहती थी, परंतु, अब जबकि हमारे विवाह को सात वर्ष हो गए हैं..." यहाँ दाई माँ अपनी युवावस्था की भूल पर अपना क्रोध दर्शाने हेतु क्षण-भर के लिए रुकीं।

यदि अब उन्होंने कल्लू के विषय में कहना आरंभ कर दिया तो मुझे शेष कथा सुनने को नहीं मिलेगी।

"फिर धुआँ उठा," मैंने उन्हें अनुभव-जन्य दक्षता के साथ टोका।

वह पुनः कथा में लौट आईं। "हाँ, और फिर कुछ आवाज़ों के साथ, काले रंग के दुर्गंधयुक्त धुएँ के छल्ले उठने लगे। उस आवाज ने कहा, *जिस पुत्र की माँग तुमने की थी, यह रहा। जिस प्रतिशोध की इच्छा तुम रखते हो, उसे यह पूर्ण करेगा,*

*किंतु इससे तुम्हारा जीवन बिखर जाएगा।*

*"मुझे इस बात की कोई चिंता नहीं,* तुम्हारे पिता ने कहा। *उसे मुझे दो।*

"और फिर अग्नि में से तुम्हारा भाई बाहर निकला।"

मैं बात को बेहतर ढंग से सुनने के लिए उठकर बैठ गई मुझे कथा का यह अंश अतिप्रिय था। "वह देखने में कैसा था?"

"वह सचमुच राजकुमार जैसा दिखता था! उसका उच्च ललाट था और चेहरा स्वर्ण की भांति कांतिमय था। यहाँ तक कि उसके वस्त्र भी स्वर्णिम थे। यद्यपि, उसकी आयु पाँच वर्ष भी नहीं थी, वह एकदम सीधा व निर्भय खड़ा था, परंतु उसकी आँखें देखकर मैं परेशान हो गई वे अत्यंत सौम्य थीं। मैंने स्वयं से पूछा, *यह बालक राजा द्रुपद का प्रतिशोध कैसे ले सकेगा? यह द्रोण जैसे विकट योद्धा को कैसे मार पाएगा?"*

मैं अपने भाई के विषय में भी चिंतित थी, हालांकि मेरी चिंता भिन्न प्रकार की थी। मुझे इसमें कोई संदेह नहीं था कि वह उस कार्य को अवश्य पूर्ण करेगा जिसके लिए उसका जन्म हुआ था। वह प्रत्येक कार्य को अत्यंत कुशलता व सावधानी से करता था, परंतु इससे क्या लाभ होगा?

मैं इस विषय में कुछ नहीं सोचना चाहती थी। मैंने कहा, "फिर क्या हुआ?"

दाई माँ ने मुँह बनाते हुए कहा, "क्या तुम अपने प्रकट होने तक प्रतीक्षा नहीं कर सकतीं, हुँ, स्वार्थी लड़की?" ऐसा कहकर उनका स्वर नरम पड़ गया।

"इससे पूर्व कि हम प्रसन्नता व्यक्त कर पाते और तालियाँ बजाना समाप्त करते, यहाँ तक कि तुम्हारे पिता तुम्हारे भाई का स्वागत कर पाते, तुम प्रकट हो गईं। वह जितना गोरा था तुम उतनी ही श्याम-वर्णा थीं, वह जितना शांत था तुम उतनी ही चंचल। धुएँ के कारण खाँसतीं, अपनी साड़ी में उलझतीं, अपने पिता के हाथ को थामे हुए तुमने लगभग उन्हें गिरा ही दिया था –"

"लेकिन हम गिरे तो नहीं!"

"नहीं, तुम दोनों ने किसी प्रकार एक-दूसरे को पकड़ लिया। वही आवाजें पुनः आने लगीं, *सावधान, हम तुम्हें यह कन्या प्रदान करते हैं, तुमने जो माँगा था, यह उससे भी बेहतर उपहार है। इसका ध्यान रखना क्योंकि यह इतिहास की दिशा बदलेगी।"*

*"इतिहास की दिशा बदलेगी!* क्या उन्होंने सचमुच ऐसा कहा था?"

दाई माँ ने कंधे उचकाए। "पुरोहित तो यही दावा करते हैं। निश्चित तौर पर

कौन कह सकता है? तुम्हें तो पता ही है कि उस सभा-सदन में आवाजें कितनी तेज़ सुनाई देती हैं और किस प्रकार गूँजती हैं। राजा अचंभित रह गए, किंतु फिर उन्होंने तुम दोनों को गोद में उठा लिया और तुम्हें अपनी छाती से लगा लिया। इतने वर्षों में मैंने पहली बार उन्हें मुस्कराते देखा था। उन्होंने तुम्हारे भाई से कहा, *मैं तुम्हारा नाम धृष्टद्युम्न रखता हूँ।* फिर उन्होंने तुम्हें देखकर कहा, *तुम्हारा नाम मैं द्रौपदी रखता हूँ।"*

जिस समय दाई माँ उन बातों को स्मरण करके अपने होंठों पर जीभ फेरते हुए अंगुलियों पर व्यंजनों की गिनती कर रही थीं, उस दौरान, मेरा ध्यान अपने पिता द्वारा चुने गए अपने नामों की ओर चला गया। धृष्टद्युम्न, अर्थात् शत्रु का संहार करने वाला। द्रुपद की पुत्री, द्रौपदी।

धृ का नाम स्वीकार्य था - यदि मैं उसकी पिता होती तो इससे अधिक आनंदित करने वाले नाम रखती जैसे, ब्रह्मांड विजेता अथवा सृष्टि प्रकाश, किंतु द्रुपद की पुत्री? माना कि उन्हें मेरी अपेक्षा नहीं थी, किंतु क्या मेरे पिता इससे कुछ कम अहंवादी नाम नहीं रख सकते थे? इतिहास बदलने वाली कन्या के लिए उन्हें इससे अधिक उपयुक्त कोई नाम नहीं मिला?

मैंने उस समय तो द्रौपदी के प्रश्न का उत्तर दे दिया क्योंकि मेरे पास कोई अन्य विकल्प नहीं था, किंतु आगे चलकर इससे बात नहीं बनेगी। मुझे उसके लिए एक अधिक ओजपूर्ण नाम की आवश्यकता होगी।

दाई माँ के अपने कक्ष में चले जाने के बाद, मैं रात को अपने विशाल स्तंभ वाले ऊँचे और कठोर बिस्तर पर लेटी दीपक के प्रकाश को दीवार के नुकीले पत्थरों पर झिलमिलाती छाया बनाते हुए देखती रहती थी। मैं ललक एवं भय से उस भविष्यवाणी के विषय में सोचती रहती थी। मैं चाहती थी कि वह सत्य हो जाए, परंतु क्या मुझमें एक नायिका वाले गुण थे - साहस, लगन तथा अदम्य इच्छा शक्ति? इसके अतिरिक्त, मैं तो इस महल के मकबरे में बंद रहती थी, तो फिर इतिहास मुझे खोजेगा कैसे?

यद्यपि, इस सबसे अधिक मैं कुछ और सोचती थी जिसके विषय में दाई माँ को पता नहीं था, कुछ ऐसा जो मुझे भीतर ही भीतर इस प्रकार खा रहा था जैसे मेरी खिड़की की सलाखों को ज़ंग : मेरे अग्नि में से बाहर आने के बाद वास्तव में क्या हुआ।

यदि मेरे जीवन के विषय में अस्पष्ट गर्जन के रूप में भविष्यवाणी करती हुई वह आवाजें सुनाई दी थीं, जैसा कि दाई माँ बताती हैं, तो वैसा कुछ अभी तक तो

हुआ नहीं। दीपक की नारंगी लौ बुझ चुकी थी और वायु सहसा ठंडी हो चली थी। उस प्राचीन सदन में अगरबत्ती की सुगंध व्याप्त थी और उसके नीचे, उससे पुरानी एक अन्य गंध थी : युद्ध-स्वेद व घृणा की गंध। मैं और मेरा भाई, एक-दूसरे का हाथ थामे खड़े थे कि तभी एक दुर्बल, आकर्षक व्यक्ति हमारी ओर आया। उसने अपना हाथ आगे बढ़ाया - किंतु सिर्फ़ मेरे भाई के लिए। उस व्यक्ति की मंशा सिर्फ़ मेरे भाई को उठाकर लोगों को दिखाने की थी। वह सिर्फ़ मेरे भाई को चाहता था। यद्यपि, न तो धृ मुझे छोड़ रहा था और न ही मैं उसे। हमने इतने हठी ढंग से एक-दूसरे को पकड़ा हुआ था कि हमारे पिता को विवश होकर हम दोनों को एक साथ उठाना पड़ा।

उस हिचक को मैं भूल नहीं सकी, हालांकि आने वाले वर्षों में राजा द्रुपद ने अपने पिता होने के कर्त्तव्य का ध्यान से निर्वहन किया और मुझे प्रत्येक वह वस्तु उपलब्ध करवाई जो उनके विचार से एक राजकुमारी के पास होनी चाहिए थी। कभी-कभी, मेरे अधिक ज़ोर देने पर, मुझे वे सुविधाएँ भी मिल जाती थीं, जिनसे उनकी अन्य पुत्रियाँ वंचित रहती थीं। उनके कठोर व आसक्त ढंग को सोचें तो वह उदार, यहाँ तक कि, अनुग्रहशील थे। फिर भी, उस आरंभिक अस्वीकृति के लिए मैं उन्हें क्षमा नहीं कर सकी। शायद यही कारण था कि मैं कन्या से युवती बन गई परंतु इस दौरान भी उनपर पूर्णतः विश्वास नहीं कर सकी।

मैं अपनी अप्रसन्नता को, जिसे मैं अपने पिता के प्रति व्यक्त नहीं कर सकी, उस महल पर व्यक्त किया करती थी। मुझे दीवारों की उन मोटी धूसर शिलाओं से घृणा थी, जो एक राजा के आवास की जगह किसी दुर्ग के लिए अधिक उपयुक्त थीं और जो हमारे आवास को घेरे हुए थीं जिनके ऊपर संतरी पहरा देते रहते थे। मुझे सँकरे झरोखों, मंद प्रकाश वाले गलियारों, ऊबड़-खाबड़ फ़र्श, जो सदैव नम रहते थे, पीढ़ियों से चले आ रहे विशालकाय उपस्कर जो मनुष्यों से अधिक दैत्यों के आकार के लगते थे - इन सबसे घृणा थी। मुझे सबसे अधिक इस बात से घृणा थी कि वहाँ मैदान तो थे किंतु उनमें न वृक्ष थे न ही पुष्प। राजा द्रुपद वृक्षों को सुरक्षा के लिए संकट मानते थे क्योंकि उनसे संतरियों की दृष्टि बाधित होती थी। उनके अनुसार पुष्पों का कोई लाभ नहीं था और मेरे पिता को जिस वस्तु का कोई लाभ नहीं दिखता था, उसे वह अपने जीवन से निकाल देते थे।

अपने कक्ष से नीचे खुले मैदान में देखने पर, मेरे ऊपर उदासी इस प्रकार हावी हो जाती थी मानो किसी ने मेरे कंधों पर लोहे का दुशाला डाल दिया हो। मैंने स्वयं को वचन दिया कि जब भी मेरा अपना महल होगा तो वह पूर्णतः भिन्न होगा। मैंने अपनी आँखें मूंद लीं और रंगों व स्वरों का कोलाहल मच गया। मैं

कल्पना करने लगी - आम व सीताफल के वृक्षों पर पक्षी चहचहा रहे हैं, चमेली के पौधों पर तितलियाँ फड़फड़ा रही हैं किंतु इन सबके बीच, अब भी मैं अपने घर के आकार की कल्पना नहीं कर पा रही थी। क्या वह स्फटिक की भांति भव्य होगा? रत्न-जड़ित चषक की भांति ठोस व अमूल्य? अथवा स्वर्ण जरदोजी की तरह कोमल और जटिल? मैं सिर्फ़ इतना जानती थी कि वह मेरे अंतरतम अस्तित्व का दर्पण होगा। वहाँ मुझे वास्तव में घर जैसा सुख मिलेगा।

यदि मेरा भाई साथ न होता, तो अपने पिता के घर में मेरा जीवन असहनीय हो जाता। अपने हाथ पर उसकी पकड़ और मेरा हाथ न छोड़ने का उसका हठ, मैं कभी नहीं भूल सकती। हमारे पिता ने हमारे रहने के लिए महल में अलग-अलग स्थान निर्धारित किए हुए थे, अन्यथा हमारे बीच और अधिक घनिष्ठता होती - ऐसा करने के पीछे एक कारण हमारी देखभाल था अथवा भय, मेरे लिए यह विश्वास से कहना कठिन है, परंतु निष्ठा के उस प्रथम भाव ने हमें अभिन्न बना दिया। हमने एक-दूसरे के साथ भविष्य की अपनी आशंकाएँ बाँटीं, हमें असामान्य ढंग से देखने वाले संसार से हमने एक-दूसरे का बचाव किया और अकेलेपन में एक-दूसरे को सांत्वना दी। हमने इस विषय पर कभी बात नहीं की कि एक-दूसरे के लिए हमारा क्या महत्त्व था। ऐसा करने पर धृ असंयत व असुखद महसूस करता था। तथापि, मैं कभी-कभी उसे मन ही मन पत्र लिखती थी जिनमें मैं शब्दों को असंयत रूपकों में पिरोती थी। *धृ, मैं तुमसे तब तक प्रेम करूँगी जब तक ब्राह्मण समूचे ब्रह्मांड को पुनः अपने में नहीं समेट लेते, जैसे मकड़ी अपने जाले को समेट लेती है।*

उस समय मुझे ज्ञात नहीं था कि उस प्रेम की परीक्षा कितने दुखद ढंग से होगी, या हम दोनों को उसकी क्या क़ीमत चुकानी पड़ेगी।

# 2

## कृष्णा

शायद कृष्ण और मेरी इसलिए अच्छी बनती थी क्योंकि हम दोनों अत्यधिक कृष्ण वर्ण के थे। ऐसे समाज में जहाँ दूध-बादाम जैसे गोरे वर्ण के अतिरिक्त, प्रत्येक वस्तु को हीनता से देखा जाता था, विशेष रूप से किसी कन्या के लिए कृष्ण-वर्ण होना अत्यंत दुर्भाग्यपूर्ण था। इसके कारण मुझे घंटों अपनी सेविका के हाथों गोरा करने एवं अनेक चर्म छीलने वाले मरहमों से पोता जाता था। अंत में, उसने हिम्मत छोड़ दी। यदि कृष्ण मेरे साथ न होते तो मैं भी निराश हो जाती।

यह स्पष्ट था कि कृष्ण, जिनका वर्ण मुझसे भी अधिक काला था, उस रंग को दोष नहीं मानते थे। मैंने उनके विषय में अनेक कथाएँ सुन रखी थीं कि अपने निवास-स्थान वृंदावन में किस प्रकार उन्होंने वहाँ की सभी 16,000 स्त्रियों का मन जीत लिया था! इसके अतिरिक्त, अपने समय की सबसे सुंदर राजकुमारी रुक्मिणी के साथ उनका प्रेम-संबंध था। उसने कृष्ण को अत्यधिक अभद्र पत्र लिखकर विवाह का प्रस्ताव किया था (जिसके तुरंत व उदारमना उत्तर स्वरूप कृष्ण ने रुक्मिणी को रथ में बैठाकर उसका हरण कर लिया था।) कृष्ण की अन्य पत्नियाँ भी थीं जिनकी संख्या सौ से अधिक थी। क्या कांपिल्य की श्रेष्ठता झूठी हो सकती थी? क्या श्याम वर्ण का अपना आकर्षण होता है?

जब मैं चौदह वर्ष की थी, तो मैंने एक बार साहस करके कृष्ण से पूछा था कि क्या ऐसी कोई राजकुमारी, जिसका वर्ण इतना काला हो कि लोग उसे कृष्णा पुकारते हों, इतिहास को बदल सकती है। इस पर कृष्ण मुस्करा दिए थे। वह मेरे प्रश्नों का उत्तर प्रायः इसी प्रकार रहस्यमय मुस्कान के साथ देते थे जिसके बाद अपनी बात पर मुझे स्वयं ही विचार करना पड़ता था। यद्यपि, इस बार उन्होंने मेरी उलझन-भरी व्यथा को भाँप लिया था क्योंकि उन्होंने मुस्कान के साथ कुछ शब्द भी कहे।

"कोई समस्या तभी समस्या प्रतीत होती है यदि उसे ऐसा समझा जाए। और प्रायः लोग आपको उसी प्रकार देखते हैं, जैसे आप स्वयं को देखते हैं।"

मुझे इस अप्रत्यक्ष सलाह पर कुछ संदेह हुआ। सुनने में वह इतनी सरल व सहज लग रही थी कि मुझे इसके सत्य होने पर संदेह था। जब भगवान शिव के उत्सव का समय आया तो मैंने उसे समझने का प्रयास करने का निर्णय किया।

प्रत्येक वर्ष इस दिन, समस्त राजसी परिवार जुलूस में - जिसमें पुरुष आगे तथा स्त्रियाँ पीछे चलती थीं - पूजा के लिए शिव मंदिर जाते थे। हम लोग अधिक दूर नहीं गए क्योंकि वह मंदिर महल के परिसर में ही था। तथापि, वह एक भव्य दृश्य था जिसमें समस्त सभासद एवं कांपिल्य के सभी नागरिक साथ थे और उन सभी ने अपने सर्वोत्तम व भड़कीले वस्त्र पहने हुए थे - बिल्कुल उस कार्यक्रम की भांति जिससे मेरी सबसे बुरी उत्कंठा प्रकट हो जाती थी। मैं बीमारी का बहाना बनाती थी ताकि अपने कक्ष में ही रह सकूँ, किंतु दाई माँ यह भाँप जाती थीं और मुझे कार्यक्रम में भाग लेना पड़ता था। एक-दूसरे से बात करने में व्यस्त मेरी उपेक्षा करती स्त्रियों की भीड़ में, मैं बहुत दुखी हो जाती थी और स्वयं को अदृश्य रखने का प्रयास करती थी। दमकते चेहरों और हँसमुख व्यवहार वाली अन्य राजकुमारियों के बीच मुझे अधिक परेशानी महसूस होती थी और मैं उनके पीछे छिप जाती और सोचती थी कि काश, धृ मेरे साथ होता। कोई अतिथि अथवा नवागंतुक, जो प्रायः मुझे नहीं जानता था, यदि मुझे पुकारता तो मैं लज्जित होकर हकलाने लगती और (इस आयु में भी) अपनी साड़ी में उलझ जाती थी।

उस वर्ष मैंने दाई माँ के हाथों तैयार होना स्वीकार कर लिया। उन्होंने मुझे गहरे नीले रंग के रेशमी वस्त्र पहनाए, मेरी चोटी में फूल गूँथे और कानों में हीरे पहनाए। मैंने अपने पिता की सबसे छोटी व सबसे सुंदर रानी सुलोचना को देखा जो थाल में भगवान के लिए पुष्प-मालाएँ लेकर मेरे आगे चल रही थीं। मैंने उसकी विश्वास से भरी चाल देखी, हलका-सा सिर झुकाकर अभिवादन का देने का शिष्ट व मनोहर ढंग देखा। *मैं भी सुंदर हूँ,* मैंने कृष्ण के शब्दों को ध्यान में रखते हुए स्वयं से कहा। मैंने भी वैसी ही मुद्राएँ बनाने का प्रयास किया और पाया कि ऐसा करना अत्यंत सरल था। जब कुलीन स्त्रियाँ निकट आकर मेरे रूप की प्रशंसा करतीं, तो मैंने उन्हें इस प्रकार धन्यवाद देती मानो मैं उस प्रशंसा की अभ्यस्त थी। मेरे निकट से गुज़रने पर लोग श्रद्धापूर्वक पीछे हटकर खड़े हो गए। मैं गर्व से अपनी ठुड्डी ऊपर उठाकर अपनी गर्दन दिखाती तो वहाँ मौजूद युवा दरबारी परस्पर फुसफुसाने लगे और पूछने लगे कि मैं कौन हूँ और इतने वर्षों से कहाँ छिपी बैठी थी। एक अतिथि भाट प्रशंसापूर्ण ढंग से देख रहा था। बाद में, उसने मेरी

विशिष्ट चारुता पर एक गीत भी बनाया। वह गीत लोगों द्वारा बहुत पसंद किया गया। उसके बाद कई अन्य गीत लिखे गए। पंचाल की इस अद्भुत राजकुमारी की चर्चा अनेक राज्यों में फैलने लगी। वह उसी यज्ञाग्नि की भांति मंत्रमुग्ध करने वाली थी जिसमें वह उत्पन्न हुई थी। रातोंरात, मैं - जिसे अपनी अनभिज्ञता के कारण नकारा जाता था - अपनी सुंदरता के लिए प्रख्यात हो गई!

इस घटनाक्रम में आए परिवर्तन से कृष्ण अति प्रसन्न थे। जब वह मिलने आए तो अपनी बाँसुरी पर अत्यंत मोहक धुनें सुनाकर मुझे छेड़ते रहे। जब मैंने उनका आभार व्यक्त करना चाहा तो वह ऐसे बात करने लगे मानो उन्हें पता ही न हो कि मैं किस विषय पर बात कर रही थी।

. . .

कृष्ण के विषय में कई और कथाएँ प्रचलित थीं जैसे किस प्रकार उनका जन्म एक कालकोठरी में हुआ था जिसमें उनके मामा कंस ने कृष्ण के माता-पिता को उनके जन्म के समय ही उनकी हत्या कर देने के उद्देश्य से बंद कर रखा था। किस प्रकार, अनेक कारागृह प्रहरियों के होने के बावजूद उन्हें चमत्कारिक ढंग से सुरक्षित गोकुल पहुँचा दिया गया। किस प्रकार उन्होंने अपने बाल्यकाल में एक राक्षसी को मार डाला था जिसने उन्हें अपने स्तन-पान द्वारा विष देकर मारने का प्रयास किया था। किस प्रकार उन्होंने गोवर्धन पर्वत को उठाकर अपने लोगों को अतिवृष्टि के कारण डूबने से बचाया था। मैं उन कथाओं पर अधिक ध्यान नहीं देती थी, जो अधिकतर यह दावा करती थीं कि कृष्ण ईश्वर का रूप थे और निष्ठावान लोगों की रक्षा हेतु स्वर्ग से अवतरित हए थे। लोगों को अतिशयोक्ति पसंद थी और नीरस तथ्यों को रोचक बनाने के लिए अलौकिकता के पुट से बेहतर कुछ नहीं था। तथापि मैंने यह माना : कृष्ण में कुछ असामान्य तो था।

कृष्ण हमसे मिलने अधिक नहीं आ पाते थे। उनका द्वारका में अपना राज्य था और प्रसन्न रखने के लिए अनेक रानियाँ थीं। इसके अतिरिक्त, वह अनेक राज्यों के मामलों से संबद्ध रहते थे।

वह अपने व्यावहारिक ज्ञान के लिए विख्यात थे और राजागण उन्हें प्रायः परामर्श के लिए बुलाते थे। जब कभी मेरे मन में कोई गंभीर प्रश्न उठता था, वह मैं धृ से नहीं पूछ सकती थी क्योंकि वह संसार के जटिल तौर-तरीकों के लिए बहुत सीधा था। ऐसे प्रश्नों के उत्तर के लिए कृष्ण सदैव उपस्थित रहते थे। यह भी एक पहेली थी : मेरे पिता ने कृष्ण को स्वच्छंद रूप से मुझसे मिलने के लिए अनुमति क्यों दे रखी थी जबकि वह मुझे अन्य पुरुषों व स्त्रियों से अलग रखते थे?

मैं कृष्ण के प्रति इसलिए आकर्षित थी क्योंकि मैं उन्हें समझ नहीं पाती थी। मुझे अपने ऊपर गर्व था कि मैं लोगों की विवेचना करने में चतुर थी और मैंने अपने जीवन में अन्य सभी महत्त्वपूर्ण लोगों का विश्लेषण कर लिया था। मेरे पिता गर्व एवं प्रतिशोध लेने की इच्छा से आसक्त थे। उनकी सही व ग़लत की अवधारणा निरपेक्ष थी और वह कठोरतापूर्वक उसका पालन करते थे। (इस कारण वह न्यायसंगत शासक तो थे, किंतु लोगों को वह अधिक प्रिय नहीं थे।) उनकी कमज़ोरी यह थी कि वह इस बात पर बहुत अधिक विचार करते थे कि लोग पंचाल के राजसी आवास के विषय में क्या सोचेंगे। दाई माँ को गपशप करना, हँसना, सुविधाएँ, अच्छा खाना-पीना और विशिष्ट संदर्भ में, सत्ता पसंद थी। (वह नियमित रूप से निम्न वर्ग के सेवकों - और मेरे अनुमान से, कल्लू - को अपनी तेज़-तर्रार ज़बान से भयभीत किए रहती थीं।) उनकी कमज़ोरी थी कि वह मुझे 'ना' नहीं कह पाती थीं। मेरी जानकारी में सभी लोगों में धृ सर्वश्रेष्ठ व्यक्ति था। उसके मन में मूल्यों के प्रति निष्कपट प्रेम था, किंतु दुर्भाग्यवश मज़ाक करने की उसे बिल्कुल आदत नहीं थी। वह मेरे प्रति बहुत अधिक रक्षात्मक रहता था (इसके लिए मैं उसे क्षमा कर देती थी)। उसकी कमज़ोरी यह थी कि वह पूर्णतः भाग्यवादी था और उसने स्वयं को नियति के अधीन छोड़ा हुआ था।

यद्यपि, कृष्ण बहुरूपी थे, हमारे पिता के साथ वह विशुद्ध रूप से राजनीतिज्ञ बनकर रहते थे और उन्हें राज्य को सुदृढ़ करने हेतु परामर्श देते रहते थे। वह धृ की तलवारबाज़ी के लिए उसकी प्रशंसा करते किंतु साथ ही उसे कला को अधिक समय देने के लिए भी प्रेरित करते थे। वह दाई माँ को बेहिसाब प्रशंसा एवं सांसारिक परिहास से आनंदित कर देते थे। और मैं? किसी-किसी दिन तो वह मुझे इतना छेड़ते थे कि मैं रो पड़ती थी। अन्य दिनों में वह मुझे भारतवर्ष की अनिश्चित परिस्थितियों पर आख्यान देते और यदि बीच में मेरा ध्यान भटकता तो वह मुझे प्रताड़ित भी करते थे।

वह मुझसे पूछते थे कि एक स्त्री व राजकुमारी होने के नाते मैं संसार में अपने स्थान के विषय में क्या सोचती थी और फिर वह मेरे पारंपरिक विचारों को चुनौती देते थे। वह मुझे संसार की उन बातों से अवगत करवाते थे जो मुझे कोई अन्य नहीं बताता था, ऐसा संसार जिसकी मुझे चाह थी। वह मुझे ऐसी सूचनाएँ भी देते थे जो किसी युवती के कानों के लिए उपयुक्त नहीं थीं। इस दौरान वह मुझे ध्यान से देखते रहते थे मानो किसी संकेत को देखने की चेष्टा कर रहे हों।

इस बात का पता मुझे बाद में लगा। उस समय, मुझे मात्र इतना ही ज्ञात था कि मुझे उनका एक भौंह को ऊपर उठाकर अकारण हँसना अत्यंत पसंद आता

था। मैं प्रायः यह भूल जाती थी कि वह मुझसे आयु में काफ़ी बड़े थे। कभी-कभी वह अपने राजसी आभूषण उतारकर अपने बालों में सिर्फ़ एक मोर-पंख लगा लेते थे। उन्हें पीले रंग के रेशमी वस्त्र पहनना पसंद था। उनका मानना था कि वह रंग उनके अपने वर्ण के साथ जँचता था। वह मेरे विचारों को ध्यान से सुनते थे यद्यपि, अंत में वह मेरी बात से असहमत हो जाते थे। अनेक वर्षों से मेरे पिता के साथ उनकी मित्रता थी। वह मेरे भाई को भी पसंद करते थे, परंतु मेरा यह मानना था कि वास्तव में वह मुझसे मिलने ही आते थे। वह मुझे एक विशिष्ट नाम से पुकारते थे जो उनके अपने नाम का स्त्री-रूप था : कृष्णा। इसके दो अर्थ थे : *जिसका रंग काला हो*, और *जिसके आकर्षण का प्रतिरोध न किया जा सके*। उनके द्वारका लौट जाने के बाद भी, उनकी बाँसुरी के सुर हमारे अनाकर्षक घर की दीवारों पर शेष रह जाते थे। मेरे लिए बस यही एक सुखद एहसास था क्योंकि धृ को उसके राजसी दायित्वों के निर्वहन के लिए बुला लिया जाता था और मैं पीछे से अकेली रह जाती थी।

3

# दूध

कथावाचक की भूमिका निभाने की अब मेरी बारी थी। इसलिए मैंने आरंभ किया, किंतु क्या आरंभ उपयुक्त शब्द है? क्या मैं और धृ एक-दूसरे को यह कथा तब से नहीं सुनाते आ रहे जब से हमें उस कथा के मर्म में छिपे कष्ट का बोध हुआ?

*एक बार एक लड़का बाहर से खेलता हुआ भीतर आया और पूछने लगा, माँ, दूध क्या होता है? मेरे मित्र कहते हैं कि यह मलाईदार और सफ़ेद रंग का होता है और इसका स्वाद देवताओं के अमृत से थोड़ा-सा कम मीठा होता है। माँ, कृपया मुझे दूध दो, मैं भी पिऊँगा।*

*उसकी माँ ने, जो अत्यंत निर्धन होने के कारण दूध नहीं खरीद सकती थी, पानी में थोड़ा आटा मिलाया, उसमें गुड़ घोला और लड़के को दे दिया।*

*लड़का उसे पीकर प्रसन्नता से झूमने लगा और बोला, अब मुझे भी पता लग गया कि दूध का स्वाद कैसा होता है!*

*उसकी माँ को, जिसने आजीवन कष्ट भोगकर भी कभी आँसू नहीं बहाया था, बालक के विश्वास और अपने छल पर रोना आ गया।*

. . .

कई घंटों तक तूफ़ान हमारे घर की दीवारों से टकराता रहा। खिड़कियों के अनुपयुक्त ढंग से बने कपाट हिमकारी वर्षा के झोंकों को रोक पाने में असमर्थ थे। पानी से फ़र्श फिसलन-भरा हो गया था तथा हमारे पाँव के नीचे बिछा कालीन गीला था। यह जानते हुए कि अब उसमें से कई सप्ताह तक फफूँद की दुर्गंध आएगी, मैंने दीर्घ श्वास भरी। दीपक की लौ झिलमिलाकर हमें अँधकार में छोड़ देने का भय पैदा कर रही थी। बीच-बीच में, कोई पतंगा तेज़ आवाज करता हुआ लौ में कूद

पड़ता था जिसके जलने की क्षणिक गंध आती थी। ऐसी रातों में, जब बादलों की सहसा हुई गर्जना हमारे हृदय को अचंभित कर देने वाले हर्ष से भर देती थी, तब धृ और मैं ध्यान बँटाने हेतु एक-दूसरे को कथाएँ सुनाया करते थे। यद्यपि, दिन-भर हम शिक्षा में व्यस्त रहते थे, हमारा संध्याकाल का समय किसी मरुस्थल की भांति वीरान रहता था। एकमात्र व्यक्ति जो हमसे मिलने आकर इस नीरसता को भंग करता था वह थे कृष्ण, किंतु वह बिना चेतावनी दिए आते थे और ऐसे ही लौट जाते थे। उन्हें अपने स्वभाव की इस अननुमेयता में नटखट आनंद मिलता था। ये कथाएँ हमें द्रुपद के शेष परिवार, उनकी रानियों, उनके अन्य बच्चों, जिन्हें हम सिर्फ़ राजकीय अवसरों पर ही देखते थे, के विषय में चिंतन करने से दूर रखती थीं। वे क्या करते हैं? क्या हमारे पिता उन रानियों के प्रकाशमान प्रसन्नता-भरे कक्ष में होंगे? उन्होंने हमें वहाँ अपने साथ क्यों नहीं बुलाया?

धृ ने सिर हिलाया। "नहीं! नहीं! कथा थोड़ा पहले से आरंभ होनी चाहिए।"

"बहुत अच्छा," मैंने अपनी मुस्कराहट छिपाते हुए कहा, "जब राजा सगर को पता लगा कि उनके पूर्वजों को महामुनि कपिल ने अपनी क्रोधाग्नि में भस्म कर दिया था..."

अन्य अवसरों पर मेरा भाई मेरे चिढ़ाने को शांतिपूर्वक ढंग से सुन लेता था किंतु अब वह ऐसा करने से खीज उठा मानो उस कथा ने उसे अपने कुछ युवा और अधिक उत्सुक रूप में लौटा दिया था। "तुम समय व्यर्थ कर रही हो," उसने त्यौरियाँ चढ़ाते हुए कहा। "तुम्हें पता है न कि यह ज्यादा आगे से हो गया। उन दो अन्य लड़कों से आरंभ करो।"

. . .

*एक बार एक राजा और एक ब्राह्मण के पुत्र को एक महान ऋषि के आश्रम में अध्ययन हेतु भेजा गया। यहाँ उन्होंने बहुत समय एक साथ व्यतीत किया और एक-दूसरे के सबसे घनिष्ठ मित्र बन गए। जब वहाँ से घर लौटने का समय आया तो दोनों बहुत रोए।*

*राजकुमार ने अपने सहपाठी से कहा, द्रोण, मैं तुम्हें कभी नहीं भूलूँगा। जब मैं पंचाल देश का राजा बन जाऊँगा, तब तुम मेरे पास आना और मेरा जो भी है, वह सर्वस्व तुम्हारा भी होगा।*

*ब्राह्मण ने राजकुमार को गले से लगाया और कहा, प्रिय द्रुपद, तुम्हारी मित्रता मेरे लिए देवताओं के खज़ाने की समस्त सम्पत्ति से भी बढ़कर है। मैं सदा*

*तुम्हारी बात को याद रखूँगा।*

*दोनों अपने-अपने मार्ग पर चले गए। राजकुमार ने राज-काज का कार्य सीखा और ब्राह्मण ने प्रसिद्ध विद्वान-योद्धा परशुराम के सान्निध्य में आगे अध्ययन आरंभ कर दिया। उसने युद्ध कौशल में महारथ प्राप्त की, एक अत्यंत सदाचारी स्त्री से विवाह किया और एक अति सुंदर पुत्र को जन्म दिया। निर्धन होने के बावजूद उसे अपने ज्ञान पर गर्व था और वह प्रायः उस दिन का स्वप्न देखता था जब वह अपने पुत्र को अपना सर्वस्व ज्ञान प्रदान कर देगा।*

*एक दिन वह बालक खेलकर घर लौटा और दूध माँगने लगा तो उसकी माँ रो पड़ी।*

. . .

जो कथाएँ हम एक-दूसरे को सुनाते थे, क्या वह सच थीं? किसे पता? अपने सर्वश्रेष्ठ रूप में भी कहानी अत्यंत अस्थिर होती है। निश्चित रूप से, किसी ने भी हमें यह कथा नहीं सुनाई थी, यद्यपि, हमारे लिए इस कथा को जानना अति महत्त्वपूर्ण था। आख़िर, यह कथा हमारे अस्तित्व का कारण थी। अफवाहों और झूठी बातों, दाई माँ द्वारा दिए गए गूढ़ संकेतों व हमारी अपनी क्षुब्ध कल्पनाओं से हमें इसे जोड़ना पड़ा। इसी कारण यह हर बार सुनाते समय परिवर्तित होती गई क्या सभी कथाओं की यही प्रकृति होती है जिनसे उन्हें शक्ति मिलती है?

धृ अब भी असंतुष्ट था। "तुम इस कथा को ग़लत दृष्टिकोण से देख रही हो," उसने कहा। "तुम्हें इसे रोककर कोई अन्य कहानी आरंभ करनी पड़ेगी। देखो, मैं करता हूँ।"

. . .

*एक युवा राजकुमार को विरासत में अशांत राज्य, षड्यंत्र से भरा दरबार मिला और एक ऐसे लापरवाह राजा की विरासत प्राप्त हुई जो अपने श्रेष्ठजन पर आवश्यकता से अधिक विश्वास करता था। अत्यधिक झगड़े और रक्तपात के बाद, जब उसका पुत्र उन्हीं श्रेष्ठजनों पर अपनी सत्ता जमाने में सफल हो गया, तो उसने स्वयं को यह वचन दिया कि वह अपने पिता की भूल की पुनरावृत्ति नहीं करेगा। उसने बड़ी कुशलता और ध्यान से शासन किया तथा दया की अपेक्षा न्याय की सहायता से घनिष्ठ मित्र बनाए। वह सदैव फुसफुसाहट व उपहासपूर्ण हँसी को ध्यान से सुनता था जो उसके मतानुसार विद्रोह के अग्रदूत होते हैं।*

. . .

"तुम बहुत पक्षपाती हो" मैंने शिकायत की। "तुम हमेशा उन्हें अच्छा दर्शाने का प्रयास करते हो मानो उनकी कोई ग़लती नहीं थी।"

धृ ने कंधे उचकाए। "आख़िरकार, वह हमारे पिता *हैं* ! पक्षपात पर उनका कुछ अधिकार तो है!"

"मैं कथा पर पुनः लौटती हूँ," मैंने कहा।

. . .

*एक दिन जब राजा का दरबार लगा हुआ था, सभा में एक ब्राह्मण आया और राजा के समक्ष खड़ा हो गया। राजा यह देखकर बहुत आश्चर्यचकित था कि यद्यपि, उस ब्राह्मण के वस्त्र फटे हुए थे, वह प्रार्थी जैसा प्रतीत नहीं हो रहा था। वह सिर उठाकर अग्नि-शिखा की भांति सीधा खड़ा था और उसकी आँखें गोमेद की तरह चमक रही थीं। राजा के मस्तिष्क में पुरानी छिपी स्मृति अर्द्ध-जागृत हुई और फिर पुनः शांत हो गई अपने आस-पास वह दरबारियों को फुसफुसाते और बात करते सुन रहा था कि वह आगंतुक कौन था। उसने एक सभासद से उस आगंतुक को राजकोष तक ले जाने को कहा, जहाँ प्रतिदिन ज़रूरतमंद लोगों को उपहार दिए जाते थे, परंतु ब्राह्मण ने झटककर उस सभासद का हाथ हटा दिया।*

*द्रुपद, वह बोला और उसकी आवाज सभा-गृह में गूँज उठी, मैं कोई भिक्षु नहीं हूँ! मैं तुम्हें तुम्हारे द्वारा मित्रता का वचन याद दिलाने आया हूँ। एक बार तुमने मुझसे यहाँ आने और अपने साथ रहने के लिए कहा था और यह भी कहा था कि जो कुछ तुम्हारा है, वह मेरा भी है। मुझे तुम्हारी संपत्ति नहीं चाहिए, किंतु मैं चाहता हूँ कि तुम मुझे अपने दरबार में स्थान दो। इससे तुम्हारा काफ़ी लाभ होगा क्योंकि मैं तुम्हें युद्ध का वह ज्ञान दूँगा जो मुझे अपने गुरु से प्राप्त हुआ है। मेरे साथ रहते हुए कोई शत्रु पंचाल पर आक्रमण करने के विषय में सोच भी नहीं सकता।*

इतना कहकर मैं रुक गई क्योंकि मुझे पता था कि अगला अंश धृ सुनाना चाहता था।

. . .

*बिजली की गति से एक छवि राजा की आँखों में उतर आई कि दो युवक गले मिलकर बिछड़ते समय रो रहे थे। वह पुराना प्रिय नाम उसकी जिह्वा पर था। द्रोण। यद्यपि, उसकी पीठ पीछे लोग उस उन्मत्त ब्राह्मण की ओर इशारा करते हुए उपहास कर रहे थे क्योंकि निश्चित रूप से राजा के साथ इस प्रकार धृष्टता से बात करना मूर्खता थी!*

*यदि द्रुपद ने उसे पहचान लिया, यदि वह अपने राजसिंहासन से नीचे उतर आया और उसने द्रोण का हाथ पकड़ लिया तो क्या वे सब लोग उसके ऊपर भी हँसेंगे? क्या वे उसे दुर्बल, झक्की और शासन के लिए अनुपयुक्त समझेंगे?*

*वह यह ख़तरा नहीं उठा सकता था।*

*उसने कड़क स्वर में कहा, हे ब्राह्मण, तुम्हारे जैसा विद्वान ब्राह्मण इस प्रकार की अज्ञानतापूर्ण बात कैसे कह सकता है? क्या तुम नहीं जानते कि मित्रता केवल समान लोगों में हो सकती है? राजकोष के द्वार पर जाओ और वहाँ मौजूद द्वारपाल इस बात का ध्यान रखेगा कि तुम्हें सुविधाजनक जीवन-यापन के लिए पर्याप्त दान मिल जाए।*

*द्रोण क्षण भर के लिए राजा को देखता रहा। द्रुपद ने देखा कि क्रोध और अविश्वास से द्रोण का शरीर थर्रा रहा था। उसने यह सोचकर स्वयं को तैयार कर लिया कि अब द्रोण उसके ऊपर चिल्लाएगा, हो सकता है उसे शाप भी दे दे, जैसा कि प्रायः ब्राह्मण करते हैं। यद्यपि, द्रोण मुड़ा और वहाँ से चला गया। बाद में पूछने पर कोई भी सभासद यह नहीं बता पाया कि द्रोण कहाँ चला गया था।*

*इसके बाद, कई दिन, सप्ताह, शायद महीनों तक द्रुपद को भोजन में स्वाद नहीं आया। पश्चाताप मानो मिट्टी की पर्त की तरह उसके मुँह में जम गया था। रात को उसे नींद नहीं आती थी और वह देश भर में गुप्त रूप से अपने संदेशवाहक भेजकर अपने मित्र को खोजना चाहता था। सुबह उठने पर उसे रोज़ यह विचार मूर्खतापूर्ण प्रतीत होता था।*

धृ रुक गया। अपनी इच्छानुसार, पिताजी के अभिप्रेरण को आकार देने के बाद, आगे की कथा उसने मेरे सुनाने के लिए छोड़ दी।

. . .

*समय, दुख और सुख, दोनों को मिटा देता है। समय के साथ, यह घटना द्रुपद की स्मृति में धुँधली हो गई। इस बीच उसने विवाह किया और उसके कई बच्चे हुए किंतु उनमें से एक भी उसकी अपेक्षानुसार प्रतिभावान योद्धा नहीं बन सका। पुराने विद्रोही श्रेष्ठजनों की मृत्यु हो गई अथवा वे सब अपने-अपने पैतृक गाँवों को लौट गए। उनके स्थान पर जो नए आए, वे सब द्रुपद का आदर करते थे अथवा उससे डरते थे जिससे राजा सुरक्षित महसूस करता था। उनके लिए प्रसन्नता का यही पर्याय था।*

*एक दिन प्रातः सूर्योदय से पूर्व, महल की दीवार पर प्रहरियों के बिगुल बजाने से उसकी नींद खुल गई कौरव सेना कांपिल्य के द्वार तक आ पहुँची थी।*

*द्रुपद अचंभित हो गया। कुरुवंश से, जिनका राज्य पंचाल के उत्तरपश्चिम में हस्तिनापुर में स्थित था, उसका कोई संबंध नहीं था। उसने जो सुना था, उसके अनुसार, कुरुवंश का नेत्रहीन राजा धृतराष्ट्र शांत व्यक्ति था और सावधानी से कार्य करता था। वह व्यर्थ ही बिना उकसाए क्यों आक्रमण करेगा? द्रुपद ने भी अपनी सेना एकत्रित की और उसे लेकर आक्रमणकारियों के पास जा पहुँचा। वहाँ यह देखकर उसे और भी अधिक आश्चर्य हुआ कि आक्रमण का नेतृत्व करने वाले मात्र कुछ किशोर थे - कुरु राजकुमार। वे लोग यह मूर्खता क्यों कर रहे थे? उनकी सेना को परास्त करना अत्यंत सरल था। यद्यपि, उसने जैसे ही अपना रथ घुमाया, एक अन्य रथ उसे अपनी ओर आता दिखलाई दिया। वह रथ इतनी तीव्रता से आ रहा था कि द्रुपद को यही समझ नहीं आया कि वह रथ किस दिशा से आ रहा था। उस रथ से बाणों की वर्षा हुई जिससे आकाश में अँधकार छा गया और उस बाण-वर्षा ने द्रुपद को उसकी सेना से अलग कर दिया तथा उसके अश्व घबराकर पीछे हट गए। इससे पहले कि उसका सारथी उन्हें नियंत्रित कर पाता, एक युवक उछला और दूसरे रथ से कूदकर द्रुपद के रथ पर आ चढ़ा। अगले ही क्षण उसने अपनी तलवार द्रुपद की गर्दन पर रख दी।*

*युवक ने कहा, हम तुम्हें हानि नहीं पहुँचाना चाहते। तुम्हें बंदी बनकर मेरे और मेरे भाइयों के साथ चलना होगा।*

. . .

धृ ने अपनी अंगुली मेरे होंठों पर रख दी। किसी असत्य-से कारण के फलस्वरूप उस क्षण का वर्णन वह स्वयं करना चाहता था, वह क्षण जो उसके लिए सर्वाधिक कष्टप्रद था, जिसने उसकी आकांक्षा को उजागर कर दिया था।

*संकट के ऐसे घातक क्षणों में भी, द्रुपद उस युवक की प्रशंसा किए बिना नहीं रह सका - उसका आत्मविश्वास, उसकी विनम्रता और शस्त्रों पर उसका कौशल। उसके मन में एक अस्थायी उत्कंठा जागृत हुई : काश, यह मेरा पुत्र होता!*

"ऐसा मत कहो," मैंने क्रोध से बीच में टोका, "किसी भी पिता को तुमसे श्रेष्ठ पुत्र नहीं प्राप्त हो सकता। क्या तुम अपना संपूर्ण जीवन राजा द्रुपद की इच्छापूर्ति के लिए समर्पित नहीं कर रहे हो, यद्यपि, ऐसा करना निरर्थक है?"

"कथा आगे बढ़ाओ," वह बोला।

. . .

*कौन हो तुम? द्रुपद ने पूछा, और जब मेरी तुम्हारे साथ कोई शत्रुता नहीं है तो फिर तुमने मुझपर आक्रमण क्यों किया?*

*उस युवक ने कहा, मेरा नाम अर्जुन है और मैं स्वर्गीय राजा पांडु का पुत्र हूँ। मैंने अपने गुरु के आदेश पर तुम्हें बंदी बनाया है।*

*तुम्हारे गुरु कौन हैं?*

*अर्जुन के चेहरे पर गर्व की चमक आ गई वह युद्ध-कौशल के सर्वश्रेष्ठ शिक्षक हैं, वह बोला। उन्होंने हम राजकुमारों को अनेक वर्ष दीक्षा दी है। अब हमारी शिक्षा पूर्ण हो गई है, और उन्होंने गुरु-दक्षिणा में यह माँगा है कि हम आपको बंदी बना लें। आप उन्हें जानते होंगे। उनका नाम द्रोण है।*

. . .

इतना कहकर मैं उस क्षण की कल्पना करने हेतु रुक गई कि अर्जुन कैसा लगता होगा? वह कैसे चलता होगा? क्या वह साहसी होने के साथ सुंदर भी था? कृष्ण के साथ अर्जुन का कोई जटिल पारिवारिक संबंध था। उन्होंने समय-समय पर अर्जुन की अनेक उपलब्धियों का उल्लेख किया था जिसके कारण उसमें मेरी रुचि विकसित हो गई थी। यद्यपि, मैं यह धृ के समक्ष कभी मानने वाली नहीं थी (मैंने उसकी अव्यक्त ईर्ष्या को भाँप लिया था), मेरे लिए अर्जुन इस कथा का सर्वाधिक रोमांचक अंश था।

धृ ने त्यौरियाँ चढ़ाते हुए मुझे कुहनी से छुआ। वह मेरे विचारों को सरलता से जान लेता था। "आगे बोलो।"

. . .

*एक राजा को एक ब्राह्मण के सामने घुटने टेकने पड़े।*

*ब्राह्मण ने राजा से कहा, तुम्हारा जीवन और तुम्हारा राज्य अब मेरा है। अब भिक्षु कौन है?*

*राजा ने कहा, मुझे मार डालो, किंतु मेरा उपहास मत करो।*

*ब्राह्मण ने कहा, किंतु मैं तुम्हें मारना नहीं चाहता। मैं तुम्हारी मित्रता चाहता हूँ। चूंकि तुमने स्वयं कहा था कि मित्रता सिर्फ़ बराबर वालों में होती है, अतः मुझे भी एक राज्य की आवश्यकता थी। अब मैं तुम्हें आधा राज्य वापस दे रहा हूँ। गंगा के दक्षिण में तुम्हारा शासन होगा और उत्तर में मेरा। फिर तो हम दोनों बराबर हो जाएँगे न?*

*ब्राह्मण और राजा ने एक-दूसरे को गले लगा लिया। क्रोध की अग्नि, जो इतने वर्षों से ब्राह्मण के हृदय में दहक रही थी, काली वाष्प बनकर एक निश्वास के साथ उसके शरीर से बाहर निकल गई और वह शांत हो गया। राजा ने वह वाष्प देख ली और उसका कारण भी जान लिया। उसने उत्सुकतापूर्वक, मुँह खोलकर वह वाष्प निगल ली। वह वाष्प उसके शेष जीवन में ईंधन का कार्य करने वाली थी।*

. . .

मुझे लगा कि धृ उस बात को अब छोड़ देगा, किंतु वह किसी शूकर का पीछा करने वाले शिकारी कुत्ते की भांति था : "फिर क्या हुआ?"

अचानक मुझे थकान व उदासी महसूस होने लगी। मैंने सोचा, मुझे इस कथा का चयन नहीं करना चाहिए था। जब भी मैं इसका उल्लेख करती थी, तो यह कथा मेरे व मेरे भाई के भीतर तक गहराई से समा जाती थी, क्योंकि कोई भी कथा बार-बार सुनाने से वह सशक्त होती जाती है। ऐसा करने से धृ का विश्वास नियति की अवश्यंभाविता - द्रोण की हत्या - में अधिक दृढ़ हो गया जिसकी अन्यथा वह उपेक्षा कर सकता था। इसके बावजूद, जैसे बच्चे चोट के ऊपर आई पपड़ी को तब तक नहीं छोड़ते जब तक उसमें से रक्त नहीं बहने लगता, वैसे ही हम दोनों भी इस कथा को छोड़ नहीं पाते थे।

*और फिर धृ, तुम्हें इस संसार में बुलाया गया ताकि जो बात दूध से आरंभ हुई थी, वह एक दिन रक्त पर समाप्त हो।*

कथा में अभी बहुत कुछ शेष। किसका रक्त, कब और कितनी बार - यह मुझे बाद में पता लगा।

"तुम्हें क्या लगता है कि द्रोण कैसे दिखते होंगे?" धृ ने पूछा।

मुझे यह मालूम नहीं था।

. . .

मेरे विवाह के अनेक वर्ष बाद, द्रोण से मेरी भेंट कुरु राजदरबार में हुई उन्होंने कसकर हमारा हाथ पकड़ा - क्योंकि, धृ भी मेरे साथ था - और हम पर तीखी दृष्टि डाली। उस दौरान, उन्हें भविष्यवाणियों के विषय में पता लग चुका था। सभी को पता था। तथापि, वह अत्यंत विनयपूर्वक बोले, "स्वागत पुत्र! स्वागत पुत्री!" मेरी श्वास थम गई और मुझसे कोई उत्तर देते नहीं बना। धृ के कंठ से हलका-सा स्वर निकला। मुझे पता था कि उसने भी वही देखा जो मैंने देखा : द्रोण बिल्कुल हमारे पिता के समान लगते थे।

4

# विश्व विज्ञान

"विश्व का स्वरूप क्या है?"

राजकुमार ने उत्तर दिया, "ऊपर आकाश में स्वर्ग है जो इंद्र तथा उसके सिंहासन के आस-पास बैठने वाले देवताओं का निवास - स्थान है। आकाशीय प्राणियों द्वारा व्याप्त सात संसारों के मध्य में, दुग्ध-सागर है जिसमें भगवान विष्णु शयन करते हैं और वह तभी जागते हैं जब पृथ्वी अनैतिकता के बोझ से दब जाती है। नीचे हमारी धरती फैली हुई है जिसे हज़ार-सिरों वाले शेषनाग ने अपने फण पर धारण किया हुआ है, अन्यथा यह विशाल शून्य में लुढ़क जाती। पृथ्वी के नीचे पाताल है, जहाँ दैत्यों का राज्य है जो सूर्य के प्रकाश से घृणा करते हैं।"

गुरु ने पूछा, "चार वर्णों का उद्गम क्या है?"

"जब ईश्वर ने स्वयं को प्रकट किया, तो उनके शीर्ष से ब्राह्मण उत्पन्न हुए, भुजाओं से क्षत्रिय, जंघा से वैश्य तथा पैरों से शूद्र उत्पन्न हुए।"

"ऐसे में, क्षत्रिय राजा का धर्म क्या है?"

"क्षत्रिय राजा को विद्वानों का सम्मान करना चाहिए, समान पद वालों की भांति अन्य राजाओं का आदर करना चाहिए तथा अपनी प्रजा पर सुदृढ़ता से, किंतु कृपापूर्वक शासन करना चाहिए। युद्ध के दौरान, उसे विकट रूप धारण कर अंत समय तक निर्भयपूर्वक लड़ना चाहिए क्योंकि युद्धभूमि में प्राण गँवाने वाले क्षत्रिय को स्वर्ग का उच्चतम पद प्राप्त होता है। अपनी शरण में आए किसी भी व्यक्ति की रक्षा करनी चाहिए, निर्धन के साथ उदार होना चाहिए तथा अपना सर्वस्व देकर भी अपने वचन का पालन करना चाहिए।"

"और...?"

मेरा भाई बोलते में हिचका जिसके कारण मुझे पर्दे के पीछे से उसकी

सहायता करनी पड़ी। "पूर्वज," मैंने धीरे-से कहा। "प्रतिशोध।"

"और इन सबसे ऊपर," धृ ने साँस लेकर पुनः कहना आरंभ किया, "उसे अपने परिवार की प्रतिष्ठा की रक्षा करते हुए अपने पूर्वजों को कीर्ति दिलवानी चाहिए।"

मैंने पर्दे की जाली में से देखा कि गुरु की भँवें तनी हुई थीं। उनके क्षीण वक्ष पर लटका यज्ञोपवीत उत्तेजना से हिल रहा था। यद्यपि, वह भयंकर विद्वान थे, आयु में वह हमसे अधिक बड़े नहीं थे। बीच में पर्दा इसलिए डाला गया था क्योंकि मेरी उपस्थिति से उनका ध्यान इतना अधिक भटकता था कि वह पढ़ा नहीं पाते थे।

"हे महान युवराज," वह बोले, "कृपया अपनी बहन से कहो कि पीछे से बोलकर तुम्हारी सहायता नहीं करे। ऐसा करके वह सीखने में तुम्हारी मदद नहीं कर रही है। जब तुम्हें युद्धभूमि में इन महत्त्वपूर्ण तथ्यों को स्मरण करने की आवश्यकता पड़ेगी तो क्या वह रथ में तुम्हारे पीछे बैठेगी? अच्छा होगा यदि तुम्हारे अध्ययन के दौरान वह हमारे साथ न रहे।"

वह सदैव मुझे धृ के पाठ सुनने से रोकने का प्रयास करते थे। ऐसा करने वाले वह एकमात्र व्यक्ति नहीं थे। आरंभ में, मेरे अत्यधिक प्रार्थना करने के बावजूद, राजा द्रुपद ने अपने भाई के साथ मेरे पढ़ने के विचार का विरोध किया था। किसी लड़की को वही शिक्षा देना, जो एक लड़के को दी जा रही हो? पंचाल के राजपरिवार में ऐसी बात कभी सुनने को नहीं मिली! यद्यपि, कृष्ण ने जब यह आग्रह किया कि मेरे जन्म के समय हुई भविष्यवाणी के कारण मुझे अन्य स्त्रियों को दी जाने वाली शिक्षा से आगे के ज्ञान की आवश्यकता है तथा यह कि मुझे यह शिक्षा प्रदान करना राजा का उत्तरदायित्त्व है, तब द्रुपद ने अनिच्छापूर्वक हामी भर दी। यहाँ तक कि दाई माँ ने भी, जो मेरे जीवन के कई अन्य क्षेत्रों में मेरी सहकारी थीं, इस प्रकार के अध्ययन को आशंका की दृष्टि से देखा था। उनकी यह शिकायत थी कि यह शिक्षा मुझे अत्यधिक कठोर व विवादप्रिय तथा मेरी वाणी को पुरुषवत् बना रही थी। धृ को भी यदा-कदा संदेह होता था कि कहीं मैं ऐसी बातें या विचार तो ग्रहण नहीं कर रही जो आगे चलकर मुझे नियत व प्रतिबंधात्मक नियमों वाले नारी-जीवन का निर्वहन करने में बाधा उत्पन्न करेंगे। मैं उस विस्मयकारी व रहस्यमय संसार के विषय में जानने के लिए अति-उत्सुक थी जो मेरी कल्पना से परे था। ऐसा इंद्रिय-युक्त संसार तथा उससे भी आगे की दुनिया। इसलिए बिना इस बात की परवाह किए कि कौन मुझसे असहमत था, मैंने अपनी शिक्षा को रोका जाना अस्वीकार कर दिया।

अपने गुरु को अधिक परेशान न करने का मन बनाकर, मैंने दुखित स्वर में कहा, "आदरणीय गुरुजी, मैं वचन देती हूँ कि मैं अब बीच में हस्तक्षेप नहीं करूँगी।"

गुरुजी धरती को ओर टकटकी लगाकर देखते रहे। "युवराज, कृपया अपनी बहन को स्मरण करवाओ कि उसने पिछले सप्ताह भी हमें ऐसा ही वचन दिया था।"

धृ ने अपनी मुस्कान छिपा ली। "गुरुजी, कृपया इसे क्षमा करें। जैसा कि आप जानते हैं कि कन्या होने के नाते यह अल्प-स्मृति से अभिशप्त है। इसके अतिरिक्त, इसका स्वभाव आवेगशील है, जो कि अनेक स्त्रियों की दुर्बलता होती है। शायद आप इसे क्षत्राणी द्वारा अपेक्षित आचरण के विषय में कुछ ज्ञान दे सकते हैं।"

गुरु ने सिर हिला दिया। "यह मेरा विषय नहीं है क्योंकि किसी ब्रह्मचारी के लिए विनाश-मार्गी स्त्रियों के आचरण के विषय में विचार करना उपयुक्त नहीं है। अच्छा होगा यदि राजकुमारी इस प्रकार की व ऐसी अन्य बातें अपनी विशालकाय व भयावह दाई से सीखें जो, आशा है, राजकुमारी को मुझसे बेहतर ढंग से अनुशासन सिखा पाएगी। मैं तुम्हारे पिता से इस शानदार कार्यवाही की अनुशंसा करूँगा।"

घटनाक्रम में सहसा हुए इस परिवर्तन से मैं निराश हो गई। निस्संदेह मेरे पिता, जिनके पास अब गुरुजी की शिकायत भी पहुँच चुकी थी, मुझे शिक्षा लेने से रोकने का प्रयास करने वाले थे। अब हमारा अधिकांश समय तर्क-वितर्क में बीतने लगा, बल्कि, अब वह मेरी निंदा करते थे और मैं उसे सुनने के लिए बाध्य थी। इससे भी बुरा यह था : वह मेरा अध्ययन रोकने का आदेश दे सकते थे और मुझे उनकी आज्ञा का पालन करना ही पड़ता।

इसके अतिरिक्त, मैं गुरुजी से अप्रसन्न थी क्योंकि वह ऐसा मानते थे कि संसार की सभी समस्याओं के मूल में स्त्रियाँ होती हैं। शायद इसीलिए, जब वह अपनी ताड़-पत्र की पांडुलिपियाँ उठाकर जाने के लिए तैयार हुए, तो मैंने पर्दा हटाकर उन्हें अच्छी-सी मुस्कराहट के साथ झुककर प्रणाम किया। इसका प्रभाव मेरी अपेक्षा से अधिक बेहतर हुआ। वह उछल पड़े मानो किसी ने काट लिया हो; हड़बड़ी में पांडुलिपियाँ उनके हाथ से छूटकर गिर पड़ीं। मुझे अपनी हँसी को छिपाने के लिए अपनी साड़ी के कोने से अपना मुँह ढँकना पड़ा, यद्यपि, मुझे पता था कि बाद में मुझे मुसीबत झेलनी पड़ेगी, परंतु जब इससे मुझे अपने भीतर छिपी शक्ति का एहसास हुआ तो अंदर एक विद्युत-प्रवाह संचारित हो गया।

धृ ने मुझे डाँटने वाली दृष्टि से देखा और फिर गुरुजी की बिखरी चीज़ें उठाने में उनकी सहायता करने लगा। बाद में उसने मुझसे कहा, “क्या तुम्हें ऐसा करने की आवश्यकता थी?”

“वह कितना चिड़चिड़ाते हैं! स्त्रियों के विषय में उनकी वे सब बातें - तुम्हें पता है न, वह सत्य नहीं है!”

मैंने अपने भाई से सहमति की अपेक्षा की थी किंतु ऐसा करने के स्थान पर वह मुझे ध्यान से देखने लगा। उसे बदलता देखकर मैं क्षुब्ध हो उठी।

“मैं तो सिर्फ़ मुस्कराई थी!” मैंने पहले से कुछ कम आत्मविश्वास के साथ कहा।

“तुम्हारी समस्या यह है कि तुम इतनी सुंदर हो कि इससे तुम्हारा ही नुकसान हो जाता है। यदि तुम सावधान नहीं रहोगी तो तुम्हें, कभी न कभी, पुरुषों के साथ भी अवश्य परेशानी होगी। यही कारण है कि पिताजी तुम्हारे विषय में चिंतित रहते हैं।”

मुझे आश्चर्य हुआ - पहले इस समाचार पर कि पिताजी मेरे विषय में भी सोचते थे, और दूसरा अपने भाई द्वारा की गई प्रशंसा पर, यद्यपि, वह अप्रत्यक्ष थी। धृ ने कभी मेरे सौंदर्य की प्रशंसा नहीं की थी और न ही उसने कभी मुझे अपने विषय में ऐसा करने के लिए प्रेरित किया। उसका मानना था कि ऐसी व्यर्थ बातों से व्यक्ति अहंकारी हो जाता है। क्या यह भी परिवर्तन का एक संकेत था?

यद्यपि, मैंने सिर्फ़ इतना कहा, “ऐसा कैसे हो सकता है कि पिताजी तुम्हारे विषय में कोई चिंता नहीं करते? क्या इसलिए कि तुम कुरूप हो?”

मेरा भाई इस प्रलोभन में नहीं फँसा। “लड़के लड़कियों से भिन्न होते हैं,” उसने भावहीन धैर्य के साथ कहा, “तुम इस बात को कब मानोगी?”

. . .

प्रतिशोधवश गुरुजी ने द्वार के पीछे से अंतिम टिप्पणी की। “राजकुमार, मुझे आचार का एक नियम याद आ रहा है जो तुम अपनी बहन को बता देना : एक क्षत्राणी के जीवन का श्रेष्ठ उद्देश्य उसके जीवन में आए क्षत्रियों - उसके पिता, भाई, पति व पुत्रों - को सहारा देना होता है। यदि उन्हें युद्ध में जाना पड़े तो उसे प्रसन्न होना चाहिए कि उन लोगों को एक नायक की नियति भोगने का सुअवसर प्राप्त हुआ है। उसे उनके सकुशल लौटने की प्रार्थना करने के बजाय, उनकी रणभूमि में सम्मानजनक मृत्यु की प्रार्थना करनी चाहिए।”

"यह निर्णय किसने किया कि स्त्री के जीवन का सर्वोच्च उद्देश्य, पुरुषों को सहारा देना होता है?" मैंने एकांत पाते ही पूछा। "पुरुषों से मैं होड़ कर सकती हूँ! जहाँ तक मेरा प्रश्न है, मैं अपने जीवन में कुछ और करना चाहती हूँ।"

धृ आधे मन से मुस्करा दिया। "गुरुजी ने पूर्णतः असत्य भी नहीं कहा है। जब मैं अंतिम युद्ध के लिए प्रस्थान करूँगा, मैं भी तुमसे अपेक्षा रखूँगा कि तुम मेरे लिए यही प्रार्थना करो।"

इन शब्दों से मानो मैं बर्फ़ की भांति जम गई *यदि* नहीं, किंतु *कब* ? मेरे भाई ने यह बात कितनी निष्ठुरता से कही थी। इससे पूर्व कि मैं उसका विरोध कर पाती, वह कक्ष से बाहर निकल गया।

मैं अपने पति और पुत्रों के विषय में सोचने लगी। सभी को लगता था कि किसी दिन मेरे भी पति व पुत्र होंगे। पति की कल्पना तो मैं नहीं कर सकी, किंतु मुझे लगा कि मेरे पुत्र, धृ की भांति सीधी व गंभीर भँवों वाले उसी के लघु रूप होंगे। मैंने स्वयं को वचन दिया कि मैं कभी उनकी मृत्यु की कामना नहीं करूँगी, अपितु उन्हें उत्तरजीवी बनने की शिक्षा दूँगी। फिर, युद्ध की आवश्यकता ही क्या है? पुरुषों के लिए भी सम्मान प्राप्त करने के अनेक मार्ग हैं। मैं उन्हें वे मार्ग खोजना सिखाऊँगी।

मेरी इच्छा थी कि धृ को भी यह सिखा पाती, किंतु मुझे डर था कि अब काफ़ी देर हो चुकी थी। वह अब खुली बाँहों से राजसी संसार को आलिंगनबद्ध करते हुए, अपने आस-पास के अन्य पुरुषों की भांति सोचने लगा था। और मैं? मैं प्रतिदिन अपने आस-पास की स्त्रियों की जैसी सोच से दूर होती जा रही थी। उनसे दूर मैं किसी धुँधले एकाकीपन की ओर बढ़ रही थी।

. . .

धृ को अन्य प्रकार की शिक्षा भी दी गई, यद्यपि वे पाठ मैं नहीं सुन पाई।

प्रात : काल कुछ देर, वह पंचाल के सेनापति के साथ तलवार, भाले तथा गदा से लड़ता था। उसने मल्ल-युद्ध, अश्वारोहण व गजारोहण सीखा और यह जाना कि रणभूमि में सारथी के मारे जाने के बाद रथ का संचालन किस प्रकार करना चाहिए। मेरे पिता के मुख्य व्याध, निषाद से उसने धनुर्विद्या एवं वन के तौर-तरीके सीखे : भोजन व जल के बिना जीवित रहना तथा पशुओं के पदचिन्ह और उनकी गंध पहचानना। दोपहर में, वह राजदरबार में बैठकर मेरे पिता को न्याय करते देखता था। संध्याकाल में - चूंकि एक राजा को यह पता होना चाहिए कि विश्राम का समय उचित ढंग से कैसे व्यतीत करना चाहिए - वह अन्य आभिजात्य वर्ग के

युवाओं के साथ पाँसे खेलता था या बटेरों को लड़ते देखता था अथवा नौका-विहार के लिए निकल जाता था। वह गणिकाओं के घर जाकर मदिरा-पान, संगीत, नृत्य तथा अन्य प्रकार के आमोद-प्रमोद का आनंद भी लेता था। हम उसके भ्रमण पर चर्चा नहीं करते थे, किंतु मैं कभी-कभी उसका भेद जान लेती थी जब वह रात्रि को देर से लौटता था, क्योंकि उसके होंठ लाक्ष-द्रव्य जैसे लाल होते थे और गले में फूलों की माला होती थी। मैं कई घंटों तक उस स्त्री के विषय में सोचती रहती थी जिसने वह कार्य संपन्न किया होगा। मेरा भाई कितना भी मदिरा-पान कर ले अथवा मखाने खा ले, वह अगले दिन सूर्योदय के साथ उठ जाता था। अपनी खिड़की से मैं उसे ठंडे पानी से नहाते समय ठिठुरते हुए देखती थी। दाई माँ की फटकार की उपेक्षा करते हुए वह अपने लिए पानी स्वयं आँगन के हौद से लेकर आता था। मैं उसे सूर्योपासना करते हुए सुनती थी। *हे कश्यप के महान पुत्र, जपापुष्प की भांति रंगीन, हे प्रकाशों के प्रकाश, रोग व पाप के विनाशक, मैं आपको प्रणाम करता हूँ।* इसके बाद, वह मनु संहिता में से बोलता था, *जिसने स्वयं पर विजय नहीं प्राप्त की, वह राजा अपने शत्रुओं पर कैसे विजय प्राप्त करेगा?*

किसी-किसी संध्या को, धृ बाहर नहीं जाता था। वह कक्ष बंद करके किसी मंत्री से राजनीति सीखता था : राज्य की रक्षा करने, उसकी सीमाओं को सुदृढ़ करने, अन्य शासकों के साथ मैत्री करने, अथवा बिना युद्ध किए उन्हें जीतने की और राजमहल में किसी प्रकार भीतर घुस आए गुप्तचरों को पहचानने की कला। उसने नैतिक व अनैतिक युद्ध के अंतर को भी सीखा और जाना कि कब, कौन-से युद्ध का प्रयोग करना चाहिए। इन्हीं बातों को लेकर मुझे उससे ईर्ष्या होती थी क्योंकि यही पाठ सत्ता प्रदान करने वाले पाठ थे। इतिहास को परिवर्तित करने के लिए मुझे यही पाठ सीखने की आवश्यकता थी। इसलिए मैंने धृ को लज्जाहीनता के साथ फुसलाया और उसे उन प्रतिकूल अंशों को मुझसे साझा करने के लिए बाध्य किया।

"नैतिक युद्ध में आप केवल उन्हीं लोगों से युद्ध करते हैं जो पद में आपके समकक्ष हों। शत्रु पर, रात्रि के समय, अथवा वे जब लौट रहे हों या निहत्थे हों, आक्रमण नहीं करना चाहिए। शत्रु की पीठ पर अथवा नाभि के नीचे भी वार नहीं करना चाहिए। आपको दिव्यास्त्रों का उपयोग सिर्फ़ उन योद्धाओं पर करना चाहिए जिनके पास भी ऐसे अस्त्र हों।"

"अनैतिक युद्ध में क्या होता है?"

"तुम्हें वह जानने की आवश्यकता नहीं है!" मेरे भाई ने कहा। "मैंने तुम्हें

पहले ही बहुत कुछ बता दिया है। वैसे, तुम्हें यह सब जानकारी क्यों चाहिए?"

. . .

एक दिन मैंने उससे कहा, "मुझे दिव्यास्त्रों के विषय में बताओ।"

मुझे नहीं लगता कि वह सहमत था परंतु उसने कंधे उचकाते हुए कहा, "मेरे विचार से तुम्हें यह बताने में कोई हानि नहीं है क्योंकि तुम्हें उनकी आवश्यकता कभी नहीं पड़ेगी। इन अस्त्रों का आह्वान विशेष मंत्रोच्चारण द्वारा किया जाता है। इन्हें देवता प्रदान करते हैं तथा उपयोग के पश्चात् ये अस्त्र उनके पास दोबारा लौट जाते हैं। सर्वशक्तिशाली दिव्यास्त्रों का प्रयोग एक योद्धा अपने जीवनकाल में एक ही बार कर सकता है।"

"तुम्हारे पास कोई अस्त्र है? क्या मैं उसे देख सकती हूँ?"

"जब तक उनका आह्वान न किया जाए, वे दिखाई नहीं देते। आह्वान के बाद उनका तुरंत प्रयोग करना पड़ता है अन्यथा उनकी शक्ति आपके विरुद्ध कार्य करने लगती है। ऐसा कहा जाता है, कि ब्रह्मास्त्र जैसे कुछ दिव्यास्त्रों का प्रयोग यदि अनुचित ढंग से हो जाए तो वह संपूर्ण सृष्टि का विनाश कर सकते हैं। जो भी हो, मेरे पास कोई ऐसा दिव्यास्त्र नहीं है - अभी तक तो नहीं!"

इन अस्त्रों के अस्तित्व को लेकर मेरी अपनी आशंकाएँ थीं। यह उन कथाओं के जैसे लगते थे जिन्हें सुनाकर वृद्ध योद्धा नवदीक्षितों पर प्रभाव डालने का प्रयास करते थे।

"अरे, यह सब बिल्कुल वास्तविक है!" वह बोला। "उदाहरण के लिए, जब अर्जुन ने हमारे पिता को बंदी बना लिया था तो उसने पिताजी को अदृश्य जाल में बाँधने के लिए रज्जु अस्त्र का प्रयोग किया था। यही कारण था कि इतना निकट होने पर भी, पंचाल सेना उन्हें मुक्त नहीं करा पाई थी। ऐसे गुरु बहुत कम हैं जो इन अस्त्रों के आह्वान की विधि जानते हैं। इसलिए, पिताजी ने यह निर्णय लिया है कि उचित अवसर आने पर मुझे हस्तिनापुर जाकर द्रोण से प्रार्थना करनी होगी कि वह मुझे अपने शिष्य के रूप में स्वीकार कर लें।"

मैंने भाई को आश्चर्य से देखा। वह निश्चित ही विनोद कर रहा था! किंतु मेरा भाई कभी इस प्रकार से विनोद नहीं करता था।

अंत में, मैंने किसी प्रकार कह दिया, "पिताजी को कोई अधिकार नहीं कि वह इस प्रकार तुम्हारा अपमान करें! तुम्हें मना कर देना चाहिए। इसके अतिरिक्त, द्रोण तुम्हारा गुरु बनना क्यों स्वीकार करेंगे जबकि वह जानते हैं कि तुम उनके

द्वारा प्रदत्त ज्ञान का उपयोग उन्हीं की हत्या करने के लिए कर सकते हो?"

"वह मुझे शिक्षा देंगे," मेरे भाई ने कहा। उसके स्वर की कटुता बता रही थी कि वह थक चुका था, जो उसके लिए वैसे असामान्य बात थी। "वह मुझे शिक्षा देंगे क्योंकि यह उनकी प्रतिष्ठा का प्रश्न है। और मैं उनके पास इसलिए जाऊँगा क्योंकि अपनी नियति को प्राप्त करने का मेरे पास यही एकमात्र उपाय है।"

. . .

मेरा कहने का आशय यह नहीं है कि राजा द्रुपद ने मेरी शिक्षा की उपेक्षा की। मेरे आवास पर प्रतिदिन असंख्य स्त्रियाँ आती थीं और मुझे आभिजात्य वर्ग की महिलाओं के लिए आवश्यक चौंसठ कलाओं के विषय में पढ़ाने का प्रयास करती थीं। मुझे गायन, नृत्य और संगीत के पाठ पढ़ाए जाते थे। (ये पाठ मेरे लिए तथा मेरे शिक्षकों के लिए अत्यंत पीड़ादायक होते थे क्योंकि मेरी न तो संगीत में रुचि थी और न ही मेरे पैर नृत्य करने के लिए दक्ष थे।) मुझे चित्रकारी करना, रंग भरना, सिलाई करना और ज़मीन को विशेष उत्सवों के लिए प्राचीन व शुभ आकृतियों से सजाना सिखाया जाता था। (मेरे चित्र धब्बेदार होते थे और मेरी बनाई आकृतियों में इतने सुधार करने पड़ते थे कि मेरे शिक्षकों की भँवें तन जाती थीं।) मैं पहेलियाँ बनाने व उन्हें सुलझाने, विनोदी टिप्पणियों का उत्तर देने और कविताएँ लिखने का कार्य बेहतर ढंग से कर लेती थी, किंतु मेरा हृदय ऐसी तुच्छ गतिविधियों में रमता नहीं था। प्रत्येक पाठ के साथ मुझे ऐसा लगता था कि स्त्रियों का संसार मेरे आस-पास अपना फंदा कसता जा रहा था। मुझे भी एक नियति को पूर्ण करना था जो धृ की नियति से किसी भी संदर्भ में कम महत्त्वपूर्ण नहीं थी। कोई भी मुझे उसके लिए तैयार करने में रुचि क्यों नहीं ले रहा था?

जब मैंने यह बात दाई माँ से कही तो उन्होंने अधीरता से अपनी जीभ दबा ली।

"तुम्हें यह विचार कहाँ से आते हैं? तुम्हारी नियति भी राजकुमार की नियति की भांति महत्त्वपूर्ण है!" वह मेरे मस्तिष्क को ठंडा करने के लिए मेरे सिर में ब्राह्मी तेल मलने लगीं। "इसके अतिरिक्त, क्या तुम्हें पता नहीं कि एक स्त्री को अपनी नियति के लिए अलग ढंग की तैयारी चाहिए होती है।"

दाई माँ स्वयं मुझे आचरण के नियम सिखाती थीं - पुरुषों की संगति में किस प्रकार चलना, बोलना व बैठना चाहिए; मात्र स्त्रियों की उपस्थिति में यही कार्य किस प्रकार करने चाहिए; महत्त्वपूर्ण रानियों के प्रति किस प्रकार सम्मान प्रदर्शित करना चाहिए; कम महत्त्वपूर्ण रानियों को कैसे झिड़कना चाहिए; अपने पति की अन्य

पत्नियों को किस प्रकार डराकर रखना चाहिए।

"मुझे यह सीखने की कोई आवश्यकता नहीं है!" मैंने विरोध किया। "मेरे पति की अन्य पत्नियाँ नहीं होंगी - यह वचन मैं उससे विवाह-पूर्व ही ले लूँगी!"

दाई माँ बोली, "लड़की, तुम्हारा अहंकार तुम्हारी आशावादिता से पीछे रहता है। राजाओं की सदैव अनेक रानियाँ होती हैं और पुरुष विवाह से पहले किए गए अपने वचन सदैव तोड़ते हैं। इसके अतिरिक्त, यदि तुम्हारा विवाह पंचाल की अन्य राजकुमारियों की भांति होगा तो संभोग से पूर्व तुम्हें अपने पति से बात करने का अवसर भी नहीं मिलेगा।"

उनका विरोध करने के उद्देश्य से मैंने श्वास भीतर खींची। उसने चुनौतीपूर्ण मुस्कराहट से मुझे देखा। उसे हमारे विवाद पसंद आते थे, जिनमें से अधिकतर में वह विजयी रहती थीं। यद्यपि, इस बार मैंने अपना निंदात्मक रुख नहीं अपनाया। क्या कृष्ण, जो सहज मौन द्वारा असहमति को रोक देते थे, का स्मरण करने से कुछ ऐसा हुआ था जिसने मुझे भी रोक दिया था? मैंने कुछ ऐसा देखा जिसका एहसास मुझे पहले कभी नहीं हुआ : शब्दों से ऊर्जा का क्षय होता है। इसकी अपेक्षा मैं अपनी शक्ति का प्रयोग अपने इस विश्वास को उन्नत करने में लगाऊँगी कि मेरा जीवन विलक्षण ढंग से सामने आएगा।

"शायद आप ठीक कह रही हैं," मैंने प्रेम से कहा, "यह तो आने वाला समय ही बताएगा।"

उन्होंने त्योरियाँ चढ़ा लीं। उन्हें इसकी अपेक्षा नहीं थी। उसके बाद उनके चेहरे पर एक भिन्न प्रकार की मुस्कराहट छा गई। "राजकुमारी," वह बोलीं, "मेरा विचार है कि तुम बड़ी हो रही हो।"

. . .

जिस दिन दाई माँ ने मुझे बताया कि मैं अपनी सामाजिक कलाओं की जाँच हेतु अपने पिता की पत्नियों से मिलने के लिए तैयार हो चुकी थी, उस दिन मुझे बहुत उत्तेजना महसूस हो रही थी। मैंने सोचा नहीं कि मुझे साहचर्य की कितनी तीव्र इच्छा थी। मैं बहुत लंबे समय से रानियों के विषय में उत्सुक थी - विशेषकर सुलोचना - जो अत्यंत मनोहर व माणिक्य से सजी-धजी, मेरे जीवन की परिधि के साथ-साथ चल रही थीं। मैं पहले उन्हें इसलिए नापसंद करती थी क्योंकि उन्होंने मेरी उपेक्षा की थी किंतु मैं स्वयं को उस भाव से मुक्त करना चाहती थी। शायद, चूंकि अब मैं बड़ी हो गई थी, हम लोग दोस्त बन सकते थे।

यह आश्चर्य की बात थी कि यद्यपि, रानियों को पता था कि मैं आ रही हूँ, मुझे बहुत देर तक अतिथि कक्ष में उनकी प्रतीक्षा करनी पड़ी। जब वे अतिथि कक्ष में पहुँचीं तो उन्होंने मुझसे कठोरता से संक्षिप्त व निरर्थक बातचीत की और मुझसे दृष्टि भी नहीं मिलाई। मैंने अपनी समस्त वार्तालाप दक्षता का प्रयोग किया, किंतु मैं जो भी बात आरंभ करती, वह शीघ्र ही मौन में विघटित हो जाती। यहाँ तक कि सुलोचना भी, जिसके शिव-महोत्सव के दौरान पुलकित कर देने वाले आकर्षण की मैं प्रशंसक बन गई थी, बदला हुआ व्यवहार कर रही थी। उसने मेरे अभिवादन का एक अक्षर में उत्तर दिया। वह अपनी दोनों पुत्रियों को अपने निकट रखे हुई थी। उसकी पाँच वर्षीय पुत्री, जिसके बाल घुँघराले थे और जिसका रंग अपनी माँ की भांति चमकदार था, सुलोचना को छोड़कर भागकर मेरे पास आ गई उसकी दृष्टि अवश्य ही मेरी माणिक्य-युक्त मयूर-माला पर पड़ गई होगी क्योंकि उसने निकट आकर उस माला को अपनी अंगुली से छू कर देखा। मैंने उस अवसर के लिए सावधानी से वस्त्र चुने थे। मैंने उठाकर उसे अपनी गोद में बैठा लिया ताकि वह माला के साथ खेल सके, किंतु सुलोचना ने उसे अपने पास खींचकर उसके गाल पर ज़ोरदार चाँटा मारा जिससे उसके गोरे गाल पर अंगुलियों के निशान पड़ गए। वह बच्ची धाड़ें मारकर रोने लगी और उसे समझ में नहीं आ रहा था कि उसे किस बात का दंड दिया गया था। मैंने अचंभित होकर रानी की ओर देखा, तो मेरा चेहरा शर्म से सिहर रहा था मानो वह चाँटा मुझे ही मारा गया हो। कुछ देर बाद, सुलोचना अस्वस्थ होने का बहाना बनाकर, जो पूरी तरह झूठा लग रहा था, अपने कक्ष में लौट गई।

जब हम लोग मेरे कक्ष में पहुँचे तो मुझसे अपने आँसू रोके नहीं गए। "मैंने क्या भूल कर दी?" मैंने दाई माँ के उन्नत वक्षस्थल पर सिर रखकर रोते हुए पूछा।

"तुमने कोई भूल नहीं की। वे अज्ञानी स्त्रियाँ हैं! वे सब तुमसे डरती हैं।"

"मुझसे?" मैंने आश्चर्य से पूछा। "मुझे नहीं पता था कि मैं इतनी भयावह हूँ। "क्यों?"

उन्होंने क्रोध से अपने होंठ भींच लिए। उन्हें इतना क्रोधित मैंने पहले कभी नहीं देखा था। वह मुझे कोई उत्तर नहीं दे सकीं, या शायद देना नहीं चाहती थीं।

मुझे कुछ-कुछ बात समझ आने लगी थी। मेरे सेविकाएँ - यहाँ तक वे भी जो अनेक वर्षों से मेरे साथ थीं - तब तक निकट नहीं आती थीं जब तक उन्हें बुलाया न जाए। यदि मैं कभी उनसे कोई निजी प्रश्न पूछती जैसे, उनके परिवार के सदस्य कैसे हैं या उनका विवाह कब होगा तो वह मौन रहतीं और यथाशीघ्र वहाँ

से चली जातीं। नगर के सर्वोत्तम व्यापारी, जो रानियों के आवास पर नियमित रूप से आते-जाते थे, दाई माँ के हाथों मेरे पास अपना माल भेजा करते थे। यहाँ तक कि मेरे पिता भी मुझसे मिलने आते थे तो बैचेन रहते थे और कभी मुझसे दृष्टि मिलाकर बात नहीं करते थे। मुझे लगता था कि धृ के गुरु की बेचैनी का कारण भी चापलूसी से अधिक मेरा सौंदर्य था। मेरे मित्रों व आगंतुकों का मेरे पास कम आने का कारण भी मेरे पिता की कठोरता नहीं, अपितु उन लोगों की बेचैनी थी जिसे वह मुझ असामान्य कन्या से मिलकर महसूस किया करते थे। उस भविष्यवाणी को सत्य मानें तो, मेरा जीवन सामान्य नारी जैसा नहीं होने वाला था।

क्या वह संसर्ग से डरते थे?

मेरी जानकारी के अनुसार संसार दो भागों में विभक्त हो रहा था। संसार का बड़े भाग में कमोवेश, सुलोचना जैसे लोग थे जो अपने रोज़मर्रा के सुख-दुख से परे नहीं देख पाते थे। परंपरा की परिधि से बाहर रहने वाली प्रत्येक वस्तु से वह आशंकित रहते थे। देवताओं द्वारा निर्धारित नियति को पूर्ण करने हेतु धृ की भांति दिव्य रूप से जन्मे पुरुषों को वह शायद स्वीकार कर सकते थे, किंतु नारियाँ? विशेषकर ऐसी नारियाँ, जो वज्रपात को नष्ट कर देने वाले तूफ़ान की तरह परिवर्तन ला सकती थीं? आजीवन वह मुझसे संकोच करेंगे। क्रोध में अपने आँसुओं को पोंछते हुए मैंने स्वयं को वचन दिया कि अगली बार मैं इसके लिए तैयार रहूँगी।

संसार के दूसरे भाग में ऐसे दुर्लभ लोग थे जो स्वयं परिवर्तन व मृत्यु के अग्रदूत थे, अथवा वे जो ऐसी बातों का मज़ाक उड़ाते थे। उन्हें मुझसे भय नहीं था, हालांकि मुझे संदेह था कि आवश्यकता पड़ने पर, वे लोग मुझसे घृणा करेंगे। अभी तक मैं ऐसे मात्र तीन लोगों को जानती थी : धृ और कृष्ण तथा दाई माँ - जो मेरे प्रति स्नेह के कारण परिवर्तित हो चुकी थीं। निश्चय ही, ऐसे अन्य लोग भी थे। अपने पिता के महल में खीज-भरा जीवन बिताते समय, मैं ऐसे लोगों की आकांक्षा रखती थी क्योंकि वही लोग मुझे मेरा इच्छित साहचर्य उपलब्ध करवा सकते थे। मैं सोचती थी कि पता नहीं, मुझे और कितनी प्रतीक्षा करनी होगी और जाने कब नियति उन्हें मुझसे मिलवाएगी। मुझे यह भी आशा थी कि जब भी ऐसा होगा तो ऐसा ही एक व्यक्ति मेरा पति बनेगा।

# 5

## धुआँ

जीवन के आरंभकाल में ही मैंने छिपकर बातें सुनना सीख लिया था। इस हेय व्यवहार के प्रति आकर्षित होने का मुख्य कारण यह था कि लोग मुझे जानने योग्य कोई बात नहीं बताते थे। मेरे सेवक मेरी चापलूसी करने में कुशल थे। मेरे पिता की पत्नियाँ मेरी उपेक्षा करती थीं। राजा द्रुपद मुझसे सिर्फ़ ऐसे वातावरण में मिलते थे जिसमें अप्रिय प्रश्न पूछने का समर्थन नहीं किया जाता था। धृ कभी झूठ नहीं बोलता था, किंतु वह प्रायः मुझसे बहुत-सी बातें छिपाता था और यह सोचता था कि अप्रिय तथ्यों को मुझसे दूर रखना उसका भ्रातृ-धर्म था। दाई माँ ऐसी किसी आशंका से ग्रस्त नहीं थीं किंतु दुर्भाग्य से वह दो बातों को - जो सचमुच हुआ तथा जो उनके मतानुसार होना चाहिए था - परस्पर मिला देती थीं। एक कृष्ण ही थे जो मुझे सत्य बताते थे, किंतु उनके साथ मुझे बहुत कम समय मिल पाता था।

इसलिए मैंने छिपकर सुनना आरंभ कर दिया और यह मुझे अत्यंत उपयोगी लगा। जिस समय मैं किसी विचारहीन गतिविधि, जैसे कशीदाकारी अथवा सोने का बहाना करने में व्यस्त प्रतीत होती थी, उस समय यह कला श्रेष्ठ सिद्ध होती थी। इस प्रकार मैंने जो कुछ सीखा, उस पर मुझे स्वयं आश्चर्य था।

ऐसे ही मुझे उस साधु का पता लगा।

. . .

सैरंध्री मेरे केश पंच-नद रूप में सँवार रही थी, तभी मैंने एक सेविका को तीखे, उत्तेजित स्वर में फुसफुसाते सुना, “उसने वचन दिया है कि श्रावण मास की पूर्णिमा को मेरा विवाह हो जाएगा...”

“तो?” दाई माँ ने पास वाले कक्ष में मेरे कपड़े सजाते हुए कटु ढंग से कहा, “ज्योतिषी तो विवाह की भविष्यवाणियाँ करते ही रहते हैं। वे जानते हैं कि मूर्ख

कन्याएँ सर्वाधिक यही बात सुनना चाहती हैं। इसी तरह उन्हें मोटी दक्षिणा मिल पाती है।"

"नहीं, नहीं मौसी, यह साधु धन नहीं लेता। वह झूठे वादे भी नहीं करता। उसने कहा है कि मेरा विवाह राजा के साईस से होगा, और आपको तो पता ही है कि घुड़साल में काम करने वाला नंदराम मुझे पसंद करता है! क्या मैंने आपको वह चाँदी का बाजूबंद नहीं दिखाया था जो उसने मुझे पिछले महीने दिया था?"

"बाजूबंद से विवाह की अग्नि तक की छलांग बहुत लंबी है, बच्ची! श्रावण मास आने दो, फिर देखेंगे कि तुम्हारे उस साधु की भविष्यवाणी कितनी सटीक सिद्ध होती है। अब उस नीले रंग की रेशमी साड़ी को ध्यान से तैयार करो! राजकुमारी के अंगरखे को ठीक से रखना। तुम उसे ज़ोर से दबा रही हो!"

"लेकिन उसने मुझे मेरे अतीत के विषय में भी बताया," सेविका बोली। "बचपन में हुई दुर्घटना और बीमारी के विषय में भी बताया। उसने मेरी माँ की मृत्यु का वर्ष और उनके द्वारा कहे गए अंतिम शब्द भी बता दिए। उसे उस समय का भी पता है जब मेरे और नंद के...," यह कहते-कहते लज्जा से उसका स्वर धीमा हो गया और मैं आगे के विवरण का अनुमान लगाने लगी।

"मैं नहीं मानती!" दाई माँ ने आश्चर्य से कहा। "मुझे भी जाकर उससे मिलना चाहिए और पूछना चाहिए कि क्या वह निकम्मा कल्लू कभी अपने तौर-तरीके बदलेगा और यदि नहीं, तो उससे छुटकारा पाने के लिए मुझे क्या उपाय करना चाहिए। तुमने उन बाबाजी का क्या नाम बताया?"

"मैंने नाम नहीं पूछा। सच कहूँ तो मुझे उन्हें देखकर डर लग रहा था। उनका पूरा चेहरा दाढ़ी से ढँका हुआ था और उनकी आँखें चमकदार व लाल रंग की थीं। उन्हें देखकर लगता था कि यदि वह क्रुद्ध हो गए तो शाप दे डालेंगे।"

"राजकुमारी," सैरंध्री ने सिर झुकाते हुए कहा, "आपके केश सँवार दिए हैं। क्या आप प्रसन्न हैं?"

मैंने चाँदी का भारी शीशा उठाकर देखा और उसने पीछे से एक अन्य शीशा मेरे सिर के पीछे पकड़ा। स्वर्ण-पिनों से युक्त पाँच लट वाली चमकदार चोटी मेरी पीठ पर लटक रही थी। उसमें गुँथी चौलाई की सुगंध आ रही थी। वह बहुत सुंदर थी किंतु मुझे उससे संतोष नहीं हुआ। इस श्रंगार का क्या लाभ जब उसकी प्रशंसा करने वाला ही कोई न हो? मुझे लगा कि मैं किसी सरोवर में डूब रही हूँ और महत्त्वपूर्ण घटनाएँ संसार में अन्यत्र घटित हो रही हैं।

यदि मेरे जन्म के समय हुई भविष्यवाणी झूठी सिद्ध हुई तो क्या होगा? हो

सकता है, भविष्यवाणियाँ तभी सत्य होती हों जब उनके विषय में कुछ किया जाए?

मैंने निश्चय किया कि मैं दाई माँ के साथ उस साधु के पास जाऊँगी।

. . .

"बिल्कुल नहीं!" दाई माँ ने कहा। "यदि मैं तुम्हें कहीं बाहर ले गई, तो तुम्हारे पिता मेरा सिर काट डालेंगे अथवा कम से कम मुझे नौकरी से तो निकाल ही देंगे। क्या तुम चाहती हो कि तुम्हारी दाई माँ अपनी वृद्धावस्था में सड़क के किनारे भूखी मर जाए?"

"आप भूखी नहीं रहोगी," मैंने कहा, "कल्लू तुम्हारी देख-भाल करेगा!"

"कौन? वह बेकार शराबी? वह..."

"इसके अतिरिक्त," मैंने बीच में कहा, "पिताजी को पता ही नहीं लगेगा। मैं सेविका का रूप धर लूँगी। हम पैदल ही वहाँ..."

"तुम! आम मार्ग पर पैदल चलोगी जहाँ सब लोग तुम्हें देख सकें! क्या तुम्हें मालूम नहीं कि पंचाल राज-परिवार की स्त्रियों को सूर्य से भी छिपकर रहना होता है?"

"तुम मेरे लिए एक घूँघट ले आना। वह मुझे पुरुषों एवं सूर्य दोनों से बचाकर रखेगा।"

"बिल्कुल नहीं!"

मैं गिड़गिड़ाने लगी। "दाई माँ! यह अंतिम अवसर है, कृपया मुझे देख लेने दो कि मेरे भविष्य में क्या लिखा है।"

"*मैं* तुम्हें बता देती हूँ कि तुम्हारे भविष्य में क्या है। अपने राजसी पिता के हाथों सज़ा, और एक नई दाई माँ, क्योंकि इस दाई माँ का जीवन तो समय-पूर्व ही समाप्त कर दिया जाएगा।"

चूंकि मैं उनकी पुत्री के बाद उनके सबसे निकट थी अथवा उन्होंने फुसलाहट के पीछे छिपी मेरी निराशा को सूँघ लिया था, या वह स्वयं भी साधु से मिलने को उत्सुक थीं, वह अंत में नरम पड़ गईं।

. . .

दाई माँ के घूँघट और अपने आकार से कई माप बड़ा उसका एक घाघरा पहनकर, मैं साधु के समक्ष झुक गई मेरा सिर अटपटे ढंग से धरती को छू रहा था। मेरा समस्त शरीर दर्द कर रहा था। वट-उपवन तक, जहाँ साधु का निवास

था, पहुँचने के लिए हमें पालकी में बैठकर नगर के बीच से गुज़रना पड़ा। फिर हमने छिद्र-युक्त छोटी नाव में सरोवर पार किया और उसके बाद कई घंटों तक एक जर्जर बैल-गाड़ी में बैठना पड़ा। इससे मुझे साधारण नागरिकों की कठिनाइयों का भी अनुभव हुआ।

बादल की गर्जना जैसी किसी आवाज से मेरा ध्यान भंग हो गया। साधु हँस रहा था। वह अधिक भयावह नहीं था। झुर्रीदार चेहरे पर उसकी आँखें शरारतपूर्ण ढंग से चमक रही थीं।

"राजकुमारी के लिए अधिक बुरा नहीं है!"

"आपको कैसे पता?" मैंने झेंपते हुए पूछा।

"कोई अंधा ही ऐसे भद्दे वेश को पहचान पाने में असमर्थ हो सकता है। कम से कम इस वृद्ध महिला को वस्त्र तो तुम्हारे माप के देने चाहिए थे! यह सब बहुत हुआ। तुम्हें अपना भविष्य जानने की उत्सुकता है न? क्या तुम्हें पता है कि यदि तुम्हें भावी घटनाओं के विषय में पहले ही पता लग जाए, तो तुम्हारा जीवन कितना नीरस हो जाएगा? विश्वास करो, मैं इस बात को समझता हूँ! फिर भी, मैं तुम दोनों की इच्छा पूरी करूँगा - लेकिन आंशिक रूप से! वृद्धा, पहले तुम्हारी बारी।"

उसने बताया कि कल्लू शीघ्र ही शराब पीकर किसी झगड़े में मारा जाएगा, कि दाई माँ मेरे विवाह के बाद मेरे साथ मेरे नए राजमहल में जाएँगी, और मेरे पाँच बच्चों की देख-भाल करेंगी। "तुम्हारी मृत्यु वृद्धावस्था में समृद्धि व हमेशा की भांति चिड़चिड़े स्वभाव के साथ, किंतु प्रसन्नतापूर्वक होगी क्योंकि तुम सर्वाधिक बुरा समय देखने से पूर्व ही मर जाओगी।"

"साधु बाबा," दाई माँ ने चिंताजनक स्वर में पूछा, "*सर्वाधिक बुरे समय* से आपका क्या आशय है?"

"बस, और नहीं!" साधु ने कहा और यह कहते हुए उसके नेत्र पीले हो गए, जिससे घबराकर दाई माँ पीछे हट गईं। "राजकुमारी, यदि तुम्हें अपने प्रश्नों के उत्तर चाहिए तो इस घेरे के भीतर आ जाओ।"

साधु के आस-पास धरती पर खिंची पतली वृत्ताकार रेखा पर मेरी दृष्टि नहीं पड़ी थी। दाई माँ ने इसे धीरे-से टोटका बताते हुए मेरा घाघरा पकड़ लिया, किंतु मैंने संकोच नहीं किया। उस घेरे के भीतर, छाले से भरे पैरों के नीचे की धरती मुझे बहुत गर्म लग रही थी।

"साहसी, हुं?" साधु ने कहा। यह अच्छी बात है - तुम्हें इसकी आवश्यकता पड़ेगी।" उसने मुट्ठी-भर बुरादा पास ही जल रही अग्नि में फेंका। उसमें से इतना

घना धुआँ उठा कि मैं उस वृत्त के बाहर कुछ नहीं देख पा रही थी।

"यह क्या है?" मैंने चकित होकर पूछा।

"उत्सुक भी हो!" प्रशंसापूर्ण स्वर में साधु ने कहा। "इसे मैंने स्वयं राल और नीम के पत्तों के साथ कुछ विशेष सामग्री मिलाकर बनाया है। इससे मच्छर दूर रहते हैं।"

धुएँ में कुछ मानवीय, किंतु अमानव - आकृतियाँ उभर और लुप्त हो रही थीं मानो किसी वायु प्रवाह में उलझी हुई हों।

"यह सब क्या है?" अपने कँपकँपाते स्वर पर मैं लज्जित थी।

"आह, यह मिश्रण एक अन्य कार्य भी करता है - आत्माओं का आह्वान! तुम इनसे अपने प्रश्न पूछ सकती हो।"

उस वट-उपवन में कहीं दूर, गीदड़ के चिल्लाने का स्वर सुनाई दे रहा था। किसी आत्मा की श्वास के कारण मुझे अपनी त्वचा पर ठंडक का आभास मिल रहा था। पिछले कई दिनों से, मुझे इस क्षण की प्रतीक्षा थी। अब इस विचित्र अनिच्छा ने मुझे मौन क्यों कर दिया था? मुझे ऐसा लगा कि मैंने साधु पर पर्याप्त विश्वास न करके उसके समक्ष अपनी गुप्त इच्छाएँ प्रकट नहीं की थीं।

बाद में मैंने सोचा कि क्या इसी विश्वास की कमी का परिणाम था कि वे आत्माएँ मेरे प्रश्नों का इतने टेढ़े ढंग से उत्तर दे रही थीं कि उनके उत्तर पहेलियों की तरह लग रहे थे और मेरे सामने समाधान की अपेक्षा बाधा उत्पन्न कर रहे थे?

"डर गईं, राजकुमारी?" साधु ने व्यंग्य करते हुए कहा। "तुम चाहो तो वहाँ से बाहर निकलकर और अपने सुरक्षित स्थान पर लौट आओ..."

"नहीं!" मैं चिल्लाई "इन आत्माओं से पूछो कि क्या मुझे वह मिलेगा जिसकी मुझे इच्छा है।"

साधु की दाढ़ी में से मुस्कान चमक उठी - वह असभ्य मुस्कान थी अथवा मुझे अपमानित करने वाली हँसी? "बच्ची, क्या तुम्हें पता भी है कि तुम्हारी इच्छा क्या है?"

मैंने चिढ़कर उत्तर दिया, "मैं बच्ची नहीं हूँ, और मैं जानती हूँ कि मुझे क्या चाहिए! मैं इतिहास पर अपनी छाप अंकित करके जाना चाहती हूँ, जैसा कि मेरे जन्म के समय भविष्यवाणी में कहा गया था।"

"बहुत अच्छा! यद्यपि, ऐसी कई अन्य बातें हैं जिनसे तुम शायद अनभिज्ञ हो तुम अति महत्वाकांक्षी हो। कोई बात नहीं। आत्माएँ तुम्हारे हृदय में झाँककर तुम्हारे

तदनुसार उत्तर देंगी।" साधु ने ताली बजाई और उसी के साथ आत्माएँ अधिक तेज़ी से घूमने लगीं। धुएँ के मध्य से पीली फुसफुसाहट सुनाई देने लगी।

*तुम्हारा विवाह तुम्हारे समय के पाँच सर्वोत्तम नायकों से होगा। तुम महारानी बनोगी और देवियाँ भी तुमसे ईर्ष्या करेंगी। तुम्हें सेविका बनना पड़ेगा। तुम अपने समय के सबसे मायावी राजमहल की स्वामिनी बनोगी और फिर वह सुख तुमसे छिन जाएगा।*

*तुम्हें इतिहास के महानतम युद्ध के कारण के रूप में जाना जाएगा।*

*तुम अनेक दुष्ट राजाओं और अपने पुत्रों तथा भाइयों की मृत्यु का कारण बनोगी। हज़ारों स्त्रियाँ तुम्हारे कारण विधवा हो जाएँगी। निश्चय ही, तुम इतिहास पर अपनी छाप अंकित करोगी।*

*तुम्हें प्रेम भी मिलेगा, यद्यपि तुम्हें सदैव यह पता नहीं लग पाएगा कि तुम्हें कौन प्रेम करता है। अपने पाँच पति होने के बावजूद, तुम्हारी मृत्यु अकेले होगी और तुम अंत में परित्यक्ता हो जाओगी - हालांकि ऐसा सचमुच नहीं होगा।*

उन आवाज़ों के शांत होने के बाद, मैं हतप्रभ रह गई उनके द्वारा कही गई अधिकतर बातों - उदाहरण के लिए, पाँच पति होने वाली बात - ने मुझे दुविधा में डाल दिया था। शेष बातों से मुझे निराशा हो रही थी।

"ओह, इतनी निराश मत हो," साधु ने मुझसे कहा। "ऐसी कितनी स्त्रियाँ हैं जिनसे देवियाँ भी ईर्ष्या करें? अथवा जो महारानी बन सकें?"

"अगर शेष बातें भी सत्य होने वाली हैं तो मुझे यह सब नहीं चाहिए। सर्वाधिक शानदार महल को प्राप्त करने का क्या लाभ यदि उसे बाद में खोना पड़े? उन सब लोगों की मृत्यु! मुझे इन सबकी, विशेषकर धृ की मृत्यु का कारण बनना स्वीकार नहीं है।"

"तुम्हारे पास कोई विकल्प नहीं है, प्रिय।"

"मैं संन्यास ले लूँगी! मैं विवाह नहीं करूँगी..."

साधु की टेढ़ी-मेढ़ी दंतावली चमक उठी। "नियति अत्यंत शक्तिशाली व चपल होती है। उसे इतनी सहजता से धोखा नहीं दिया जा सकता। यदि तुम उसे खोजती हुई आज यहाँ नहीं आतीं, तो वह तुम्हें स्वयं खोज लेतीं। यद्यपि, तुम्हारे संदर्भ में, तुम्हारा अपना स्वभाव इस प्रक्रिया को गति प्रदान करेगा।"

"क्या मतलब?"

"तुम्हारा अहंकार। तुम्हारा स्वभाव। प्रतिशोध लेने की तुम्हारी प्रवृत्ति।"

मैंने साधु को घूर कर देखा। "मेरा स्वभाव ऐसा नहीं है!"

"सर्वाधिक ज्ञानी पुरुषों को भी पता नहीं होता कि उनके अंतर में क्या छिपा है। यद्यपि, तुम्हें सांत्वना देने हेतु मैं तुम्हें यह बता सकता हूँ : तुम्हारी मृत्यु के बहुत बाद तक, लोग तुम्हें पृथ्वी की सबसे अद्‌भुत रानी के रूप में याद रखेंगे। आशीर्वाद और सौभाग्य प्राप्त करने हेतु स्त्रियाँ तुम्हारे नाम का जाप करेंगी।"

"इन बातों से क्या लाभ, यदि मैं ग्लानि से पीड़ित होकर अकेले मरने वाली हूँ!" मैंने चिढ़कर कहा। "लोग अन्य बातों से अधिक प्रसिद्धि को महत्त्व देते हैं, लेकिन मैं इतने से ही प्रसन्न हूँ।"

"तुम्हें प्रसन्नता भी मिलेगी। क्या तुमने सुना नहीं, आत्माओं ने कहा कि तुम्हें प्रेम प्राप्त होगा? इसके अतिरिक्त, मुझे ऐसा लगता है कि बड़े होने के बाद प्रसिद्धि के विषय में तुम्हारे विचार बदल जाएँगे!"

उसकी विनोदप्रियता पर मुझे क्रोध आ रहा था, किंतु मैंने स्वयं पर नियंत्रण रखा क्योंकि मुझे उससे सहायता चाहिए थी। "मैंने सुना है कि महान साधुओं के पास उनके द्वारा बताए गए भविष्य को बदलने की शक्ति भी होती है। क्या आप मेरे भविष्य को पुनर्निर्मित नहीं कर सकते जिससे मैं अपने प्रियजनों की क्षति का कारण न बनूँ?"

साधु ने सिर हिला दिया। "सिर्फ़ कोई मूर्ख व्यक्ति ही विधि के विधान में हस्तक्षेप करता है। इसके अतिरिक्त, तुम्हारी नियति तुम्हारे अनेक जन्मों के कर्मों से बनी है और यह इतनी शक्तिशाली है कि मैं इसे परिवर्तित नहीं कर सकता, परंतु, मैं तुम्हें एक परामर्श दे सकता हूँ। तुम्हारे जीवन में तीन ख़तरनाक क्षण आएँगे। पहला, एकदम तुम्हारे विवाह से पूर्व : उस समय कोई प्रश्न मत पूछना। दूसरा, जब तुम्हारे पतियों का शासन अपने चरमोत्कर्ष पर होगा : उस समय किसी पर मत हँसना। तीसरा, जब तुम्हारा अत्यधिक अपमान किया जाएगा : उस समय किसी को शाप मत देना। हो सकता है, ऐसा करने से भावी अनर्थ का प्रकोप कम हो जाए।"

उसके बाद साधु ने पास जल रही अग्नि पर जल छिड़का तो वह फुफ़कार के साथ बुझ गई यह मेरे लिए वहाँ से जाने का संकेत भी था। फिर साधु ने मेरे अप्रसन्न चेहरे को देखते हुए कहा, "तुमने भविष्यवाणियों की कठोरता को अच्छे ढंग से वहन किया है, इसलिए मैं तुम्हें जाते समय एक उपहार देता हूँ - एक नाम। आज से तुम्हारा नाम पांचाली होगा - इस प्रदेश की आत्मा, हालांकि अपने प्रलाप के दौरान तुम इस नाम को बहुत पीछे छोड़ दोगी।" ऐसा कहकर साधु ने ताड़-पत्र

की बनी एक मोटी पुस्तक खोल ली। "आप क्या लिख रहे हैं?" मुझसे पूछे बिना रहा नहीं गया।

साधु ने चिढ़ते हुए अपनी मोटी गर्दन पर हाथ फेरा। "तुम्हारी जीवन-कथा लिख रहा हूँ। तुम बीच में बोलना बंद करो। साथ ही, तुम्हारे पाँच पतियों की कथा और कुरुक्षेत्र के भीषण युद्ध की कथा जिसके अंत के साथ मानवता के तृतीय युग का भी अंत हो जाएगा। तुम्हारे कारण मैं यह कार्य बहुत देर से नहीं कर पा रहा हूँ। अब जाओ!"

. . .

"इतना शीघ्र समाप्त हो गया?" दाई माँ ने पूछा। "उसके पास तुम्हें बताने को अधिक कुछ नहीं था, है न?"

"क्या मतलब है आपका?"

"क्यों, तुम तो अंदर गईं और लगभग तुरंत ही बाहर आ गईं, परंतु मुझे खुशी है।" उन्होंने मुझे अपनी ओर खींचा और बाहर प्रतीक्षा कर रही गाड़ी के पास ले आईं। "ये साधु लोग अपने जादू-टोने से, पता नहीं तुम्हारी जैसी कुमारी कन्या के साथ क्या कर दें।"

साधु के उस वृत्त के भीतर, क्या समय की चाल बदल गई थी? मैं बैलगाड़ी पर बैठ गई किंतु मेरा दिमाग़ उसी घटना के विषय में सोच रहा था। मैंने वट वृक्ष की छाया को अंतिम बार देखा। धुँधला प्रकाश मेरे साथ चाल चल रहा था : ऐसा लगा कि उस वृत्त के भीतर दो लोग उपस्थित थे। उनमें से एक ऋषि था। दूसरे का सिर हाथी जैसा लग रहा था! इससे पहले कि मैं दाई माँ को वह दिखा पाती, गाड़ी आगे चल पड़ी।

"उसने क्या कहा?" दाई माँ अत्यंत उत्सुक थीं। "आशा है, उसने कुछ बुरा नहीं कहा। तुम अत्यंत गंभीर दिखलाई पड़ रही हो। मुझे पता है कि यहाँ बाहर, तुम्हारे लिए गर्मी बहुत अधिक है! मुझे याद दिलाना, बाज़ार से गुज़रते समय तुम्हारे लिए ताज़े नारियल का पानी लेना है।"

मैं सोचने लगी कि उन्हें क्या कहूँ। "उसने कहा कि मेरे पाँच पति होंगे," मैंने कहा।

"पाँच पति!" उन्होंने घृणा से अपना माथा पीटा। अब मैं समझ गई कि वह पाखंडी है! मैंने अपने पूरे जीवन में कभी नहीं सुना कि किसी स्त्री के एक से अधिक पति होते हैं! तुम्हें पता नहीं कि हमारे शास्त्रों में ऐसी स्त्री को क्या कहा

जाता है जिसका संसर्ग एक से अधिक पुरुष के साथ हो, तुम्हें पता है न? यद्यपि, कोई पुरुष यदि सप्ताह के प्रत्येक दिन अलग-अलग पत्नियों के साथ सोए तो किसी को आपत्ति नहीं होती! तुम्हें लगता है कि तुम्हारे पिता इस प्रकार के कलंकपूर्ण कार्य की अनुमति देंगे?"

मैं चाहती थी कि दाई माँ की बात सत्य हो। यदि साधु की यह बात सत्य नहीं हुई तो फिर शेष बातें भी नहीं होंगी।

दाई माँ ने एक दीर्घ श्वास ली। "उसने कल्लू की मृत्यु के विषय में भी मनगढ़ंत बात कह दी! जिस तरह वह मुझे रात-दिन सताता है, उसे देखते हुए तो मैं उससे पहले ही मर जाऊँगी। हमारा कितना समय नष्ट हो गया! आह, मेरी कमर में भी दर्द हो रहा है। महल पहुँचने तक प्रतीक्षा करो। मैं उस सेविका के कान पर ऐसा घूँसा मारूँगी कि वह जीवन भर याद रखेगी।"

. . .

प्रत्येक रात्रि मैं अपने नाम के विषय में सोचती। मैंने सबसे कह दिया था कि मुझे उसी नाम से बुलाया जाए। *राजकुमारी पांचाली।* ऐसा नाम जो अपने राज्य की भांति शक्तिशाली था, ऐसा नाम जो सहन करना जानता था। मुझे इसी की प्रतीक्षा थी। चाहे जो हो, किंतु यह नया नाम देने के लिए मैं सदैव उस साधु की आभारी रहूँगी। मैं उस राजमहल के विषय में भी सोचती रही जिसका वचन साधु ने मुझे दिया था। सबसे मायावी राजमहल, उसने कहा था। मैं सोचने लगी कि मुझे ऐसा राजमहल कैसे मिलेगा।

मैं अन्य भविष्यवाणियों के विषय में नहीं सोचना चाहती थी - वे अत्यंत निराशाजनक थीं - किंतु उन्होंने मेरे हृदय-द्वार पर दस्तक अवश्य दी थी। सहसा, मुझे वे अनबूझे प्रश्न समझ में आने लगे थे जिनके उत्तर उन आत्माओं ने दिए थे : मेरा विवाह किसके साथ होगा? क्या मैं कभी अपने घर की स्वामिनी बनूँगी? क्या मुझे प्रेम मिलेगा? क्या यही वे इच्छाएँ थीं जो मेरे मन के भीतर छिपी हुई थीं? यह कितनी बचकानी चीज़ें हैं जो मेरी सेविकाएँ चाहती थीं! क्या मैं अपने आस-पास उपस्थित स्त्रियों जैसी ही हूँ जो अपने अकल्पनाशील जीवन के कृमिकोष में बंद थीं और जिन्हें यह भी नहीं पता था कि वे उसमें से बाहर भी निकलना चाहती हैं अथवा नहीं? यह अत्यंत लज्जाजनक विचार था।

मैं अन्य रात्रियों में उस पुस्तक के विषय में विचार करती थी जो मुझे उस साधु ने दिखाई थी, जिसमें मेरी जीवन-कथा थी। ऐसी पुस्तक लिखना किस प्रकार संभव था जिसमें उन घटनाओं का उल्लेख था जो अभी घटित भी नहीं हुई थीं?

क्या इसका यह आशय है कि जो होने वाला था, उसके ऊपर मेरा कोई नियंत्रण नहीं था?

निश्चय ही, ऐसा नहीं था। अन्यथा, वह साधु मुझे सावधान करने का कष्ट ही क्यों उठाता?

. . .

मैंने उस साधु से अनेक वर्षों तक कोई बात नहीं की, यद्यपि, मुझे उसके विषय में बीच-बीच में सुनने को मिलता रहता था। मुझे उसका नाम पता लगा : व्यास, जो सारगर्भित हैं क्योंकि उन्होंने अनेक मोटी-मोटी पुस्तकें लिखी हैं। महर्षि व्यास, एक मुनि तथा एक मत्स्य-कन्या के संयोग से किसी अँधकारपूर्ण द्वीप पर जन्मे थे। अपने विवाह के दिन, मैं उन्हें अपने पिता की दाहिनी ओर विवाह-कक्ष में बैठे देखा। उनके स्थान से उनके महत्त्व का पता लग रहा था जिसकी मैंने कभी कल्पना भी नहीं थी। उन्होंने मेरी ओर देखते हुए धीरे-से पलकें झपकाईं मानो मुझे पहले कभी न देखा हो। जब मैंने पहली सबसे बड़ी भूल की तो उनके भाव बिल्कुल नहीं बदले। इस कारण मुझे उस भूल का जब तक एहसास हुआ, बहुत देर हो चुकी थी।

बाद में, मेरे विवाह पर मुझे लकड़ी का एक बक्सा उपहार में मिला। जब मैंने उसे खोला तो उसके अंदर रखे बुरादे में से एक परिचित-सी, जंगली और कटु गंध निकली। मैंने इसका उपयोग खांडव और बाद में, काम्यक वन में किया था। उसे अग्नि में डालने से, साधु के कहे अनुसार, मच्छर और दुस्स्वप्न दूर रहते थे। उन दिनों में मुझे खुरदरी छाल की अपनी शय्या कोमल लगती थी। यद्यपि, मेरे पास अब पूछने के लिए कई अन्य विवेकपूर्ण प्रश्न थे, तथापि मेरे बहुत प्रयास करने के बाद भी वे आत्माएँ मेरे पास फिर कभी नहीं आईं।

# 6

## अवतार

राजमहल में बहुत हलचल थी क्योंकि शिखंडी लौट आई थी। मेरी सेविकाएँ गलियारों तथा कोनों में एकत्रित होकर उत्साहपूर्वक फुसफुसाती थीं, किंतु मेरे निकट आते ही वह सब चिड़ियों की भांति तितर-बितर हो जाती थीं। धृ पिता के साथ सभा में व्यस्त था, इसलिए उससे पूछना संभव नहीं था। दाई माँ जब अंत में अपने हाथ घुमाती हुई वहाँ आईं तो वह इतनी उद्विग्न थीं कि मुझे उनकी कोई बात समझ नहीं आ रही थी।

"यह शिखंडी कौन है? और सब लोग उससे इतने भयभीत क्यों हैं?"

"वह - ओह, पता नहीं मैं तुम्हें यह कैसे बताऊँ! - तुम्हारे पिता की ज्येष्ठ पुत्री है, फिर उसने कुछ ऐसा विकट किया कि राजा द्रुपद ने उसे यहाँ से निकाल दिया था। अब वह लौटी है। लोग बताते हैं कि पिछले बारह वर्षों से वह कहीं वन में रहते हुए - पवित्र बेल-पत्र खाकर, संपूर्ण शीत ऋतु के दौरान बर्फ़ीले पानी में गर्दन तक डूबे रहकर, कुछ इस तरह - बहुत कठिन तपस्या कर रही थी - जिससे वह एक महान तथा ख़तरनाक योद्धा बन चुकी है।"

मैं अपनी इस बहन के बारे में उत्सुक हो उठी जिसके अस्तित्व को इतनी सफलता से छिपा कर रखा गया था। (मैं बाद में सोचती रही कि इसके अतिरिक्त मुझसे और क्या-क्या छिपाया गया था?) मैं आज तक किसी ऐसी स्त्री से नहीं मिली थी जो खतरनाक योद्धा हो। "मैं उससे मिलना चाहती हूँ," मैंने कहा।

"मुझे लगता है, यह अच्छा विचार है," दाई माँ ने धीरे से कहा, "क्योंकि शिखंडी भी तुमसे मिलना चाहती है, बल्कि आज ही दोपहर को। सिर्फ़ इतनी ही बात है - वह अब स्त्री नहीं रही।"

"आपका आशय है कि वह अब स्त्री की भांति व्यवहार नहीं करती?" मैंने पूछा। दाई माँ ने स्त्रियों के व्यवहार के विषय में लंबी-चौड़ी नियमावली बना रखी

थी। अनेक वर्षों तक वह इन नियमों को मेरे मस्तिष्क में डालने का प्रयास करती रहीं। मुझे अभी से अज्ञात शिखंडी पर दया आ रही थी।

दाई माँ हाथों को झटकते हुए वहाँ से तेज़ी से निकल गईं ताकि यह सुनिश्चित किया जा सके कि दोपहर का भोजन उस महान व ख़तरनाक योद्धा के अनुसार बन रहा था। वह सिर्फ़ यह कहने के लिए रुकीं कि धृ, जो प्रायः मेरे साथ ही भोजन करता था, यहाँ उपस्थित नहीं होगा क्योंकि शिखंडी ने मुझसे एकांत में मिलने की इच्छा व्यक्त की थी।

मैं कुछ उत्तेजित-सी अपनी इस सहसा-प्राप्त बहन से मिलने की प्रतीक्षा करने लगी। मैं सोच रही थी कि वह कैसी दिखती होगी। क्या उसका तन कठोर व गठा हुआ होगा? क्या उसकी बाँहों पर शस्त्रादि के निशान होंगे? क्या उसका हृदय इतना परिवर्तित हो गया होगा कि किसी की हत्या के विचार से उसे कोई कष्ट नहीं होता था? वह वन में कैसे जीवित रही होगी क्योंकि जब वह घर से गई थी तो वह बहुत छोटी थी? उसने ऐसा क्या जघन्य अपराध किया होगा कि पिताजी ने उसे इतनी छोटी आयु में त्याग दिया? वह मुझसे एकांत में क्यों बात करना चाहती थी? शायद उसके रूप में मुझे वह मिल जाए जिसकी मुझे इतने लंबे समय से प्रतीक्षा थी : ऐसी मित्र जिसके साथ मैं खुसुर-फुसुर कर सकूँ, निरर्थक बातों पर हँस सकूँ, अपने आभूषण व अन्य सामग्री बाँट सकूँ, अपनी गुप्त बातें बता सकूँ - यहाँ तक कि उन आत्माओं द्वारा की गई भविष्यवाणियाँ भी, जिन्हें मैंने अपने भीतर गहन नुकीले पत्थर की भांति दबा रखा था।

. . .

मैंने देखा कि शिखंडी चीते जैसी फुर्ती के साथ, हलके किंतु दृढ़ क़दम रखता हुआ चला आ रहा था। हाँ, आ रहा था। दाई माँ की कही बात, जिसे मैं उनकी असहमति समझ रही थी, वास्तव में सत्य थी : शिखंडी, जो जन्म से स्त्री थी, अब पुरुष बन चुकी थी! निश्चय ही, वह नहीं चाहता था कि इस बात को लेकर किसी भी प्रकार की ग़लतफ़हमी रहे : उसने केवल एक सफ़ेद सूती धोती पहन रखी थी, उसका उत्तरार्द्ध तन निर्वस्त्र था, उसके चूचुक सपाट और कांस्य के सिक्कों की भांति चमक रहे थे। उसने धनुष धारण किया हुआ था, जिसे उसने मेरे निकट आने से पूर्व उतार कर दीवार के सहारे रख दिया था। उसके गालों की हड्डियाँ चाकू के समान नोंकदार थीं। उसकी बादाम जैसी आँखें उसे विदेशी रूप प्रदान कर रही थीं जो अत्यंत आकर्षक लग रहा था। उसके गले में श्वेत कमल-पुष्प की एक माला भी थी।

उसने धीरे-से अपने हाथ से मेरे गालों को छुआ। मुझे संकोच हुआ - आख़िर वह एक अजनबी था - किंतु फिर मैंने उसे ऐसा करने दिया। उसकी अंगुलियाँ स्त्रियों की भांति पतली थीं, किंतु धनुष की डोर से सख़्त हो गई थीं। जैसे ही उसकी अंगुलियों ने मेरे चेहरे को छुआ, मैं सिहर उठी। मैंने देखा कि हमारा क़द बराबर था। इस कारण उसके बहन न होने पाने से होने वाली क्षति से मुझे कुछ सांत्वना मिली।

उसने अपने बादामी नेत्रों में फैली परछाईं के पार मुस्करा कर देखा। उसने एड़ी पर खड़े होकर मेरे माथे को चूमा। "मेरी छोटी बहन," वह बोला। "जो तुम मेरे लिए करने वाली हो, उसके लिए मैं तुम्हें अपनी आत्मा की गहराई से धन्यवाद देता हूँ।"

. . .

शिखंडी मेरे साथ एक दिन और एक रात रुका, और इस बीच उसने मुझे अपनी कथा सुनाई।

उसने कहा : क्या तुमने उस गधे की कहानी सुनी है जिसने शेर की खाल ओढ़ ली और सोचने लगा कि ऐसा करने से दूसरे पशु उससे डरने लगेंगे? अथवा उस भेड़िये की कथा जिसने भेड़ की खाल पहनकर अपने शिकार के झुंड में छिपने का प्रयास किया था? मुझे कभी-कभी उन दोनों के जैसा महसूस होता है। धोखेबाज़ - अथवा छिपा हुआ खतरा!

नहीं, मैंने देवताओं से स्वयं को परिवर्तित करने की प्रार्थना नहीं की थी। उसमें तो मेरा विश्वास बहुत पहले ही समाप्त हो गया था। इस बार मैंने एक यक्ष का आह्वान किया था। वह हाथ में जलती हुई दैत्य तलवार लेकर आकाश में प्रकट हुआ। जब उसने मेरी इच्छा सुनी तो वह हँसा और उसने वह तलवार मेरे भीतर भोंक दी। वह पीड़ा असहनीय थी, मैं बेहोश हो गया। जब मुझे होश आया तो मैं पुरुष बन चुका था, परंतु ऐसा होने पर भी मैं पूर्ण पुरुष नहीं बन सका क्योंकि मेरा रूप तो बदल गया किंतु मेरे भीतर यह एहसास जीवित रहा कि स्त्रियाँ किस प्रकार सोचती हैं और वे क्या चाहती हैं।

मेरा पुरुष होना आवश्यक था, क्योंकि एक पुरुष ही वह कार्य कर सकता है जो मुझे पूर्ण करना है - अपने समय के सर्वश्रेष्ठ योद्धा की हत्या।

हाँ, कोई ऐसा जो द्रोण से भी श्रेष्ठ है।

उसका नाम है भीष्म। वह हस्तिनापुर का संरक्षक और राजकुमार अर्जुन का पितामह है। उसने हमारे पिता को परास्त किया था और वह द्रोण का मित्र है। इस

संसार का ताना-बाना सचमुच उलझा हुआ है!

यह माला? क्या तुमने देखा कि यह मुरझाती नहीं है? मैंने इसे बारह वर्षों से पहन रखा है। मैं छह वर्ष का था जब मैंने इसे राजमहल के द्वार पर टँका हुआ पाया था और फिर इसे पहन लिया था। हमारे पिताजी चिल्लाए, यह तुमने क्या किया, मूर्ख, अभागी लड़की! मैंने इस माला को बाल-रुचि के कारण धारण नहीं किया था, जैसा कि उन्हें लगता था। वह कुछ भी करके मुझसे इस माला को दोबारा द्वार पर नहीं रखवा पाए। अंत में, उन्होंने मुझे त्याग दिया ताकि मेरे इस कृत्य द्वारा उत्पन्न दुर्भाग्य की आँच उनके घर पर न आए।

आह, वह और मैं सचमुच पिता और पुत्र हैं! हम दोनों प्रतिशोध के लिए ही जीवित हैं।

जब मैंने यह माला पहनी तो पूर्वजन्म की स्मृति, जिसकी मुझे झलक मात्र थी, ने मुझे आप्लावित कर दिया। पहले मुझे चिता पर अपनी मृत्यु याद आई : पिघलता हुआ माँस, आँखों की जल चुकी पुतलियाँ, विस्फोट होती हुई खोपड़ी। इस सबके बीच : चले जाने की मेरी अधीरता, क्योंकि मृत्यु के बिना पुनर्जन्म संभव नहीं है और पुनर्जन्म लिए बिना मेरे लिए भीष्म को मार पाना असंभव था।

मेरा नाम? उस जन्म में, मेरा नाम अंबा था और मैं काशी की परित्यक्ता राजकुमारी थी।

ठीक है, यह कथा भी आरंभ से सुनो। काशी की हम तीन राजकुमारी बहनों का विवाह होना था। हमारे पिता ने हमारा स्वयंवर रचा जिसमें सभी राजाओं को आमंत्रित किया, ताकि उनमें से हम अपने-अपने पति का चयन कर सकें। मुझे पहले से पता था कि मुझे किसे चुनना था : राजा शाल्व, जिसके साथ मेरा एक वर्ष से प्रेम-संबंध था।

शाल्व को पहनाने के लिए वर-माला मेरे हाथ में थी और तभी भीष्म हमारे ऊपर किसी महामारी की भांति टूट पड़े। वह बलपूर्वक हम तीनों भयभीत बहनों को अपने रथ पर बैठाकर अपने छोटे भाई से विवाह करवाने के लिए हस्तिनापुर ले गए।

जब मेरा होश और श्वास वापस आया तो मैंने उन्हें बताया कि मैं शाल्व से प्रेम करती हूँ और मैं आपके भाई के साथ विवाह नहीं कर सकती।

उनके भाई ने कहा, कोई ऐसी स्त्री जिसने हृदय में किसी अन्य पुरुष को बसा लिया हो पवित्र नहीं रह जाती। मैं इसके साथ विवाह नहीं करना चाहता।

भीष्म ने कहा, ठीक है, मैं तुम्हें शाल्व के पास वापस भेज देता हूँ।

जब मैं शाल्व के पास पहुँची तो वह बोला भीष्म तुम्हें हाथ से पकड़कर ले गए थे। उनके स्पर्श से तुम दूषित हो गई हो। अब तुम उनकी हो।

मैंने कहा, कोई यदि बलात् मेरा हाथ पकड़ ले तो ऐसा करने से मैं उसकी कैसे हो सकती हूँ? मैंने कहा कि यह चुनाव का अधिकार सिर्फ़ मेरा है कि मैं किसकी हूँ।

मैं प्रेम-भरे उन मधुर दिनों में सोचती थी कि यदि मुझे शाल्व नहीं मिला तो मैं मर जाऊँगी। अब मुझे पता लगा कि स्त्री का जीवन वट-वृक्ष की जड़ों से भी अधिक कठोर होता है, जो बिना मिट्टी व जल के भी जीवित रह सकती है, क्योंकि शाल्व ने मुझे भीष्म के पास लौटने पर विवश कर दिया और मैं फिर भी जीवित थी।

मैंने भीष्म से कहा कि मेरी प्रसन्नता आपके कारण मिट्टी में मिल गई है। इसलिए आप मुझसे विवाह करो ताकि कम से कम मेरी प्रतिष्ठा बच जाए।

भीष्म ने कहा, मुझे क्षमा कर दो। मैंने अपने युवाकाल में अपने पिता को वचन दिया था कि मैं आजीवन विवाह नहीं करूँगा। मैं इस प्रतिज्ञा को नहीं तोड़ सकता।

मैंने पूछा कि एक सजीव स्त्री के विनाश के समक्ष एक निर्जीव प्रतिज्ञा का क्या महत्त्व है?

उन्होंने इसका उत्तर नहीं दिया। जब मैंने उनके गंभीर चेहरे की ओर देखा, तो मेरे भीतर एक इतनी गहन घृणा छा गई कि इससे अधिक घृणा महसूस कर पाना मेरे लिए संभव नहीं था।

मैं परित्यक्ता व लज्जित होकर, एक राजदरबार से दूसरे राजदरबार ऐसे विजेता को खोजने लगी, जो भीष्म से युद्ध कर सकता हो, किंतु सभी उनसे डरते थे। निराश होकर मैंने हिमालय में जाकर वहाँ कठोर तप किया ताकि देवता मेरी सहायता करें। अनेक वर्ष बीत गए; मेरा यौवन ढल गया। देवता भी हस्तक्षेप करने से कतराते थे क्योंकि भीष्म पावन नदियों की देवी गंगा के पुत्र थे। अंत में बाल-देवता कार्तिकेय को मुझ पर दया आ गई और उन्होंने मुझे यह माला दी। उन्होंने कहा कि यदि तुमने किसी को ढूँढ़कर यह माला उसे पहना दी तो वह व्यक्ति भीष्म को परास्त कर देगा।

मेरी आशा दोबारा जागृत हो उठी। मैं इस माला को लेकर फिर से राजाओं के पास गई, परंतु सब डरपोक निकले! कार्तिकेय के आश्वासन के बावजूद वह डरते रहे। यहाँ तक कि राजा द्रुपद ने, जो उस समय निर्बलों के सहायक माने जाते

थे, यह चुनौती स्वीकार करने से मना कर दिया। मैंने विरक्त भाव से, इस माला को द्रुपद के राजमहल के द्वार पर फेंक दिया और आत्महत्या कर ली।

देवताओं का उपहास क्रूर होता है अथवा वह हमसे अधिक देख सकते हैं। द्रुपद की पुत्री के रूप में जब मेरी दृष्टि उस कभी न मुरझाने वाली माला पर पड़ी, तो मुझे मेरा अतीत स्मरण हो आया और साथ ही अपना प्रतिशोध भी। मैंने वह माला ले ली और वह कार्य करने का प्रण लिया जिसे करने का साहस कोई पुरुष नहीं कर पाया था।

याद करो, छोटी बहन : यदि अपने सम्मान के लिए प्रतिशोध हेतु किसी पुरुष की प्रतीक्षा करना चाहती हो तो फिर, प्रतीक्षा ही करती रहोगी।

. . .

बाद में मैंने कृष्ण से पूछा, "शिखंडी ने अपने पूर्वजन्म के विषय में जो कहा, क्या वह सत्य है?"

कृष्ण ने कंधे उचकाते हुए कहा, "वह तो यही मानता है। क्या यही सत्य नहीं है? किसी व्यक्ति के विश्वास की शक्ति उसके आस-पास के लोगों के भीतर - धरती, वायु और जल में इस सीमा तक समाहित हो जाती है कि कुछ और शेष नहीं रहता।"

आह, कृष्ण से स्पष्ट उत्तर प्राप्त करना कितना कठिन था!

"क्या वह सचमुच अपने पिछले जन्म में अंबा था?" मैंने ज़ोर देकर कहा। "अथवा उसने किसी विचित्र समानुभूति के द्वारा अंबा की पीड़ा को इतनी गहराई से महसूस किया है कि उसका प्रतिशोध लेने का प्रण ले लिया?"

"हम सबके पूर्वजन्म होते हैं," कृष्ण ने कहा, यद्यपि, मैंने यह प्रश्न नहीं पूछा था। "अत्यधिक विकसित जीवात्माओं को अपने पूर्वजन्मों की स्मृति शेष रह जाती है, जबकि कम विकसित जीव उसे भूल जाते हैं।"

"निस्संदेह, आपकी तो वह स्मृति शेष है।"

"हाँ, है! एक बार मैंने मत्स्य का जन्म लिया था। मैंने मानवता को महाप्रलय से बचाया था। एक बार मैंने वराह के रूप में जन्म लिया था। मैंने पृथ्वी को अपने दंत पर धारण कर उसे आदिकालीन जल से बाहर निकाला था। एक बार विशाल कच्छप के रूप में..."

"रुको!" मैंने उन्हें टोका। "ये तो भगवान विष्णु के अवतार हैं! मैंने इनके विषय में पुराणों में पढ़ा है।"

उन्होंने अपने कंधे ऊपर किए और हाथों को फैलाया। "मैं तुम्हें मूर्ख नहीं बना रहा, कृष्णा! मुझे तुम्हारे रूप में अपना साथी मिल गया है!"

मैंने उन्हें संदेह की दृष्टि से देखा। मुझे कभी पता नहीं चल पाता था कि वह कब मज़ाक कर रहे होते थे।

फिर उन्होंने कहा, "मुझे तुम्हारा पूर्वजन्म भी याद है।"

मैंने उदासीनता का स्वाँग रचना चाहा, किंतु मुझे उसमें अधिक देर तक सफलता नहीं मिल पाई। "मुझे बताओ!" मैंने कहा।

"तुम उस समय भी इसी प्रकार अधीर थीं। तुमने तपस्या के दौरान शिव का आह्वान किया था। वह प्रकट हुए और चाँदनी की तरह शांत व नील-वर्ण रूप में तुम्हारे समक्ष आकर खड़े हो गए। तुमने उनसे वर माँगा। वह मुस्कराए। तुमने फिर वर माँगा - और फिर से माँगा। इससे पूर्व कि वह 'हाँ' कह पाते, तुमने उनसे पाँच बार वर माँग लिया था। इसलिए इस जन्म में तुम जो भी माँगोगी, वह तुम्हें पाँच बार मिलेगा।"

पाँच। यह शब्द और उस साधु की चेतावनी, जिसे मैंने विगत कुछ महीनों में अपने मस्तिष्क में कहीं पीछे धकेल दिया था, मेरे हृदय में धड़कने लगी और मुझे किसी विषाक्त पौधे की भांति बारंबार चुभने लगी।

"मैंने क्या वर माँगा था?" मैंने शुष्क कंठ से पूछा।

"भविष्यवाणियाँ सुनने की तुम्हारी इच्छा अभी पूर्ण नहीं हुई क्या?" कृष्ण ने कहा। मनोरंजन से चमकती, उनकी आँखें श्याम-मक्षिका की भांति लगती थीं।

. . .

राजा द्रुपद ने शिखंडी को अपने साथ रहने के लिए आमंत्रित किया था, किंतु शिखंडी ने विनम्रता से अस्वीकार कर दिया। (इससे मिली राहत को, द्रुपद ने छिपाने का असफल प्रयास किया था।) यद्यपि, जब शिखंडी ने मेरे और मेरे भाई के साथ रहने की इच्छा व्यक्त की तो मैं अपने पिता की बेचैनी को स्पष्ट महसूस कर रही थी। संभवतया उन्हें चिंता थी कि शिखंडी के साथ रहने से हमारे ऊपर उसका भ्रष्ट प्रभाव न पड़ जाए! परंतु मैं प्रसन्न थी। शिखंडी में कुछ था जिसने मुझे उसकी ओर आकर्षित किया था। क्या यह उसकी मेरे प्रति सहज स्वीकृति थी? उसका अपना असामान्य जीवन? उसने अपनी नियति को इतनी सहजता से स्वीकार कर लिया था कि मुझे अपनी और धृ की चिंता कम होने लगी थी। उसने मुझे उन संभावनाओं से परिचित करवाया मैंने जिनके विषय में स्वप्न में भी नहीं सोचा था।

शिखंडी के इस संक्षिप्त आवास को हमने खा-पीकर, कहानियाँ सुनते-सुनाते और पाँसे खेलते हुए व्यतीत कर दिया। (धृ ने मुझे यह अ-नारीपूर्ण खेल सिखा दिया था।) हम छोटी-छोटी बातों पर खूब हँसते थे। मैं अपने भाइयों के मनोरंजन के लिए कविताएँ तथा पहेलियाँ बनाती तथा उन्हें तलवारबाज़ी का अभ्यास करते हुए देखती थी।

धृ सरलता से शिखंडी को परास्त कर देता था और फिर चिंताजनक भाव से पूछता था, "तुम भीष्म को कैसे परास्त करोगे?"

"मुझे उन्हें परास्त नहीं करना है," शिखंडी ने कहा। "मुझे सिर्फ़ भीष्म की हत्या करनी है।"

मैं शिखंडी को अपने जीवन से दूर नहीं जाने देना चाहती थी। मैंने उसे अधिक समय रुकने के लिए प्रलोभन देने का प्रयास किया। क्या ऐसा इसलिए था कि (यदि मेरे पतियों की विषय में भविष्यवाणी सत्य होने वाली थी) मुझे भी एक दिन स्त्रियों हेतु अनुज्ञेय सीमाओं का अतिक्रमण करना होगा? मैंने उसकी प्रशंसा में कविता लिखने, उसे पाँसों के खेल में जीतने देने और दाई माँ के हाथ से उसकी मनपसंद माँछ-झोल बनवाने का वादा भी किया। धृ ने उसे मल्ल के नवीनतम गुर सिखाने का वादा किया।

शिखंडी ने खेदपूर्वक देखते हुए मना कर दिया। "मेरा इतना स्वागत-सत्कार करने के लिए धन्यवाद," उसने कहा। "जीवन-भर लोग सदैव मेरे वापस जाने से ही प्रसन्न होते रहे हैं।"

धृ ने उसे चलते समय अपना मनपसंद अश्व तथा अपने शस्त्रागार में से सर्वोत्तम भाला भेंट किया। मैंने उसे मार्ग के लिए लड्डू और आसन्न शीत ऋतु के लिए सुरागाय-चर्म का दुशाला दिया। उसकी तह में मैंने कुछ सोने के सिक्के भी रख दिए थे। जब वह उन सब चीज़ों को किसी अपरिचित नगर में सर्दी व भूख के समय देखेगा, उस समय उसके चेहरे पर जो भाव होंगे, मैं उनकी कल्पना करने लगी।

परंतु उसने कुछ नहीं लिया।

"अपना प्रायश्चित आरंभ करने के लिए," वह बोला, "मुझे कम सामान के साथ चलना चाहिए और सिर्फ़ उन्हीं चीज़ों से काम चलाना चाहिए जो इस धरती से मुझे प्राप्त हो जाएँ।"

"प्रायश्चित!" मैं चिल्लाई, "किसलिए? प्रायश्चित तो उन लोगों को करना चाहिए जिन्होंने तुम्हें इस तरह अपमानित किया है।"

"अपने समय के सर्वश्रेष्ठ योद्धा की हत्या करना भयानक कार्य है," वह

बोला, "कारण चाहे कुछ भी हो। इससे समाज की नींव कमज़ोर होती है। यदि छलपूर्वक ऐसा किया जाए तो यह और भी बुरा है - और मुझे ऐसा ही करना पड़ेगा, क्योंकि इस कार्य को किसी अन्य प्रकार से पूरा करने का कौशल मेरे पास नहीं है। मैं पहले से ही इसका प्रायश्चित कर रहा हूँ क्योंकि इस बात की पूरी संभावना है कि ऐसा करते समय मेरी भी मृत्यु हो जाएगी।"

राजमहल के द्वार की छाया में खड़े होकर धृ ने कहा, "भाई, तुमने पुरुष और स्त्री दोनों का जीवन जिया है। तुम्हें अवश्य ही ऐसे रहस्य पता होंगे जो अन्य लोग नहीं जानते। तुम अपना ज्ञान हमारे साथ भी बाँटो।"

शिखंडी के होंठ कटु मुस्कान के साथ मुड़ गए। "हाँ, इस दौरान मैंने कुछ बातें सीखी हैं। चूंकि मैं अब न पुरुष हूँ, न स्त्री, वह ज्ञान मेरे लिए उपयोगी नहीं रहा, परंतु एक बात है जो तुम्हारे लिए उपयोगी हो सकती है : पुरुष की शक्ति बैल के आवेश जैसी होती है, किंतु स्त्री की शक्ति अपने शिकार का पीछा करने वाले सर्प की भांति टेढ़ी चलती है। अपनी शक्ति के विशिष्ट गुणों को पहचानो। जब तक तुम उसका सही प्रयोग नहीं करोगे, तुम अपने लक्ष्य को प्राप्त नहीं कर सकोगे।"

उसके शब्दों ने मुझे अचंभित कर दिया। क्या शक्ति अकेली व सहज नहीं होती? जिस संसार को मैं जानती हूँ, उसमें तो पुरुष सिर्फ़ अधिकाधिक शक्ति अर्जित करना चाहते हैं। (मैं इसे बदलने की आशा करती थी।) मुझे शिखंडी के शब्दों पर विचार करना होगा।

यद्यपि शिखंडी के जाने से पूर्व मैं उससे कुछ पूछना चाहती थी। मैंने अंतिम बार उसके हाथों को थामकर उनकी सख़्ती को महसूस किया। मैंने उन्हें मरहम लगाकर कोमल बनाने का प्रयास किया, किंतु उसने ऐसा करने से मना कर दिया था। "इससे क्या लाभ?" उसने पूछा, "मुझे तो अभी यह और सख़्त करने होंगे।"

"जब हम पहली बार मिले थे," मैंने पूछा, "तुमने मुझे धन्यवाद क्यों दिया था?"

"मैंने तुम्हें धन्यवाद इसलिए कहा था क्योंकि अपनी नियति को पूर्ण करने में तुम मेरी सहायता करोगी।"

"कैसे?"

"तुम उस महान युद्ध का कारण बनोगी जहाँ मैं भीष्म से मिलूँगा और उसे मारूँगा।" उसके चेहरे का रंग गहरा हो गया। "परंतु मुझे युद्ध से पूर्व होनेवाले तुम्हारे अपमान व युद्ध के उपरांत होने वाले दुख के लिए पहले ही क्षमा माँग लेनी चाहिए। यह सब तुम्हें इसलिए सहन करना पड़ेगा, बहन क्योंकि तुम्हारा भाग्य मेरी नियति से जुड़ा हुआ है।"

7

## मत्स्य

मैं हठपूर्वक अपने उपवन में जामुन के वृक्ष के नीचे बैठकर न्याय शास्त्र के खंड पर ध्यान केंद्रित करने का प्रयास कर रही थी। यह एक बृहत् व विस्तृत पुस्तक है जिसमें धरती के विधि-विधान दिए गए हैं, जिन्हें मेरा भाई पढ़ रहा था। (शिखंडी के आने के तुरंत बाद, पिताजी ने गुरुजी के साथ मेरी शिक्षा रोक दी थी और यह कहा था कि अब मुझे स्त्री-परक अभिरुचियों पर अधिक ध्यान केंद्रित करना चाहिए।) मेरे आस-पास ग्रीष्म ऋतु अपने ऊँघते हुए पुष्प-दल खोलती, मेरा ध्यान भंग करने का षड्यंत्र रच रही थी। कीट अपना गीत सुना रहे थे। रसीले जामुन धीरे-धीरे टूटकर नीचे मोटी घास पर गिर रहे थे। भड़कीले रंग के पक्षियों की युगल-पुकार से मेरे हृदय में हूक उठ रही थी जिससे मुझे अजीब-सी बेचैनी हो रही थी। (क्या यह स्त्री-परक अभिरुचि थी?) मेरी सहेलियाँ, दरबारियों की पुत्रियाँ अपनी त्वचा की सुरक्षा हेतु छतरी के नीचे एकत्रित हो रही थीं। (उन्हें शिखंडी के आने के बाद, मेरे पिता द्वारा मेरे साथ भेजा जाता था। पिताजी को लगता था कि उनसे अच्छा प्रभाव पड़ेगा, किंतु उनसे मुझे सिर्फ़ चिढ़ लगती थी।) वे गपशप करतीं, अपने होंठ लाल करने के लिए पान चबातीं, प्रेम की औषधि के नुस्खों पर चर्चा करतीं, अकारण मुँह फुला लेतीं, हँसतीं और किसी मक्खी के अति निकट आने पर नारी-सुलभ ढंग से चीख पड़ती थीं। बीच-बीच में वे मुझे विनयपूर्वक देख लेती थीं। यही कारण था कि मैंने महल के भीतर लौट जाने का निर्णय लिया! यह निर्दयी सूर्य, छतरी होने के बावजूद, त्वचा के लिए अत्यंत हानिकारक था! सूर्य द्वारा की गई हानि की क्षतिपूर्ति करने के लिए उन्हें घंटों दही तथा हल्दी के लेप में भीगे रहना पड़ता था!

मैंने उनकी उपेक्षा कर पुस्तक पढ़ना जारी रखा। उस पुस्तक को पढ़ने से मुझे नींद आने लगती थी क्योंकि उसमें सेवक व पत्नी सहित घरेलू संपत्ति से संबंधित पेचीदा कानूनों की नीरसता से किंतु बड़ी मेहनत से व्याख्या की गई थी। मैं

वह सब सीखने के लिए प्रतिबद्ध थी जो एक राजा को पता होना चाहिए। (अन्यथा मैं उन कन्याओं से, अथवा अपने पिता की पत्नियों से किस प्रकार भिन्न होती, जिनमें पूरा दिन मेरे पिता की कृपा दृष्टि पाने के लिए होड़ लगी रहती थी? अन्यथा मैं किस प्रकार शक्तिशाली बन पाती?) इसलिए मैंने ग्रीष्मऋतु के प्रलोभनों की उपेक्षा कर उस पुस्तक को पढ़ने का संघर्ष जारी रखा।

न्याय शास्त्र पढ़कर समाप्त करना मेरी नियति में नहीं था। जैसे ही मैंने पुस्तक का पृष्ठ पलटा, दाई माँ अपने भारी शरीर के साथ यथाशीघ्र, दौड़ती हुई राजमहल से आईं। हाँफने से उनका चेहरा लाल हो गया था और उन्होंने तुरंत मेरी सहेलियों को वहाँ से भगा दिया। फिर उन्होंने मेरे कान में वह समाचार दिया (किंतु आवेश में उनका स्वर इतना ऊँचा हो गया था कि वहाँ सबने उस बात को सुन लिया) : मेरे पिताजी ने निर्णय लिया था - शिखंडी के आगमन से उनके अंतर्मन में बेचैनी का ज़बरदस्त तूफ़ान उठ गया था - कि अगले महीने मेरा विवाह हो जाएगा।

. . .

जब से मैंने भविष्यवाणी सुनी थी, मैं रह-रहकर अपने विवाह के विषय में सोचती थी - कभी उत्तेजना या निराशा से, कभी भयभीत होकर। मुझे महसूस हुआ कि यह एक महान अवसर था किंतु यह नहीं पता था कि यह अवसर किस बात के लिए आया था। मैंने ऐसी कल्पना की थी कि मेरा विवाह भी मेरे पिता की अन्य पुत्रियों की भांति ही होगा : घर के ज्येष्ठ लोगों द्वारा, परंतु दाई माँ ने मुझे सूचना दी कि मेरा स्वयंवर किया जाएगा। भारत के सभी राज्यों के योग्य राजाओं को पंचाल आमंत्रित किया जाना था। मेरे पिताजी ने यह घोषणा की थी कि मुझे उन राजाओं में से विवाह के लिए अपने पति का चुनाव करना होगा।

आरंभिक आघात के बाद मैं आनंदित हो गई मैं धृ को ढूँढ़ने के लिए दौड़ी। "मुझे विश्वास नहीं हो रहा कि मैं स्वयं अपने पति का चयन करूँगी!" मैंने कहा। "तुमने मुझे बताया क्यों नहीं?"

"इतना उत्तेजित होने की आवश्यकता नहीं है," धृ ने अप्रसन्न होकर कहा। "स्वयंवर में सदैव कुछ न कुछ गड़बड़ होती है - या तो स्वयंवर के दौरान अथवा उसके बाद।"

मुझे कुछ पूर्वाभास हुआ, किंतु मैंने तय किया कि मैं धृ के शब्दों से अपनी मनोदशा ख़राब नहीं करूँगी। वह अत्यधिक सतर्क रहता था। कभी-कभी मैं उससे कहती थी कि हम दोनों को अग्नि से बाहर धकेलते समय देवताओं ने अवश्य ही हमें बदल दिया। उसे लड़की होना चाहिए था, और मुझे लड़का!

"मेरा ऐसा मानना था कि पिताजी को यह निर्णय इतनी जल्दी नहीं करना चाहिए था," धृ ने कहा।

"तुम्हें ईर्ष्या हो रही है कि मुझे अपना वर चुनने दिया जा रहा है, जबकि तुम्हें यह अधिकार नहीं है!" मैंने उपहास किया। वैसे, धृ पड़ोसी राज्य की राजकुमारी का मंगेतर था और पिताजी ने उसकी सगाई भी तय कर दी थी। मैंने धृ को अनेक बार काग़ज़ों के ढेर के पीछे छिपाकर रखी राजकुमारी की तस्वीर को गंभीरता से ताकते हुए देखा था, जिससे वह हैरान हो जाता था। एक प्रश्न मुझे परेशान करता रहता था : पिताजी ने, जो नियंत्रण तथा अनुशासन से अति प्रसन्न होते थे, मुझे इतनी स्वतंत्रता क्यों दे रखी थी?

"क्या सचमुच ऐसा होने जा रहा है?" मैंने धृ से पूछा, "अथवा पिताजी का विचार सहसा बदल भी सकता है?"

"ऐसा ही होगा। उन्होंने सौ संदेशवाहकों के हाथ बहुत-से महत्त्वपूर्ण राजाओं को निमंत्रण भेज दिया है। उन लोगों के लिए रंगमहल तैयार हो रहे हैं और..."

तभी कृष्ण ने - उन्होंने कक्ष में कब प्रवेश किया? - हँसते हुए मुझे अचंभित कर दिया।

"स्वयंवर तो होगा कृष्णा, किंतु हो सकता है वैसा न हो जैसा तुम कल्पना कर रही हो। हीरे की भांति, सत्य के अनेक पक्ष होते हैं। इसे बताओ धृष्टद्युम्न। इसे परीक्षा के विषय में बताओ।"

. . .

मेरे पिता जो राजा भी थे, उन्होंने और उनके मंत्रियों व पुरोहितों ने मिलकर पंचाल तथा द्रुपद के राज्य की प्रतिष्ठा के लिए यह योजना बनाई थी : विवाह से पूर्व एक प्रतियोगिता होगी। जो राजा उसमें विजयी होगा, मुझे उसे वरमाला पहनानी होगी।

"फिर इसे स्वयंवर कहने की आवश्यकता ही क्या है?" मैंने कहा। "उन राजाओं के समक्ष मेरा तमाशा क्यों बनाया जा रहा है? ऐसे में तो मेरे पति का निर्णय मैं नहीं, अपितु मेरे पिता कर रहे हैं।"

धृ अप्रसन्न दिखाई दे रहा था, किंतु उसने कठोरता से कहा। "नहीं, नियति इसका निर्णय करेगी। यह कोई साधारण प्रतियोगिता नहीं है जो पिताजी ने उन राजाओं के लिए तैयार की है। उन्हें विवाह-कक्ष की छत पर बहुत ऊँचाई पर धातु से बनी, घूमती हुई एक मछली को भेदना होगा।"

धृ द्वारा पिताजी का समर्थन देखकर मुझे और अधिक क्रोध आ गया। "इसमें

क्या कठिनाई है? क्या यही वह कला नहीं है जिसे योद्धा सर्वप्रथम सीखते हैं कि चलते हुए लक्ष्य को कैसे भेदा जाए? अथवा तुम्हारे शत्रु रणभूमि में बैठकर तुम्हारे बाणों के प्रतीक्षा करते हैं?"

"अभी बात समाप्त नहीं हुई," धृ ने धैर्यपूर्वक कहा। "वे लक्ष्य को सीधे नहीं देख सकते, अपितु यह निशाना उन्हें चक्रवाती जल के एक पात्र में पड़ रही मछली की परछाईं को देखकर लगाना होगा। उन्हें एक ढाल के भीतर बने छोटे-से छिद्र में से पाँच बाण चलाकर अपना लक्ष्य भेदना है। इसके लिए वह अपने शस्त्रों का भी उपयोग नहीं कर सकते।"

"उन्हें संसार के सबसे भारी धनुष किंधार का प्रयोग करना पड़ेगा," कृष्ण ने सहायता स्वरूप बाद में जोड़ा। "तुम्हारे पिता ने इसे बहुत अनुनय-विनय के बाद देवताओं से प्राप्त किया है। समस्त संसार में सिर्फ़ मुट्ठी-भर योद्धा ही इतने शक्तिशाली हैं जो उस धनुष को उठा सकते हैं और उससे भी कम हैं जो उसपर प्रत्यंचा चढ़ा सकते हैं।"

मैंने उन दोनों की ओर हैरानी से देखा। "बहुत अच्छा!" मैंने कहा। "तो पिताजी ने उन राजाओं के लिए असंभव कार्य नियत किया है! क्या वह पागल हो गए हैं?"

"असंभव नहीं है," कृष्ण ने कहा। "मैं एक को जानता हूँ जो इस कार्य को पूर्ण कर सकता है। पांडवों का तृतीय राजकुमार, अर्जुन, मेरा प्रिय मित्र।"

"अर्जुन?" मैंने आश्चर्य से पूछा। "आपने कभी हमें यह नहीं बताया कि वह आपका सर्वप्रिय मित्र है!"

"ऐसी अनेक बातें हैं जो मैंने तुम्हें नहीं बताई हैं," कृष्ण ने खेदहीन ढंग से कहा।

धृ के नेत्रों में उत्सुकता बढ़ गई, "क्या वह सचमुच इस समय का सर्वश्रेष्ठ धनुर्धर है?"

"मेरे विचार से तो ऐसा ही है," कृष्ण ने कहा। "वह बहुत आकर्षक है और स्त्रियों के बीच अत्यंत लोकप्रिय भी है। मुझे लगता है कि हमारी कृष्णा को वह पसंद आएगा!"

कृष्ण के शब्दों ने मुझे उत्सुक कर दिया था, यद्यपि इस बात को प्रकट करके मैंने कृष्ण को इसका सुख नहीं लेने दिया। "हमारे पिताजी मेरा विवाह ऐसे व्यक्ति से क्यों करवाना चाहेंगे जिसने उनका अपमान किया था?" मैंने पूछा।

"अर्जुन ने उनका अपमान नहीं किया!" धृ ने जल्दी से कहा। "वह तो केवल द्रोण के आदेश का पालन कर रहा था। एक योद्धा के मन में उस व्यक्ति के लिए सर्वाधिक सम्मान होता है जो उसे युद्ध में पराजित करता है।"

ये पुरुष! इनके जीवन के विचित्र नियम होते हैं। मैं धृ से पूछना चाहती

थी कि पिताजी द्रोण से आख़िर इतनी घृणा क्यों करते थे, जबकि उनकी पराजय की पीछे की पूरी योजना द्रोण ने ही तैयार की थी, परंतु मैंने बात को अधिक आनंददायक दिशा में मोड़ दिया। अपने समय के सर्वश्रेष्ठ धनुर्धर की पत्नी बनना। ऐसी स्त्री बनना जिसकी मुस्कराहट से उसके हृदय की धड़कन बढ़ जाए, जिसके भँवें सिकोड़ने मात्र से वह इतना आहत महसूस करे कि उसे मृत्यु जैसा एहसास होने लगे, जिसकी सलाह से वह अपने सर्वाधिक महत्त्वपूर्ण निर्णय ले। क्या यही वह मार्ग था जिसके माध्यम से मैं इतिहास बदलने वाली थी?

कृष्ण शरारतपूर्ण ढंग से मुस्कराने लगे मानो उन्हें पता था कि मैं क्या सोच रही थी। फिर वह बोले, "यदि वह आया, यदि वह विजयी हुआ तो पंचाल के लिए यह कितनी महान विजय होगी!"

मुझे उनका यह स्वर पसंद नहीं आया। "पंचाल से आपका क्या आशय है?"

"क्या तुमने यह नहीं सोचा?" वह बोले। "एक बार अर्जुन का विवाह तुमसे हो गया तो वह कभी तुम्हारे पिता के विरुद्ध युद्ध नहीं कर सकेगा। वह फिर कभी द्रोण का साथ नहीं दे सकेगा।"

मेरा मुँह कड़वाहट से भर गया। मैं भी कितनी मूर्ख हूँ कि प्रेम का स्वप्न देख रही हूँ जबकि मैं मछली पकड़ने के चारे से अधिक कुछ नहीं!

"पिताजी ने यह प्रतियोगिता सिर्फ़ अर्जुन को पंचाल की ओर आकर्षित करने के लिए रखी है ना?" मैंने पूछा। "चूंकि वह युद्ध में अर्जुन से पराजित हो चुके हैं, इसलिए उसे विवाह का सीधा प्रस्ताव भेजकर लज्जित नहीं होना चाहते थे, किंतु स्वयंवर - यह तो सर्वोत्तम अवसर है! वह जानते हैं कि अर्जुन जैसा योद्धा ऐसी चुनौती का प्रतिरोध नहीं कर पाएगा। उन्हें सिर्फ़ सत्ता की चिंता है, अपने बच्चों की नहीं।" मुझे इस बात पर पहले से ही संदेह था, फिर भी मुझे आश्चर्य हो रहा था कि इस बात को स्पष्ट करने के लिए वह कितना भड़क रहे थे।

"पांचाली," धृ ने कहा, "यह सत्य नहीं है!"

"तुम कभी सत्य को स्वीकार क्यों नहीं करते?" मैंने कटु स्वर में कहा। "हम लोग राजा द्रुपद के लिए मोहरों से अधिक कुछ नहीं हैं जिनकी वह अपने लाभ के लिए कभी भी बलि दे सकते हैं। कम से कम मेरा तो विवाह किया ही जा रहा है। तुम - तुम्हें भी वह सिर्फ़ इसलिए मृत्यु के मुख में धकेल रहे हैं जिससे उनका अपना प्रतिशोध पूरा हो सके।"

यह शब्द बोलकर मुझे दुख हुआ। ऐसा सिर्फ़ इसलिए नहीं हुआ कि धृ ने मुझे यूँ देखा मानो मैंने उसे थप्पड़ मार दिया हो। दाई माँ कहती हैं कि किसी व्यक्ति

की मृत्यु के विषय में बोलकर मृत्यु को सचमुच आमंत्रित किया जा सकता है। क्या मैं अपने भाई के दुर्भाग्य का कारण बन रही थी क्योंकि मुझसे अपनी जिह्वा पर नियंत्रण नहीं रखा जा रहा था? यद्यपि मैं प्रार्थना आदि करने के ज्यादा पक्ष में नहीं हूँ, उस समय मैं धृ की रक्षा के लिए तुरंत प्रार्थना करने लगी।

कृष्ण ने मेरे कंधे पर हाथ रखते हुए कहा, "प्रिय, तुम्हारे पिता इतने असंवेदनशील नहीं हैं जितने प्रतीत होते हैं। उनका यह विश्वास है कि भारत के सर्वोत्तम नायक की पत्नी बनने में तुम्हारी खुशी है, तथा धृ के संदर्भ में, उनका विश्वास है कि अपने परिवार के सम्मान का प्रतिशोध लेने में ही उसकी भलाई है।"

कृष्ण के बात करते समय भी मैं रक्त व विध्वंस की गंध महसूस कर पा रही थी। मुझे अपनी क्षुद्र चिंताओं पर लज्जा आ रही थी। धृ का भविष्य इतना बुरा होने वाला था कि मैं उसका सामना भी नहीं कर सकती थी! मैं इस बात पर विचार कर रही थी कि उससे वह टूट जाएगा या अत्यंत कठोर हो जाएगा, और यह कि दोनों में से अधिक बुरा क्या है। मुझे लग रहा था कि कहीं मैंने ग़लत बात के लिए तो प्रार्थना नहीं कर दी थी।

"जहाँ तक मोहरा होने का प्रश्न है," कृष्ण ने कहा, "क्या हम सभी, सबसे बड़े खिलाड़ी, समय के हाथ के मोहरे नहीं हैं?"

. . .

मैं रात को कृष्ण की बात पर विचार करने लगी और यह सोचने लगी कि उन्होंने मेरे प्रेम के बुलबुले को बनने से पूर्व ही क्यों तोड़ दिया था। वह मुझे अवश्य ही कुछ सिखाने का प्रयास कर रहे थे। क्या उनका ऐसा करना भद्र कार्यों के पीछे छिपी कुटिल भावनाओं के प्रति मुझे सजग करना था? क्या ऐसा इसलिए नहीं था कि मैं भावनाओं में बह जाऊँ और अपने आप को भारत का भाग्य प्रभावित करने वाली बृहत् राजनीतिक योजना के अंश के रूप में देख सकूँ? क्या यह मुझे सतर्कता का कवच पहनना सिखाने के लिए था ताकि कोई उसे भेदकर मेरे हृदय तक न पहुँच सके?

ये निश्चित ही महत्त्वपूर्ण सबक थे, किंतु मैं नारी थी और मुझे इनका - जैसा कि शिखंडी ने कहा था - अपने तरीके से अभ्यास करना था। मुझे इस समस्या को परोक्ष ढंग से देखना होगा। मेरे पिता की मंशा जो भी हो, फिर भी मैं अर्जुन की हृदय-गति तो बढ़ा ही सकती थी। मैं उसके विचारों को तो प्रभावित कर ही सकती थी। शायद समय ही श्रेष्ठ खिलाड़ी है, किंतु साधुओं द्वारा *माया* कहे जाने वाले इस संसार में मनुष्यों के लिए अनुज्ञेय सीमाओं के अंदर, मैं भी एक खिलाड़ी बनने वाली थी।

# 8

## जादूगरनी

एक दिन प्रातः जादूगरनी आ गई। मैं उसे ऐसा क्यों कहती हूँ? वह बाज़ार में अपना सामान बेचने वाली स्त्रियों से भिन्न नहीं थी। उसकी नीली साड़ी उसके पैरों के बीच, किसान की भांति, उसकी कटि में अच्छी तरह बँधी रहती थी। उसके भीतर से नमकीन मछली की हलकी गंध आती रहती थी।

"तुम कौन हो?" दाई माँ ने पूछा। "तुम सुरक्षाकर्मियों को पार करके यहाँ तक कैसे आ गईं?"

उसकी ठुड्डी पर एक सितारा गुदा हुआ था और उसकी बाँहें बलिष्ठ थीं जिनसे उसने दाई माँ को अमृदुता से तो नहीं किंतु ज़ोर से पकड़कर एक ओर कर दिया। उस स्त्री की धृष्टता पर दाई माँ अचंभित होकर उसे देखती रहीं। मैंने यह अपेक्षा कि थी कि दाई माँ चिल्लाकर संतरी को बुलाएँगी अथवा अपने सहज लड़ाकू स्वभाव के कारण उस स्त्री को फटकार लगाएँगी, किंतु उन्होंने ऐसा कुछ नहीं किया।

"मुझे भेजा गया है," जादूगरनी ने मुझसे कहा, "ताकि मैं तुम्हारी शिक्षा की, जो अधिकांश रूप से व्यर्थ चल रही है, प्रमुख कमियों को दूर कर सकूँ।"

मैंने उसका विरोध नहीं किया। (सच कहूँ तो मैं अपनी शिक्षा के विषय में उसके अनुमान से सहमत थी।) मेरी इस बात में रुचि थी कि मुझे देने के लिए उसके पास क्या था।

"तुम्हें किसने भेजा है?" मैंने पूछा। मुझे संदेह था कि महर्षि व्यास ने उसे भेजा होगा। उनका संबंध भी मछुआरों से था।

वह मुस्कराई। उसके श्याम वर्ण के चेहरे पर उसके पैने व दानेदार दाँत बहुत अधिक श्वेत लग रहे थे। "तुम्हें पहला सबक यह सीखना है, राजकुमारी कि

जिन प्रश्नों के उत्तर तुम नहीं देना चाहतीं, उनसे कैसे बचा जाए। ऐसे प्रश्नों की उपेक्षा कर देनी चाहिए।"

शेष सप्ताह में उसने मुझे अपने केश सँवारना सिखाया। उसने मुझे उन्हें धोना, तेल लगाना, उनमें पड़ी उलझन को सुलझाना और उन्हें सौ ढंग से बाँधना सिखाया। वह मुझे अपने केश पर अभ्यास करवाती थी और यदि मैं उन्हें अधिक ज़ोर से खींच देती अथवा किसी लट में भूल करती तो वह मुझे बहुत ज़ोर से डाँट देती थी। उसके बाल बहुत उलझे हुए व रूखे थे जिन्हें सँभालना बहुत कठिन होता था, इसलिए मुझे अनेक बार फटकार सुनने को मिलती थी। मैं यह सब अनभ्यस्त दुर्बलता के साथ सहन करती रही।

दाई माँ को यह सब बिल्कुल अस्वीकार था। "हास्यास्पद!" वह ज़ोर देकर कहतीं (मैंने ध्यान दिया कि वह इतना धीरे बोलती थीं ताकि जादूगरनी न सुन सके)। "क्या किसी ने सुना है कि एक राजकुमारी किसी और के - अथवा स्वयं तक के - केश सँवारे?" यद्यपि, मुझे लगता था कि जादूगरनी के पास ऐसा करने के कई कारण थे और मैंने उसके साथ तब तक पूरी मेहनत की, जब तक वह संतुष्ट नहीं हो गई।

. . .

जादूगरनी ने मुझे ऐसी अनेक अराजसी कलाएँ सिखाईं। उसने मुझे कई दिन बिना तकिया लगाए, सिर्फ़ हाथ को सिर के नीच रखकर सोना सिखाया। यह तब तक चला, जब तक मुझे उन परिस्थितियों में सोने की आदत नहीं पड़ गई वह मुझे सबसे सस्ती और इतनी खुरदुरी सूती साड़ियाँ पहनाती कि उनसे मेरी त्वचा छिल जाती थी और ऐसा उसने तब तक किया जब तक मैं उनकी अभ्यस्त नहीं हो गई। उसने मुझे वह खिलाया जो मेरे अनुचर खाते थे; उसने मुझे फलों पर, फिर पानी पर रहना सिखाया और फिर कई दिन तक निरंतर उपवास भी करवाए।

"यह स्त्री तुम्हारी मृत्यु का कारण बनेगी!" दाई माँ विलाप करते हुए बोलीं। "यह तुम्हारे शरीर को गला रही है।" किंतु यह सत्य नहीं था। जादूगरनी ने मुझे एक विशेष प्रकार से यौगिक श्वास लेना सिखा दिया था जिससे इतनी ऊर्जा मिलती थी कि मुझे किसी अन्य पदार्थ की आवश्यकता ही नहीं होती थी। उस श्वास से मेरा मस्तिष्क इतना एकाग्र हो गया कि मुझे ऐसे सूक्ष्म दृश्य दिखलाई देने लगे जो पहले नहीं दिखते थे। मैं देखा कि उसके सिखाए सबक परस्पर विरोधी थे। उसने एक ओर मुझे सौंदर्य-वर्द्धन के तरीके सिखाए, तो वहीं मुझे इतना साधारण दिखना भी सिखाया कि कोई मुझ पर दोबारा दृष्टि भी न डाले। उसने मुझे सर्वोत्कृष्ट

घटकों के साथ-साथ अपर्याप्त सामग्री से भी भोजन बनाना सिखाया। उसने रोग को ठीक करने के साथ-साथ, मुझे रोगकारक दवाइयाँ बनानी भी सिखाईं। उसने मुझे निर्भय होकर अपनी बात कहना सिखाया और साथ ही, साहसी बनकर मौन रहना भी। उसने मुझे बताया कि कब सत्य बोलना चाहिए और कब असत्य। उसने मुझे यह भी सिखाया कि किस प्रकार एक पुरुष के स्वर के कंपन से उसके भीतर छिपी हुई त्रासदियों को पहचाना जाता है। मैंने उससे यह भी सीखा कि दूसरों के दुखों से स्वयं को विरक्त रखकर किस प्रकार जीवित रहा जा सकता है। मैं समझ गई कि वह मुझे उन विभिन्न परिस्थितियों के लिए तैयार कर रही थी जो मेरे जीवन में आगे चलकर आने वाली थीं। मैंने अनुमान लगाने का प्रयास किया वह परिस्थितियाँ किस प्रकार की होंगी, किंतु मैं इसमें असफल हो गई। मैं इस कार्य में भी असफल रही कि यह जानते हुए भी कि उसने जो कुछ मुझे सिखाया था वह सब महत्त्वपूर्ण था, मैंने मिथ्याभिमान के कारण सिर्फ़ उतना ही सीखा जिससे मेरे अहं की तुष्टि होती थी।

. . .

अंत में उसने मुझे विमोहन सिखाया, जो एक पत्नी को सर्वप्रथम सीखना चाहिए। उसने दिखाया कि आँख के कोने से किस प्रकार बिजली-सा दृष्टिपात किया जा सकता है। उसने बताया कि नीचे वाले होंठ को, हलका-सा एवं धीरे-से किस प्रकार काटा जाता है। पारदर्शी घूँघट काढ़ने के लिए हाथ उठाते समय चूड़ियों की ध्वनि किस तरह करनी चाहिए। चलते समय, अपने पृष्ठ भाग को किस प्रकार हिलाना चाहिए जिससे गुप्त आनंद का संकेत मिल सके।

उसने कहा, “शय्या पर, प्रतिदिन तुम्हें अपने स्वामी की इच्छानुसार भिन्न व्यवहार करना चाहिए। अपने साथी की फुर्ती के साथ सामंजस्य बनाते हुए कभी शेरनी की तरह, कभी घबराए हुए कपोत की भांति तो कभी हिरणी की तरह रहना चाहिए।”

उसने मुझे अनेक प्रकार की जड़ी-बूटियाँ दीं, कुछ अतृप्तता के लिए, कुछ सहनशीलता हेतु तथा कुछ उन दिनों के लिए जब मैं पुरुष को स्वयं से दूर रखना चाहूँ।

“प्रेम के लिए?” मैंने पूछा।

“नीलकमल की डंडियों को शहद में पीसने से पुरुष तुम्हारे प्रेम में मतवाला हो जाएगा,” वह बोली।

“मेरा यह मतलब नहीं था।”

फिर उसने मुझे अपनी इच्छा जागृत करने के लिए एक अन्य बूटी दी।

"नहीं। मुझे यह सिखाओ कि मैं अपने पति को कैसे प्रेम करूँ, और ऐसा क्या करूँ कि वह भी मुझे प्रेम करे।"

वह ज़ोर से हँसी। "मैं तुम्हें यह नहीं सिखा सकती," उसने कहा। "प्रेम वज्रपात की भांति आता है, और उसी प्रकार ओझल हो जाता है। यदि तुम्हारा भाग्य अच्छा है तो वह सही ढंग से तुम पर वार करेगा। यदि नहीं, तो तुम्हारी समस्त आयु उस पुरुष को प्राप्त करने में बीत जाएगी, जिसे तुम चाहती हो। राजकुमारी मेरी यह सलाह है कि प्रेम के विषय में सोचना भूल जाओ। आनंद प्राप्त करना अधिक सरल है और दायित्व अधिक महत्त्वपूर्ण होता है। इनसे संतुष्ट होना सीखो।"

मुझे उसकी बात पर विश्वास कर अपनी इच्छाओं को परिवर्तित कर लेना चाहिए था, किंतु मैंने ऐसा नहीं किया। हृदय के भीतर कहीं, मुझे इस बात पर भरोसा था कि मैं इससे अधिक प्राप्त करने की अधिकारी थी।

. . .

जादूगरनी ने अंत में मुझे दो उपहार दिए : एक कथा और एक चर्मपत्र। वह कथा अर्जुन की माता कुंती की थी। चर्मपत्र पर भारत के अनेक राज्यों के नक़्शे बने हुए थे।

जादूगरनी ने मुझे बताया कि कुंती को उसकी युवावस्था में क्रोधी ऋषि दुर्वासा ने, जिन्हें उसने किसी तरह प्रसन्न कर लिया था, एक वरदान दिया था। वह जब चाहे, किसी देवता का आह्वान कर उनसे पुत्र माँग सकती थी। यह विचित्र वरदान था क्योंकि इसके अनेक नुकसान थे, किंतु इसका उसे लाभ तब मिला जब अपने पति पांडु से उसे कोई संतान नहीं मिल सकी। इस प्रकार, कुंती का ज्येष्ठ पुत्र युधिष्ठिर धर्मराज का पुत्र था; दूसरा पुत्र भीम, पवनदेव का पुत्र था; तीसरा, देवराज इंद्र का पुत्र अर्जुन था। एक बार, पांडु की दूसरी पत्नी, माद्री ने बार-बार जब कुंती से उसका वरदान उधार माँगा तो कुंती ने उसे अपना वरदान दे दिया। इस तरह, माद्री के भी अश्विनीकुमारों से दो पुत्र हुए - नकुल और सहदेव।

"क्या तुम्हें लगता है कि देवताओं से मनुष्य उत्पन्न हो सकते हैं?" मैंने पूछा।

उसने मुझे देखा। "हो सकते हैं, जिस प्रकार अग्नि से उत्पन्न हो सकते हैं! यद्यपि, न मेरा और न ही तुम्हारा इस बात को मानने का कोई महत्त्व नहीं है। कथाएँ तुम्हें इसलिए नहीं सुनाई जाती हैं।"

जादूगरनी अच्छी कथा-वाचक थी। उसने कुंती के एकाकी अस्तित्व को जीवंत कर दिया जिससे मैं उसके अँधेरे छिद्रों के भीतर देख सकूँ। निस्संतान राजा कुंतीभोज द्वारा गोद ली गई कुंती की देखभाल करने के लिए उसका भाई नहीं था, मन की बात करने के लिए कोई बहन नहीं थी, उसे सांत्वना देने के लिए माँ नहीं थी। पांडु से उसका विवाह - जो एक राजनीतिक समझौता था - सुखदायक नहीं रहा। कुंती के साथ विवाह के तत्काल बाद, पांडु ने माद्री को अपनी दूसरी पत्नी बना लिया और अपना संपूर्ण स्नेह उस पर न्योछावर कर दिया। उसके बाद, पांडु को एक ब्राह्मण ने शाप दे दिया। फलस्वरूप, अपना राज्य अपने नेत्रहीन भाई धृतराष्ट्र को सौंपकर पांडु स्वयं प्रायश्चित हेतु वन में चला गया। पतिव्रता पत्नियों की भांति, कुंती और माद्री भी राजसी सुख त्याग कर पांडु के साथ वन में चली गईं। (यद्यपि, संभवतया उन्हें उसकी चिंता नहीं करनी चाहिए थी क्योंकि पांडु को यह शाप मिला था कि यदि वह आसक्तिवश किसी स्त्री को स्पर्श करेगा तो उसकी मृत्यु हो जाएगी।) इसी तरह अनेक वर्ष बीत गए। बच्चे बड़े हो गए। एक दिन, पांडु स्वयं को रोक नहीं सका और उसने माद्री को अपने आलिंगन में ले लिया। शाप के प्रभाव से उसकी तत्काल मृत्यु हो गई ग्लानि से बोझिल माद्री ने भी जीवित रहने की इच्छा का त्याग कर दिया। अपने पति की मृत्यु और उसके द्वारा लिए अंतिम कृत्य से हालांकि कुंती पूरी तरह बिखर गई थी, उसने अपना साहस फिर से बटोरा। अपनी व माद्री की संतानों में किसी भी प्रकार का भेदभाव न करते हुए, वह पाँचों राजकुमारों को लेकर हस्तिनापुर लौट आई। उसे विश्वास था कि उसके पुत्रों को उनके अधिकारों से कोई वंचित नहीं करेगा। अनेक वर्षों तक, उस अकेली विधवा ने प्रतिकूल वातावरण में, धृतराष्ट्र के राजदरबार में अपने पुत्रों की रक्षा की। अंत में, एक दिन आया जब वे सभी राजकुमार वयस्क हो गए।

मैं जादूगरनी को यह बताना चाहती थी कि मैं कुंती के त्याग और उसके साहस से कितनी अधिक प्रभावित थी, किंतु उसने मुझे बीच में ही रोक दिया। "भावनाओं में मत बहो," मुझे अपने असंवेदनशील नेत्रों से देखते हुए उसने कहा। "समझो! इस बात को समझो कि उसकी जैसी नारी ने प्रेरणा कैसे ली होगी। शत्रुओं से घिरे होने के बावजूद वह जीवित कैसे बच पाई यह समझो कि रानी किस प्रकार बना जाता है - और सावधान रहो!"

मैंने जादूगरनी की बात पर अधिक ध्यान नहीं दिया। अपने यौवन के अहं के कारण मुझे लगा कि कुंती को प्रेरित करने वाले कारण इतने सहज थे कि उन पर अधिक ध्यान देने की आवश्यकता नहीं थी।

कुंती से मिलने के बाद ही मुझे पता लगा कि वह मेरी कल्पना से कितनी भिन्न और ख़तरनाक थी।

. . .

वह नक़्शा चर्म वर्ण की पतली मुड़ी हुई पर्त जैसा था। इससे पूर्व (यद्यपि मेरे गुरु ने मुझे बताया था) मैंने अपने देश की आकृति कभी नहीं देखी थी। यह एक त्रिकोण जैसा था जो किसी पच्चर की भांति नीचे से पैना होकर समुद्र में घुस गया था। इसमें इतने अधिक राज्य थे कि मुझे लगा कि मैं इन सबके विषय में कभी नहीं जान पाऊँगी। नदियाँ और पहाड़ तो सरल थे : उनके ऊपर अंगुली फेरते समय मैं उनके नाम बताती जा रही थी। जब मैंने हिमालय शिखर को छुआ तो मेरा हाथ काँपने लगा क्योंकि मुझे पता था कि यह बर्फ़ीला पहाड़ मेरे जीवन में महत्त्वपूर्ण भूमिका निभाएगा। मैंने आश्चर्य से पंचाल राज्य, और कांपिल्य को दर्शाते छोटे-से बिंदु की ओर देखा। पहली बार, इतने विशाल संसार में अपना स्थान निर्धारित करना विचित्र महसूस हो रहा था।

"मैंने यहाँ आने से एकदम पहले यह नक़्शा बनवाया था," जादूगरनी ने कहा। "किंतु यह पुराना हो गया है।" उसने चर्मपत्र पर अपना हाथ फेरा और ऐसा लगा मानो राज्यों की सीमाएँ खिसक रही थीं, कुछ फैल तथा कुछ सिकुड़ रही थीं। उनमें से कुछ अदृश्य हो गईं तथा अनेक के नाम बदल गए।

"राजागण सदैव लड़ते रहते हैं," उसने कहा। "उन्हें सिर्फ़ भूमि और सत्ता चाहिए होती है। वह इतना अधिक कर लगाते हैं कि प्रजा भूखी मर जाती है और फिर वह लोगों को अपनी सेना में सम्मिलित होकर युद्ध करने के लिए बाध्य करते हैं।"

"निश्चय ही, कुछेक अच्छे राजा भी होंगे," मैंने तर्क दिया, "जो अपनी प्रजा का ध्यान रखते होंगे।" मैं उस समय कृष्ण के विषय में सोच रही थी, हालांकि मुझे नहीं पता था कि वह किस प्रकार अपने राज्य को सँभालते थे।

"बहुत कम," उसने कहा, "और वे भी युद्ध करते-करते थक चुके हैं। मनुष्य के इस तृतीय युग में अच्छे लोग अधिकतर दुर्बल हैं। इसीलिए, इस पृथ्वी को अब महायुद्ध की आवश्यकता है, जिसके बाद सब कुछ दोबारा नए सिरे से आरंभ हो सके।"

यह बात फिर आ गई : महायुद्ध। यह शब्द मेरे फेफड़ों में कील की भांति चुभ रहा था। मैंने संकोच के साथ कहा, "मुझे बताया गया था कि मैं इस युद्ध का कारण बनूँगी।"

उसने मेरी ओर देखा। उसकी आँखों में दया थी। उसने सिर्फ़ इतना कहा, "ऐसी विशाल घटनाओं के अनेक कारण होते हैं।"

मैंने फिर हठ किया। "मुझसे कहा गया था कि मेरे कारण लाखों स्त्रियाँ विधवा हो जाएँगी। यह सोचकर मेरे हृदय में अत्यधिक पीड़ा होती है कि मेरे कारण इतने निर्दोष लोगों को कष्ट झेलना पड़ेगा।"

"सदैव ऐसा ही होता है। निर्दोष लोगों को कष्ट कब नहीं होता? जो भी हो, तुम्हारा यह सोचना ग़लत है कि स्त्रियाँ निर्दोष होती हैं।" उसके हाथ हिलाने से नक़्शा फिर हिल गया। मुझे ऐसा प्रतीत हुआ कि मैं निर्धन व धनाढ्य दोनों तरह के हज़ारों घरों के भीतर देख रही थी। मुझे स्त्रियों के कटु और कलहपूर्ण स्वर एवं विचार सुनाई दे रहे थे। कुछ अपने प्रतिद्वंद्वियों के लिए रोग व मृत्यु की कामना कर रही थीं, अन्य अपने घर का स्वामित्व चाहती थीं। कुछ अपने बच्चों को ऐसे शब्द कह रही थीं कि उनका हृदय आहत हो रहा था। कुछ ने अपने घर में कार्यरत दासी-कन्याओं को बिना पैसा दिए, घर से बाहर निकालकर निर्दयी संसार के बीच छोड़ दिया था। कुछ स्त्रियाँ पूरी रात अपने पतियों के कान में अपने असंतोष की कहानी सुना रही थीं, जिसके कारण सुबह उनके पति, अपनी पत्नियों के भीतर के क्रोध को बाहर निकालते थे।

"जैसा कि तुम देख सकती हो," जादूगरनी बोली, "स्त्रियाँ सैकड़ों कपटी तरीकों से इस संसार की समस्याओं में अपना योगदान देती हैं। तुम, जो अधिकतर स्त्रियों से अधिक शक्तिशाली हो, यदि सावधान नहीं रहोगी तो इन सबसे कहीं अधिक विध्वंस कर सकती हो। मैंने तुम्हें इससे बेहतर चीज़ें सिखाई हैं। तुम्हें उन्हें ध्यान में रखना होगा और अपनी भावनाओं पर नियंत्रण रखना होगा!"

"मैं ऐसा कर सकती हूँ!" किसी अपरीक्षित व्यक्ति की तरह आत्मविश्वास से भरकर मैंने उत्तर दिया। मुझे पता है कि मैं बुद्धिमान हूँ। क्या दाई माँ सदैव यह शिकायत नहीं करती रहतीं कि मैं आवश्यकता से अधिक समझदार हूँ? मैं अपने आवेश पर नियंत्रण रख सकती हूँ। ज्ञान और प्रेम बाँटते हुए मैं एक महारानी के रूप में अपनी कल्पना करने लगी। लोग मुझे शांति-निर्मात्री कहकर पुकारेंगे।

जादूगरनी हँसने लगी। वह झुककर अपनी कमर पर हाथ रखे हुए थी और उसके आँख से आँसू बह रहे थे, उसकी बस यही अंतिम स्मृति मेरे मस्तिष्क में शेष है।

# 9

## चित्र

जब तक मैं कक्ष के भीतर पहुँची, चित्रकार सभी चित्रों को ठीक से रख चुका था। प्रत्येक चित्र रेशमी कपड़े से ढँका हुआ था। धृ पहले से वहाँ बैठा हुआ था और उसकी भँवें तनी हुई थीं। उसने मेरी ओर देखकर सिर हिलाया, किंतु वह मुस्कराया नहीं। दाई माँ द्वारा पास रखा गया अमरस उसने छुआ तक नहीं था। उसके चेहरे पर चिंता के भावों को देखकर, जो गर्मी की तरह स्पर्शनीय लग रहे थे, मैं भी चिंतित हो गई। समस्या का पता लगाने के लिए हमें वहाँ एकांत होने तक की प्रतीक्षा करनी थी।

वह चित्रकार पहले भी कांपिल्य आ चुका था। राजा द्रुपद की अन्य कन्याओं के विवाह के समय, उसने आकर उन कन्याओं की पसंद की वस्तुओं के चित्र बनाए थे ताकि उन चित्रों को उन राजाओं तक पहुँचाया जा सके जिनके साथ द्रुपद की संबध बनाने का इच्छा थी। आज वह अपने साथ मुझे दिखाने हेतु कुछ विशिष्ट राजाओं के चित्र लाया था। इस प्रकार, विवाह कक्ष में जब ये लोग सचमुच मेरे समक्ष होंगे तो मुझे पता रहेगा कि वे कौन-कौन हैं।

मुझे कृष्ण के उस समय यहाँ उपस्थित होने की आशा थी। मैं उन रहस्यों व सूचनाओं के लिए कृष्ण पर ही निर्भर थी जिन्हें जानना एक पत्नी के लिए अति अत्यावश्यक था तथा, अज्ञान या भय के कारण, चित्रकार द्वारा उन सूचनाओं का छोड़ दिया जाना तय था। किस राजा को गुप्त रोग था, कौन राजा पारिवारिक शाप से ग्रस्त था, कौन कंजूस था, कौन युद्ध में पीठ दिखाकर भागा था और कौन ऐसा न करने के प्रति अत्यंत हठी था। यह सोचकर घबराहट होती थी कि कृष्ण को यह सब कुछ कैसे पता था, किंतु वह कहीं निकट भी नहीं थे। मैंने कुछ चिढ़ते हुए सोचा कि वह अवश्य ही समुद्र किनारे अपने महल में अपनी पत्नियों के साथ संसर्ग का आनंद ले रहे होंगे।

चित्रकार ने पहला चित्र अनावृत किया और फिर लयबद्ध ढंग से कहा, "यह दक्षिण में मद्रदेश के राजा तथा पांडव राजकुमारों के मामा शल्य हैं।"

मैंने राजा के चित्र को देखा। उसके सुसज्जित मुकुट के नीचे उसके बालों की सफ़ेदी छिप नहीं पा रही थी। उसका चेहरा हँसमुख था, परंतु उसकी कसावट सहज जीवनशैली के प्रति उसकी पसंद के साथ विश्वासघात कर रही थी। उसकी आँखों के नीचे की त्वचा ढीली पड़ चुकी थी।

"यह वृद्ध है!" मैंने धृ के कान में धीरे से कहा। "मेरी आयु की तो इसकी पुत्रियाँ होंगी। यह स्वयंवर में आने का इच्छुक क्यों है?"

मेरे शांत स्वभाव वाले भाई ने कहा, "जैसा कि तुमने स्वयं ही कहा था कि यह एक चुनौती है, और पुरुषों के लिए चुनौतियों को अस्वीकार करना कठिन होता है, परंतु इससे हमें कोई खतरा नहीं है। यह जीत नहीं सकता।"

धृ द्वारा हमारे भाग्य को जोड़ने वाले सर्वनामों का प्रयोग सुनकर मुझे प्रसन्नता हुई, किंतु उसके आत्मविश्वास से मैं अधिक संतुष्ट नहीं थी। मैं यह सोच कर काँप उठी कि यदि शल्य जीत गया तो उसका मुझ पर दावा हो जाएगा और मुझे उसके साथ शांतिपूर्वक ऐसे जाना पड़ेगा जैसे कोई विजेता मल्ल युद्ध जीतने के पश्चात् पुरस्कार स्वरूप स्वर्ण ले जाता है।

चित्रकार ने अन्य चित्र दिखाए। जलते अंगारों-सी आँखों वाले मगध देश का राजा, जरासंध। (मैंने धृ के गुरु को यह कहते सुना था कि जरासंध ने अपने महल की भूल-भुलैया में सौ पराजित राजाओं को बंदी बना रखा था।) चित्र में जरासंध का मित्र, चेदिराज शिशुपाल भी था जिसकी खूँटी जैसी नाक थी और वह बहुत ताने मारता था। कृष्ण के साथ उसके झगड़े का एक लंबा इतिहास था। एक चित्र सिंधुराज जयद्रथ का था जिसके अशुभ व मादक होंठ थे। मैंने एक के बाद एक इतने राजाओं के चित्र देखे कि मेरी दृष्टि धुँधली पड़ने लगी। मुझे पता था कि उनमें से अनेक राजा शालीन थे। मेरी इच्छा रखने वाले प्रत्येक राजा से मुझे घृणा हो रही थी। मैं प्रार्थना करने लगी कि वे सभी असफल हो जाएँ।

वह लंबी दोपहर ऊब और भय के बीच बीत गई मैं सिर्फ़ एक चेहरे की प्रतीक्षा कर रही थी। मैं देखना चाहती थी कि उसके संदर्भ में मेरी कल्पना कितनी सटीक थी। संभवतया ऐसा नहीं था! क्या कल्पना सदैव सत्य की अतिरंजना या फिर उसे कुछ कम नहीं कर देती?

जब चित्रकार ने अंतिम व सबसे बड़े चित्र को अनावृत किया, तो मैं सजग हो गई, क्योंकि मुझे विश्वास था कि वह अर्जुन का ही चित्र होगा।

परंतु, वह बोला, "यह है शक्तिशाली दुर्योधन, हस्तिनापुर का भावी नरेश और साथ में उसके ख़ास-ख़ास दरबारी हैं।"

ओह, तो यह है कुख्यात कौरव राजकुमार और अर्जुन का चचेरा भाई! धृ के गुरु ने बताया था कि जिस दिन से उसके मृत चाचा के पुत्र पांडव दरबार में आए थे, वह उनसे घृणा करता था। उसे लगता था कि पांडव उस राजसिंहासन के दावेदार हैं जिसके ऊपर, जन्म से उसका अधिकार है। ऐसा भी कहा जाता है कि उसने बचपन में एक पांडव को पानी में डुबोने का प्रयास भी किया था।

दुर्योधन शारीरिक रूप से आकर्षक था, हालांकि मुझे उसके दुराग्रही वाचाल स्वभाव की चिंता नहीं थी। वह स्वर्ण-कमल से सुसज्जित एवं रत्न-जड़ित सिंहासन पर बैठा हुआ था। आगे झुककर उसके बैठने तथा मुट्ठी भींचने के ढंग से उसका असंतोष साफ़ दिखाई दे रहा था। उसकी बाईं ओर उसकी प्रतिकृति स्वरूप एक दुर्बल व चिड़चिड़ा व्यक्ति बैठा था।

"यह दुर्योधन का छोटा भाई, दुःशासन है," चित्रकार ने बताया।

भाइयों का संदर्भ मुझे असहज कर देता था, हालांकि इसका कारण समझाना कठिन था।

"इस चित्र को हटाओ," मैंने आदेश देते हुए कहा और तभी मेरी दृष्टि दुर्योधन के दाहिनी ओर खड़े व्यक्ति पर गई, "नहीं, रुको!"

राजकुमार से आयु में बड़ा और गंभीर मुख-मुद्रा वाला यह पतला पुरुष, सीधा व सतर्क होकर बैठा था मानो उसे पता था कि यह संसार अत्यंत ख़तरनाक स्थान है। राजदरबार भरा हुआ होने के बावजूद वह मानो वहाँ अकेला था। आभूषण के नाम पर उसके कानों में स्वर्ण कुंडल थे और तन पर ऐसा ही स्वर्ण कवच था, जो मैंने पहले कभी नहीं देखा था। उसकी आँखें किसी पुरातन उदासी से भरी थीं। मैं उसकी ओर खिंची जा रही थी। मेरा धैर्य टूट गया। मुझे अब अर्जुन का चित्र देखने की आवश्यकता नहीं थी, अपितु मैं अब यह जानना चाहती थी कि यदि यह पुरुष मुस्कराए तो उसकी आँखें कैसी लगेंगी। यह बेतुका विचार था किंतु मैं उसकी मुस्कान का कारण बनना चाहती थी।

"ओह, यह आप कर्ण को देख रही हैं," चित्रकार आदरपूर्वक बोला, "यह अंग देश का राजा और दुर्योधन का अंतरंग मित्र है। ऐसा कहा जाता है कि यह सर्वोच्च -"

"रुको!"

चीत्कार भरे, उस एक शब्द ने हम सबको अचंभित कर दिया। द्वार पर

कृष्ण खड़े थे। मैंने उन्हें पहले कभी इतना क्रोधित नहीं देखा था।

"तुम राजकुमारी को इस व्यक्ति का चित्र क्यों दिखा रहे हो? यह राजकुमार नहीं है।"

चित्रकार ने घबराकर काँपते हाथों से उस चित्र को ढँक दिया और कृष्ण से क्षमा याचना करने लगा।

मैं हतप्रभ थी। कृष्ण के व्यवहार में इतना तीखापन क्यों था? इस व्यक्ति में ऐसा क्या है जिसके कारण कृष्ण इतने विचित्र ढंग से व्यवहार कर रहे हैं? मेरे भीतर कुछ था जिसने उन उदास-नेत्रों वाले कर्ण का बचाव करना चाहा। "आप ऐसा क्यों कह रहे हैं? क्या यह अंग देश का राजा नहीं है?"

"अंग देश का राज्य दुर्योधन ने इसे दान में दिया था," कृष्ण ने धातु की भांति कठोर स्वर में कहा, "वह भी पांडवों का अपमान करने के उद्देश्य से। यह वास्तव में सूत-पुत्र है।"

पहली बार, मैं उनकी बात से संतुष्ट नहीं थी। ऐसा पुरुष जो राजकुमारों के बीच निश्चिंतता से बैठा था, जिसमें कृष्ण को परेशान कर देने की क्षमता थी, निश्चय ही सूत-पुत्र से अधिक कुछ था। मैंने इसकी जाँच करने के लिए मुड़कर धृ को देखा। उसने आँखें झपकाईं और नीचे देखने लगा। आह, इसमें रहस्य तो है, कुछ ऐसा जो कृष्ण मुझसे छिपा रहे हैं! मुझे वह बात बाद में अपने भाई से पता करनी होगी।

कृष्ण ने रूखेपन से कहा, "क्या तुम्हारे पास कोई अन्य चित्र नहीं है?"

"आपकी पसंद के चित्र हैं," चित्रकार ने हकलाकर कहा और कक्ष में पीछे लौट गया, "और आपके सुविख्यात भाई बलराम का भी चित्र है। आपसे बारंबार क्षमा चाहता हूँ! मैं अभी उन चित्रों को ले आता हूँ!"

मुझे क्रोध आ गया। क्या कृष्ण भी मुझसे विवाह करना चाहते थे? मैंने इस संभावना के विषय में कभी विचार नहीं किया। विगत वर्षों में वह सदैव वायु की भांति, अपरिहार्य तथा अविचारित, रूप में मेरे पास आते थे। आज मुझे ऐसा लगा कि उनके मन में विनोदप्रियता से अधिक कुछ था, जो मुझे आज तक पता नहीं लगा। यह कृष्ण का नया रूप, क्रोध से कठोर हुए उनके नेत्र और बाण की भांति उनका स्वर - मुझे विश्वास था कि यदि वह चाहते तो स्वयंवर की परीक्षा में सफल हो सकते थे।

उन्हें पति के रूप में पाकर मुझे कैसे लगेगा? यह सोचकर मुझे अपने भीतर असहज महसूस हो रहा था। मैं उनसे प्रेम करती थी, किंतु इस प्रकार नहीं!

कृष्ण परिचित व उपहासपूर्ण ढंग से हँसने लगे। "चिंता मत करो कृष्णा," वह बोले, "मैं अपने मित्र अर्जुन के विरुद्ध प्रतिद्वंद्वी नहीं बनूँगा और न ही बलराम ऐसा करेंगे। हमें पता है कि तुम्हारी नियति तुम्हें अन्यत्र ले जा रही है।"

इतनी पारदर्शिता ने मुझे लज्जित कर दिया। मैं नीचे संगमरमर के फ़र्श को देखने लगी और मैंने यह निश्चय कर लिया कि अपना कोई अन्य रहस्य उजागर नहीं होने दूँगी।

"परंतु मैं वहाँ रहूँगा," कृष्ण ने कहा। "उस महत्त्वपूर्ण दिन, मैं वहाँ उपस्थित रहूँगा ताकि तुम कोई ग़लत चुनाव न कर बैठो।"

मैंने उन्हें देखा। उनका आशय क्या था? प्रतियोगिता से बँधी होने के कारण मेरे पास चुनाव करने के लिए शेष ही क्या था?

उनके नेत्र शांत व रहस्यमय थे। उनके पीछे खड़ा धृ बाहर चमकती हुई दोपहर देख रहा था और फिर उसने उबासी ली। क्या मैंने कृष्ण के शब्दों की कल्पना मात्र की थी? अथवा उन्होंने वह शब्द मेरे मस्तिष्क में कहे थे ताकि मैं उन्हें सिर्फ़ सुन सकूँ?

. . .

चित्रकार ने दोबारा कक्ष में प्रवेश किया। दो चाँदी-जड़े हुए चित्रों के भार से वह झुका हुआ था। कृष्ण ने अधीरता से हाथ हिलाकर उन्हें वापस ले जाने जाने को कहा। "तुमने राजकुमारी को पांडवों के चित्र क्यों नहीं दिखाए?"

कृष्ण के क्रोध से डरा हुआ चित्रकार झिझका, किंतु फिर धीरे से बोला, "महाराज, वे मर चुके हैं।"

मेरे हृदय में ज़ोर से धमाका हुआ, मानो उसकी लय टूट गई हो। यह क्या बोल रहा है? कृष्ण तथा धृ उसका विरोध क्यों नहीं कर रहे? क्या यह सत्य हो सकता था? क्या यही कारण था कि धृ इतना परेशान लग रहा था?

"तुमने क्या सुना है?" कृष्ण ने शांत स्वर में पूछा।

"वहाँ आग लग गई थी," चित्रकार ने कहा। "मार्ग में सभी व्यापारी उसके विषय में बात कर रहे थे। वारणावत में, जहाँ पाँचों पांडव अपनी विधवा माँ कुंती के साथ छुट्टी मनाने गए थे। जिस अतिथि-गृह में वे लोग ठहरे हुए थे, वह जलकर भस्म हो गया। लोगों को वहाँ भस्म - और छह कंकालों के अतिरिक्त कुछ नहीं मिला! लोग सोच रहे हैं कि यह हत्या थी। कुछ लोगों का कहना है कि वह लाक्षागृह था और सरलता से जल जाने के लिए ही बनाया गया था। यद्यपि, स्वाभाविक रूप

से दुर्योधन पर आरोप लगाने का साहस कोई नहीं कर रहा!"

"यही मैंने भी सुना है," धृ ने चिल्लाकर कहा। "समूचे भारतवर्ष के लिए यह कितनी भारी क्षति है!"

मेरा सिर घूमने लगा। मैं पांडवों तथा उनकी माँ के साथ हुई इस भीषण दुर्घटना के बारे में सोचकर आंशिक रूप से व्याकुल महसूस कर रही थी, किंतु मेरे भीतर का एक बड़ा हिस्सा सिर्फ़ अपने विषय में सोच रहा था। भय हमें स्वार्थी बना देता है। यदि अर्जुन की मृत्यु हो गई तो मेरा क्या होगा? यदि कोई राजा उस प्रतियोगिता में सफल नहीं हो पाया तो स्वयंवर पूरी तरह विफल हो जाएगा। अपने अतिथियों के लिए असंभव कार्य निर्धारित करने के लिए मेरे पिता की निंदा होगी। मैं शेष जीवन अविवाहित रहने के लिए विवश हो जाऊँगी, परंतु इससे भी अधिक बुरा हो सकता है। अपमानित राजागण एकत्रित होकर मेरे पिता के विरुद्ध युद्ध की घोषणा कर सकते हैं और उसके बाद - मुझे समेत - इस पराजित राज्य के अवशेषों को परस्पर बाँट सकते हैं।

"कृष्ण," धृ ने काँपते स्वर में कहा, "अब हम क्या करें? क्या स्वयंवर रोकने के लिए देर हो चुकी है?"

"प्रिय!" कृष्ण ने अबोध्य हास्य के साथ उत्तर दिया, "क्या उस ब्राह्मण ने, जो तुम्हें शिक्षा देता है, कुछ नहीं सिखाया? जब तक किसी अफ़वाह की स्वयं पुष्टि न कर ली जाए, राजकुमारों को घबराना नहीं चाहिए।"

"परंतु वे कंकाल..."

कृष्ण ने कंधे उचकाए। "अस्थियाँ तो किसी की भी हो सकती हैं।" कृष्ण ने चित्रकार को पांडवों के चित्र लाने के लिए संकेत दिया।

"आप इतने निश्चय से कैसे कह सकते हैं?" धृ ने पूछा। फिर उसकी आँखें फैल गईं। "क्या उन्होंने आपके पास कोई संदेश भेजा है?"

"नहीं," कृष्ण बोले, "परंतु यदि अर्जुन की मृत्यु हो जाती तो मेरा हृदय मुझे इसका संकेत दे देता।"

मैं उनकी बात पर विश्वास करना चाहती थी किंतु मुझे संदेह हो रहा था। क्या हृदय को इन बातों का पता लग सकता है? मुझे पता था कि मेरा हृदय इन सूक्ष्म संवेदनाओं को पकड़ पाने में अक्षम था।

"ये हैं वे पाँच पांडव भाई," चित्रकार ने ऐसा कहते हुए उस पुरुष के चित्र को अनावृत किया, जिससे हम सभी को यह अपेक्षा थी कि वह मेरा पति बनेगा।

. . .

बाद में दाई माँ ने कहा, "इसकी त्वचा अधिक श्याम वर्ण की है और इसकी आँखों में हठ झलकता है। ज्येष्ठ भाई, क्या नाम है उसका, युधिष्ठिर - *वह* अधिक शांत लगता है। तुमने देखा वह चित्र में कैसे जमकर और राजसी ढंग से बैठा है और उसकी मुस्कान में उसके एक समान श्वेत दाँत कैसे दिखाई दे रहे हैं? मेरे विचार से तुम्हें इससे विवाह करना चाहिए। यदि उसके वृद्ध तात श्री ने कभी वह सिंहासन उसे सौंपा, तो आख़िरकार, वही राजा बनेगा।"

"अर्जुन अधिक ऊँचा है!" मैंने उस पुरातन उदास चेहरे को, जो मेरे मस्तिष्क में बार-बार आ रहा था, दूर करने के उद्देश्य से धृष्टतापूर्वक कहा। "क्या आपने रण में लगे उसके घाव नहीं देखे? इससे यह सिद्ध होता है कि वह कितना वीर है।"

दाई माँ ने नाक सिकोड़ी। "वह घाव मेरी दृष्टि से कैसे चूक सकते थे? वे उसके कंधे पर पड़े कीड़ों जैसे लग रहे थे। यदि तुम्हें क़द में ऊँचा व्यक्ति पसंद है तो तुम्हें उसके दूसरे भाई, भीम को चुनना चाहिए। उसका बलिष्ठ शरीर देखने लायक था! मैंने सुना है कि वह शीघ्र ही प्रसन्न भी हो जाता है। उसे सिर्फ़ स्वादिष्ट और बहुत-सा भोजन दे दो, तो वह जीवन भर के लिए तुम्हारा हो जाएगा!"

"आपने यही बताया था ना, कि एक बार बचपन में दुर्योधन ने उसके साथ छल किया था? उसे विष-युक्त खीर खिला दी थी, और जब वह उस खीर को खाकर अचेत हो गया तो उसे उठाकर नदी में फेंक दिया था? अर्जुन को इस प्रकार मूर्ख नहीं बनाया जा सकता था। मैं यह बात उसकी तीखी नाक और कँटीली ठुड्डी को देखकर कह सकती हूँ।"

"कँटीली!" दाई माँ ने कठोर स्वर में कहा। "उसकी ठुड्डी दो भागों में विभक्त है, और तुम्हें पता है इसका क्या अर्थ होता है : भ्रमणशील व्यक्ति। ऐसे लोग आरंभ से अंत तक मुसीबत बने रहते हैं, और यह बात मैं अच्छी तरह जानती हूँ! यदि तुम्हें सुंदर वर चाहिए तो फिर सबसे छोटे जुड़वाँ भाइयों में से किसी को चुन लो। उनकी आँखें कमल की पंखुड़ी जैसी हैं, त्वचा स्वर्ण की भांति है और उनके तन युवा साल वृक्ष की तरह हैं।" ऐसा कहकर दाई माँ ने अपने होंठ सहमतिपूर्वक चटका दिए।

"ईश्वर के लिए उन्हें छोड़ दो, दाई माँ। वे दोनों मुझसे आयु में बहुत छोटे हैं! मुझे परिपक्व और निपुण व्यक्ति पसंद हैं।"

दाई माँ ने अत्योक्तिपूर्ण ढंग से श्वास भरी। "फिर तो मुझे लगता है कि तुम्हें अर्जुन ही पसंद आ रहा है। कम से कम यह मूर्खता मत करना कि उसे अपने

ऊपर पूर्ण-स्वामित्व का अधिकार दे बैठो। हालांकि, प्रेमलीला से तुम्हारा मस्तिष्क इतना बहक चुका है कि संभवतया तुम्हें मेरी कोई बात याद नहीं रहेगी।"

"मुझे लगता है विवाह के बाद मुझे आपको अपने साथ ले जाना पड़ेगा, जिससे आप मुझे याद दिलाती रहो," मैंने कहा और फिर हम सभी हँस पड़े, परंतु हमारी हँसी शीघ्र ही फीकी पड़ गई। विनोद के क्षण हमारे हाथ से फिसल गए और हमारे साथ सिर्फ़ वह अनिश्चितताएँ रह गईं जिन्हें हम छिपाने का प्रयास कर रहे थे। दाई माँ ने अपनी बाँह मेरे गले में डाल दी। क्या उन्हें यह अनुमान था कि मेरा हृदय मेरे भीतर ऐसे अश्व की भांति बिगड़ रहा था जो अपने आरोही का आदेश मानना अस्वीकार कर देता है? मैं उनसे उस दूसरे प्रतिबंधित नाम - कर्ण के विषय में बात करने के लिए कितनी आतुर थी? बाहर, स्याह रात्रि में उस काल के पक्षी एक-दूसरे को पुकार रहे थे और उनका विषादग्रस्त स्वर कभी निकट, कभी दूर और फिर कभी सहसा निकट सुनाई पड़ता था।

# 10

## जन्म

मैं जानना चाहती थी कि कुंती दिखने में कैसी थी। मैंने सोचा यदि वह मेरी सास बनी तो यह जान लेना अच्छी तैयारी होगी। संभवतया उनके चेहरे को देखकर मुझे उनके स्वभाव का पता लग सकेगा। (मैं जादूगरनी की चेतावनी को भूली नहीं थी।) परंतु चित्रकार के पास उनका कोई चित्र उपलब्ध नहीं था। उसने, क्षमा सहित, मेरे पास एक अन्य चित्र भेजा था : दुर्योधन की माँ और अर्जुन की ताई, गांधारी का चित्र।

चित्र एक हाथ जितना चौड़ा था और सफ़ाई से नहीं बना हुआ था मानो किसी प्रशिक्षु ने बनाया हो। शायद विवाहोपरांत स्त्रियों के चित्रों की अधिक माँग नहीं थी, चाहे वह रानी ही क्यों न हो। दाई माँ और मैंने उस चित्र को देखा और गांधारी के लक्षणों का ध्यान से अध्ययन किया। उसकी आँखें एक मोटी सफ़ेद पट्टी से ढँकी हुई थीं।

"तुम्हें इसकी कथा पता है?" दाई माँ ने पूछा। "जब इसे पता लगा कि इसका विवाह नेत्रहीन धृतराष्ट्र से होने वाला है तो इसने अपनी आँखों पर यह कहकर पट्टी बाँध ली कि वह ऐसे किसी सुख का उपभोग नहीं करेगी जिससे उसका पति वंचित है। लोग कहते हैं उस दिन से आज तक इसने यह पट्टी नहीं हटाई।"

मैंने यह कथा - अथवा सही कहें तो, उसके पति के प्रति उसके समर्पण के सम्मान में लिखा गया यह गीत सुन रखा था। (समय-समय पर, मेरे पिताजी मेरे पास भाट-चारण भेजते थे और सोचते थे कि उनके गीत मेरे भीतर अच्छा स्वभाव विकसित कर पाएँगे और बुरे स्वभाव को मुझसे दूर रखेंगे। इसी तरह, मुझे अनेक लोगों के जीवन से परिचित करवाया गया था, जैसे सावित्री, जिसने यमराज से अपने पति के प्राण वापस ले लिए थे; सीता, जो राक्षसराज रावण द्वारा अपहृत किए जाने के बाद भी अपने पति के प्रति निष्ठावान रही थी; और देवयानी, जिसने अपने पिता की चेतावनी के बाद भी ग़लत व्यक्ति से प्रेम किया और बाद में

शोक-सन्तप्त हुईं। वैसे, मेरा व दाई माँ का ऐसा मानना था कि गांधारी द्वारा ऐसा त्याग किया जाना कोई बुद्धिमानी नहीं थी।

"यदि मेरे पति नेत्रहीन होते तो मैं निश्चित ही अपनी आँखें खुली रखती," मैंने कहा, "ताकि मैं उन्हें वह सब कुछ बता सकूँ जो उनके साथ होता।"

दाई माँ का मत इससे भिन्न था। "शायद नेत्रहीन व्यक्ति से विवाह करना गांधारी को पसंद नहीं आया, किंतु राजकुमारी होने के नाते यह संबंध छोड़ पाना भी संभव नहीं था। हो सकता है, उसने यह पट्टी इसलिए बाँधी हो जिससे उसे प्रतिदिन उस नेत्रहीन व्यक्ति को न देखना पड़े।"

वह चित्र काफ़ी पुराना था। उसमें गांधारी सुंदर व कन्यावत् विचारों में खोई हुई लग रही थी। उसके केश की लटें उसके माथे पर गिर रही थीं और वह हवा में कुछ सुनने का प्रयास करती हुई प्रतीत हो रही थी मानो वह अपनी खोई हुई दृष्टि की क्षतिपूर्ति कर रही हो। मुझे संदेह था कि क्या कुछ ऐसे भी दिन रहे होंगे जब उसे अपने पत्नीव्रत धर्म को चुनने पर खेद होता हो और वह सोचती हो कि ऐसा करने के स्थान पर वह एक नेत्रहीन राजा की मार्गदर्शक एवं सलाहकार बनकर सत्ता का भोग कर सकती थी, परंतु उसने शपथ ली और फिर अपने ही शब्दों के जाल में उलझ गई। उसका मुख सशक्त लगता था और उसके पीले, सुंदर होंठ उसके संकल्प व हताशा के मध्य संतुलन स्थापित करते लगते थे।

गांधारी ने यद्यपि, अपने विवाह के लिए बहुत कुछ त्याग किया था, किंतु वह भी कुंती की भांति प्रसन्न नहीं थी। (बाद में मुझे लगा कि क्या यही बात उन दोनों रानियों को शक्ति प्रदान करती थी, परंतु शायद मैंने कारण व परिणाम को परस्पर मिला दिया था। शायद बलवती स्त्रियों का विवाहित जीवन उदासीपूर्ण ही होता है। इस विचार से मैं परेशान हो उठी।) धृतराष्ट्र बहुत कटु व्यक्ति था। वह इस विचार से कभी उबर नहीं पाया कि वृद्धजनों द्वारा राजा बनने के प्रश्न पर विचार करते समय, राज्य का दायित्व उसके पास सिर्फ़ इसलिए हस्तांतरित किया गया था क्योंकि वह नेत्रहीन था। उसका दावा था कि वह अपने अनुज से प्रेम करता था, और शायद करता भी था। चूंकि वह अत्यंत विचित्र व विरोधाभासी स्वभाव का व्यक्ति था, वह शाप-पीड़ित पांडु के वनवास पर जाने के निर्णय से अवश्य ही प्रसन्न हुआ होगा। धृतराष्ट्र के जीवन का एकमात्र उद्देश्य एक पुत्र उत्पन्न करना था जो उसके बाद उसके सिंहासन का उत्तराधिकारी बन सके, परंतु यह समस्या खड़ी हो गई कि कई वर्षों तक, अनेक प्रयासों के बावजूद, गांधारी गर्भ धारण नहीं कर सकी। अंत में जब यह संभव हुआ, तब तक देर हो चुकी थी। कुंती के गर्भ में युधिष्ठिर का आगमन हो चुका था।

वर्ष आया और वर्ष बीत गया। युधिष्ठिर का जन्म हुआ। अगली पीढ़ी का प्रथम पुत्र होने के नाते, वृद्धजनों ने घोषणा की कि सिंहासन युधिष्ठिर को मिलेगा। धृतराष्ट्र के गुप्तचर कई अन्य अशुभ समाचार लाए : कुंती दोबारा गर्भवती हुई। अब धृतराष्ट्र और उसकी महत्वाकांक्षा के मध्य दो बाधाएँ थीं। गांधारी का पेट मधुमक्खी के विशाल छत्ते की भांति बढ़ता चला गया, परंतु उसे प्रसव-पीड़ा नहीं हो रही थी। शायद कुंठित राजा का उसे फटकार लगाना, या गांधारी की एक सेविका को अपनी प्रेमिका बना लेना ही वह कारण था जिसने गांधारी को निराशा के सागर में धकेल दिया था। उसने अपने पेट पर तब तक निरंतर चोट की, जब तक उसमें से रक्त नहीं बहने लगा और इस रक्तपात के बीच, उसने एक विशाल, अविकसित माँस-पिंड को जन्म दिया।

"महल में कोलाहल मच गया," दाई माँ ने कहा, "लोग हाथ झटकते हुए इधर-उधर भाग रहे थे और कह रहे थे कि यह दैत्यों का कार्य है। उनका नेत्रहीन राजा अपने सिंहासन पर हतप्रभ बैठा था तथा गांधारी अचेतावस्था में थी। तभी, सौभाग्य से, वहाँ एक तपस्वी आया। उसने उस माँस-पिंड को काटकर उसके एक सौ एक टुकड़े किए, और फिर प्रत्येक टुकड़े के लिए मक्खन से भरी एक-एक हाँडी मँगवाई। उसने उन टुकड़ों को उन हाँडियों में बंद कर दिया और यह चेतावनी दी कि उन्हें एक वर्ष से पहले न खोला जाए। इस प्रकार, दुर्योधन और उसके भाइयों - और उनकी एक बहन, दुश्शला - का जन्म हुआ। शायद यही कारण है कि उसकी कर्ण से इतनी घनिष्ठ मित्रता है क्योंकि वह भी इस संसार में ऐसे ही विचित्र ढंग से आया था।"

कर्ण का नाम सुनते ही मेरे चेहरा गर्म होने लगा। उसे छिपाने के लिए मैंने कहा, "क्या अब किसी के यहाँ भी बालक का जन्म सामान्य ढंग से नहीं होता?"

दाई माँ ने मुझे तीखी दृष्टि से देखा। यदि उन्हें कोई प्रश्न पूछने की इच्छा हुई भी होगी, तो उन्होंने वह नहीं पूछा। क्या इसलिए कि उन्हें पता नहीं था कि वह उत्तर सुनकर क्या करेंगी? "तुम बोलती बहुत हो!" वह बोलीं और फिर कथा सुनाने लगीं। "अधिकतर लोग यही जानते हैं कि अधिरथ नामक सारथी ही कर्ण का पिता है, किंतु कुछ समय पूर्व हस्तिनापुर की अश्वशाला में काम करने वाले एक लड़के ने कुछ अलग ही कथा सुनाई थी। एक दिन जब अधिरथ गंगा तट पर पूजा-अर्चना के लिए गया, तो उसे वह बालक नदी में तैरती एक लकड़ी की टोकरी में लेटा मिला। वह बालक उस समय मात्र एक सप्ताह का था।

"यह तो सामान्य बात है। कभी-कभी कोई कुलीन स्त्री संकट में पड़कर साक्ष्य छिपाने के लिए ऐसा कर सकती है, परंतु उस बालक में कुछ विशेष बात थी।

उसके कानों में स्वर्ण-कुंडल थे और उसका वक्ष स्वर्ण-कवच से ढँका हुआ था - जो उसके तन से अलग नहीं हो सकता था। वह कवच उसके शरीर का ही भाग था। अधिरथ का मानना था कि चूंकि उसकी अपनी कोई संतान नहीं थी इसलिए देवताओं ने उसकी प्रार्थना सुनकर कर्ण को उसके पास भेजा था।"

शायद अधिरथ पूरी तरह ग़लत भी नहीं था। मुझे उस चित्र में कर्ण के चेहरे पर वह अलौकिक अभिव्यक्ति याद है। ऐसा लग रहा था कि कभी, कहीं किसी दिव्य हाथ ने उसे स्पर्श किया था। मुझे लगा कि काश कोई तरीका होता जिससे मैं वह चित्र खरीद सकती, ताकि मैं उसे चुपके-से ले जाती और जब चाहती, उसे देख लेती। निस्संदेह, ऐसा कर पाना असंभव था। एक राजकुमारी के जीवन में कोई गोपनीयता नहीं होती।

दाई माँ ने फ़र्श पर से उठने से पहले एक बार फिर मुझ पर तीखी दृष्टि डाली। "मुझे अब काम पर जाना चाहिए, और तुम्हें भी सदा की भांति नृत्य की कक्षा के लिए देर हो रही है।" वह द्वार पर रुकी। इस बार उनका चेतावनी भरा स्वर गंभीर था। "कभी-कभी मैं अधिक बोलती हूँ। यदि तुम्हें पता है कि तुम्हारे लिए क्या अच्छा है, तो तुम वह कथा अपने मस्तिष्क से निकाल देना और ऐसा कोई कार्य नहीं करना जिससे तुम्हारे पिता को लज्जित होना पड़े।"

मुझे पता था कि उनका संकेत किस ओर था। उनका कहना ठीक भी था, परंतु मेरा अवज्ञाकारी हृदय बार-बार कर्ण और उसके उस दुर्भाग्यपूर्ण क्षण की ओर जा रहा था। हम दोनों अभिभावकीय अस्वीकृति से पीड़ित थे - क्या इसलिए उसकी कथा इस प्रकार मेरे मस्तिष्क में गूँज रही थी? हालांकि उसकी पीड़ा की तुलना मेरी पीड़ा से नहीं की जा सकती। मैं बार-बार उस माँ के विषय में कल्पना कर रही थी जिसने उसे त्याग दिया था क्योंकि मुझे निश्चित रूप से यह ज्ञात था कि उसे देवताओं ने नहीं, अपितु, उसकी माँ ने नदी में बहाया था। अपनी बंद आँखों से मैंने उस माँ को अपने बालक - अपने ही दुलारे, सोते हुए अंश को - रात्रि के समय पानी में बहाते देखा था। मेरी कल्पना में, वह अत्यंत युवा था और उसके चेहरे की आकृति गांधारी से मिल रही थी, हालांकि ऐसी बात सोचना भी मूर्खता थी। वह रोई नहीं। उसकी आँखों के आँसू सूख गए थे। उसे सिर्फ़ अपनी प्रतिष्ठा का भय था, जिसके कारण उसने अपने दुशाले को खींचकर सिर के निकट ले लिया और बालक को नदी में बहता हुआ देखती रही। उसे तुरंत वहाँ से लौटना था। वह अपने सभी आभूषण शयन-कक्ष में छोड़कर आई थी और उसने अपनी सबसे पुरानी साड़ी पहनी हुई थी। यदि चौकीदार उसे उस समय अपने पिता के महल से इतनी दूर देख लेता तो अनर्थ हो सकता था क्योंकि इतनी रात्रि में सिर्फ़

वेश्याएँ बाहर घूमती हैं। नदी के घुमाव के साथ ज्यों ही डगमगाती हुई टोकरी उसकी दृष्टि से ओझल हुई, उसने अपनी सिसकी को किसी तरह दबा लिया। फिर वह यह सोचती हुई कि कम से कम काम तो निपट गया, अस्थिर क़दमों से घर लौट आई।

मेरा हृदय उस माँ और बेटे दोनों के लिए द्रवित हो रहा था क्योंकि जीवन के विषय में इतना कम जानते हुए भी मैं यह अनुमान लगा सकती थी कि ऐसा करना पूरी तरह ग़लत है। अपना शेष जीवन वह यही सोचती रहेगी कि न जाने, उसका पुत्र कहाँ होगा। प्रत्येक आकर्षक अपरिचित पुरुष के निकट से गुज़रते हुए, वह सोचेगी (ऐसे ही जैसे उसका पुत्र भी अपरिचित स्त्रियों के विषय में सोचेगा) कि क्या यह...? प्रत्येक सुबह उठने के बाद - एक नगर में अथवा दो भिन्न राज्यों में - उन दोनों को प्रथम विचार एक दूसरे के विषय में आता होगा। वे दोनों क्रोध और पश्चाताप के क्षणों में यह चाहते होंगे कि काश, उस दिन वह दूसरा विकल्प चुनने का साहस कर पाई होती!

# 11

## बिच्छू

धृ ने कहा, "मैं तुम्हें यह बात कृष्ण की इच्छा के विरुद्ध जाकर बता रहा हूँ।"

"वह मुझे यह बात क्यों नहीं बताना चाहते?"

"तुम्हें शीघ्र ही पता लग जाएगा। अब सुनो।"

. . .

यह कथा हस्तिनापुर में हो रही एक महान प्रतियोगिता से आरंभ होती है, जहाँ द्रोण ने यह निश्चय किया कि जो राजकुमार वयस्क हो चुके हैं, उन्हें अपना युद्ध-कौशल दिखाने का अवसर मिले।

रंगभूमि प्रत्याशा से झंकृत है; कुलीन तथा सामान्य नगरवासी सभी राजकुमारों की दक्षता देखने को उत्सुक हैं। आखिरकार, उन्हीं में से एक उनका राजा बनेगा। पहले ही कई गुट बन गए हैं। कुछ लोग दुर्योधन का नाम ले रहे हैं क्योंकि वह जोशीला, साहसी और त्रुटियों के प्रति उदार है। आज भी, उसने प्रतियोगिता में प्रवेश करते समय उसने भीड़ में इतनी स्वर्ण-मुद्राएँ उछालीं कि उसकी मुद्राओं की थैली खाली हो गई, परंतु अन्य लोग यह प्रार्थना कर रहे हैं कि सर्वोच्च पुरस्कार पाँच पांडवों में से किसी एक को मिले। उन पिताहीन बालकों का पालन-पोषण उनके तात श्री ने, जो सिर्फ़ उनका हितैषी होने का दिखावा करते हैं, दरबार से मिलने वाले अनुषंगी लाभ के आधार किया था।

ऐसा प्रतीत होता है कि देवता उतने बधिर नहीं होते जितना हम उन्हें पारंपरिक रूप से ऐसा मानकर दोष देते हैं। देखो जैसे, यहाँ अंत में अर्जुन का नाम सर्वोच्च प्रतियोगी के रूप में उभर कर आ रहा है। उसने हवा में अग्नि बाण चलाकर फिर उन्हें वर्षा बाणों से बुझाया है। उसने भीड़ पर सर्प बाण छोड़े हैं

और उनके लोगों तक पहुँचने से पहले ही उन्हें गरुड़ बाण चलाकर धरती पर से उठा लिया है। उसके निद्रा बाणों ने लोगों को स्वप्न-जगत में पहुँचा दिया है। पाश बाणों से उसने लोगों के हाथ-पैर बाँध दिए हैं; उसने अपने सम्मोहन बाणों से लोगों के समक्ष ऐसे भयानक दैत्य उत्पन्न कर दिए कि उन्हें देखकर भय से लोग दुबक गए हैं। गौरवान्वित महसूस करते हुए उसके गुरु ने बताया कि ये तो कुछ छोटे-छोटे अस्त्र हैं जिन्हें अभी अर्जुन ने चलाना सीखा है! अन्य अस्त्र-शस्त्र अत्यंत शक्तिशाली और पवित्र हैं तथा उनका आह्वान सिर्फ़ गंभीर युद्ध के समय ही किया जाता है।

जैसे ही अर्जुन के तात श्री और नेत्रहीन राजा (बहुत धीरे, जैसा कि कुछ लोगों ने देखा) उठकर उसे पुरस्कार की माला पहनाने के लिए आगे बढ़ते हैं, स्वर्ण-कवच धारण किए हुए एक अज्ञात युवक रंगभूमि में उतरता है। वह प्रतियोगिता में भाग लेने की अनुमति माँगता है और फिर अत्यंत दक्षता के साथ अर्जुन द्वारा दिखाए गए सभी कारनामों की पुनरावृत्ति कर देता है। उपस्थित भीड़ आश्चर्य से मौन है, फिर प्रसन्नता से चिल्लाने लगती है जिसमें दुर्योधन का स्वर सबसे ऊँचा होता है।

वह युवक हाथ जोड़कर आकाश की ओर देखता है और सूर्य को नमस्कार करता है। वह विनम्रता से झुककर लोगों को धन्यवाद देता है। उसके बाद, वह राजसी ढंग से अर्जुन को युद्ध के लिए ललकारता है। वह सुझाव देता है, कि दोनों में जो जीते, उसे सर्वविजेता माना जाए।

इस महान दृश्य को देखकर प्रजा ताली बजाती है। राजमंडप में राजा के साथ बैठे तीन वृद्ध पुरुष - पितामह भीष्म, द्रोणाचार्य तथा कुल गुरु कृपाचार्य - एक दूसरे को व्याकुल भाव से देखते हैं। यह एक अप्रत्याशित ख़तरा है, ऐसा जोखिम जो वह अर्जुन को नहीं लेने देना चाहते, क्योंकि उनकी अनुभवी दृष्टि में यह स्पष्ट है कि वह अज्ञात युवक, अर्जुन - जिसकी प्रतिष्ठा वे आज स्थापित करना चाहते हैं - के समान या शायद उससे भी श्रेष्ठ है।

भीष्म पूछते हैं, क्या तुम इस युवक को जानते हो? कृपाचार्य सिर हिलाकर मना कर देते हैं किंतु द्रोण चुप हैं और उनके मुख पर विचारशील होने के लक्षण दिख रहे हैं। वह धीरे से कुछ कहते हैं।

नेत्रहीन राजा अपना राजदंड उठाकर कहता है कि युद्ध आरंभ किया जाए, किंतु कृपाचार्य तुरंत उठ खड़े होते हैं।

वह कहते हैं, इससे पहले कुछ नियमों का पालन करना आवश्यक है। भाग

लेने के लिए प्रतिभागियों के कुल का पता होना चाहिए क्योंकि एकल युद्ध के लिए एक राजकुमार ही दूसरे राजकुमार को चुनौती दे सकता है। हम सभी को अर्जुन के कुल का पता है। हे साहसी अपरिचित, कृपया अपना नाम बताओ और यह कि तुम किस राजवंश के वंशज हो।

अपरिचित युवक का चेहरा लाल हो जाता है। वह कहता है, मेरा नाम कर्ण है। उसके बाद वह बहुत धीरे बोलता है कि, मेरा संबंध किसी राज-परिवार से नहीं है।

कृपाचार्य कोमल स्वर में कहते हैं, तो फिर तुम इस राज प्रतियोगिता के नियमों के अनुसार राजकुमार अर्जुन के साथ युद्ध नहीं कर सकते। यदि इससे वह विजेता महसूस करता है, तो कोई इस बात पर ध्यान नहीं देता; उसने बहुत पहले ही ऐसे मनोभावों को छिपाना सीख लिया है।

रुको! दुर्योधन ने अपमान से चिल्लाकर कहा। निश्चय ही यह युवक महान योद्धा है। मैं आपको इस पुराने नियम के बहाने से उसका इस प्रकार अपमान नहीं करने दूँगा। नायक तो नायक होता है, उसकी जाति कुछ भी हो। प्रतिभा सदैव जन्म से अधिक महत्त्वपूर्ण होती है।

नगरवासी इन विचारों से सहमति व्यक्त करते हैं और उल्लासपूर्वक प्रसन्न होते हैं।

दुर्योधन आगे कहता है, यदि फिर भी आप इस बात पर ज़ोर देते हैं कि अर्जुन से युद्ध करने के लिए कर्ण का राजा होना अनिवार्य है तो मैं अपनी विरासत इसके साथ बाँट लेता हूँ! वह पवित्र जल मँगवाता है और कर्ण के सिर पर छिड़क देता है। लोगों के अभिनंदन के बीच, वह कहता है, राजा कर्ण, मैं तुम्हें अंग देश का शासक और अपना मित्र घोषित करता हूँ।

कर्ण उत्साहपूर्वक दुर्योधन को आलिंगनबद्ध कर लेता है। वह कहता है, मैं तुम्हारी यह उदारता कभी नहीं भूलूँगा। तुमने मेरे सम्मान की रक्षा की है। पृथ्वी भले ही विखंडित हो जाए, किंतु मैं कभी तुम्हारा साथ नहीं छोड़ूँगा। इसी क्षण से तुम्हारे मित्र मेरे मित्र हैं और तुम्हारे शत्रु मेरे घोर शत्रु!

उपस्थित लोग प्रशंसापूर्वक शोर करते हैं। वे एक-दूसरे को कहते हैं कि नायकों को इसी प्रकार का व्यवहार करना चाहिए!

तीनों वृद्ध पुरुष एक-दूसरे को चिंता-भरी दृष्टि से देखते हैं। यह उनकी योजनानुसार नहीं हो रहा था। नवोदित कर्ण ने अर्जुन को पराजित किए बिना ही लोकप्रियता प्राप्त कर ली है और दुर्योधन को शक्तिशाली सहयोगी मिल गया है। अब दो धनुर्धर, युद्ध में भीषण रूप से दक्ष, रंगभूमि में एक-दूसरे के समक्ष खड़े हैं।

कौन जाने इस प्रतियोगिता का परिणाम क्या होगा?

महल की स्त्रियों के लिए बनाए गए मंडप में थोड़ा शोरगुल हो रहा है। रानियों में से एक बेहोश हो गई है – शायद गर्मी से, शायद तनाव से। क्या यह नेत्रहीन राजा की पत्नी गांधारी है? क्या यह कुंती है जो अपने पुत्र को दी गई इस चुनौती से व्यथित हो गई है? इससे पहले कि सत्य का पता लग पाए, एक वृद्ध पुरुष लँगड़ाते हुए रंगभूमि में प्रवेश करता है। उसके वस्त्रों से स्पष्ट है कि वह किसी निम्न जाति का है। क्या यह कोई लुहार है? जो लोग इन बातों को जानते हैं, उनका कहना है, नहीं, यह कोई सूत है।

वह कर्ण की ओर बढ़ता है और – घोर आश्चर्य यह कि – कर्ण अपना धनुष नीचे रखकर उस वृद्ध पुरुष के चरण स्पर्श करता है।

पुत्र! वह आगंतुक कहता है। क्या यह सचमुच तुम हो, जो इतने वर्षों के बाद लौटे हो? परंतु तुम यहाँ इन कुलीन राजकुमारों के मध्य क्या कर रहे हो? तुम्हारे सिर पर यह मुकुट क्यों रखा है?

असीमित विनम्रता के साथ, कर्ण उस वृद्ध पुरुष का हाथ पकड़कर उसे समझाता हुआ एक ओर ले जाता है।

भीड़ आश्चर्य से मौन है। उसके बाद, पांडवों के खेमे में फुसफुसाहट और शोर होने लगता है। सूतपुत्र! आवाजें होने लगीं, सूतपुत्र! मंडप से भीम की तिरस्कारपूर्ण आवाज गूँजती है, धनुष नीचे रखो, ढोंगी! इसके स्थान पर अश्वशाला से अपने लिए घोड़े की चाबुक लेकर आओ!

कर्ण का हाथ अपने धनुष पर कसने लगता है। वह चिल्लाता है। अर्जुन! परंतु अर्जुन पहले ही अपनी पीठ मोड़कर वहाँ से लौट रहा है। कर्ण उसे पीछे से घूर रहा है। यह उसका घोर अपमान है जिसके लिए वह अर्जुन को कभी क्षमा नहीं करेगा। इसी क्षण से वे दोनों परम शत्रु हो गए।

कौन जाने, उस समय क्या हो जाता, किंतु सूर्य ने क्षितिज पर अस्त होने के लिए वही क्षण चुना। द्रोण को बहुत राहत मिली और उनके संकेत पर दुंदुभिवादकों ने प्रतियोगिता के अंत की घोषणा कर दी। भीड़ अनमने ढंग से असंतुष्ट स्थिति में बातें करती हुई वहाँ से लौटने लगी है। तीनों वृद्ध पुरुष पांडवों के पास आते हैं। वे सभी मिलकर, उस दिन की विचित्रता के विषय में बातचीत करते हुए कुंती के साधारण-से आवास पर पहुँचते हैं (वही बेहोश हुई थी)। दुर्योधन कर्ण को रात्रि मदिरा-पान के लिए अपने साथ ले जाता है। उस दिन बाद में, दुर्योधन रत्न व माणिक्य से जड़ी डोरी वाला अपना कंठमाल स्वयं कर्ण के गले में डालकर कहेगा,

मैं तुम्हें असली विजेता घोषित करता हूँ! यदि उन कायरों ने वह लड़ाई नहीं रोकी होती, तो तुमने आज अर्जुन का चेहरा मिट्टी में रगड़ दिया होता। ओह, ये पांडव रूपी कीड़े सदैव मेरे राज्य को हड़पने की योजना बनाते रहते हैं! काश, मेरा कोई ऐसा मित्र होता जो मुझे इनसे छुटकारा दिला पाता!

कर्ण सीधा खड़ा होकर उत्तर देता है, समय आने पर मैं तुम्हारे लिए ऐसा करूँगा, मेरे स्वामी व मेरे मित्र, अथवा मैं इस प्रयास में अपने प्राण न्योछावर कर दूँगा।

. . .

"इस प्रकार कर्ण राजा बन गया," मैंने कहा। "कृष्ण यह बात मुझे बताना क्यों नहीं चाहते थे?"

धृ ने कहा, "उन्हें लगा कि यह सुनकर तुम कर्ण के प्रति अत्यंत दयालु हो जाओगी और यह ख़तरनाक हो सकता है।"

"ख़तरनाक? कैसे?"

"एकमात्र अर्जुन ही नहीं है जो यह स्वयंवर वाली प्रतियोगिता में सफल हो सकता है।"

मेरे गले की नस ज़ोर से धड़कने लगी। ग्लानिवश, मैं मुख फेरकर अँधेरे उद्यान की ओर देखने लगी। "तुम्हारा आशय है कि कर्ण भी यह कर सकता है?"

"हाँ, दुर्योधन के साथ उसकी स्वयंवर में आने की योजना है। वह तुम्हें जीतना चाहता है। हमें यह नहीं होने देना चाहिए।"

मैं पूछना चाहती थी : यदि वह अर्जुन जितना ही शानदार योद्धा है, तो इस बात से क्या अंतर पड़ेगा कि मैं पांडव राजकुमार के स्थान पर कर्ण से विवाह कर लूँ? क्या वह भी पंचाल के लिए उतना ही महान सहयोगी सिद्ध नहीं होगा? कृष्ण उसके इतना विरुद्ध क्यों हैं? क्या सिर्फ़ यह बात है कि वह अपने मित्र अर्जुन का समर्थन करते हैं?

यहाँ कुछ अन्य गोपनीय बातें भी थीं, किंतु मैंने महसूस किया मेरा सरल-हृदय भाई उन बातों से अनवगत था। इसलिए, मैंने पूछा, "तुम उसे रोक कैसे सकते हो? यदि वह जीत गया तो क्या हम पिताजी के वचन की प्रतिष्ठा से बँधे हुए नहीं हैं?"

"परिवार की प्रतिष्ठा किसी भी अन्य प्रतिष्ठा से अधिक श्रेष्ठ है," मेरे भाई ने कहा। वह क्षण-भर के लिए रुका मानो मेरी असहमति की प्रतीक्षा कर रहा

हो। "मैं कोई मार्ग सोचता हूँ। कृष्ण मेरी सहायता करेंगे। तुम्हें भी अपनी भूमिका निभानी चाहिए।"

मैं धृ से तर्क नहीं करना चाहती थी, किंतु मैं अपने परिवार की प्रतिष्ठा के लिए कर्ण का विरोध भी नहीं करना चाहती थी। मैंने पूछा, "अधिरथ ने कहा था कि कर्ण बहुत समय के लिए कहीं चला गया था। क्या तुम्हें पता है कि वह कहाँ गया था?"

धृ ने गंभीरता ने सिर हिलाकर हामी भरी। "कर्ण के जीवन के वह वर्ष व्यर्थ हो गए : यह उसके जीवन का सबसे महत्त्वपूर्ण भाग है और यही मुख्य कारण है कि मैं तुम्हें इसके विषय में बता रहा हूँ।"

. . .

जीवन के आरंभिक समय में कर्ण की धनुर्विद्या में रुचि रही। सोलह वर्ष की आयु में - स्वयं को अधिरथ का पुत्र मानते हुए - वह सर्वश्रेष्ठ गुरु द्रोण के पास जाता है। वह स्वीकार करता है कि वह निम्न जाति से है, तथापि वह द्रोण से प्रार्थना करता है कि वह उसे अपना शिष्य बना लें, परंतु द्रोण राजकुमारों के साथ व्यस्त होते हैं। वह कहते हैं, मैं एक सूत-पुत्र को शिक्षा नहीं दूँगा। निराश व अपमानित होकर, कर्ण यह प्रण लेता है कि वह द्रोण से भी श्रेष्ठ गुरु से शिक्षा प्राप्त करेगा। वह नगर छोड़कर पहाड़ों में चला जाता है और अंत में, अथक परिश्रम व अपने भाग्य से - हालांकि यह अनिश्चित है कि भाग्य अच्छा है या बुरा - वह परशुराम के आश्रम में पहुँच जाता है।

"द्रोण के भी गुरु!" मैंने धीरे से कहा। "क्या उन्होंने एक बार पृथ्वी को क्षत्रियों से इसलिए रिक्त नहीं कर दिया था कि वे लोग भ्रष्ट हो गए थे?"

धृ ने हामी भरी।

चूंकि सत्य बोलकर उसे पहले भी लाभ नहीं हुआ था, इसलिए वह फिर से ख़तरा नहीं उठाना चाहता है। वह परशुराम से कहता है कि वह ब्राह्मण है। उसकी दक्षता देखकर ऋषि उसे शिक्षा देने के लिए तैयार हो जाते हैं। कुछ ही समय में कर्ण उनका सर्वप्रिय शिष्य बन जाता है और परशुराम उसे ब्रह्मास्त्र - ऐसा अस्त्र जिसका सामना कोई नहीं कर सकता - का प्रयोग करना सिखाते हैं।

परशुराम के आश्रम से जाने से एक दिन पूर्व, कर्ण अपने गुरु के साथ वन में भ्रमण के लिए जाता है। थक जाने पर जब परशुराम एक वृक्ष के नीचे आराम करना चाहते हैं, तो कर्ण उनका सिर अपनी गोद में रख लेता है। जब ऋषि निद्रा में होते हैं तो एक पहाड़ी बिच्छू अपने छिद्र से बाहर निकलकर कर्ण को जाँघ पर काट

लेता है जिससे कर्ण के शरीर से रक्त बहने लगता है। कर्ण को भयंकर पीड़ा होती है किंतु वह अपने गुरु की निद्रा में व्यवधान नहीं डालना चाहता। वह बिना हिले बैठा रहता है, किंतु रक्त उसके घाव से रिसता हुआ परशुराम के चेहरे पर टपक जाता है जिससे उनकी निद्रा टूट जाती है। क्रोध में आकर, परशुराम अपने सर्वप्रिय शिष्य को शाप दे डालते हैं।

. . .

आश्चर्य के कारण मुझे टोकना पड़ा, "परंतु क्यों?"

धृ ने कहा, "परशुराम को लगा कि एक ब्राह्मण चुपचाप इतनी पीड़ा सहन नहीं कर सकता। ऐसा करना किसी क्षत्रिय के लिए ही संभव है। उन्होंने कर्ण पर धोखा देने का आरोप लगाया। यद्यपि, कर्ण ने उन्हें बताया कि वह क्षत्रिय न होकर सूतपुत्र है, परशुराम ने उसे क्षमा नहीं किया। उन्होंने कहा, जिस प्रकार तुमने मेरे साथ छल किया है, उसी प्रकार तुम्हारा मस्तिष्क भी तुम्हारे साथ छल करेगा। जिस क्षण तुम्हें ब्रह्मास्त्र की सबसे अधिक आवश्यकता होगी, तुम उसके आह्वान का मंत्र भूल जाओगे। तुम्हारे अंत समय में, मुझसे प्राप्त किया हुआ ज्ञान तुम्हारे किसी काम नहीं आएगा!"

मुझे बहुत बुरा लगा। "परशुराम के लिए कर्ण के इतने वर्षों के समर्पण का कोई महत्त्व नहीं है? जिस गुरु-प्रेम के लिए उसने बिच्छू के दंश की पीड़ा को सहन किया, उसका क्या? क्या वह थोड़ी-सी क्षमा के योग्य भी नहीं था?"

"ओह, क्षमा," धृ ने कहा, "यह तो अत्यंत दुर्लभ गुण है जिससे महान लोग भी वंचित रह जाते हैं। क्या हमारा अपना अस्तित्व ही इस बात का प्रमाण नहीं है?"

अपने हृदय में निर्धारित लक्ष्य को प्राप्त करके फिर उसे खो देने के कारण कर्ण निराश होकर दोबारा पहाड़ों का रुख करता है। रात्रि का समय है। एक गाँव से बाहर, वन में आराम करते हुए वह देखता कि एक पशु उसकी ओर आ रहा है। परेशान होकर वह उस स्वर को सुनकर बाण चला देता है। मरते हुए पशु की चीत्कार सुनकर उसे महसूस होता है कि उसने पशुओं में सर्वाधिक पवित्र, किसी गाय की हत्या कर दी है।

मैंने आँखें बंद कर लीं। मैं उसकी कथा और अधिक नहीं सुनना चाहती थी। मैं चाहती थी कि उस पशु के हत्यारे के रूप में पकड़े जाने से पहले कर्ण वहाँ से चला जाए। मुझे पता था कि वह ऐसा नहीं करेगा।

सुबह होने पर वह गाय के स्वामी को खोज लेता है। उसके समक्ष अपने कृत्य को स्वीकार करता है और क्षतिपूर्ति करने की याचना करता है, परंतु क्रोधित

ब्राह्मण कहता है, तुमने मेरी गाय की हत्या की जबकि वह निस्सहाय थी। तुम भी इसी प्रकार निस्सहाय स्थिति में अपने प्राण गँवाओगे। कर्ण उससे इस शाप को बदलने की प्रार्थना करता है और कहता है कि मुझे मृत्यु का भय नहीं है, परंतु मुझे क्षत्रिय की भांति मरने दो। ब्राह्मण उसकी प्रार्थना अस्वीकार कर देता है।

. . .

मैंने धीरे से कहा, "इतनी विपत्तियों के बाद भी कर्ण किस प्रकार जीवित रह पाया?"

धृ ने कंधे उचकाए। "आत्महत्या कायरों का काम है। कर्ण ने कुछ भी भूल की हो, किंतु कर्ण कायर नहीं है।

"मैंने तुम्हें यह बात कृष्ण के परामर्श के विरुद्ध दो कारणों से बताई है। पहला यह कि अज्ञात सदैव ज्ञात से अधिक आकर्षक होता है।"

(किंतु यहाँ मेरा भाई ग़लत था। सत्य से अधिक शक्तिशाली कुछ नहीं होता। कर्ण की कथा का प्रत्येक विवरण मेरे शरीर में काँटे की तरह गड़ गया, जिसने मुझे उससे जोड़ दिया और मैं उसके लिए सुखी जीवन की कामना करने लगी।)

"किंतु यह भी है," धृ बोलता रहा, "मैं चाहता हूँ कि तुम इस बात को समझो कि कर्ण शापित है। जो भी व्यक्ति उसके साथ जुड़ेगा, वह भी शापग्रस्त हो जाएगा। मैं नहीं चाहता कि तुम्हारे साथ ऐसा हो क्योंकि तुम मेरी बहन हो और तुम्हारा जन्म इतिहास बदलने के लिए हुआ है। तुम्हें साधारण नक्षत्राधीन कन्या की भांति व्यवहार करने की छूट नहीं है। तुम्हारे कार्यों के परिणाम हम सबको नष्ट कर सकते हैं।"

इस प्रकार दबाव में रखे जाने से मैं खिन्न थी, किंतु उससे भी अधिक मैं उसके स्वर के दृढ़ विश्वास से भयभीत थी। इतने समय में भी, मुझे कभी पता नहीं लगा कि वह मेरी नियति को उतनी ही गंभीरता से ले रहा है जितनी अपनी स्वयं की। फिर भी, मैंने हलके स्वर में कहा, "मुझे प्रसन्नता है कि तुम्हें मेरे सामर्थ्य पर इतना विश्वास है! परंतु कृष्ण ने जो कहा वह तुम्हें याद है? हम समय के हाथ में मोहरों से अधिक कुछ नहीं हैं!"

"मोहरे के पास भी विकल्प होता है," मेरे भाई ने कहा। जिस दिन शिखंडी ने यहाँ से वन के लिए प्रस्थान किया था, उस दिन मैं भी उसके साथ जाना चाहता था। पीछे मुड़कर इस महल को देखे बिना जाना चाहता था। अपना जीवन वृक्षों के नीचे शांति से बिताना चाहता था। उस दुर्भाग्यपूर्ण नियति से बचना चाहता था जिसकी ओर मुझे अपने जन्म के क्षण से धकेला जा रहा है। मैं ऐसा कर सकता

था। शिखंडी मुझे इतनी कुशलता से छिपा सकता था कि समूची पांचाल सेना भी मुझे खोज नहीं पाती, परंतु मैंने ऐसा नहीं किया।"

"क्यों?" मेरा कंठ सूख रहा था। मैं सोचती थी कि मैं अपने संयमी और समर्पित भाई को बहुत अच्छी तरह समझती हूँ, किंतु मैं कितनी ग़लत थी।

"मैं दो कारणों से रुक गया," धृ ने कहा। "एक कारण तो तुम हो।"

"मैं खुशी से तुम्हारे साथ चल पड़ती," मैंने उत्साही होकर कहा। "यदि तुम मुझसे कहते..."

"दूसरा," वह रुककर बोला, और उसकी कठोर आवाज मेरे कानों को चीर रही थी, "मैं स्वयं हूँ।"

...

धृ के प्रति स्नेह के कारण, मैंने पूरी रात कर्ण के विचार को अपने मस्तिष्क से दूर रखने का अभूतपूर्व प्रयास किया, किंतु क्या छलनी वायु को रोक सकती है? उन स्त्रियों की कथाओं के अंश मेरे मस्तिष्क में तैर रहे थे, जिन्होंने अपने गुणों की शक्ति से अपने पतियों के दुर्भाग्य का सामना किया और अपने पतियों की रक्षा की। शायद मैं भी कर्ण के लिए ऐसा कर सकती थी? उस आशा के मध्य, ग्लानि का एक भाव मेरे मन में तेंदुए की भांति लपका। धृ ने अपने भाग्य का उस समय क्यों नहीं बचाव किया जब उसके पास ऐसा करने का अवसर था! मैं विशाल महार्घ वृक्षों की छाया में निश्चिंत अवस्था में उसकी कल्पना करने लगी और उसकी तनी हुई भँवें, जो उसके व्यक्तित्व को नष्ट कर देती थीं, अब चिंतामुक्त लग रही थीं, परंतु अगले ही क्षण मुझे उसकी वचनबद्धता पर गर्व हुआ - उसी तरह जैसे कर्ण द्वारा ब्राह्मण के क्रोध को सहन करने पर हुआ था। मुझे पता था कि मुझे उन दोनों में तुलना नहीं करनी चाहिए और मेरी निष्ठा सिर्फ़ अपने भाई के प्रति होनी चाहिए। निद्रा और जागृति के बीच झूलते, वह दोनों पुरुष मानो मेरे मस्तिष्क में पिघलने लगे। उनके स्वभाव और उनकी नियति में कितनी समानता थी कि वह उन दोनों को त्रासदी की ओर धकेल रही थी और उन्हें ख़तरनाक श्रेष्ठतापूर्ण कार्य करने पर विवश कर रही थी। वे दोनों युद्ध में कितने भी दक्ष हों, अंत में उससे उन्हें कोई लाभ नहीं था क्योंकि वे सदैव अपनी अंतरात्मा के हाथों पराजित हो जाते थे। किस क्रूर देवता ने उनके मस्तिष्क के ताने-बाने को इस प्रकार निर्मित किया था कि वे उसमें से कभी मुक्त नहीं हो सकते थे?

और मेरे लिए उसने क्या जाल बिछाया था?

# 12

## गीत

कुंडलीदार सफ़ेद सर्प की भांति चाँदी की तश्तरी में रखी वरमाला मेरे हाथ जितनी मोटी थी। मुझे उससे भय लग रहा था कि क्योंकि मेरे विचार से वह किसी भी समय मुझ पर आक्रमण कर सकती थी।

"अब क्या हुआ?" दाई माँ ने कहा, "तुम्हारा चेहरा काले पड़ गए मटके की तरह कुम्हला क्यों गया?"

"यह बहुत भारी है," मैंने कहा और यह कहते समय मैं उस माला को किसी के गले में डालने की कल्पना कर रही थी। मुझे उसकी तंतुनुमा और बल खाती पेशियाँ स्पष्ट दिख रही थीं जबकि शेष चेहरा निराशाजनक रूप से रिक्त था।

"हास्यास्पद!" दाई माँ ने कहा। "यदि वह सच्चा नायक होगा तो इसका भार उठा पाएगा।"

"और तुम्हारा भी," उन्होंने पलक झपकाते हुए जोड़ा।

सेवक मेरे आस-पास घूम रहे थे। दुल्हन के गालों के लिए थोड़ा और कमल-पराग; विवाह की साड़ी का सफेद और स्वर्णिम किनारा इस प्रकार लपेटा गया था जिससे उसके स्तनों का उभार अधिक दिखाई पड़े और उससे कौमार्यता का आभास भी पैदा हो। एक वृद्ध महिला ने शरारती मुस्कान के साथ मेरी नाभि पर चंदन का लेप लगाया। चूड़ियाँ, कमरबंद, पायल, रत्न-जड़ित नाक की लौंग इतनी बड़ी थी कि सँभालने के लिए उसे मेरे जूड़े के साथ एक पतली ज़ंजीर से बाँधा गया था।

"मैंने दाई माँ से कहा, "मुझे ऐसा प्रतीत हो रहा है कि मैंने युद्ध-कवच पहना हुआ है।"

"ऐसा ही है," वह बोलीं, "अब टाल-मटोल बहुत हो चुकी! तुम्हारा भाई

चलते-चलते बाहर का बरामदा घिस देगा।"

धृ कक्ष के बाहर मेरी प्रतीक्षा कर रहा था ताकि वह मुझे विवाह के सभा-गृह तक ले जा सके जहाँ राजागण पहले से पहुँचे हुए थे। वह अपनी परंपरागत दक्षता में बहुत गंभीर था। मैंने देखा कि उसके पीछे म्यान लटक रही थी जिसके ऊपर उड़ते हुए पशु खुदे हुए थे।

"यह तलवार किसलिए है?" मैंने पूछा।

दाई माँ ने कहा, "यह कैसा प्रश्न है! क्या तुम्हें पता नहीं है कि अपनी बहन के सम्मान की रक्षा करना भाई का पावन कर्तव्य होता है? आज तुम्हारे लिए लार टपकाते हुए उन निकृष्ट राजाओं से निपटने में यह बहुत व्यस्त रहेगा।"

"आपकी अश्लीलता मुझे रत्ती भर भी विस्मित नहीं करती है," धृ ने दाई माँ से कहा। वह हँसीं और उसके कान पर हलका-सा थप्पड़ मारकर, जल्दी-से राज-परिचारकों के सर्वश्रेष्ठ स्थान पर जा बैठीं।

मुझे तलवार का सही कारण पता था। धृ को संकट की आशंका थी।

. . .

मैंने गरज व संगीत के शोर में नवागंतुकों की सूचना सुनी। अश्वों की हिनहिनाहट, हाथियों की चिंघाड़ और अस्त्र-शस्त्रों की झनझनाहट भी थी।

धृ ने कहा, "राजा लोग अपने साथ योद्धा लाए हैं। वे सब बाहर खड़े हैं, परंतु चिंता मत करो। समस्त पांचाल सेना भी सशस्त्र तैयार है।"

"मुझे यह बताने के लिए धन्यवाद," मैंने कहा, "अब मैं स्वयं को पूरी तरह शांत महसूस कर रही हूँ।"

"क्या तुम्हें कभी किसी ने यह बताया है," वह बोला, "कि कटाक्ष करना नव-वधु को शोभा नहीं देता?"

ज्यों ही मैंने विवाह-कक्ष में प्रवेश किया, वहाँ तत्काल सन्नाटा छा गया, मानो मैं कोई तलवार थी जिसने एक साथ सभी की स्वर-तंत्रियाँ काट दी हों। अपने घूँघट के पीछे से मैं गंभीर होकर मुस्करा रही थी। इस शक्तिशाली क्षण का आनंद लो, मैंने स्वयं से कहा, क्योंकि हो सकता है कि यह तुम्हारा एकमात्र ऐसा क्षण हो।

. . .

सर्वप्रथम, धृ ने मुझे वह राजागण दिखाए जो सिर्फ़ स्वयंवर देखने आए थे और जिनसे मुझे घबराने की आवश्यकता नहीं थी।

"देखो, कृष्ण।"

वह मेरा मित्र, मेरी खीज, वहाँ किसी साधारण व्यक्ति की तरह अपने भाई के साथ बैठा था। जैसे ही कृष्ण ने आशीर्वाद व अभिनंदन स्वरूप अपना हाथ उठाया, उनके मुकुट का चंचल मोरपंख नीचे को झुक गया।

कक्ष में दर्शकों को जाति के आधार पर वर्गीकृत किया गया था। वैश्य वर्ण को नीले रंग के ध्वज से, जिसके ऊपर व्यापारी जहाज़ बना हुआ था, दर्शाया गया था। गेहूँ की कटाई करता कृषक शूद्र वर्ण का चिन्ह था। ब्राह्मणों को श्रेष्ठ आसन दिए गए थे जिनपर पीठ साधने के लिए फुंदने वाले मसनद रखे थे। श्वेत रेशम पर बना हुआ हवन करता पुजारी उनका ध्वज-प्रतीक था।

अब धृ ने महत्त्वपूर्ण प्रतियोगियों की ओर संकेत किया। मैंने उन्हें उनके चित्रों से मिलाने का प्रयास किया, किंतु वे सभी उससे अधिक भारी व वृद्ध नज़र आ रहे थे और उनके लक्षण आयु अथवा चिंता से सपाट हो गए थे। इतनी विशाल सभा के सम्मुख पराजित होना - हालांकि एक को छोड़कर शेष को तो पराजित होना ही था - निश्चित ही बहुत बड़ा सार्वजनिक अपमान होगा। इस पराजय की खटास अनेक वर्षों तक मुँह में रहेगी। अपने भाई की कठोर आवाज से मुझे पता लग गया कि उनमें सबसे ख़तरनाक कौन थे - इसलिए नहीं कि वह विजयी हो सकते थे, अपितु इसलिए कि वह पराजित होने के बाद कुछ भी कर सकते थे।

"अर्जुन?" मैंने अंत में पूछा।

"यहाँ नहीं है।"

मुझे यह देखकर आश्चर्य हुआ कि उसने किस प्रकार अपने स्वर को नीरस बनाना सीख लिया था। वह अन्य नाम बताता चला गया। जब वह रुका तो मैंने पूछा, "क्या बस इतने ही हैं?"

वह मेरे प्रश्न में छिपे प्रश्न को समझ गया। उसकी आँखें उसकी अरुचि को अभिव्यक्त कर रही थीं। "कर्ण आया है।"

धृ ने उसकी ओर संकेत नहीं किया किंतु मैंने उसे पहचान लिया। दुर्योधन के साथ, संगमरमर के स्तंभ के पीछे वह आधा छिपा हुआ था। मेरा हृदय इतना ज़ोर से धड़क रहा था कि मुझे लगा, धृ उसकी आवाज सुन लेगा। मैं कर्ण की ओर देखकर जानना चाहती थी कि क्या सचमुच उसके नेत्र उतने ही उदासीन थे जितने उस चित्रकार ने बनाए थे, किंतु मुझे भी यह पता था कि ऐसा करना उपयुक्त नहीं होगा। मैंने उसके हाथों पर ध्यान दिया, उसकी कलाइयाँ उपेक्षापूर्ण ढंग से आभूषणहीन थीं और उसकी अंगुलियों की गाँठें शक्तिशाली किंतु फूटी हुई थीं। यदि

मेरे भाई को पता लग जाता कि मेरी उन्हें छूने की इच्छा कितनी प्रबल थी, तो वह आवेश से भर जाता। दुर्योधन ने टिप्पणी की - शायद मेरे विषय में - और उसके साथीगण अपने घुटनों पर हाथ मारकर ज़ोर से हँसने लगे। एकमात्र कर्ण था (मैंने देखा) जो किसी लौ की भांति स्थिर बैठा रहा। उसके होंठ के हलके तिरछेपन से उसकी असहमति व्यक्त हो गई, किंतु वह दुर्योधन को शांत करने के लिए पर्याप्त थी।

धृ मुझे मंच पर बुला रहा था और उसका स्वर इतना तीखा था कि मेरे अनुचर भी आश्चर्यचकित हो गए। मैं वहाँ चली गई, किंतु इस दौरान मेरे भीतर निष्ठा व इच्छा के बीच द्वंद्व चलता रहा। यदि अर्जुन यहाँ नहीं है तो धृ और कृष्ण को क्या अधिकार है कि वह मुझे कर्ण को नापसंद करने के लिए बाध्य करें?

तभी तुरही का स्वर गूँजा। प्रतियोगिता आरंभ हो चुकी थी।

. . .

बाद में खांडव वन के दाह तथा उसके स्थान पर विस्मयकारी चीज़ों से भरा महल निर्मित होने के बहुत पश्चात्, द्यूत-क्रीड़ा के बाद, छल तथा क्षति, निर्वासन एवं वापसी के बाद, युद्ध व उसके फलस्वरूप अस्थियों का पर्वत बनने के पश्चात् भाट-चारण इस स्वयंवर को अमर कर देंगे, जिसके विषय में कुछ लोगों का मानना है कि वहीं इसका आरंभ हुआ। वे इस बात को इस तरह से गाएँगे ।

आशा से सुगंधित एवं चिंताओं से भरे उस कक्ष में, जहाँ गर्व की बाँसुरी और क्रोध का ढोल बज रहा था, भारत के महानतम राजागण किंधार धनुष को धरती से उठा नहीं पाए थे। मुट्ठीभर जो निशाना साधकर बाण चला सके, वे मछली की आँख भेदने में सफल नहीं हुए। जरासंध का निशाना उसकी अंगुली की चौड़ाई जितना, शल्य का सेम के बीज जितना और शिशुपाल का निशाना तिल जितना चूक गया। जब दुर्योधन ने बाण चलाया तो दर्शकों ने प्रसन्नता से शोर मचाया, किंतु प्रबंधक ने लक्ष्य का निरीक्षण करने के बाद घोषणा की कि कौरव राजकुमार का निशाना सरसों के बीज जितना चूक गया था।

अब सिर्फ़ कर्ण शेष रह गया था। सिंह की भांति वह अपने आसन से उठा। उसके कवच पर प्रकाश स्वर्णिम अयाल की भांति चमक रहा था। उसने पूर्व दिशा की ओर मुड़कर सूर्य को और उत्तर दिशा में अपने गुरु को प्रणाम किया। वह इतना महान था कि अपने गुरु द्वारा शाप दिए जाने के बावजूद उसके मन में उनके लिए दुर्भावना नहीं थी। उसने किंधार की ओर बढ़ते हुए उसके सम्मान में हाथ जोड़े और उसने वह धनुष इतनी सरलता से उठा लिया मानो वह बच्चों के लिए सरकंडे का बना धनुष हो। यह देखकर समस्त सभा स्तब्ध रह गई। ज्यों ही उसने धनुष की

प्रत्यंचा चढ़ाकर टंकार की, एक गहन व संगीतमय कंपन सभा में गूँज उठा मानो स्वयं धनुष ही उस गीत को गा रहा हो। यहाँ तक कि मैं भी मुग्ध हो गई तभी, उसके प्रत्युत्तर में एक आवाज आई। पृथ्वी काँपने लगी और दूर कहीं, गीदड़ व गिद्धों का रुदन सुनाई देने लगा। ब्राह्मणों ने इन अपशकुनों को सुनकर सिर हिलाया और परस्पर धीमे स्वर में कहने लगे कि यदि यह व्यक्ति प्रतियोगिता जीत गया तो हम लोगों पर कैसी विपत्ति आएगी? कृष्ण अपने स्थान से उठ खड़े हुए और महर्षि व्यास, जिन्होंने ध्यानावस्था में इस समूची पृथ्वी के इतिहास को पहले से ही देख लिया था, कर्ण को सावधानी से देखने लगे, क्योंकि यही वह क्षण था जब इतिहास का मार्ग अच्छाई तथा बुराई के मध्य झूल रहा था।

धृष्टद्युम्न, जो मेरे निकट खड़ा था, एक क़दम आगे बढ़ा और बोला, कर्ण, यद्यपि तुम अपने युद्ध कौशल के लिए प्रसिद्ध हो, मेरी बहन किसी निम्न जाति के व्यक्ति को अपना पति नहीं चुन सकती। इसलिए, मेरा तुमसे विनम्र अनुरोध है कि तुम लौट जाओ और अपना आसन ग्रहण कर लो।

कर्ण की आँखें धूप में बर्फ़ की भांति चमकीं, किंतु उसने हस्तिनापुर में हुई प्रतियोगिता से बहुत कुछ सीख लिया था। उसने शांत स्वर में उत्तर दिया, यह सत्य है कि मेरा पालन-पोषण अधिरथ ने किया है, किंतु मैं क्षत्रिय हूँ। मेरे गुरु परशुराम अपनी दिव्य दृष्टि से यह स्वयं देख चुके हैं और मुझे शाप भी दे चुके हैं। उस शाप ने मुझे आज इन क्षत्रिय राजाओं के मध्य खड़े रहने के योग्य कर दिया है। मैं इस प्रतियोगिता में अवश्य भाग लूँगा। कौन मुझे रोकेगा?

इसके उत्तर में, धृष्टद्युम्न ने अपनी तलवार निकाल ली, यद्यपि उसका चेहरा शरद ऋतु की संध्या की भांति पीला पड़ गया था और उसका हाथ काँप रहा था क्योंकि वह जानता था कि वह कर्ण से मुक़ाबला नहीं कर सकेगा परंतु उसके परिवार की प्रतिष्ठा दाँव पर थी और वह इसके अतिरिक्त कुछ नहीं कर सकता था।

तभी उस विवाह कक्ष में व्याप्त मौन के बीच, कोयल के गीत-सी मधुर किंतु यह दृढ़ आवाज सुनाई पड़ी कि अंगराज, मेरा हाथ माँगने से पूर्व आपको अपने पिता का नाम बताना होगा क्योंकि निश्चित ही एक कन्या को, जो अपने परिवार से सभी संबंध-विच्छेद करके अपने पति के कुल से संबंध स्थापित करने जा रही है, यह जानने का अधिकार है।

यह मेरी आवाज थी। यह बोलते हुए, मैं अपने भाई और कर्ण के मध्य आ खड़ी हुई और मैंने अपना घूँघट गिर जाने दिया। मेरा मुख बादलों से आच्छादित

अनेक रातों के बाद निकले पूर्णिमा के चाँद की भांति दमक रहा था, परंतु मेरी दृष्टि किसी योद्धा की तलवार जैसी तीखी थी जिसने मानो अपने प्रतिद्वंद्वी के कवच में दरार देख ली हो और उस स्थान पर तलवार भोंकने में उसे ज़रा भी संकोच न हो रहा हो। सभा में उपस्थित प्रत्येक व्यक्ति, जो मुझे पाने की इच्छा रखता था, अपने भाग्य को इस बात के लिए सराह रहा था कि उस समय वह मेरे समक्ष नहीं खड़ा था।

उस प्रश्न के समक्ष कर्ण मौन हो गया। पराजित होकर उसने अपना सिर लज्जा से झुका लिया और कक्ष से बाहर निकल गया, परंतु भारत के सभी राजाओं के समक्ष हुए इस अपमान को वह भुला नहीं पाया और समय आने पर उसने अपने अपमान का प्रतिशोध मुझसे यानी पंचाल की राजकुमारी से सौ गुना बढ़ाकर लिया।

. . .

मैं चारणों के गीत के लिए उन्हें दोष नहीं देती। एक प्रकार से, यह घटनाएँ उसी तरीके से हुईं जैसा वह वर्णन करते हैं, किंतु, दूसरे ढंग से देखें तो वह एकदम भिन्न थीं।

जब कर्ण ने चुनौती दी और मेरा भाई तलवार निकालकर आगे बढ़ा, तब भय से मेरी दृष्टि धूमिल हो गई थी। कुछ भयंकर घटित होने वाला था। वहाँ, मेरे अतिरिक्त ऐसा कोई नहीं था जो उसे रोक पाता, किंतु मैं क्या करूँ? मैंने निर्देश की आशा से, कृष्ण की ओर देखा। मुझे लगा वह अपनी ठुड्डी से कुछ संकेत कर रहे थे, किंतु वह क्या कह रहे थे? उनके पीछे खड़े व्यास की भँवें तनी हुई थीं। उन्होंने मुझे इस क्षण के लिए चेतावनी भी दी थी, किंतु मेरा चक्कर खाता सिर उनके शब्दों को याद नहीं कर पा रहा था। क्या उन्होंने ऐसा नहीं कहा था कि मैं अपने भाई की मृत्यु का कारण बनूँगी? मैंने अपने दाँत रगड़े और एक लंबी श्वास ली। मैं सरलता से सब कुछ भाग्य पर नहीं छोड़ सकती।

धृ ने म्यान से तलवार निकाली और अपने कंधे कस लिए। कर्ण ने अपना बाण - जो उसने लक्ष्य पर चलाने के लिए निकाला था - मेरे भाई के वक्ष पर साध लिया। उसकी आँखें सुंदर, उदासीन तथा अविचल थीं, ऐसे व्यक्ति की आँखें जो अपने लक्ष्य को भेदने से कभी नहीं चूकता।

एक स्मृति के अतिरिक्त, मेरा मस्तिष्क बिल्कुल रिक्त हो गया : वह क्षण जब मैं अवांछित रूप में, अग्नि से बाहर निकली थी और धृ ने मेरा हाथ थामकर मुझे स्वीकार किया था। मुझे प्रेम करने वाला वह प्रथम व्यक्ति था। उस तथ्य के समक्ष सब कुछ फीका था : कर्ण को देखकर मेरे हृदय में उत्पन्न हुआ वह नवजात कंपन,

वह विस्मय जो क्रोधवश कर्ण के मुझसे मुँह फेर लेने के बाद उस कंपन का स्थान ले लेगा।

बाद में, कुछ लोग मेरी प्रशंसा करेंगे कि मैंने उस घमंडी सूतपुत्र को लज्जित कर दिया। कुछ लोग मुझे घमंडी कहेंगे। जाति-वादी। वह कहेंगे कि जो भी दंड मुझे मिला, मैं उसकी अधिकारी हूँ। कुछ लोग फिर भी मेरी प्रशंसा करेंगे कि मैंने धर्म का साथ दिया, चाहे उसका अर्थ कुछ भी हो, परंतु मैंने यह सब सिर्फ़ इसलिए किया कि मैं अपने भाई को मरते हुए नहीं देख सकती थी।

क्या हमारे कर्म हमारी नियति को बदल सकते हैं? अथवा वह सिर्फ़ किसी बाँध में उत्पन्न दरार में भरी गई रेत की तरह होते हैं जो अपरिहार्य को मात्र कुछ देर रोक सकते हैं? हाँ, मैंने धृ को बचाया, ताकि वह अपना साहसी व भीषण कार्य पूर्ण कर सके, परंतु मृत्यु को धोखा देना इतना सरल नहीं होता। जब वह दोबारा उसके पास आई, उसका स्वरूप इतना बुरा था कि मुझे लगा कि मुझे यह स्वयंवर के समय ही हो जाने देना चाहिए था, जहाँ कम से कम उसकी मृत्यु सम्मानपूर्वक होती।

एक बात निश्चित थी : उस समय कुछ अवश्य बदल गया था, जिस क्षण मैंने कर्ण से वह प्रश्न किया जो मुझे पता था कि उसे सबसे अधिक आहत करेगा, वह एकमात्र प्रश्न जिसने उसे धनुष नीचे रख देने पर विवश कर दिया था। जब मैंने आगे बढ़कर उसके मुख की ओर देखा, तो उसके चेहरे पर प्रकाश था - उसे प्रशंसा, या कामना अथवा प्रेम का अभिलाषी आरंभ कहा जा सकता है। यदि मुझमें थोड़ा-सा विवेक और होता तो मैं उस प्रेम को बाहर ला पाती और उस क्षणिक ख़तरे को विक्षेपित कर देती - वह क्षण मेरी कल्पना से कहीं अधिक महत्त्वपूर्ण बन जाता, परंतु मैं आयु में छोटी थी और डरी हुई थी। मेरे द्वारा प्रयुक्त उन ग़लत शब्दों (उन शब्दों के लिए मुझे आजीवन पछतावा रहेगा) ने उस प्रकाश को सदा के लिए बुझा दिया।

# 13

## निःशान

मेरे पाँव से खून बह रहा था। मैं सामान्य मार्ग, पत्थरों व काँटों पर नंगे पाँव पैदल कभी नहीं चली थी। मैंने अपने आगे चल रहे पुरुष को देखा। उसकी कड़क पीठ पर एक सस्ता सफ़ेद दुशाला पड़ा हुआ था। मुझे लगा कि क्या यह वही व्यक्ति था जिसका मुझे संदेह था। एक घंटा पूर्व मैंने इसके गले में वरमाला पहनाई थी। मेरे सिर पर तेज़ धूप पड़ रही थी, जिसके कारण मेरा सिर घूम रहा था। महल छोड़ने से लेकर अब तक हमने कोई बात नहीं की थी। मेरा कंठ सूख रहा था। नव-वधु होने के नाते, परंपरानुसार, मैंने दिनभर से कुछ नहीं खाया था और बाद में, उसने विवाह-भोज के लिए रुकने से (मेरे विचार में, अभद्रतापूर्वक) मना कर दिया था।

"मुझे अपने परिवार के पास लौटना है," उसने कहा, "वे लोग चिंतित होंगे।" मेरे पिता के प्रश्न के उत्तर में उसने कहा कि उसे अपने परिवार के विषय में बोलने की अथवा अपना नाम बताने की स्वतंत्रता नहीं थी।

मेरे पिता ने बहुत प्रयास करके अपने क्रोध को रोका। "हम आपके परिवार को यहीं ले आते हैं," उन्होंने कहा। "वे अपनी इच्छा से मेरे किसी भी महल में रह सकते हैं। आखिरकार, विवाह के अनुबंध के अनुसार, मेरा आधा राज्य अब आपका है।"

उस पुरुष ने कहा कि उसे महल की आवश्यकता नहीं है। उसने मुझसे आभूषण आदि उतार देने को कहा क्योंकि वह सब किसी निर्धन ब्राह्मण की पत्नी के लिए उपयुक्त नहीं थे। सेविकाएँ मेरे लिए सूती साड़ी ले आईं। मैंने अपने आभूषण उतारकर दाई माँ को दे दिए जो उस समय रो रही थीं। मैंने सिर्फ़ कौड़ियों की माला रख ली जो उस पुरुष ने मुझे पहनाई थी।

"कम से कम आप एक रथ तो ले लीजिए," मेरे भाई ने आतंकित स्वर में कहा। "पांचाली को पैदल चलने का अभ्यास नहीं है..."

"इसे अब यह सीखना होगा," वह बोला।

टूटे, तपते मार्ग पर एक-एक पग पीड़ादायक था। लड़खड़ाने और गिरने के बावजूद मुझमें इतना घमंड था कि मैंने उससे धीरे चलने के लिए नहीं कहा। कंकड़ भरे मार्ग पर चलते-चलते मेरी पतली सूती साड़ी घुटनों पर से फटने लगी। मेरी हथेलियाँ कट गई थीं। मैंने होंठ दबाकर पीड़ा के अश्रुओं को बहने से रोक लिया, साथ ही मुझे अपने पति के उपेक्षापूर्ण व्यवहार पर बहुत गुस्सा आ रहा था। मेरे भीतर की कपटी आवाज ने कहा कि यदि कर्ण होता तो वह मुझे कभी इस प्रकार पीड़ा नहीं भोगने देता, परंतु यह बात अब ठीक नहीं थी। यदि वह मुझे इस हालत में देखता तो कटु संतोष से हँस पड़ता।

मैं उठी और अपने दाँत पीसते हुए एक-एक पग आगे बढ़ाने लगी। मैंने स्वयं से कहा, धृ की भांति, *मैं यह सहन कर सकती हूँ*, परंतु मुझे बहुत कष्ट हो रहा था। मैं उसे सहन नहीं कर पा रही थी। इसके अतिरिक्त, मैं जो कुछ करने का प्रयास कर रही थी, वह मेरी मूर्खता थी। मैं नारी हूँ और मुझे अपनी शक्ति का उपयोग अलग ढंग से करना चाहिए।

मुझे मार्ग के किनारे एक वट वृक्ष दिखाई दिया, तो मैं उसकी छाया में बैठ गई मैंने अपने काँपते पैरों को थोड़ा फैलाया। संभवत : यह अच्छा था कि मैं थक गई थी। मेरी थकान ने मुझे मेरे भय से और यह सोचने से बचा लिया कि मेरा पति (यह कितना विचित्र शब्द है) क्या सोचेगा। मैंने गहरी श्वास लेकर अपने हाथ मोड़ लिए। मैं उसकी पीठ देखती और यह प्रतीक्षा करती रही कि वह मुड़कर कब देखेगा कि मैं उसके पीछे नहीं आ रही - और फिर वह क्या करेगा।

. . .

मेरी ऐसी दुर्दशा कुछ यूँ हुई थी :

कर्ण जा चुका था। असफल राजाओं के असंतोष से कक्ष में कोलाहल व्याप्त था। दुर्योधन चिल्लाया कि प्रतियोगिता अनुचित व असंभव थी। इसके अतिरिक्त, उससे अपने मित्र का इस प्रकार हुआ अपमान सहन नहीं हो रहा था। उसने अन्य राजाओं से कहा, "चलो, हमें इसका विरोध करते हुए यहाँ से चले जाना चाहिए।" परंतु एक अन्य व्यक्ति, जो मेरे विचार से शिशुपाल था, के चेहरे पर अपमान व्याप्त था। वह चिल्लाया, "हम द्रुपद को कोई स्मृति दिए बिना इतनी सरलता से यहाँ से क्यों लौट जाएँ?" धृ की कमर में ऐंठन होने लगी। मैंने उसे पंचाल के सेनापति को संकेत करते देखा।

फिर उस ब्राह्मण ने कहा, "मैं प्रयास कर सकता हूँ?"

मैंने जो कर्ण के साथ किया था, उससे मेरा सिर पहले ही घूम रहा था। मेरी छाती में दर्द हो रहा था मानो कोई मेरा हृदय निकालकर हाथों से उसे मरोड़ रहा हो। मैंने अरुचि से देखा कि उस व्यक्ति के लंबे केश उसके सिर के ऊपर पारंपरिक चोटी स्वरूप बँधे हुए थे। उसके पतले कंधों पर हाथ से बुना वस्त्र पड़ा हुआ था। वह युवा था। उसकी मुस्कान के पीछे से उसके सुदृढ़ सीधे दाँत दिखाई दे रहे थे - जो निर्धन लोगों में असामान्य लक्षण होता है। राजागण उसका उपहास करने लगे, किंतु ब्राह्मण प्रसन्नतापूर्वक शोर कर रहे थे।

"ब्राह्मण किसी भी क्षत्रिय से उच्च होता है," उनमें से एक ने कहा। "इसे भाग लेने का अधिकार है।"

एक अन्य व्यक्ति चिल्लाया, "प्रार्थना की शक्ति को कम मत आँकना! शारीरिक बल जहाँ विफल हो गया, शायद वहाँ प्रार्थना काम आ जाए!" ब्राह्मणों और क्षत्रियों के मध्य युगों से चल रहे सत्ता-परक विवाद में इन दोनों गुटों ने एक-दूसरे को घूरकर देखा।

राहत महसूस करते हुए धृ ने उस युवक को आगे बढ़ने के लिए कहा।

ब्राह्मण ने कुछ उच्चारित किया - शायद वह प्रार्थना थी यद्यपि, उसका स्वर प्रार्थी जैसा नहीं था। सहसा, अत्यंत द्रुत गति से मानो उसका हाथ प्रकाश की किरण हो, उसने वह धनुष उठा लिया। बाण भी चला दिया। इससे पहले कि मैं श्वास ले पाती, कवच दो टुकड़े होकर नीचे गिर पड़ा और मैंने देखा कि वह मछली छत से टेढ़ी लटकी हुई धीरे-धीरे घूम रही थी। उस ब्राह्मण के बाण ने मछली की पीतल की आँख को भेद दिया था।

साधारण जन उल्लास से चीखने लगे किंतु राजागण पूरी तरह मौन थे। धृ ने युवक का हाथ पकड़ लिया; मेरे पिता अपने सिंहासन से नीचे उतर आए; पुजारी शीघ्रता से मंच पर पहुँच गए; मेरे सेवक दौड़कर फूल फेंकते हुए और विवाह-गीत गाते हुए आगे आ गए। किसी ने मेरे हाथों में वरमाला थमा दी। ब्राह्मण का क़द ऊँचा था। उसे सिर झुकाना पड़ा जिससे मैं उसके गले में माला डाल सकूँ। वह कौन था? कृष्ण को पता होगा, किंतु मैं भीड़ में उन्हें देख नहीं पाई कोई ब्राह्मण धुनर्विद्या में इतना निपुण कैसे हो सकता है? मैंने ध्यान से देखा कि उसके शरीर पर युद्ध में लगे घावों के निशान थे, किंतु उसके कंधों पर दुशाला पड़ा हुआ था। दाई माँ मुझे कथाएँ सुनाती थीं जिनमें देवता, वेश बदलकर सद्गुणी कन्याओं से विवाह करने के लिए पृथ्वी पर आते थे, किंतु मुझे अपने इतना सद्गुणी होने पर भी संदेह था। मैंने उसका चेहरा देखने का प्रयास किया, किंतु उसने जान-बूझकर मुँह फेर लिया। इस बीच किसी राजा ने अपना युद्ध-शंख फूँक दिया। अन्य लोगों

ने उसे प्रतिध्वनित कर दिया। धृ ने धीरे से कहा, जल्दी करो, पांचाली। वह पुरुष मुझसे दृष्टि क्यों नहीं मिला रहा था? मैंने पंजों पर खड़े होकर स्तब्धावस्था में ही वरमाला उसके गले में डाल दी। इस प्रकार की अनुपयुक्त शीघ्रता में पूर्ण किया गया विवाह क्या सचमुच विवाह कहा जा सकता था? उसने कौड़ियों से बनी एक माला, जैसी निर्धन परिवार की स्त्रियाँ पहनती हैं, मेरे गले में डाल दी। मेरी त्वचा पर वह कौड़ियाँ ठंडे, सूक्ष्म मुक्कों के समान महसूस हो रही थीं। इस प्रकार, मेरा विवाह हो गया।

उसके तुरंत बाद लड़ाई आरंभ हो गई। बीस, या शायद उससे अधिक राजागण मेरे अजनबी पति पर लपके। वह चमचमाती तलवारों के मध्य से ओझल हो गया। मैं चिढ़ रहे पुरुषों व उनके अस्त्रों को देखती रही। मुझे अपने पति और स्वयं के लिए अधिक चिंतित होना चाहिए था, किंतु मुझे यह चिंता नहीं हो रही थी। धृ ने वार बचाने के लिए चिल्लाकर आदेश दिया, किंतु राजाओं के एक गुट ने द्वार बंद करके हमारे सैनिकों को भीतर आने से रोक दिया था।

वह पुरुष असंभव ढंग से अस्त्रों के समुद्र में से बिना आहत हुए निकल आया। यहाँ तक कि उसके कंधों पर पड़ा दुशाला भी अपने स्थान से नहीं हिला था। मैंने सोचा कि वह गंभीर रूप से घायल हो जाएगा, किंतु उसके मुख पर मुस्कान थी। उसने मुझे अपने पीछे खींच लिया और एक बाण निकालकर संभ्रमित भीड़ पर साध लिया। मुझे लगा कि उसने कुछ कहा। उसका बाण प्रकाश के सैकड़ों बिंदुओं में विभाजित हो गया। उसके बाद वे प्रकाश-बिंदु जुड़ गए और एक तपता हुआ जाल उन राजाओं पर जा गिरा। वे सभी मानो मदहोश अवस्था में एक-दूसरे के ऊपर गिरने लगे। यह उनके लिए आदर्श दंड था। जब उसने दोबारा निशाना साधा तो द्वार रोके हुए सभी राजा पंक्ति तोड़कर वहाँ से भाग निकले।

"देवी," वह पुरुष नम्रतापूर्वक आँखें नीची करके बोला, "तुम्हारे मन में इससे उत्पन्न हुए भय के लिए मैं क्षमा चाहता हूँ।"

इतना तो निश्चित था कि वह पुरुष ब्राह्मण नहीं था। मेरे मस्तिष्क में तरह-तरह के अनुमान बुलबुले बनकर उठने लगे। मैंने आँखें पतली करके उसका निरीक्षण किया। "मैं इतनी शीघ्रता से भयभीत नहीं होती," मैंने उत्तर दिया।

. . .

मुझे वृक्ष के नीचे बैठा देख, मेरा पति शीघ्र ही लौट आया। उसकी त्योरियाँ चढ़ी हुई थीं। वह मुझसे प्रश्न पूछने ही वाला था कि उसकी दृष्टि मेरे पैरों पर पड़ी। उसका मुख लाल हो गया। उसने झुककर मेरे तलुवे देखे, उसके हाथ का स्पर्श

अप्रत्याशित रूप से कोमल था और उसे पता था कि वह क्या कर रहा है। उसने कुछ पत्तों से कटोरा बनाया और उसमें निकट के सरोवर से मेरे पीने के लिए जल लेकर आ गया। फिर वह मेरे पैर धोने के लिए थोड़ा और पानी लाया और उसने अपना दुशाला फाड़कर मेरे पैरों पर पट्टी बाँधी। मेरे कष्ट पर ध्यान न देने के लिए उसने मुझसे क्षमा माँगी। अनेक प्रकार की चिंताओं से उसका ध्यान भंग हो गया। जब मैंने उन चिंताओं के विषय में पूछा तो उसने सिर हिला दिया।

मैंने उसके चेहरे की ओर देखा तथा अनेक वर्ष पूर्व एक चित्र में देखे किसी चेहरे से उसका मिलान करने लगी। उस चित्र वाले चेहरे की मूँछ थी, मुकुट था, रत्न-जड़ित कान के कुंडल, तेल लगे सुगंधित लंबे केश थे। यह चेहरा पतला और काला था, गाल की हड्डियाँ ऊपर उठी हुई थीं और खींचकर पीछे को बँधे हुए बालों ने मुझे दुविधा में डाल दिया था। उस समय एक ही कार्य था जिसे मैं करने का विचार बना रही थी।

साहस छूटने से पूर्व, मैंने शीघ्रता से उसके कंधे पर से दुशाला हटा दिया। युद्ध में लगे घाव के निशान स्पष्ट दीख रहे थे! साहस करके मैंने उनमें से एक को छुआ जो उसकी बलिष्ठ बाँह के ऊपरी भाग पर लगा हुआ था। उसकी दृष्टि मेरे मुख पर पड़ी। विचित्र बात थी कि उसके नेत्र किसी के नेत्र से कितने मिलते थे! ऐसा कैसे हो सकता था? परंतु नहीं, मुझे ऐसा सोचने का भी अधिकार नहीं था। मैंने अपने जीवन के उस भाग को नष्ट कर दिया था। अब यही मेरी नियति थी। अपने परिवार तथा मेरे जन्म के समय हुई भविष्यवाणी के लिए मुझे अपना श्रेष्ठ देना था।

"क्या तुम अर्जुन हो?" मैंने पूछा।

उसने उत्तर नहीं दिया, परंतु वह मुस्करा दिया और उसकी कठोरता का कुछ अंश वहीं ढह गया। इससे मुझे प्रसन्न होना चाहिए था, किंतु मेरा हृदय मृत वस्तु की भांति मेरे वक्ष पर बोझ बना हुआ था। तथापि, मैंने सायास अपना हाथ नहीं हटाया। मैं उसकी पत्नी हूँ। छूने पर लगा कि वह घाव जितना दिख रहा था उससे कहीं अधिक कठोर था मानो किसी बाण का टुकड़ा अब तक त्वचा के भीतर गड़ा हुआ था। मैंने उसके ऊपर अपना नाखून घुमाया, जैसा मुझे जादूगरनी ने सिखाया था और उसके तुरंत बाद मुझे उसकी तीव्र श्वास का स्वर सुनाई दिया। इससे मेरा चेहरा ग्लानि से गर्म क्यों होना चाहिए था?

उसने कहा, "यदि मैं अर्जुन हूँ तो क्या तुम अधिक प्रसन्न हो जाओगी?"

मैंने अपने स्वर को संयमित रखने का प्रयास किया। "मैं अब राजकुमारी नहीं हूँ। मैं अब तुम्हारी पत्नी हूँ और तुम जो भी हो, मैं अपने भाग्य से संतुष्ट हूँ।"

"अति उत्तम।" उसकी आँखों में चिढ़ाने वाली चमक थी। मैंने कुछ और कहने का खतरा भी उठा लिया, और अर्द्ध-सत्य के ख़तरनाक क्षेत्र में प्रवेश कर गई। "फिर भी जब से कृष्ण ने मुझे अर्जुन की शक्तियों के विषय में बताया है, मैं प्रायः उसके बारे में सोचती हूँ।"

उसने मुझसे मुँह फेर लिया और एक ओर देखने लगा। उसकी भँवों पर झुर्रियाँ थीं और उसके होंठ कठोर हो गए थे। यदि वह अर्जुन नहीं हुआ, जैसा कि मैंने शीघ्रता में मान लिया था, तो क्या होगा? मैंने दाई माँ की चेतावनी पर ध्यान क्यों नहीं दिया कि ढिठाई से मेरा पतन हो सकता है? अधिकतर योद्धाओं के ऐसे ही निशान होते हैं।

यदि मेरा योद्धा-पति अपनी नव-विवाहित पत्नी के होंठ से किसी अन्य पुरुष की प्रशंसा सुनकर क्रुद्ध हो गया तो इसका दोष किसे दिया जाएगा? परंतु जब वह बोला तो उसके स्वर में शिष्टाचार तथा माधुर्य था और मैंने ऐसा महसूस किया कि उसकी जो भी चिंताएँ थी, उनका मुझसे कोई संबंध नहीं था।

"मैं अपने परिवार की सहमति के बिना अपना परिचय नहीं दे सकता, परंतु मैं तुम्हें एक बात बता सकता हूँ : जबसे कृष्ण ने मुझसे पांचाली के गुणों का वर्णन किया है, मैं भी उसके विषय में सोचता रहा हूँ।" मार्ग पर शेष समय, उसने मेरा हाथ पकड़े रखा और मुझे सहारा दिया चूंकि मैं लँगड़ाकर चल रही थी। उसने आगे कुछ नहीं कहा और मैं इस मौन के लिए उसकी आभारी थी। मेरा मस्तिष्क पिछले कुछ घंटों में हुई घटनाओं को समेटने का प्रयास कर रहा था। अब जबकि मुझे उसके अर्जुन होने पर कोई संदेह नहीं था, मुझे पता लग गया था कि मेरे सभी शुभ-चिंतक - धृ, दाई माँ, मेरे पिता, कृष्ण - इस घटनाक्रम पर अति प्रसन्न होंगे।

मेरा विवाह अपने समय के सर्वश्रेष्ठ योद्धा से हुआ था। वह मेरे पिता का परम सहयोगी बनेगा। महा-युद्ध में वह मेरे भाई की रक्षा करेगा जिससे कि मेरा भाई अपनी नियति को प्राप्त कर सके। शिष्ट, कुलीन, साहसी और सुंदर, वह मेरा पति बनने के लिए पूरी तरह उपयुक्त है (और मैं भी उसकी सहचर बनने के लिए बिल्कुल उपयुक्त हूँ) और हम दोनों मिलकर इतिहास पर अपनी छाप छोड़ जाएँगे। शायद वह मेरे लिए मेरे सपनों का महल बनवाएगा, ऐसा स्थान जो मेरा वास्तविक स्थान है। मैं अपना और अधिक समय पश्चाताप पर व्यय नहीं करूँगी। मैं भविष्य की ओर अपना मुख करके उसे अपनी मनोवांछित आकृति प्रदान करूँगी। मैं स्वयं को कर्तव्य-निर्वहन द्वारा संतुष्ट रखूँगी। यदि मैं सौभाग्यशाली हुई, तो मुझे प्रेम प्राप्त हो जाएगा। गर्मी भरे उस दिन में पैदल चलते हुए, मैंने स्वयं से ऐसा कहा। कंकड़ और काँटों से भरा वह मार्ग, प्रत्येक क्षण, मुझे उस सबसे आगे ले जा रहा था जिससे मैं परिचित थी।

# 14

## बैंगन

मैं अपनी सास के चौकस निरीक्षण में उपले से निकलते धुएँ पर बैंगन की सब्जी बना रही थी। रसोईघर छोटा और घुटन भरा था। मेरी कमर में दर्द हो रहा था। धुएँ से मेरे गले में आग-सी लग रही थी। पसीना मेरी आँखों में गिर रहा था। मैं जल्दी-जल्दी उसे पोंछ रही थी। मैं अपनी सास को यह संतोष प्रदान नहीं करना चाहती थी कि उन्होंने मुझे रुला दिया था यद्यपि, मैं निराशावश ही रो रही थी।

वह अपनी वैधव्यपूर्ण श्वेत साफ़ साड़ी में बैठी अपने पुत्रों द्वारा भिक्षा में प्राप्त सस्ते लाल चावल में से कंकड़ चुन रही थी। उसके केश आवश्यकता से अधिक काले और चमकीले थे (आख़िरकार वह वृद्ध थीं और उसके पाँच वयस्क पुत्र थे)। गर्मी का मानो उनपर कोई प्रभाव नहीं पड़ रहा था। आरंभ में मुझे लगा कि ऐसा इसलिए था क्योंकि वह एकमात्र छोटी-सी खिड़की के सामने बैठी थीं, परंतु शायद उसके पास कुछ आंतरिक संसाधन थे जो मेरी दृष्टि नहीं देख पा रही थी। उसके शांत चेहरे के नीचे एक सूक्ष्म घृणा भी थी, जो यह कह रही थी, क्या तुम्हें यह सब कठिन लग रहा है? फिर तो, जो पीड़ा मैंने भोगी है, तुम उसका सौवां अंश भी सहन नहीं कर सकती हो।

मैं एक रहस्यमय घर में आ गई थी, ऐसे रहस्य जिनका कोई उल्लेख नहीं करता था। मुझे अपने सभी साधनों को उपयोग कर उन्हें समझने का प्रयास करना था। यद्यपि, एक बात मुझे पहले से पता थी : कल जिस क्षण से मेरी सास ने मुझे देखा था, वह मुझे अपना विरोधी मानने लगी थीं।

जब तक मैं और अर्जुन नगर के छोर पर स्थित टूटी-फूटी मिट्टी की दीवारोंवाले एक छोटे-से घर में पहुँचे, शाम हो चुकी थी। मैंने ऐसी कठिनाइयों को झेलने का मन बना लिया था, परंतु कचरे की दुर्गंध से भरी वीथिकाओं और वहाँ

घूमते कुत्तों के खुले घावों को देखकर मेरा मन भारी हो गया। मैंने स्वयं को नाक पर कपड़ा रखने से रोक लिया।

. . .

जैसे ही हम मुड़े, अर्जुन की भांति निर्धन ब्राह्मण के वस्त्र पहने हुए चार युवक हमारे साथ हो लिए। मैं समझ गई कि वह शेष पांडव होंगे। अपने घूँघट के अंदर से मैंने उन सभी के चेहरे देखे, किंतु मैं किसी को भी नहीं पहचान सकी। इन्होंने छद्मवेश का कैसा शानदार ढंग सीख रखा था!

भाइयों ने अर्जुन को गले लगाया और उसके कंधे पर थपकी देकर उसे लड़ाई में उनकी सहायता न लेने पर फटकार भी लगाई जब उन्होंने मुड़कर मेरा अभिनंदन किया, उनकी आँखें उत्सुकता और (मेरे विचार से) प्रशंसा से चमक रही थीं। मुझे ठीक से पता नहीं था कि एक नव-वधु को अपने देवरों से किस प्रकार मिलना चाहिए, इसलिए मैंने सिर झुकाकर उनके समक्ष हाथ जोड़ दिए हालांकि मैं भी उन्हीं के जितनी उत्सुक थी। वे सभी बड़े जीवंत थे। सबसे छोटे दो मसखरी करते हुए बता रहे थे कि किस प्रकार पराजित राजागण मेरे पति से दूर भाग रहे थे। उनसे बड़ा भाई, जो अत्यंत बलिष्ठ था, अपने घुटने पर हाथ मारकर ज़ोर-ज़ोर से हँस रहा था तथा सबसे बड़ा भाई प्रसन्नतापूर्वक उन्हें देख रहा था। मेरा पति उन सबके द्वारा की जा रही प्रशंसा से प्रसन्न था यद्यपि, वह मौन था। उन सबके सामने आने पर उसने मेरा हाथ छोड़ दिया था, हालांकि मुझे इस बात की कोई चिंता नहीं थी।

सबसे बड़े भाई ने - यह युधिष्ठिर होगा - हमें जल्दी चलने को कहा। "हमें देर हो रही है!" वह बोला। "तुम्हें पता है न, माँ को कितनी चिंता होती है।" हम अंतिम मोड़ पर पहुँचे तो सामने एक कुटिया थी, जो वहाँ अन्य कुटियाओं में सबसे निम्न स्तर की थी। छोटी-सी खिड़की से मटकों की खनक सुनाई दे रही थी।

भाइयों में जो सबसे ऊँचा था - यदि मुझे उसका नाम ठीक से ध्यान था, तो वह भीम था - उसने अर्जुन को पलक झपकाकर संकेत किया। "माँ सदैव अत्यंत गंभीर रहती हैं! चलो, उनके साथ थोड़ा विनोद करते हैं।" इससे पहले कि शेष भाई उसे रोक पाते, वह चिल्लाया, "माँ, देखो आज हम क्या लाए हैं?"

"पुत्र," उस स्त्री ने कुलीन स्वर में कहा, "मैं अभी बाहर नहीं आ सकती, अन्यथा खाना जल जाएगा, परंतु, हमेशा की भांति, जो भी तुम लाए हो, उसे सभी भाई परस्पर बराबर बाँट लो।"

सभी भाई लज्जित महसूस कर एक-दूसरे को देखने लगे।

युधिष्ठिर ने भीम को देख त्योरियाँ चढ़ाईं। "तुम सदैव किसी न किसी मुसीबत में फँस जाते हो - और हमें भी घसीट लेते हो! मैं जाकर माँ को समझाता हूँ।"

वह झुककर छोटे-से द्वार से भीतर चला गया। मैंने सोचा कि वह शीघ्र ही वापस आ जाएगा, किंतु वह काफी देर तक बाहर नहीं आया। शेष भाई भी बेढंगा-सा मौन साधे प्रतीक्षा करते रहे। मैंने महसूस किया कि वे लोग अपनी माँ की अनुमति के बिना मुझे भीतर आमंत्रित करने में संकोच कर रहे थे। मैंने अर्जुन को देखा, किंतु शायद वह जान-बूझकर निकट की एक कुटिया से निकलते धुएँ को देख रहा था। मैं ड्योढ़ी पर अवांछनीय और शुष्क अवस्था में खड़ी थी। जिन पश्चातापों को मैंने अपने से दूर कर दिया था। वे सब मुझे गिद्धों की भांति अपने पास आते हुए प्रतीत हो रहे थे। जब मेरे पाँव बहुत दर्द करने लगे तो मैं ज़मीन पर बैठ गई और मैंने अपनी पीठ कुटिया की दीवार पर टिकाकर आँखें बंद कर लीं। मुझे झपकी आ गई होगी। जब मैंने आँखें खोलीं तो मेरी सास मेरे सामने बर्फ़ की प्रतिमा की तरह खड़ी थी। यद्यपि, मुझे उसके पुत्रों की पहचान पर संदेह था, मुझे तुरंत समझ में आ गया कि मैं विधवा रानी कुंती को देख रही थी।

. . .

कुंती मसालों का प्रयोग नहीं करती थीं, अथवा वह नहीं चाहती थीं कि उनकी वधु मसाले खाए। उन्होंने मुझे एक गूदेदार बैंगन के साथ नमक की एक डली तथा ज़रा-सा तेल दिया और मुझे दोपहर का भोजन बनाने के लिए कहा। मैंने उनसे पूछा कि क्या मुझे थोड़ा-सा अदरक और कुछ मिर्च मिल सकती हैं। थोड़ा-सा जीरा भी। उनका उत्तर था, "यहाँ बस, यही है। यह तुम्हारे पिता का महल नहीं है!"

मैंने उसके शब्दों पर विश्वास नहीं किया। पीछे एक आले में मुझे कटोरे, मर्तबान और एक छोटी थैली दीख रही थी। ज़मीन पर रखे सिलबट्टे पर पिछली बार प्रयोग करने के बाद पीले निशान भी थे। मैंने अपना क्रोध पी लिया और धार रहित चाकू से बैंगन को काट लिया। मैंने उसमें नमक लगाकर उसे कड़ाही में डाल दिया। तेल बहुत कम था। उपले से निकली आग की लपट ऊँची उठी और मुझे समझ में नहीं आया कि मैं उसे कैसे कम करूँ। कुछ ही देर में बैंगन के टुकड़े जलने लगे। मैं हार मानकर उन्हें जलने देना चाहती थी, परंतु तभी मैंने मुड़कर देखा कि कुंती के मुख पर अत्यंत सूक्ष्म मुस्कान थी। मैं समझ गई कि यदि मछली को भेदना अर्जुन की परीक्षा थी तो यह बैंगन मेरी परीक्षा के लिए था।

. . .

मुझे कुछ कहने से पूर्व, कुंती ने अपने पुत्रों से कहा : "अपने समस्त जीवन में – यहाँ तक कि कठिनतम पलों में भी – मैंने जो कहा, उसे पूरा किया गया। मैंने स्वयं को वचन दिया था कि मैं तुम लोगों को तुम्हारे पूर्वजों के कक्ष में बड़ा करूँगी, और लज्जा सहन करने के बावजूद मैंने अपना वचन पूरा किया। पुत्रों, मैंने तुम्हारे लिए जो कुछ भी किया, यदि तुम्हारे लिए उसका कुछ भी महत्त्व है तो मैंने जो कहा, तुम्हें वह पूरा करना चाहिए। तुम पाँचों को इस स्त्री से विवाह करना होगा।"

मैं उन्हें देखती रही और उसके कहे शब्दों को आत्मसात करने का प्रयास करती रही। उन सभी को मुझसे विवाह करने की बात कहकर क्या वह मज़ाक कर रही थीं? नहीं, उनके चेहरे से स्पष्ट था। मैं चिल्लाना चाहती थी। पाँच पति? क्या आप पागल हैं? मैं कहना चाहती थी कि मेरा विवाह अर्जुन से हो चुका है! परंतु व्यास की भविष्यवाणी मुझे याद आ गई और मैं उनका विरोध न कर सकी।

कुंती के शब्दों में छिपे सूक्ष्म अपमान को भी मैं देख रही थी। *इस स्त्री*, शब्द से लगा मानो मैं कोई अनाम सेविका हूँ। मुझे क्रोध आया और बुरा भी लगा। कुंती के विषय में सुनी हुई कथाओं के आधार पर मैं उनकी प्रशंसा करती थी। मैंने ऐसी कल्पना की थी कि यदि वह मेरी सास बन गईं तो वह मुझे पुत्री की भांति स्नेह करेंगी। अब मुझे समझ में आया कि मैं कितनी भोली थी। उनके जैसी स्त्री ऐसी किसी नारी को सहन नहीं कर सकती जो उनके पुत्रों को बहकाकर उन्हें उससे दूर ले जाए। सभी भाई अनुमान भरी दृष्टि से मुझे देख रहे थे। उन्होंने विरोध नहीं किया। शायद उन्हें अपनी माँ की अवज्ञा करने की आदत नहीं थी, अथवा यह विचार उनके लिए उतना असंगत नहीं था जितना मेरे लिए। केवल अर्जुन ने कहा, "आप हमें ऐसा करने के लिए कैसे कह सकती हैं? यह धर्म के विरुद्ध है!"

"चलो, अब भोजन करते हैं," कुंती ने कहा। इस शांतिपूर्ण स्वर के नीचे उनकी आवाज में इस्पात-सी कठोरता थी। इसे कहते हैं नारी-शक्ति! मैंने अपने आक्रोश के बावजूद, कुंती के लिए अनैच्छिक प्रशंसा महसूस की। "देर हो चुकी है। तुम लोग थके हुए हो। इस बात पर हम कल चर्चा कर सकते हैं।"

अर्जुन ने दीर्घ श्वास ली। मैं प्रतीक्षा कर रही थी कि वह मेरा पक्ष लेगा और अपनी माँ से कहेगा कि मैं और वह विवाह कर चुके हैं और एक-दूसरे के प्रति समर्पित हैं। उन्हें इस संबंध को नष्ट करने का कोई अधिकार नहीं है।

मुझे यह देखकर अत्यंत निराशा हुई कि उसने कुछ नहीं कहा।

अब जबकि, वह अपनी मन की बात पूर्ण करवा चुकी थीं, कुंती ने मेरी ओर

मुड़कर देखा। मेरा मधुर शब्दों के साथ सत्कार करते हुए उन्होंने मुस्कान के साथ मुझे फूलों का गुलदस्ता दिया, परंतु मुझे उसके अंदर के काँटे चुभ रहे थे।

जब सोने का समय हुआ, तो भाइयों ने अपनी दरियाँ खोलीं और एक-दूसरे के साथ लेट गए। कुंती ने उनके सिर की ओर अपनी दरी बिछाई और मुझे चूहों की कुतरी हुई अंतिम दरी दे दी। मुझे भाइयों के पाँव की ओर, कुछ दूरी बनाकर सोना था। मैंने मना करने का विचार किया परंतु मैं बहुत थकी हुई थी। मैंने अपने विद्रोह को अगले दिन के लिए बचा लिया।

मैं रात-भर उल्लुओं की आवाज सुनते हुए सोती-जागती रही और चंद्रमा को छोटी-सी खिड़की से सरकता हुआ देखती रही। मैं असहज, दीन और मोह-भंग की अवस्था में - और सबसे अधिक अर्जुन से क्रुद्ध थी। मैंने उससे अपना पक्षधर होने की अपेक्षा की थी। मुझे मेरे घर से उठा लेने के बाद कम से कम उसे इतना तो करना चाहिए था। मेरे भीतर जब यह आवाज उठी कि यदि कर्ण होता तो उसने मुझे इस तरह अपमानित नहीं होने दिया होता, तो मैंने उस आवाज को नहीं दबाया।

वह रात्रि अनंत प्रतीत हो रही थी। कोई खर्राटे ले रहा था। कोई स्वप्न में ज़ोर से चिल्लाया। एक बार तो मुझे लगा कोई व्यक्ति खिड़की से भीतर देख रहा है। मेरी धुँधली, गृहासक्त आँखों को वह चेहरा धृ जैसा लग रहा था, हालांकि यह असंभव था। हालांकि एक अच्छी बात भी थी। अपनी विवाह की प्रथम रात्रि को जब मेरी शय्या पर सुगंधित रेशमी चादर होनी चाहिए थी, जब मुझे अपने पति के निकट होना चाहिए था, मुझे इस प्रकार इन पुरुषों के पैरों में लेटा देखकर धृ अत्यंत क्रोधित हो जाता, परंतु अब मेरे भाई के पास मेरी रक्षा करने अथवा हस्तक्षेप करने का अधिकार नहीं था, यह सोचकर मेरी आँखें अपनी ही दीन अवस्था को सोचकर भर आईं। मैंने एक ऐसे व्यक्ति के गले में वरमाला डाल दी थी जिसने मुझे अपना नाम तक बताने की आवश्यकता नहीं समझी और इससे सब कुछ बदल गया था।

मैं हताशा के समक्ष समर्पण करने ही वाली थी कि मेरे मस्तिष्क में एक विचार आया : इसी बात की तो उसे आशा है! उस एहसास की गर्मी ने मेरे अश्रु सुखा दिए। मैंने विश्वास से भरी एक गहरी श्वास ली जैसी शायद कुंती ने ली होती, यदि वह मेरे स्थान पर होती। जादूगरनी द्वारा सिखाए गए तरीके को प्रयोग करके मैंने अपनी माँस-पेशियाँ ढीली कर लीं। मैंने कठोर फ़र्श का विरोध नहीं किया, अपितु अपने तन को उसमें समा जाने दिया। मैंने स्वयं से कहा, एक बार में एक। भविष्य के विषय में चिंता करने से क्या लाभ, जो मेरी अथवा कुंती की इच्छा से सर्वथा भिन्न आकार लेने वाला था? और इसी के साथ, मुझे नींद आ गई।

. . .

"तुम बैंगन जला रही हो," कुंती ने कोमल स्वर में कहा। "तुमने नमक भी अधिक डाल दिया है। ओह, देखो तुम्हारी आँखें कितनी लाल हो रही हैं! मुझे यह पता होना चाहिए था कि तुम्हारे जैसी राजकुमारी को, जो राजसी ठाठ में पली हो, भोजन पकाने का कोई अनुभव नहीं होगा।" उन्होंने धैर्यपूर्ण श्वास ली। "कोई बात नहीं। जब तक मैं इस सब्ज़ी को ठीक करती हूँ, तुम बर्तन साफ़ कर लो।"

परंतु अब मैं तैयार थी, "आदरणीय माताश्री," मैंने झुककर कहा, "आपसे आयु में बहुत कम होने के कारण मेरी पाक-कला आपकी तरह परिपक्व तो नहीं हो सकती, परंतु मेरा यह कर्त्तव्य है कि जब भी संभव हो मैं आपको इस भार से मुक्त कर दूँ। कृपया मुझे यह करने दें। यदि आपके पुत्र मेरे पकाए भोजन से अप्रसन्न हैं तो मैं इसका दोष सहर्ष स्वीकार करूँगी।"

मैंने मुड़कर भोजन के पात्र को टूटी तश्तरी से ढँक दिया और जादूगरनी द्वारा सिखाई बात पर अपना ध्यान केंद्रित कर लिया। मैंने बैंगन को मुलायम बनाने के लिए तेल को खौलने दिया। मैंने अग्नि से उसकी शक्ति को रोककर रखने की प्रार्थना की। मैंने आँखें बंद करके कल्पना में बैंगन के टुकड़ों को पोस्ता दाना और दालचीनी की चटनी से भर दिया। नथुनों में बैंगन की सुगंध भर जाने तक मैंने अपनी आँखें नहीं खोलीं।

भोजन के समय जब सभी भाइयों ने बैंगन के विशिष्ट स्वाद की प्रशंसा की तथा थोड़ा और खाने की इच्छा प्रकट की, तो मैं रसोईघर में ही रुकी तथा कुंती को भोजन परोसने दिया। मैंने अपना चेहरा शांत बनाए रखा और अपनी दृष्टि नीचे रखी, परंतु कुंती और मैं दोनों समझ गए थे कि पहली बाजी में विजय मेरी हुई थी।

# 15

## लाक्षा

प्रथम रात्रि ही मेरी आशाएँ ध्वस्त होकर मेरे आस-पास बिखरी पड़ी थीं। मैं उस लाक्षागृह के विषय में सोच रही थी जहाँ मेरे पतियों को जलकर मर जाना था। वह आखिर अस्तित्व में कैसे आया होगा।

मैं अपने स्वप्न में लाख की एक कीड़ा थी। अपनी सैकड़ों बहनों के साथ मैं एक नई टहनी पर चिपककर उसका रस पी रही थी। चूंकि मेरी आँखें नहीं थीं इसलिए मैंने अपनी समस्त ऊर्जा व जोश को रस-पान पर केंद्रित कर रखा था। मैं रस-पान करते-करते बड़ी हो गई और मैंने मिट्टी-सी इतनी सारी लाल राल निकाली कि मैं अपनी सैकड़ों बहनों की भांति उससे पूरी तरह ढँक गई और भीतर मेरे अंडे पल रहे थे। इस बीच चंद्रमा तीन बार पूरा बढ़ गया। राल इकट्ठी होकर टहनियों पर इस तरह फैल गई कि समूचा वृक्ष काँपती हुई लौ की भांति लगने लगा। प्रतीक्षा करते हुए गाँव वाले हामी भरने लगे। शीघ्र ही अंडे फूटे और उनमें से सैकड़ों नवजात कीड़े अन्य वृक्षों की शाखाओं पर फैल गए। गाँववालों ने वे टहनियाँ तोड़कर, उनकी राल साफ़ कर दी और उन्हें वारणावत भिजवा दिया जहाँ दुर्योधन ने अपने पाँच चचेरे भाइयों के लिए एक महल बनवाने के आदेश दिया था।

(और मैं? मेरी मृत्यु हो गई। मेरे लिए शोक करने की आवश्यकता नहीं है। मेरा कार्य पूर्ण हो गया था।)

. . .

राजमहलों ने सदा मुझे आकर्षित किया है, यहाँ तक कि अपने पिता के महल जैसे उदासी-भरा ढाँचे ने भी, जो उनके प्रतिशोध के आवेश हेतु उपयुक्त पृष्ठवर्म था। क्या हमारे घर भी ऐसे ही नहीं होते, जहाँ हमारे दिवास्वप्न भौतिक रूप लेते हैं

और हमारी गोपनीयता उजागर हो जाती है? इसका विपरीत भी सही है : हम बड़े होकर वैसे ही बनते हैं जैसा हमारा परिवेश होता है। अन्य कारणों में से यह भी एक था कि मैं अपने पिता की चारदीवारी से भाग जाना चाहती थी। (यद्यपि - मुझे पता नहीं था - जब तक मैं वहाँ से निकली, काफ़ी देर हो चुकी थी। उनके जीवन के सिद्धांत मेरी आत्मा पर अपनी छाप छोड़ चुके थे।)

मैं प्रायः अपने उस महल की कल्पना करती थी, जो मैंने सोचा था कि कभी मैं स्वयं बनाऊँगी। वह किस चीज़ का बना हुआ होगा? उसका स्वरूप कैसा होगा? द्वारका में कृष्ण का महल गुलाबी पत्थर का बना हुआ है और उसके तोरण समुद्र की लहरों के समान हैं। यह सुनने में मनोहर लगता था, किंतु मैं जानती थी कि मेरा महल इससे भिन्न होगा। वह विशिष्ट रूप से मेरा होगा।

जब मैंने कृष्ण से पूछा कि उनके विचार से मेरा महल कैसा होना चाहिए, कृष्ण ने कहा, "तुम पहले से ही नौ द्वार वाले महल में रहती हो जो सबसे शानदार है। इस बात को अच्छी तरह समझ लो : वह तुम्हारे मोक्ष अथवा पतन का द्वार होगा।"

कभी-कभी उनकी पहेलियाँ थका देती थीं। मैंने दीर्घ श्वास छोड़ी। जो उत्तर कृष्ण नहीं देते थे, उनके उजागर होने के लिए मुझे प्रतीक्षा करनी पड़ती थी, परंतु इतना तो निश्चित था : मेरा महल दूसरों से बिल्कुल भिन्न होगा।

मैं रात्रि में एक कुटिया में लेटे हुए, लाख के बने उस महल के विषय में स्वप्न देखने लगी जो पंखों की भांति चमकदार होगा। उसकी दहलीज पर देवी-देवता बने हुए थे जिससे उसमें रहने वालों को सुरक्षा का एहसास दिलाया जा सके। पांडवों को उसके दाह के सत्य का पता कब लगा? उन्होंने किसी को नहीं बताया। उनके अपने चचेरे भाई और बचपन के सखा द्वारा किया गया इतना कटु विश्वासघात निश्चित ही अत्यंत दुखदायी रहा होगा, किंतु उन्होंने उसे अपने भीतर छिपा लिया। वे हँसते, गाते और वारणावत सरोवर पर नौका-विहार के लिए जाते रहे। उन्होंने अपने प्रभारी, विश्वासघाती पुरोचन को भोजन के लिए आमंत्रित किया और फिर भी उसके भोजन में विष नहीं मिलाया। उन्हें इतनी शक्ति कौन देता था?

. . .

कई वर्ष बाद, सबसे छोटे भाई और सौम्य इतिहासकार सहदेव ने मुझे शेष कथा सुनाई।

उसने कहा : "जब हमारी माता को पता लगा कि दुर्योधन ने हमें मारने के उद्देश्य से वारणावत में हमारे लिए अवकाश मनाने का प्रबंध किया था, वह अपने कक्ष में जाकर दिन-रात रोईं।

"हम उनके कक्ष के बाहर घूमते रहे। हमें यह समझ में नहीं आ रहा था कि हम क्या करें। वह सदैव अत्यंत मज़बूत रही हैं, हमारी आधारशिला। जब वह बाहर निकलीं तो हम सब उन्हें सांत्वना देने के लिए भागे, परंतु उनकी आँखें नम नहीं थीं। उन्होंने हमसे कहा, "मैंने अपने जीवन के समस्त आँसू बहा दिए हैं जिससे वह दोबारा कभी मेरा ध्यान भंग न कर सकें।"

(यद्यपि इस बात में वह ग़लत थीं। एक स्त्री कभी अपने जीवनभर के आँसू नहीं बहा सकती। यह मुझे कैसे पता? क्योंकि कुंती को दोबारा रोना पड़ेगा - और उनके साथ मुझे भी रोना पड़ेगा।)

"उन्होंने नेत्रहीन राजा के प्रधानमंत्री, विदुर को संदेश भिजवाया जो हमारे प्रति सहानुभूति रखते थे। उनकी सलाह पर हमने अपने घर से वन तक एक सुरंग खोदी जो हमारे वहाँ से निकल जाने के पश्चात् नष्ट कर दी जानी थी जिससे हमारे भाग निकलने का कोई प्रमाण न बचे, परंतु उन्होंने हमें सही समय आने तक वहाँ से निकलने नहीं दिया। इस बीच, प्रतिदिन वह निर्धनों को भिक्षा तथा बेघर यात्रियों को रहने की जगह देती रहीं जिससे कि वे लोग सो सकें।

"एक रात एक निषाद स्त्री अपने पाँच पुत्रों के साथ वहाँ आई वे लोग बुनी हुई टोकरियों तथा पंखों वाले बाण लेकर किसी उत्सव में जा रहे थे। हमारी माँ ने उन्हें उनके पसंद का भोजन और मदिरा उपलब्ध करवाई। माँ ने उन्हें रात्रि में सोने के लिए मुख्य कक्ष दे दिया जबकि वैसे उन्होंने अस्तबल में सोना पसंद किया होता। जब वे लोग सो गए, तो माँ ने हमें घर में आग लगा देने के लिए कहा। हमें तब उनकी योजना का कौशल समझ में आया : निषाद परिवार के झुलसे हुए कंकालों को हमारा कंकाल समझा जाएगा; दुर्योधन को विश्वास हो जाएगा कि वह हम लोगों को मारने में सफल हो गया, परंतु हम लोग परेशान भी थे। वे लोग हमारे अतिथि थे। उन्होंने हमारे घर में भोजन किया था; वे हमारे ऊपर विश्वास करके सो गए थे। उन्हें मारना बहुत बड़ा पाप था।

"हमारी माँ ने हमारी आँखों मे देखा। मैंने मदिरा में नशीला पदार्थ मिला दिया था। उन्हें कोई पीड़ा नहीं हुई होगी। जहाँ तक उन्हें मारने के पाप का प्रश्न है, मैं वचन देती हूँ कि वह तुम्हें कभी नहीं छुएगा। वह समस्त पाप मैं अपने ऊपर लेती हूँ। अपने बच्चों की सुरक्षा के लिए, मुझे स्वर्ग का त्याग करना स्वीकार है।"

यह कहते-कहते सहदेव की आँखें भर आईं। वह भूल गया कि कुंती उसकी अपनी माँ नहीं थीं। उसके चेहरे के भाव ऐसे थे कि उससे अधिक कोमल वस्तु

उसने मुझे आज तक नहीं दी थी, परंतु मुझे एक बार भी कुंती से ईर्ष्या नहीं हुई। क्या मैं अपने बच्चों के लिए इतनी निंदा सहन करके ऐसा त्याग कर सकती थी?

सहदेव, काश तुमने मुझे यह बात पहले बताई होती! ऐसा होता तो इस समय तक मैं और कुंती (पांडव प्रतिष्ठा की हमारी कामना से अनिच्छापूर्वक परस्पर बँधे हुए) परस्पर अविश्वास की अवस्थिति पर रुक गए होते। यदि मुझे यह कथा पहले पता होती तो मैं उनकी मित्र बनने के लिए और अधिक प्रयास करती।

. . .

मैंने अपने स्वप्न में देखा कि भीम महल को आग लगाता है : द्वार, खिड़कियाँ, दहलीजें। अंत में, वह जलती हुई मशाल को कुटिया की छत पर फेंक देता है जहाँ पुरोचन सोता था। शेष लोग पहले से ही सुरंग में तैयार हैं। वह कूदकर उनके पीछे आ जाता है और फंदा-द्वार खींचकर बंद कर देता है। आग मक्खियों की भांति फैल जाती है। सुरंग की छत छूने पर गर्म लगती है। महल की दीवारें झुककर मुड़ जाती हैं। देवताओं के गालों पर लाख के आँसू बहने लगते हैं। पांडव अपने हाथों और घुटनों के बल मिट्टी में घिसटते हुए आगे बढ़ते हैं। उनके कान चीखें सुनने के लिए चौकन्ने हैं, परंतु आग की तेज़ भभक में अन्य सभी आवाजें दब जाती हैं। महल में विस्फोट होता है, भयभीत हृदय फट जाता है। उसे देखने आए लोगों ने बाद में बताया कि उन्होंने जलते हुए पंखों पर हज़ारों कीड़ों को आकाश में ऊपर जाते हुए देखा।

# 16

## वरदान

"तुम पाँचों से विवाह!" मेरे पिता चिल्लाए। "सभ्य घर के राजकुमार होकर तुम इस प्रकार का घृणित कार्य कैसे कर सकते हो?"

राजदरबार में बहुत तनाव था। मेरे पिता और धृ स्वर्णिम सिंहासन पर बैठे थे। उनके समक्ष पाँचों पांडव चाँदी के सिंहासन पर बैठे थे जिससे उन्हें यह स्मरण रहे कि वे सम्मानीय अतिथि तो थे किंतु कम शक्तिशाली थे। कोने में, एक कशीदाकारी किए हुए पर्दे के पीछे, मैं और कुंती चंदन के आसन पर बैठे थे। मैंने कुंती को बैठने के लिए उदारतापूर्वक बड़ा आसन दिया था। उन्होंने भँवे चढ़ाकर वह आसन तो स्वीकार कर लिया किंतु वह नहीं समझ पाई कि मैंने ऐसा आदरवश किया था अथवा यह कोई चाल थी। यद्यपि, आसन के आकार का उसके ऊपर बैठने वाले व्यक्ति की शक्ति से कोई संबंध नहीं होता है। यह बात हम सभी को पता थी।

उस दिन सुबह, धृ पालकियों तथा संगीतकारों के साथ हमें महल में ले जाने के लिए आया था। (पिछली रात, खिड़की पर वह धृ ही था; वह स्वयं तथा उसके लोग मुझे खोजते हुए घूम रहे थे।) वह अपने साथ राजसी वस्त्र, आभूषण तथा अश्व लाया था। शानदार अस्त्र-शस्त्र भी थे जिन्हें देखकर पाँच भाइयों की आँखों में चमक आ गई थी। इसके साथ ही राजा द्रुपद का भेजा हुआ निमंत्रण भी था जो अपनी पुत्री के विवाह (जो शीघ्रता में हुआ था और अत्यंत असंतोषजनक था) का उत्सव शानदार दावत के साथ मनाना चाहते था जहाँ वह सबको अपना नया दामाद दिखला सकें।

"हमें पांडवों को अपने संबंधी के रूप में पाकर हर्ष हुआ है," धृ ने लालित्यपूर्ण ढंग से झुककर कहा। मैंने उसकी ओर देखा ताकि मैं संकेत से कह सकूँ कि मुझे हर्ष नहीं हो रहा था, किंतु वह कृपालु बनने में व्यस्त था। उसे

शिष्टाचार पसंद था और उसे वह व्यवहार में लाने के अधिक अवसर नहीं मिलते थे। भाइयों को अपना वेश उतारने से बड़ा आराम मिला। महल जाते समय, उनके राजसी वस्त्र उनके चेहरे पर चमक उत्पन्न कर रहे थे। यहाँ तक कि मुझे भी स्वीकार करना पड़ेगा कि वह देवता स्वरूप लग रहे थे।

"निश्चित तौर पर यह एक असामान्य व्यवस्था है, परंतु अपनी माँ की आज्ञा का पालन करना घृणित कैसे हो सकता है?" युधिष्ठिर ने पूछा, "क्या हमारे शास्त्र यह नहीं कहते कि पिता स्वर्ग के बराबर होता है, किंतु माँ उससे भी बड़ी होती है?"

इस प्रकार के वक्तव्य को बहुत अधिक लोग इतने विश्वसनीय ढंग से नहीं कह सकते, परंतु युधिष्ठिर किसी प्रकार इसमें सफल हो गया। शायद इसलिए कि हम देख सकते थे कि उसे अपनी बात पर पूर्ण विश्वास था।

"यदि हम इससे सहमत नहीं हो पाते हैं," वह शांतिपूर्ण ढंग से बोला, "कि पांचाली हम पाँचों से विवाह कर सकती है, तो हम भाइयों को आपकी पुत्री आपको सकुशल लौटाकर यहाँ से चले जाना चाहिए।"

मैंने अपमानजनक आश्चर्य से उसे देखा। राजा द्रुपद की मुद्रा अकड़ गई और मेरे भाई का हाथ तलवार की मूठ पर कसने लगा। एक स्त्री के लिए उसे अपने पिता के घर फिर लौटा दिया जाना सबसे अधिक अपमान की बात होती है। यदि वह स्त्री किसी कुलीन घर की हो, तो ऐसा करना दोनों परिवारों के बीच रक्तरंजित लड़ाई का कारण बन सकता है। क्या युधिष्ठिर इस बात से अनवगत था कि उसके कहे शब्दों ने पांडवों को किस प्रकार के संकट में डाल दिया था?

"तुम ऐसा नहीं कर सकते!" धृ क्रोधित स्वर में चिल्लाया। "मेरी बहन का जीवन नष्ट हो जाएगा!"

अर्जुन की दृष्टि अपने भाई पर पड़ी। उसके जबड़ों में कसाव पैदा हो रहा था। मैं स्पष्ट देख सकती थी कि वह युधिष्ठिर से असहमत था। अपने भाई के प्रति सम्मानवश - अथवा शायद इसलिए कि वह जानता था इस विषय में उन सभी को साथ रहना था - उसने कुछ नहीं कहा। मुझे निराशा हुई, किंतु दिन के व्यावहारिक प्रकाश में, मैंने उसे उतना दोष नहीं दिया जितना पिछली रात्रि को दिया था। पारिवारिक निष्ठा ही तो वह वस्तु थी जिसने पांडवों को विगत कई अस्थिर वर्षों में बचाकर रखा था। मैं उससे यह अपेक्षा कैसे कर सकती थी कि वह उस निष्ठा का त्याग एक ऐसी स्त्री के लिए कर दे जिससे वह कल से पूर्व कभी मिला तक नहीं था?

"पंचाल के राजपरिवार की प्रतिष्ठा के विषय में कुछ मत कहो!" मेरे पिता ने कहा। "शायद द्रौपदी अपना जीवन समाप्त कर लेगी और फिर हमें तुम लोगों को खोजकर प्रतिशोधवश तुम्हारा वध करना पड़ेगा।"

"आपकी जैसी इच्छा," युधिष्ठिर ने बिना क्रोध किए कहा। (क्या वह शांत स्वभाव दिखावा था, अथवा वह संकट के समय में भी सचमुच अडिग रह सकता था?) "राजकुमारी के लिए हस्तिनापुर की पुत्र-वधु वाला सम्माजनक जीवन - अथवा आपके द्वारा उसके ऊपर थोपी गई मृत्यु।"

"सम्मानजनक!" मेरे पिता ने गरजकर कहा। "शायद हस्तिनापुर में इस प्रकार का व्यवहार सम्मानजनक समझा जाता होगा, किंतु यहाँ कांपिल्य में लोग द्रौपदी को वेश्या कहेंगे! और यदि मैं इसे तुम पाँच लोगों को सौंप दूँगा तो वे मुझे क्या कहेंगे? शायद मृत्यु इससे बेहतर विकल्प है।"

मुझे उस नियति से भय नहीं लग रहा था जिसकी उन लोगों ने मेरे लिए कल्पना की थी। सम्मानजनक आत्म-दाह करने का मेरा कोई विचार नहीं था। (अपने जीवन के लिए मेरे पास अन्य योजनाएँ थीं।) परंतु मुझे इस बात का दुख हो रहा था कि मेरे पिता और मेरा संभावित पति मेरे लिए कितनी निष्ठुरता से सिर्फ़ यह सोचकर विकल्पों पर चर्चा कर रहे थे कि उनसे उन्हें कितना लाभ - या हानि होगी। मेरे भाई ने उनका ज़ोरदार विरोध किया किंतु उन्होंने उसके युवा शब्दों की उपेक्षा कर दी। अर्जुन मेरे समर्थन में क्यों नहीं बोल रहा था? निश्चित तौर पर, अब जब ये लोग मेरी संभावित मृत्यु पर विचार कर रहे थे, उसको अपने उत्तरदायित्व का कुछ एहसास तो होना चाहिए था? कुछ सौम्यता?

आह, कर्ण! क्या मुझे तुम्हारे साथ क्रूर व्यवहार करने का यह दंड मिल रहा है? और कृष्ण कहाँ हैं जिनके बुरे परामर्श के कारण मुझे यह क्षण भोगना पड़ रहा है?

शेष पांडव भावशून्य होकर मौन खड़े थे और उन्हें इस बात की कोई चिंता नहीं थी कि मुझे कैसा महसूस हो रहा था। (इस अनुमान में मुझसे भूल हुई थी, क्योंकि उनमें से एक को मुझसे प्रेम होने लगा था। उसने मुझे बाद में बताया, कि मुझे ऐसा लगा मानो अपने क्रोध-भरे वचन भीतर दबाकर रखने से मेरा हृदय फट जाएगा। यदि वह बात और बढ़ जाती तो मैं तुम्हारे लिए अपने भाई के विरोध में खड़ा हो जाता, चाहे फिर उसके कारण मुझे अपने कुल का विद्रोही मान लिया जाता। फिर भी अर्जुन के प्रति अपने व्यथित पूर्वाधिकार के कारण मुझे यह दिखाई नहीं दिया।)

जिस बीच ये पुरुष - मेरे पिता, उग्रतापूर्वक और युधिष्ठिर लापरवाही से - बातचीत कर रहे थे, मैंने घूँघट में से कुंती को देखा। (मेरे लिए अपने पिता के घर में घूँघट लेना आवश्यक नहीं था, किंतु उसके अपने लाभ थे।) जब युधिष्ठिर मातृत्व की प्रशंसा में शास्त्रों से उद्धरण प्रस्तुत कर रहा था, तो एक छोटी-सी विजयी मुस्कान कुंती के होंठों पर थी। यद्यपि, उसके गले की मुख्य धमनी धड़कते हुए वस्तु-स्थिति स्पष्ट कर रही थी। पांडवों को - जो दुर्योधन द्वारा लंबे समय से की जा रही घातक पहुँच से बच रहे थे - शक्तिशाली द्रुपद के साथ मैत्री करने में काफी लाभ हो सकता था। द्रुपद को क्रोधित करके उन्हें भारी क्षति हो सकती थी। यह जानते हुए भी, कुंती ने अपनी टिप्पणी को भूल मानकर हमारे विवाह को यथावत् रहने देने के लिए अनुमति क्यों नहीं दी? मुझे कुंती के इस दावे पर विश्वास नहीं था कि उसकी कही हुई प्रत्येक बात का सत्य हो जाना आवश्यक था अथवा उसका आत्म-सम्मान नष्ट हो जाएगा।

यहाँ कुछ और घटित हो रहा था, कुछ ऐसा जो मुझे पता लगाना होगा।

मेरे पिता ने पलकें झपकाईं। "मैं सर्वाधिक ज्ञानी व्यास के पास संदेश भिजवा देता हूँ," वह बोले, "उन्हें भूत और भविष्य दोनों का पता है। हम उनका परामर्श मान लेंगे।"

युधिष्ठिर ने उदारतापूर्वक बात मान ली। कुंती ने अपने माथे पर से पसीने की एक बूँद पोंछी। पांडव अपने कक्ष में लौट गए। मैं अपने शयन-कक्ष में चली गई और अपनी प्रथम विवाह-रात्रि के विषय में पूछताछ करने को उत्सुक दाई माँ से बचने के लिए सिर दर्द का बहाना बना लिया।

. . .

व्यास ने तुरंत निर्देश भिजवा दिया : मुझे सभी पाँच भाइयों से विवाह करना होगा। मेरे पिता को इस बात की चिंता करने कि आवश्यकता नहीं कि इससे उनकी प्रतिष्ठा पर क्या प्रभाव पड़ेगा। इस अभूतपूर्व वैवाहिक व्यवस्था से उन्हें जितनी ख्याति मिलेगी वह अनेक युद्ध जीतेने से भी नहीं मिलेगी। यदि लोग असहज प्रश्न पूछें तो वह इसका दोष देवताओं पर डाल सकते हैं जिन्होंने यह सब अनेक जन्म पूर्व ही निर्धारित कर दिया था।

मुझे पवित्र रखने हेतु एवं पांडव परिवार में सौहार्द बनाए रखने के उद्देश्य से व्यास ने हम लोगों के लिए एक विशेष वैवाहिक आचरण की व्यवस्था की। ज्येष्ठ भाई से आरंभ करते हुए सबसे छोटे भाई तक, मैं एक वर्ष के लिए क्रमिक रूप से एक बार में सिर्फ़ एक भाई की ही पत्नी बनूँगी। उस वर्ष में अन्य सभी भाई मुझसे

दृष्टि नीचे करके बात करेंगे। (बेहतर होगा यदि वे मुझसे बात ही न करें।) वे मुझे, यहाँ तक कि मेरी अंगुलियों के पोर को भी नहीं छुएँगे। यदि उनमें से कोई, मेरे व मेरे पति की निजता के क्षणों में अनुचित रूप से हस्तक्षेप करेगा तो उसे एक वर्ष के लिए घर से प्रतिबंधित कर दिया जाएगा। व्यास ने फिर जोड़ा कि मुझे पाँच पतियों की इस व्यवस्था में पहुँचाने वाले वरदान को संतुलित करने हेतु वह मुझे यह वरदान दे रहे हैं कि हर बार जब मैं किसी नए भाई की पत्नी बनूँगी तो मेरा कौमार्य अक्षत हो जाएगा।

मैं यह नहीं कह सकती कि मैं व्यास के आदेश से अचंभित थी। (क्या उनकी आत्माओं ने मुझे वर्षों पूर्व इस प्रकार की नियति से भयभीत नहीं किया था?) परंतु अब जबकि वह भविष्यवाणी सत्य होने वाली थी, मुझे आश्चर्य हो रहा था कि मैं कितनी हैरान थी - और असहाय भी। यद्यपि, दाई माँ ने मुझे यह कहकर सांत्वना देने का प्रयास किया कि आखिरकार मुझे वह स्वतंत्रता मिल गई थी जो पुरुषों के पास वर्षों से थी, मेरी स्थिति अनेक पत्नियों वाले पुरुष से बहुत भिन्न थी। मेरे पास उसके जैसी छूट नहीं थी कि वह अपनी इच्छा से कभी भी, किसी भी पत्नी के साथ संभोग कर सकता है। रसपान के किसी सार्वजनिक पात्र की भांति मैं एक हाथ से दूसरे हाथ में सरका दी जाऊँगी, चाहे मेरी इच्छा हो अथवा नहीं।

मैं कौमार्यता के वरदान से भी अधिक प्रसन्न नहीं थी, क्योंकि उसका विन्यास मुझे लाभ देने की अपेक्षा मेरे पतियों के लाभ के लिए अधिक था। उस समय नारियों को दिए जाने वाले वरदान ऐसे ही होते थे - वे हमें ऐसे उपहार की भांति दिए जाते थे जिनकी हमें आवश्यकता नहीं होती थी। (क्या कुंती को भी ऐसा ही महसूस हुआ होगा जब उन्हें बताया गया कि देवताओं को उन्हें गर्भवती करने में प्रसन्नता होगी? क्षणिक रूप से, मेरे मन में उनके लिए सहानुभूति पैदा हुई फिर वह विरोध के आवेग के नीचे दब गई। मैं आज इस दयनीय अवस्था में उन्हीं के कारण तो थी।)

यदि महर्षि ने मुझसे पूछने का कष्ट किया होता तो मैं विस्मृति का वरदान माँगती ताकि जब भी मैं किसी भाई के पास जाऊँ तो पहले वाले की स्मृति मेरे साथ न हो। इसके साथ मैंने यह भी अनुरोध किया होता कि अर्जुन मेरा पहला पति हो। पांडवों में वही एक ऐसा था जिससे मुझे लगा कि मैं प्रेम कर सकती हूँ। यदि वह मुझे बदले में प्रेम करता तो मैं कर्ण के विषय में अपने पछतावे की उपेक्षा कर थोड़ी प्रसन्नता प्राप्त कर सकती थी।

. . .

एक लंबे और थका देने वाले उत्सव के साथ, एक के बाद एक, चार शेष पांडवों से मेरा विवाह संपन्न हुआ। पुजारी द्वारा पढ़े जा रहे उपयुक्त मंत्रों और हमारे ऊपर पीले चावल फेंके जाने के बीच मैंने प्रत्येक भाई के हाथ पर अपना हाथ रखा। मेरे मस्तिष्क ने उनमें कुछ अंतर महसूस किए : युधिष्ठिर का हाथ सबसे कोमल था; भीम का हाथ, उसका मनपसंद अस्त्र, गदा चलाते-चलाते कठोर हो गया था पर आश्चर्यजनक रूप से वह मेरे हाथ में काँप रहा था; नकुल के हाथ से कस्तूरी की सुगंध आ रही थी; सहदेव के दाहिने हाथ की मध्यमा पर स्याही के फैलने के निशान था। मैंने इन संकेतों को समझने का प्रयास किया किंतु इसमें मुझे सफलता नहीं मिल पाई मुझे यह एहसास हुआ कि स्वयंवर के शीघ्रता भरे समारोह में ऐसा कोई अवसर नहीं आया जब मैंने और अर्जुन ने एक-दूसरे का हाथ पकड़ा हो।

इस विडंबना के कारण मुझे अर्जुन को ढूँढ़ने और यह देखने की इच्छा हुई कि वह क्या कर रहा था। अपने घूँघट में से तिरछी आँखों से मैंने धीरे से देखा कि वह अलग बैठा जानबूझकर कहीं दूर देख रहा था मानो वह उस समारोह में सम्मिलित होने का इच्छुक नहीं था। मैं उसके मुख की गिरावट देखकर विचलित हो गई मैंने यह अपेक्षा नहीं की थी कि उसे इस बात की इतनी अधिक चिंता थी कि मैं केवल उसकी नहीं थी। अवश्य ही अनजाने में मुझसे कोई हरकत हुई होगी जिसके कारण उसने घूमकर मेरी ओर देखा। उसकी आँखों में क्रोध था - मानो मैंने स्वयं उसके भाइयों से विवाह करने की इच्छा जताई हो और इस प्रकार उसके साथ विश्वासघात किया हो!

मैंने, बिना यह सोचे कि उसके भाई मेरे अशिष्ट बर्ताव के लिए क्या सोचेंगे, घूँघट उठाकर उसे पलटकर घूरा। मैंने अर्जुन को संदेश दे दिया था और मुझे पता था कि मुझे बहुत लंबे समय तक ऐसा करने का अवसर नहीं मिलेगा। व्यास के आदेशानुसार, हम दोनों अगले दो वर्ष तक एक-दूसरे से गुप्त रूप से बात भी नहीं कर सकेंगे। मैं उसे यह एहसास दिलाने के लिए बेचैन थी कि उसकी भांति मेरे लिए भी यह परिस्थिति अत्यंत अरुचिकर थी। उसने अगले दो वर्ष तक उसने वह सब ध्यान में रखा, हालांकि वह अत्यंत क्षीण था, जो थोड़ा-बहुत हमने परस्पर बाँटा था : मार्ग के वे सौम्य क्षण, मेरे आहत पाँव पर उसके हाथ का कोमल स्पर्श यही एक तरीका था जिसके द्वारा मैं अपने इस अनुभवहीन संबंध को बचाकर रख सकती थी। मैंने उसे अपनी आँखों द्वारा कहने का प्रयास किया, *मैं तुम्हारी प्रतीक्षा करूँगी,* परंतु उसने मुझसे आँखें नहीं मिलाईं। यह देखकर मेरा हृदय द्रवित हो गया कि उसने अपने कुंठित रोष का, जिसे वह अपने भाइयों व अपनी माँ पर नहीं निकाल पाया था, निशाना मुझे बनाया था।

इस स्थिति के लिए मैं कुंती को दोषी मान रही थी। वह अपने पुत्र का मनोविज्ञान समझती थीं : यदि वह मुझे अपना नहीं बना सका तो वह मुझे बिल्कुल पसंद नहीं करेगा। वह विवाह की परंपराओं का तो निर्वाह करेगा, किंतु मुझसे हृदय से प्रेम नहीं करेगा। और क्या कुंती ऐसा ही नहीं चाहती थीं?

बाद में, धृ ने चालाकी से चार भाइयों को वन में आखेट के लिए भेज दिया, मेरे पिता ने अपने समस्त परिचितों को मेरे विवाह के प्रचुर घोषणा-पत्र भिजवा दिए, और युधिष्ठिर मेरे महल में आ गया। अर्जुन के अनुचित क्रोध से दुखी, मैं अनिच्छा से युधिष्ठिर के पास पहुँची। शायद मेरी अपनी परिस्थिति ने मुझे अपने पति के साथ, सामान्य की अपेक्षा, अधिक धैर्यवान बना दिया था। जब उसने मेरे समक्ष कोमलता-भरे प्रस्ताव रखे तो मैंने स्वयं को उससे मुख मोड़ने से रोक लिया। मैंने स्वयं से कहा कि मैं उसे अपनी हताशा का शिकार नहीं बनाऊँगी। दयालु, शिष्ट तथा सुशिक्षित युधिष्ठिर के साथ मुझे कोई परेशानी नहीं हुई, हालांकि मुझे उसके स्वाभाव में विनोदप्रियता का अभाव लगा। (बाद में, मुझे अन्य पक्ष पता लगे : उसका हठ, उसका आग्रह-भरा नैतिकता का उपदेश, उसकी कठोर अच्छाई) मुझे सुखद आश्चर्य हुआ कि बिस्तर में, वह शर्मीला था और बहुत जल्दी घबरा जाता था। धीरे-धीरे मुझे एहसास हुआ कि उसके मस्तिष्क में विचारों का एक संग्रह था (क्या कुंती ने उसे यह सब पढ़ाया था?) कि एक स्त्रीवत् व्यवहार में क्या आता है - यह सूची अधिक लंबी थी - और क्या नहीं। मैं समझ गई कि उसे पुनर्शिक्षित करने के लिए मुझे काफी प्रयास करने पड़ेंगे।

यह वर्ष अत्यंत लंबा लग रहा था।

# 17

## पितामह

धृ ने एक अत्यावश्यक संदेश भिजवाया : युधिष्ठिर और मुझे नगर की दीवार के ऊपर सुरक्षा मीनार पर धृ से मिलने जाना था। जब हम ऊपर चढ़े तो हमने एक विशाल सेना को कांपिल्य की ओर बढ़ते देखा।

भय से मुझे चक्कर आने लगे। स्वयंवर को अभी सिर्फ़ दो सप्ताह हुए थे। क्या असफल हुए राजा प्रतिशोध लेने वापस आ रहे थे? किंतु युधिष्ठिर ने कहा, "देखो, हस्तिनापुर का ध्वज!"

"ऐसा लगता है कि तुम्हारे चाचा ने तुम्हारे स्वागत के लिए परिचारक भेजे हैं!" धृ ने व्यंग्यात्मक हँसी के साथ कहा।

"वह और कर भी क्या सकते हैं," युधिष्ठिर ने उतनी ही व्यंग्यात्मक मुस्कान के साथ उत्तर दिया, "अब उन्हें पता है कि उनके भतीजे - राख और अस्थियों में न बदलकर - जीवित व सकुशल हैं और उन्होंने शक्तिशाली द्रुपद के साथ मैत्री भी कर ली है!" मुझे बहुत आश्चर्य हो रहा था। अपने भाइयों के साथ वह सदैव तर्कसंगत बात करता था और जब भी वे लोग अपने कौरव भाइयों को कोसते थे तो वह उन्हें ऐसा करने से रोकता था और डाँटता भी था। तो मेरे इस लगभग आदर्श पति के भी मन में गुप्त अनैतिकता थी!

वह अब प्राचीर की मुंडेर पर झुका हुआ था जैसे कोई बालक प्रथम बार मेले को देखकर प्रसन्न होता है। "देखो, पांचाली! पितामह स्वयं हमें लेने आए हैं!"

सेना के शीर्ष पर मैंने एक व्यक्ति को देखा जो श्वेत अश्व पर सवार था और उसकी दाढ़ी चाँदी की नदी की भांति लहरा रही थी। उसके कवच से प्रतिबिंबित होती सूर्य की किरणें आँखों को चकाचौंध कर रही थीं। उसके समक्ष सभी बौने लग रहे थे।

तो यह भीष्म हैं, मेरे पतियों के पितामह, भीषण प्रतिज्ञाओं के रक्षक, वह योद्धा जिसके विनाश के लिए शिखंडी ने अपना जीवन समर्पित कर रखा है। घृणा और प्रशंसा के बीच फँसी, मैं उनपर से अपनी दृष्टि नहीं हटा पाई।

युधिष्ठिर ने गौरवान्वित एवं बालवत् मुस्कान के साथ मेरी ओर देखा। "उन्हें देखकर किसी की भी साँस थम जाती है न!"

हमेशा की भांति युधिष्ठिर ने मुझे समझने में भूल की थी।

भीष्म ने अभिनंदन में अपना हाथ उठाया - उन्होंने युधिष्ठिर को पहचान लिया होगा। इतनी दूरी से भी मुझे उनका स्नेह बरछे की तरह भारी और भेदक महसूस हो रहा था।

. . .

मेरे पिता ने भीष्म का अत्यंत आदर के साथ सत्कार किया किंतु उन्होंने अपनी बात स्पष्ट रूप से कही। "दुर्योधन ने इन्हें पिछली बार लगभग मार ही डाला था। यह कौन कह सकता है कि वह अगली बार इसमें सफल नहीं होगा? मैं नहीं चाहता कि मुझे अपनी एकमात्र पुत्री विधवा के सफ़ेद वस्त्रों में वापस भिजवाई जाए।" उन्हें मेरे वैवाहिक दुर्भाग्य से अधिक अपने नए सहयोगियों को खोने की चिंता थी।

इस अपमान पर भीष्म ने आँखें झपकाईं, किंतु उन्होंने सिर्फ़ इतना ही कहा, "मेरा जीवन इनकी सुरक्षा के लिए ही है।" उन्होंने यह बात इतने सहज आवेग के साथ कही कि कृष्ण ने भी, जिन्हें मेरे पिता ने इस बैठक के लिए आमंत्रित किया था, हामी में सिर हिला दिया।

"इन्हें जाने दो," उन्होंने मेरे पिता से कहा। "पितामह के होते हुए, दुर्योधन - कम से कम अभी - ऐसा कोई प्रयास नहीं करेगा। इसके अतिरिक्त, आप इन्हें कितने दिन इस प्रकार संरक्षित रखेंगे? आखिरकार, ये नायक हैं।"

मेरे पिता और उनके सभासदों के जाने के बाद, पितामह ने कृष्ण को गले से लगा लिया। मुझे नहीं पता था कि वे दोनों एक-दूसरे को इतनी अच्छी तरह जानते थे। अपनी अज्ञानता पर मुझे गुस्सा आ रहा था।

"अब यह आरंभ हो चुका है, गोविंद," भीष्म ने कृष्ण को इस नए नाम से पुकारा जो मैंने आज से पहले कभी नहीं सुना था। (कृष्ण के कितने रूप थे? मुझे सोचकर निराशा हुई कि मुझे इन सभी के बारे में कभी पता नहीं लगा।) दोनों ने एक-दूसरे की ओर, ऐसी रहस्यमय गंभीरता से देखा जिसे वह लोगों पर कभी

प्रकट नहीं करेंगे। उनके सामने मैं बच्ची प्रतीत हो रही थी। फिर भीष्म ने युधिष्ठिर को देखते हुए उसे डाँटकर कहा, "दुष्ट! तुमने मुझे क्यों नहीं बताया कि तुम लोग जीवित हो? जब मुझे पता चला कि तुम लोग उस अग्नि में जलकर नष्ट हो गए तो इस समाचार ने मुझे लगभग मार डाला था!" उनका स्वर विनोदी था किंतु उनके चेहरे पर उनके भावों की गहनता स्पष्ट दीख रही थी। उनके मुख के किनारे गहरी लकीरें थीं।

सहसा, वह अपनी आयु के अनुसार वृद्ध दिखने लगे थे। मैं उन्हें अपनी आँखों से आँसू पोंछते हुए अचंभित-सी देखती रही। मैंने कभी किसी पुरुष - वह भी इतने विख्यात योद्धा - को रोते हुए नहीं देखा था।

परंतु एक श्वास के बराबर समय में उन्होंने उस दुख को एक ओर झटककर मेरा हाथ अपने हाथ में ले लिया। उनके चेहरे पर वास्तविक प्रसन्नता दिखाई दे रही थी। "प्रिय पुत्री", वह बोले, "मैं तुम्हारे इस नए घर में तुम्हारा हार्दिक अभिनंदन करता हूँ!" इतने स्पष्ट तौर पर किसी ने अब तक मुझे अपने जीवन में आमंत्रित नहीं किया था। किसी ने अभी तक अपने घर में मेरे लिए स्थान बनाने की इतनी तत्परता नहीं दिखाई थी।

इतने समय तक, शिखंडी की खातिर, मैं भीष्म से घृणा करती रही थी। यद्यपि, अब मुझे लगा कि मैं उनके पारे जैसे आकर्षण का विरोध नहीं कर सकती थी। उनकी मधुर मुस्कान में मेरा समस्त अविश्वास पिघलकर समाप्त हो गया था। मुझे लगा कि मैं अंत में वहाँ पहुँच रही थी जहाँ मुझे जाना था।

. . .

पैदल चलते सैनिकों तथा रंगदार हाथियों और शंख व बिगुल बजाते हुए संगीतकारों के साथ, अपनी विजय के पश्चात् पांडव हस्तिनापुर लौट आए। मैं और कुंती चमकदार रेशमी मसनद और स्वर्णिम वस्त्र के पर्दों वाले रथ में बैठकर आए। हमारे पीछे सैकड़ों लोग, मेरे पिता द्वारा दिए गए विदाई उपहार स्वरूप आभूषण आदि से भरे संदूक ला रहे थे। कुंती के चेहरे पर एक छोटी किंतु संतोषपूर्ण मुस्कान थी - और क्यों न हो? उसके पुत्र पहले से कहीं अधिक सुरक्षित व समृद्ध हो गए थे और उसके संबंधी अब इतने शक्तिशाली थे कि अब दुर्योधन को उन्हें क्रुद्ध करने में संकोच होगा। समूचे भारत में पाँच भाइयों से मेरे विवाह की चर्चा थी जिनकी पुत्रोचित निष्ठा ऐसी थी कि उन्होंने अपनी माँ की आज्ञा का उल्लंघन करने की अपेक्षा एक ही पत्नी को परस्पर बाँट लेना पसंद किया था। हमारी बुद्धिपरक झड़प में भी कुंती मुझसे आगे निकल गई थी क्योंकि उसने मेरे और अर्जुन के बीच बनने

वाले संबंध को सफलतापूर्वक विछिन्न कर दिया था - ऐसा संबंध जिसके कारण आने वाले समय में, अर्जुन किसी भी परामर्श के लिए कुंती के पास जाने की अपेक्षा मेरे पास आ सकता था।

पित्त की भांति मेरे मुँह में आ रही खटास को मैंने चुपचाप पी लिया। हमारा झगड़ा अभी समाप्त नहीं हुआ था। मैं समय की प्रतीक्षा करूँगी और कुंती को ध्यान से देखकर उसकी कमज़ोरी पहचानूँगी। इस बीच, मैंने पुत्र-वधु होने की अपनी भूमिका को पूर्णता से निभाना तय किया।

"हस्तिनापुर का महल कैसा है?" मैंने अत्यंत विनम्रता से पूछा।

"अत्यंत शानदार!" उपेक्षापूर्ण स्वर में उन्होंने उत्तर दिया। चूंकि कोई आस-पास नहीं था, तो उन्हें प्रसन्नता का दिखावा करने की आवश्यकता नहीं थी। "वह इतना शानदार है कि तुमने ऐसा महल कभी नहीं देखा होगा।"

. . .

यद्यपि मुझे कुंती की बात पर संदेह था, उन्होंने अपना नया घर देखने की मेरी उत्सुकता को बढ़ा दिया। मैं एक ऐसे ढाँचे की कल्पना करने लगी जो मेरे पिता के महल के बिल्कुल विपरीत होगा; खुला और चमकदार जिसमें सब तरफ खिड़कियाँ होंगी तथा जिसके द्वार बड़े-बड़े आलिंद में खुलते होंगे। उसकी दीवारें चमकीले लाल पत्थर की होंगी। उसके बग़ीचे रंगों व पक्षियों की चहचहाहट से भरे होंगे। सबसे ऊपरी मंज़िल पर मेरा कक्ष होगा और आम की सुगंध से भरे मंद हवा के झोंके मेरे कक्ष में प्रविष्ट होते होंगे। संगमरमर से बने आलिंद में खड़ी होकर मैं संपूर्ण नगर को देखूँगी कि कहाँ पर क्या हो रहा है और जब युधिष्ठिर राजा बनेगा तो मैं उसे बुद्धिमत्तापूर्ण ढंग से परामर्श दिया करूँगी।

यदि दाई माँ (जिन्हें कुंती ने नापसंद करते हुए उस जुलूस के अंत में अन्य सेवकों के साथ भेज दिया था) मेरे साथ रथ में होतीं तो उन्हें तुरंत पता लग जाता कि मैं क्या सोच रही थी। उन्होंने अपनी जीभ से आवाज करके अपने निचले होंठ को बाहर निकालकर अपनी मनपसंद बात कहते हुए मुझे चेतावनी दी होती : *अपेक्षाएँ आपके मार्ग में छिपे हुए पत्थरों की तरह होती हैं - वह आपको गिरा देने के अतिरिक्त कुछ नहीं करतीं।*

. . .

हस्तिनापुर में मुझे और युधिष्ठिर को दिए गए घर से अधिक कोई चीज़ मेरी अपेक्षाओं से भिन्न नहीं हो सकती थी। महल के बीच में वर्गाकार रूप से स्थित

कमरों का एक खंड था (कुंती के अनुसार, हमें सुरक्षित रखने के लिए ऐसा किया गया था), वह एक आंगन में खुलता था जो दुखदायी मुद्राओं में नृत्य करती हुई स्त्रियों की प्रतिमाओं से भरा हुआ था। वे कक्ष यद्यपि, आकार में बड़े थे, उनमें वे मुझे घुटन होती थी। उनमें भड़कीले रंग के पर्दे, ज़रूरत से अधिक बड़े तकिए और इतना नर्म कालीन था कि मेरे पैर उसमें धँस जाते थे। वहाँ रखे उपस्कर भी हमारी आवश्यकता से कहीं अधिक थे। प्रत्येक खाली स्थान पर जटिल कलाकारी से भरे शिल्पकृतियाँ रखी हुई थीं। सेविकाओं का एक झुंड हर समय वहाँ घूमता रहता था जो उस साजो-सामान को झाड़ती-पोंछती रहतीं थीं और मुझे घूरती थीं। इन सबने मुझे अपने पिता के उदासीन महल की याद दिला दी। एक बार मैंने सुझाव दिया कि उस सजावट को कुछ कम करना चाहिए, परंतु कुंती (जिसके पास यह कक्ष रहा होगा जब वह इस महल में दुल्हन के रूप में आई थी) ने रूखेपन से मुझे बताया कि वहाँ रखी प्रत्येक वस्तु एक समय पर महाराज पांडु की होने के कारण पवित्र मानी जाती है।

हालांकि मुझे अपने घर में घुटन होती थी, आश्चर्य यह था कि मुझे वहाँ से जाने का भी मन नहीं करता था। वह महल उभरे हुए स्वर्ण गुंबदों और अलंकृत पट्टियों, पिटी हुई धातु से उत्कीर्ण दरवाज़ों और दैत्याकार उपस्कर के कारण अपने आप में उत्सुकता से भरा हुआ था। यद्यपि, उस प्रफुल्ल आडंबर के नीचे ऐसा कुछ शकुनात्मक तथा दासत्वपूर्ण था जिसने मेरे पतियों को बाँध लिया था। अब उसका ध्यान यह जानने के लिए मेरी ओर हो गया था कि क्या मैं पांडव श्रृंखला की कमज़ोर कड़ी थी। मैंने उसे अपने निकट आता हुआ महसूस किया परंतु मैं नहीं जान पाई कि वह किस दिशा से आ रहा था। उसके कारण मैं किसी सुरंग के भीतर छिप जाने की इच्छा करने लगी – मैं, जो खीजकर अपने पिता की घर की सुरक्षा को छोड़कर इतिहास में कूदने को अधीर थी!

नई पुत्र-वधु होने के नाते मुझे स्वयं को छिपाने की छूट नहीं थी। मुझे युधिष्ठिर के साथ उसके रथ पर बैठकर जाना होता था। (मुझे यह जानकर आश्चर्य हुआ कि मैं काफ़ी लोकप्रिय थी। मेरे विवाह से संबंधित किसी बात ने लोगों को मेरे प्रति उत्सुक कर दिया था। मुझे देखकर लोग खुश होते थे, जिसके कारण कुंती को गर्व और खीज का मिला-जुला अनुभव होता था।) उस विस्तारित परिवार के अनेक भोज के अवसरों पर (कौरवों को गोष्ठियाँ करने का बहुत शौक था) मेरे (उचित प्रकार से घूँघट लेकर तथा संरक्षकों के साथ) उपस्थित होने की अपेक्षा की जाती थी, हालांकि मुझे मदिरा-पान, द्यूत क्रीड़ा आरंभ होने तथा माहौल अधिक रोचक होने से पूर्व ही छोड़कर अन्य रानियों के साथ वापस आना पड़ता था। दोपहर में,

कुंती मुझे अपने साथ महल की अन्य स्त्रियों के पास ले जाती थी। इन बैठकों में स्त्रियाँ अधिकतर समय अपने वस्त्र व आभूषण दिखाती थीं अथवा अपने पतियों के कारनामे बताने में व्यस्त रहती थीं। जब मैं उनकी बातचीत में भाग नहीं लेती तो वे उन लोगों के विषय में दुर्भावपूर्ण ढंग से खुसुर-फुसुर करती थीं जो अपने आप को इसलिए बेहतर समझते थे कि उनका विवाह एक से अधिक पुरुषों के साथ हुआ था। अच्छा होता यदि मुझे एकाकीपन का इतना अधिक एहसास न होता।

मैं किसी ऐसे व्यक्ति के साथ के लिए तड़प रही थी जो मुझसे बुद्धिमत्तापूर्ण तथा खुले ढंग से चर्चा कर सके। धृ हमारे समूह के साथ हस्तिनापुर आया था किंतु जैसे ही वह द्रोण से मिला और उसने उन्हें अपना गुरु बनने के लिए आग्रह किया, मेरे पिता ने उसे कांपिल्य वापस बुला लिया। हम दोनों पहली बार अलग हुए थे और मुझे उसकी बहुत याद आ रही थी - उसका धैर्य, बिना कहे मेरी बात समझने की उसकी क्षमता, मेरे कार्यों से असहमत होने पर भी उसका मेरे प्रति अटल समर्थन। मुझे उसकी उत्तेजना याद आती थी। मुझे कृष्ण की भी याद आती थी - जिस तरह से उनकी हँसी से मेरी समस्याओं की तीव्रता कम हो जाती थी। मैं चाहती थी कि वह हमसे मिलने आएँ। यद्यपि, कुंती की बातों से मुझे लगा कि यहाँ हस्तिनापुर में किसी स्त्री को किसी अन्य पुरुष से अपने पति की अनुपस्थिति में मिलने का अधिकार नहीं था। तथापि, मुझे पता था कि मैं कृष्ण से एकांत में मिलने का तरीका खोज लूँगी। दाई माँ से बात करके मैं अपने मन का बोझ हल्का कर सकती थी, परंतु कुंती उन्हें किसी न किसी कार्य में व्यस्त रखती थी। मैं तो युधिष्ठिर का भी स्वागत कर लेती, जिसके पास संसार के विषय में अनेक अव्यावहारिक किंतु रोचक विचार होते थे, परंतु वह भी अपने दायित्त्वों में व्यस्त रहता था और उससे मेरी भेंट केवल शयन-कक्ष में ही होती थी।

. . .

यहाँ आने के बाद जितने लोगों से मेरी भेंट हुई थी, उनमें से अधिकतर लोग धुँधलके में खो गए, परंतु उनमें से कुछ भिन्न थे। नेत्रहीन राजा के साथ मज़ा आता था। जब भी हम मिलते थे, वह मेरे पतियों को गले लगाकर ज़ोर-ज़ोर से देवताओं से उनके ऊपर सौभाग्य की वर्षा करने को कहता था। वह मुझे शत-पुत्रवती अथवा सौभाग्यवती जैसे आशीर्वाद देता था। (हालांकि हमें पता था कि उसकी सबसे बड़ी इच्छा यही थी कि पांडव वंश समाप्त हो जाए)। मेरे शेष पति उसका पाखंड सहन नहीं कर पाते थे (अर्जुन मन में बड़बड़ाता था और भीम का चेहरा भयावह बैंगनी रंग का हो जाता था), किंतु युधिष्ठिर उस वृद्ध पुरुष के पैर छूकर विशुद्ध स्नेह के साथ उसका कुशल-क्षेम पूछता था। क्या वह कोई संत था अथवा उसमें सामान्य

ज्ञान का अभाव था? कुछ भी हो, किंतु इससे मन में बहुत खीज उठती थी।

इसके बाद आँखों पर पट्टी बाँधे बैठी गांधारी थी, जिसकी पति-निष्ठा को लेकर अनेक गीत लिखे गए थे। आरंभ में मैंने उसे नेक और अत्यधिक परंपरागत मानकर उसकी उपेक्षा कर दी थी। स्त्रियों की बैठक में वह कोई मत व्यक्त नहीं करती थी; पारिवारिक भोज पर वह अपना ध्यान सिर्फ़ अपने नेत्रहीन पति की आवश्यकताओं पर केंद्रित रखती थी। कुछ सप्ताह देखने और बात करने पर, दाई माँ ने बताया, "उसके मौन से मूर्ख मत बन जाना! वह अत्यंत ख़तरनाक है और लोगों की कल्पना से कहीं अधिक शक्तिशाली है और किसी भी दिन वह इस ताक़त का प्रयोग कर सकती है।" दाई माँ ने मुझे यह भी बताया किस प्रकार एक देवता ने गांधारी के पत्नीव्रत से प्रसन्न होकर उसे एक वरदान दे दिया था। यदि वह आँखों पर बँधी अपनी पट्टी उतारकर किसी को देख ले तो वह उस व्यक्ति को स्वस्थ कर सकती है अथवा भस्म भी कर सकती है।

मैं इससे अत्यंत प्रभावित हुई। मुझे भी ऐसा वरदान लेने में कोई समस्या नहीं होती। मुझे दिए गए वरदानों की तुलना में यह अधिक उपयोगी था और उतना विचित्र भी नहीं था।

"उसके भाई से भी सावधान रहना," दाई माँ ने कहा।

"कौन? शकुनि?" मैंने उसे दुर्योधन के दरबारियों के साथ बैठे देखा था। वह अत्यंत दुर्बल और वृद्ध था तथा उसकी भँवें बहुत भारी थीं। वह मुझे देखकर एक बार कुदृष्टि के साथ मुस्कराया था। मुझे अपनी सेविकाओं की बातचीत से पता लगा कि द्यूत और नर्तकियों में उसकी बहुत रुचि है। "आप बहुत अधिक चिंता करती हैं," मैंने दाई माँ से कहा।

"किसी को तो करनी ही पड़ेगी," वह कठोर स्वर में बोलीं। "और तुम्हारा ज्येष्ठतम पति तो निश्चित ही तुम्हारी चिंता नहीं करता और उसे यह भ्रम है कि समूचा संसार उससे प्रेम करता है।"

. . .

हस्तिनापुर आने के बाद एक व्यक्ति जिसे मैंने अब तक नहीं देखा था, वह कर्ण था। मुझे पता था कि दुर्योधन, जो उसे अपना निकटतम मित्र मानता था, के आग्रह पर कर्ण अंग राज्य को अपने मंत्रियों के भरोसे छोड़कर, अपना अधिकांश समय हस्तिनापुर में व्यतीत करता था। मुझे यह भी पता था कि मेरे स्वयंवर के तुरंत बाद दुर्योधन ने विवाह कर लिया था और कर्ण से भी ऐसा ही करने के लिए कहा था, परंतु इस एक मामले में उसने अपने मित्र की बात नहीं

मानी। जब मेरे पतियों ने आश्चर्य से इसका कारण जानना चाहा तो मैंने अपने संपूर्ण आत्म-नियंत्रण का उपयोग करते हुए अपने चेहरे को शांत रखा और निश्चिंत होकर अपनी श्वास को सामान्य बनाए रखा।

मैं यह स्वीकार करती हूँ : कर्ण को भुला देने की, पांडवों के लिए अच्छी पत्नी बनने की अपनी प्रतिज्ञा के बावजूद मैं कर्ण को फिर से देखना चाहती थी। मैं जब भी किसी कक्ष में प्रवेश करती तो अपने घूँघट में से ऊपर देखती - मैं स्वयं को रोक नहीं पाती - और कर्ण के वहाँ उपस्थित होने की आशा करती। (यह मूर्खतापूर्ण विचार था। यदि वह वहाँ उपस्थित भी होता तो उसने निश्चित ही अपना मुख मोड़ लिया होता क्योंकि मेरे द्वारा किए गए अपमान का घाव उसके मस्तिष्क में अभी ताज़ा था।) मैं बेशर्मी से छिपकर सेविकाओं की बातें सुनती और कर्ण के विषय में जानने का प्रयास करती थी। मैं अनेक बार दाई माँ से यह पूछना चाहती थी कि कर्ण कहाँ चला गया था (दाई माँ के रहस्य जानने के अपने तरीके थे) किंतु ऐसा करने से पहले मैंने सैकड़ों बार स्वयं को रोका। यदि उन्होंने मेरे मुख से उसका नाम सुन लिया होता तो उन्हें पता लग जाता कि मैं कैसा महसूस कर रही थी। हालांकि वह मुझे सबसे अधिक प्यार करती थीं, मैं उनके सामने भी इस रहस्य को प्रकट नहीं कर पा रही थी जिसे अपने हृदय से निकाल फेंकना मेरे लिए संभव नहीं हो रहा था।

# 18

## नदी

पितामह ने मुझे गंगा तट के किनारे भ्रमण के लिए आमंत्रित किया। "वहाँ बहुत अच्छा लगता है," उन्होंने अपनी उसी मधुर मुस्कान के साथ कहा, "और इससे हमें, दरबार के विकर्षण से दूर, एक-दूसरे को निकट से जानने का अवसर भी मिलेगा।"

मैंने अनिच्छा से हामी भर दी। हस्तिनापुर आने के कुछ सप्ताह तक, जिस बीच एकाकीपन ने मेरे सीने को लोहे के पट्टे की तरह कसना शुरू कर दिया था, मैं उनके मुझसे संपर्क में आने की प्रतीक्षा करती रही (क्योंकि निश्चित रूप से उन्हें पता था कि वहाँ के नियम मुझे उनके पास जाने की अनुमति नहीं देते थे)। वह नहीं आए। जब कभी हम भोज पर भी मिलते थे तो शालीन अभिनंदन करने से अधिक उन्होंने मुझ पर ध्यान नहीं दिया। मैं हैरान हुई और आहत भी। मैंने प्रथम भेंट के समय उनके द्वारा दर्शाए गए अभिवादनपूर्ण स्नेह पर विश्वास किया था। मुझे लगा कि अजनबी लोगों के घर में मुझे एक मित्र मिल गया था, परंतु वह सिर्फ़ शिष्टाचार की भाषा बोल रहे थे। स्वयं को मूर्ख मानते हुए, मैंने उन पर दोबारा विश्वास न करने का निश्चय किया। इसलिए इस निमंत्रण के आने तक, मैं नहीं चाहती थी कि वह मेरे विषय में और अधिक जानें। जहाँ तक उनका प्रश्न था, मुझे विश्वास था कि वह इतने चालाक थे कि मैं उन्हें जान नहीं सकती थी।

. . .

उनके प्रति निजी हताशा के अतिरिक्त, पितामह के साथ मुझे असहज लग रहा था। काश, मैं यह बात किसी को बता पाती किंतु मेरे दोनों पति भी उनसे बहुत स्नेह करते थे। यहाँ तक कि कुंती के उदासीन चेहरे पर भी एक दिव्य चमक आ जाती थी जब वह बताती थी कि पितामह ने उसकी अनेक बार किस प्रकार सहायता की थी।

"वह हमारे पिता समान हैं," एक बार युधिष्ठिर ने भावावेश में कहा था। "उन्होंने हमें बचपन से सुरक्षित रखा है। हम नेत्रहीन राजा के लिए लज्जा का विषय थे, उसकी राह के शूल थे और उसे सदा यह स्मरण करवाते थे कि वह सिर्फ़ राजा का प्रतिनिधि है। उसे हम लोगों को किसी प्रांतीय नगर में भेजकर, वहाँ किसी दुकानदार की संतान की भांति बड़ा होने देने में अत्यंत खुशी होती। अपने दम पर माँ हमें कभी नहीं बचा पातीं, परंतु भीष्म ने हम लोगों के लिए लड़ाई लड़ी।"

"यदि पितामह न होते तो दुर्योधन ने बहुत पहले हम सबको सोते में मरवा डाला होता," भीम ने जोड़ा।

मेरे मन में बहुत से प्रश्न थे। जैसा कि मैंने सुना था, क्या वह सचमुच माँ गंगा के पुत्र हैं और क्या सचमुच गंगा ने भीष्म के सात बड़े भाइयों को उनके जन्म के समय नदी में डुबो दिया था? कथा यूँ है कि गंगा उन्हें भी डुबोने वाली थी कि तभी उनके पिता ने गंगा को रोक दिया। वह अपने पति और भीष्म को छोड़कर जल में प्रविष्ट हो गईं। बड़े होते हुए, उस बालक ने अपनी माँ के विषय में क्या महसूस किया होगा - एकाकीपन व इच्छा, अथवा चकित रोष? उससे घृणा करते हुए, क्या वह प्रत्येक स्त्री से घृणा करता होगा? क्या उसका सारा प्रेम उसके पिता, उसके राजा और संरक्षक के प्रति हस्तांतरित हो गया था?

जैसा कि पुरुषों के साथ होता है, भीष्म के पिता को दोबारा किसी से प्रेम हो गया, परंतु उस स्त्री ने विवाह के लिए स्वीकृति देने से पूर्व उससे यह आश्वासन लिया कि भीष्म की संतान उसकी संतान द्वारा राजसिंहासन पर अपने दावे के लिए लड़ाई नहीं करेगी। अपने पिता की इच्छा पूर्ति के लिए भीष्म ने आजीवन ब्रह्मचारी रहने की भीषण प्रतिज्ञा ली। उन्होंने अंत समय तक हस्तिनापुर के सिंहासन की रक्षा का भी वचन दिया। देवताओं को अच्छा लगता है जब मनुष्य असाधारण त्याग करते हैं और इस त्याग के लिए उन्होंने भीष्म को इच्छा-मृत्यु का वरदान दिया : कोई व्यक्ति भीष्म को उनकी इच्छा के बिना नहीं मार सकेगा।

मैं अपने पतियों को यह चेतावनी देना चाहती थी कि ऐसे व्यक्ति पर भरोसा नहीं किया जा सकता जो किसी कमज़ोरी और इच्छा को इतनी सरलता से अपने हृदय से निकाल दे। वह दूसरों की भूल के लिए सहिष्णु कैसे हो सकता है अथवा उनकी आवश्यकताओं को किस प्रकार समझ सकता है? उसके लिए मनुष्य के जीवन से अधिक मूल्यवान उसका अपना दिया हुआ वचन होता है। इसी कारण उन्होंने अंबा को बिना एक क्षण संकोच किए वापस भेज दिया था। कभी ऐसा दिन भी आ सकता है जब उन्हें हमारे साथ भी यही करना पड़े।

फिर अर्जुन ने कहा, "वह हमसे प्रेम करते हैं।"

हम उस कक्ष में बैठे थे जहाँ मैं और युधिष्ठिर अतिथियों से मिलते थे। वह खिड़की के पास खड़ा था जिसके बाहर एक पुराना अश्वत्थ वृक्ष था जो कक्ष के प्रकाश को चूस रहा था और उसकी वातानीत जड़ें गुँथे हुए केश की भांति लटक रही थीं। मुझे अर्जुन का चेहरा नहीं दिख रहा था - सजावटी पर्दों ने मेरी दृष्टि बाधित की हुई थी, परंतु उससे कोई अंतर नहीं पड़ता था। जादूगरनी ने मुझे सब कुछ ठीक से सिखाया था। जिस प्रकार से उसका स्वर मंद पड़ गया था, मुझे उस बात का पता लग गया जिसे वह कभी स्वीकार नहीं करेगा : अपने संपूर्ण बाल्यकाल में मेरे पति प्रेम के भूखे थे। कुंती ने उन्हें अपना समस्त ठोस समर्पण तो दिया किंतु स्नेह नहीं दिया। शायद उन्होंने अपने स्वभाव से कोमलता तत्व को निकाल फेंका था जब उस विधवा को अकेला वन में छोड़ दिया गया था। शायद उन्हें यही एक तरीका आता था।

फिर उनके जीवन में अपनी सिंह-सी ठहाकेदार हँसी लेकर भीष्म आए। वह उन्हें अपने कंधे पर उठाकर घुमाते थे और अपने कक्ष में मिठाई छिपाकर उसे ढूँढ़ने के लिए कहते थे। रात्रि होने पर, वह उन्हें रोचक और विकट कथाएँ सुनाते थे। वह उन बालकों की छोटी-छोटी उपलब्धियों की, जिनकी कुंती उपेक्षा कर देती थी, प्रशंसा करते थे और उनके लिए वैसे ही खिलौने लाते थे जैसे दुर्योधन के पास थे पर वह उन्हें उनसे खेलने नहीं देता था। जब कुंती उन्हें उनकी उद्दंडता के लिए छड़ी से मारती थी तो वह उनके घावों पर मरहम लगाते थे।

वे भीष्म के प्रति समर्पित क्यों न होते?

*प्रेम*। कोई तर्क, कितना भी शक्तिशाली क्यों न हो, इस शब्द को पराजित नहीं कर सकता। मेरे पतियों में इतना समर्पण जागृत करने के लिए मुझे भीष्म से ईर्ष्या हो रही थी - किंतु उन्होंने मुझे पांडवों के विषय में कुछ महत्त्वपूर्ण जानने और समझने में सहायता की थी। बचपन की भूख पीछा नहीं छोड़ती। मेरे पति कितने भी शक्तिशाली और विख्यात क्यों न हो जाएँ, उन्हें प्रेम की इच्छा सदैव बनी रहेगी। वे हमेशा चाहेंगे कि उन्हें योग्य माना जाए। यदि कोई व्यक्ति उन्हें ऐसा महसूस करा पाए तो वह उस व्यक्ति - पुरुष या स्त्री - से हमेशा के लिए बँध जाएँगे।

मैंने इस ज्ञान को इस प्रकार सहेज कर रख लिया जैसे कोई यात्री रेगिस्तान में किसी स्वर्णिम पत्थर को अपनी मुट्ठी में यह सोचकर दबाए रखता है कि यह समय पड़ने पर उपयोगी सिद्ध होगा।

. . .

पितामह के साथ रथ में बैठकर हम हस्तिनापुर से थोड़ी दूरी पर नदी के एकांत स्थल पर आ पहुँचे। यात्रा के दौरान मैं अकड़ी हुई एक कोने में बैठी रही और सोचती रही काश, दाई माँ हमारे साथ होती। मैंने उन्हें साथ लाने का प्रयास किया था, परंतु उन्होंने हाथ के इशारे से उन्हें मना कर दिया था। *प्रिय, मैं इतना वृद्ध हूँ कि तुम्हें अपने साथ किसी संरक्षिका को साथ लेकर चलने की आवश्यकता नहीं है!* वह इतनी ज़ोर से हँसे थे कि कंधों पर झूलते उनके केश नदी पर हवा की भांति लहराने लगे।

हम लोग पैदल चलने लगे। नदी के किनारे, गोल व काले बिंदु युक्त पीले रंग के जंगली फूल खिले हुए थे। वहाँ सफ़ेद पत्थरों के ढेर लगे हुए थे। मुझे यद्यपि, उजाड़ स्थान की अपेक्षा उद्यान अधिक पसंद हैं, फिर भी मैं उनके विचित्र व असमान सौंदर्य को देख रही थी। बैंगनी रंग से रंजित आकाश में महल के गुंबद चमक रहे थे और इस दूरी से यह दृश्य बहुत सुंदर लग रहा था। मैं नदी के उफनते प्रवाह पर से अपनी दृष्टि हटा नहीं पा रही थी। इस स्थान पर कितना कुछ हो चुका था! बच्चे डुबोए गए थे, बच्चे बचाए गए थे।

मैंने जैसे ही यह सोचा, मुझे नदी की सतह पर एक टोकरी तैरती हुई दिखाई दी जिसमें स्वर्ण-सज्जित एक बालक लेटा हुआ उछलते फेन के साथ तेज़ी से बहा जा रहा था। उस समय भी उसे पता था कि उसे रोना नहीं है। हमारे सामने से गुज़रते हुए उसने अपनी आँखें खोलीं और अपनी दृष्टि मुझ पर टिका दी, यद्यपि निश्चय ही एक नवजात बालक ऐसा नहीं कर सकता।

भीष्म ने मुझे ध्यान से देखा। "यह क्या है, पुत्री?"

"मुझे लगा कि मैंने देखा..." मैं रुक गई और सिर हिला दिया। उसे समझाना बहुत कठिन था। मुझे डर था कि उससे मेरे भीतर की बहुत-सी बातें प्रकट हो जाएँगी।

परंतु भीष्म ने बात को समझते हुए सिर हिलाया। "नदी की अनेक स्मृतियाँ होती हैं। वह तुम्हें वही याद दिलाती है जो तुम्हें सबसे अधिक प्रिय होती हैं। नदी अपने बहाव की ही भांति चालाक भी होती है। कभी-कभी यह तुम्हें वास्तविक सत्य न दिखाकर वह दिखाती है जो तुम देखना चाहती हो।"

वह मेरे उत्तर की प्रतीक्षा कर रहे थे, किंतु कुछ भील स्त्रियों के एक समूह ने, जो सिर पर बड़े-बड़े गट्ठर रखकर जा रही थीं, मुझे बचा लिया। पितामह को पहचानते ही, वे उत्तेजित हो उठीं। "भीष्म पितामह!" वे सब खुशी से चिल्लाईं। "पितामह!" वह अवश्य यहाँ प्रायः आते होंगे। मुझे यह देखकर हैरानी हुई कि

पितामह को देखकर वे स्त्रियाँ विस्मित नहीं हुईं। अपनी टोकरी में से उन्होंने भीष्म को छोटे हरे केले दिए और उनका कुशल-क्षेम पूछा। क्या उनका गठिया का दर्द ठीक है? उन्होंने जो जड़ी-बूटी पितामह को दी थीं, क्या उससे कुछ लाभ हुआ? भीष्म ने भी उनसे उनके बच्चों के विषय में पूछा, उन्हें स्त्रियों के बच्चों के नाम भी पता थे और उन्होंने स्त्रियों को चाँदी के सिक्के भी दिए। बाद में, वह केले उन्होंने मेरे साथ बाँटकर खाए। उनमें काले बड़े बीज थे और वे पूरे पके हुए भी नहीं थे। उनसे मेरा मुँह अंदर से सिकुड़ गया, यद्यपि, भीष्म ने अपने हिस्से के कई केले बिना परेशानी के खा लिए।

वे स्त्रियाँ मुझे उत्सुकता से देखने लगीं। जब हम उनसे आगे निकल आए तो मैंने देखा कि वे महुआ के वृक्ष के नीचे एकत्रित होकर हमारी ओर इशारा करके हँस रही थीं और अपनी स्थानीय बोली में बात कर रही थीं। मुझे लगा उन्होंने कहा, पाँच? क्या तुम्हें विश्वास है? पाँच! उनकी आँखों में ईर्ष्या थी। हो सकता है मुझसे भूल हुई हो। संभव है कि उन्हें मुझसे सहानुभूति रही हो।

. . .

ऐसा नहीं था कि पांडवों के प्रति - और उनके साथ संबद्ध होने के नाते, मुझसे भी - पितामह के प्रेम पर अथवा आजीवन पांडवों की रक्षा करने के उनके वचन पर मुझे संदेह था, परंतु तब क्या होगा यदि कभी उन्हें अपनी इस प्रतिज्ञा और इससे पहले वाली - जिसका उन्होंने आजीवन पालन किया था कि वह शत्रुओं से हस्तिनापुर की रक्षा करेंगे - में से किसी एक को चुनना पड़ा?

दाई माँ कहा करती हैं, सदाशयी पुरुष अधिक खतरनाक होता है क्योंकि अपने किए कार्यों के औचित्य में उसे पूर्ण विश्वास होता है। ईमानदार बदमाश से मुझे कोई भय नहीं है!

. . .

"मेरी माँ," पितामह बोले, "मुझे देवव्रत कहती थीं।" "आपकी माँ?" मैंने आश्चर्य से पूछा, "परंतु मैं सोचती थी..."

वह मुस्कराए। "कि मेरे पिता ने मुझे अकेले बड़ा किया? ऐसा नहीं है, हालांकि, वह यही कथा सुनाते थे। माँ ने मुझे आठ वर्ष की आयु तक अपने पास रखा - मुझे लगता है वह मेरे जीवन के सबसे अच्छे वर्ष थे। इसी दौरान उन्होंने मुझे सभी महत्त्वपूर्ण बातें सिखा दी थीं। यदि मुझे कोई समस्या होती है अथवा उनसे परामर्श लेना होता है, तो वह यदा-कदा अब भी मुझसे मिलने यहाँ आती हैं।"

मैं समझ नहीं सकी कि उनकी बात का क्या अर्थ निकालूँ। क्या उनकी बात को मैं वास्तविक तौर पर सही मानूँ? अथवा नदी के पास उनको शांति मिलती थी जिससे वह स्पष्ट ढंग से चिंतन कर पाते थे? उनके वृद्ध चेहरे पर युवा आकांक्षा का भाव था। मेरे विचार से वह प्रायः ऐसी बातें करते थे। अपने निर्णय के विरुद्ध, मैं अधिक रक्षात्मक नहीं हो पा रही थी और इसी कारण जब उन्होंने मुझसे पूछा कि मुझे हस्तिनापुर में रहना कैसा लग रहा था तो मैंने उन्हें सत्य बता दिया।

"मुझे उस महल में असहज महसूस होता है। वहाँ बहुत-से लोग मेरे पतियों से घृणा करते हैं। वह कभी मेरा अपना घर नहीं बन सकेगा।"

उन्होंने अपनी दाढ़ी पर हाथ फेरा। मुझे लगा मैंने उन्हें नाराज़ कर दिया था, परंतु शायद वह समझते थे कि घृणित होना कैसा होता है क्योंकि उन्होंने कहा, "तुम्हारे पास अपना निजी महल होना चाहिए। मुझे यह पहले सोचना चाहिए था। मैं इसके विषय में धृतराष्ट्र से बात करूँगा। वैसे भी, अब समय आ गया है कि वह अपना उत्तराधिकारी घोषित कर दे।"

वापस लौटते समय, मैंने कुछ संकोच के साथ पूछा, "क्या आपने अपनी माँ को मेरे बारे में बताया है?"

"हाँ बताया था," वह बोले। "उन्होंने कहा कि तुम एक महान अग्नि-शिखा हो जो हमें ख्याति दिलवा सकती हो - अथवा हमारे कुल का विनाश भी कर सकती हो।"

मेरा मुँह सूख गया। एक बार फिर, अप्रत्याशित रूप से, व्यास की भविष्यवाणियाँ मुझे डरा रही थीं। "उन्होंने ऐसा क्यों कहा? मैं इस महान कुरु वंश को कैसे नष्ट कर सकती हूँ और फिर, जब मैं स्वयं उसका हिस्सा हूँ तो मैं ऐसा क्यों करना चाहूँगी?"

भीष्म ने कंधे उचकाए। वह अधिक चिंतित नहीं लग रहे थे। "मुझे नहीं पता। वह पहेलियाँ बूझ-बूझकर मुझे चिढ़ाती हैं। इतनी चिंता मत करो! उनकी कही हुई बात पर हमेशा अधिक ध्यान नहीं देना चाहिए।"

उनकी सरल नम्रता से मैं सहज हो गई। "मैं भी एक ऐसे ही व्यक्ति को जानती हूँ," मैंने व्यंग्यपूर्वक कहा, और तभी मुझे दुख के साथ यह विचार आया कि मैंने बहुत समय से कृष्ण को नहीं देखा था।

भीष्म ने ज़ोर से प्रसन्नतापूर्वक ठहाका लगाया। "वह असंभव-सी लगती हैं न? तुम्हें पागल बना देती हैं, किंतु इनके बिना जीवन की कल्पना भी नहीं की जा सकती।"

रथ में चढ़ने के लिए परंपरागत शिष्टाचार के साथ मुझे सहारा देते समय,

जब उन्होंने कहा कि हमें फिर से यहाँ आना चाहिए, तो मुझे लगा कि उनके और मेरे बीच में एक द्वार खुल गया था। मेरा ऐसा विश्वास था कि किसी अवर्णनीय तरीके से मैं उन्हें उन सब लोगों से अधिक समझने लगी थी जिन्होंने उनके साथ अपना समस्त जीवन व्यतीत कर दिया था। जो मैंने महसूस किया, वह मुझे अच्छा और विश्वसनीय लगा। इस प्रकार (मुझे नहीं पता था कि इसके लिए मुझे एक दिन बुरी तरह पछताना पड़ेगा) मैं सहज हो गई और मैंने उन्हें अपने हृदय में स्थान दे दिया।

. . .

भीष्म, निश्चय ही, अपने वचन के पक्के थे। अगले ही दिन, भरी सभा में, उन्होंने नेत्रहीन राजा को कठोर शब्दों में फटकारा, जिसके बाद धृतराष्ट्र ने युधिष्ठिर को उसका जन्मसिद्ध अधिकार देने के लिए अपनी सहमति प्रदान कर दी। अनुदान के भाव से काँपते स्वर में, उसने यह घोषणा कर दी कि राज्य को दो भाग में विभाजित किया जाएगा, जिसमें से बड़ा भाग पांडवों को और छोटा भाग उसके अपने पुत्र को दिया जाएगा। पर्दे के पीछे से, जहाँ स्त्रियाँ बैठती थीं, मैं प्रसन्न हो रही थी क्योंकि मैंने अपने सौभाग्य के लिए उत्प्रेरक का कार्य किया था। (मैं चाहती थी कि मेरे पतियों को इस कार्य में मेरी भूमिका का पता लगे।) परंतु कुंती ने, जो धृतराष्ट्र को बेहतर ढंग से समझती थी, अपनी मुस्कान छिपा ली। और यह सही था। अगले दिन हमें पता लगा कि मेरे पतियों को राज्य का सबसे उजाड़ व एकांत भाग खांडव दिया गया और राजा ने हस्तिनापुर अपने पुत्र दुर्योधन के लिए रख लिया। छोटे पांडव भाइयों ने इस अन्याय के विरुद्ध झगड़ा करना चाहा परंतु युधिष्ठिर ने कहा, “क्या तुम अपने घर में रहना पसंद नहीं करोगे, बेशक वह रेगिस्तान ही क्यों न हो? इसके अतिरिक्त, बंजर भूमि से कुछ अच्छा बनाने का, अपने सामर्थ्य को सिद्ध करने का हमें यह एक अवसर मिला है।”

धृतराष्ट्र ने शीघ्रता से युधिष्ठिर का राज्याभिषेक समारोह किया और झटपट हमें विदा कर दिया। शायद उसे यह डर था कि कहीं हम जाने के विषय में अपना विचार न बदल दें।

उसने युधिष्ठिर से कहा, “आखिर, अपनी नई प्रजा के देखभाल करना तुम्हारा कर्त्तव्य है।”

जब हम राजा द्वारा विदाई उपहार के रूप में दिए गए भव्य व विशाल रथ पर सवार हो रहे थे तो भीष्म ने पूछा, “वह किस प्रजा की बात कर रहा था? साँप या लकड़बग्घे?”

हमारी विदाई चुपचाप हो गई; सिर्फ़ एक छोटा-सा दल हमारे साथ आया। (सेवकों के बीच खांडव की छवि बहुत ख़राब थी।) मुझे खुशी हुई कि कुंती हमारे साथ नहीं जा रही थीं। मुझे नहीं पता कि नदी-तट पर हुई हमारी बातचीत से भीष्म ने क्या निष्कर्ष निकाला था, किंतु भीष्म ने अवश्य ही कुंती को समझाया होगा - केवल वही थे जो ऐसा कर सकते थे - कि वन की यात्रा काफी कठिन होगी। महल के द्वार पर हमें विदाई देते समय, उन्हें इस बात पर अचंभा हो रहा था कि उनके पुत्र उन्हें छोड़कर अपना जीवन व्यतीत कर सकते थे।

महल के अति विशाल द्वार के समक्ष कुंती की काया इतनी क्षुद्र लग रही थी कि मुझे अंदर से हो रही खुशी पर लज्जा आ रही थी। (किंतु मेरी यह खुशी अधिक देर नहीं रह सकी। शायद प्रतिशोध की भावना से कुंती ने इस बात पर बल दिया कि दाई माँ को उनके पास ही रहने दिया जाए। कुंती ने कहा, "जब तक मैं तुम लोगों के साथ रहने न आ सकूँ, दाई माँ को मेरे पास रहने दो।" घोर अवज्ञा के भाव के बावजूद, मैं मना नहीं कर सकी।)

हमारा रथ, जो उजाड़ व बंजर स्थान के लिए सर्वथा अनुपयुक्त वाहन होता है, उबड़-खाबड़ मार्ग पर चलने से तीसरे दिन ही टूट गया और हम नागफनी के झाड़ के पास मार्ग के बीच में खड़े रह गए, परंतु, यह अत्यंत आश्चर्य की बात थी कि कुछ ही घंटों बाद, कृष्ण वहाँ आ पहुँचे। (उन्हें कैसे पता लगा कि हमें सहायता की आवश्यकता थी?) वह अपने साथ सैनिक, भोजन, तंबू और अनेक हृष्ट-पुष्ट घोड़े लाए थे और इस सहसा हुए घटनाक्रम पर वह बिल्कुल भी हैरान नहीं थे। उन्होंने संक्षिप्त किंतु आत्मीय अभिनंदन किया और वह सभी बातें जो मैं उन्हें कहना चाहती थी, मेरे मुँह में ही रह गईं। हमारे आगे चलते हुए, वह अर्जुन व भीम के साथ विनोद करते जा रहे थे और मैं उन्हें देखकर प्रसन्न व असंतुष्ट थी। मुझे अपने पतियों से ईर्ष्या हो रही थी। इससे पूर्व, कृष्ण जब भी मिलने आते थे तो मुझे उनका पूर्ण सान्निध्य मिलता था। अब वह सब बदल क्यों गया था? क्या सिर्फ़ इसलिए कि मैं अब किसी की पत्नी थी? जब मैंने उन्हें एक-दूसरे की पीठ पर हाथ मारते देखा तो अपने बचपन की मेरी असहजता, जो मुझे लगता था कि अब समाप्त हो चुकी थी - *यदि मैं पुरुष होती* - मेरे भीतर फिर से जागृत हो गई। मैंने उस भाव को कठोरता से दूर कर दिया। अभिलाषी विचार करना मेरी भूल थी। अच्छा हो या बुरा, मैं एक नारी हूँ। मुझे ध्यानाकर्षण के लिए कोई नारी-सुलभ तरीका खोजना चाहिए था।

दृश्य बदलने लगा। वृक्ष छोटे और हमारे पैरों के नीचे की धरती पीली व दुर्गंधपूर्ण होने लगी थी। मैं एक बड़े काले अश्व पर युधिष्ठिर के साथ पीछे बैठी

थी। मुझे अपने जीवन में आए बदलाव पर विश्वास नहीं हो रहा था या मैंने इस नियति के निर्माण में कुछ सहायता की थी। यदि कोई मुझे कुछ दिन पहले बता देता कि मैं हस्तिनापुर छोड़कर अपने पतियों व कृष्ण के साथ और अपनी सास को छोड़कर अपने राज्य जाने वाली थी, तो मैं खुशी से उन्मत्त हो जाती! जीवन का सत्य हमारी कल्पना से कम मोहक होता है। युधिष्ठिर सर्वश्रेष्ठ घुड़सवार नहीं था और उसका अश्व इस बात को पहचान गया था। वह बीच-बीच में लगाम को झटका देता, अपने पिछले भाग को उठाता, पैर मारता और झटके से रुक जाता था। वह यदा-कदा अपना मुँह खोलकर मेरे पति के हाथ को चबाने का प्रयास भी करता था। मैं इस बात से स्वयं को सांत्वना दे लेती थी कि युधिष्ठिर एक नेक व्यक्ति था। लोग उसे पृथ्वी पर धर्म का अवतार मानते थे। किसी धर्मावतारी से अच्छा घुड़सवार होने की आशा करना ठीक नहीं था।

सही अर्थ में, यह संसार क्षणभंगुर है। कल महल में, आज राह पर, और कल - किसे पता? हो सकता है मुझे वह घर मिल जाए जिससे मैं आजीवन वंचित रही, परंतु एक बात निश्चित थी : इतिहास के प्रवाह ने मुझे अंत में जकड़ ही लिया था और वह मुझे अपने साथ बहा ले जा रहा था। किसी ठौर पर पहुँचने से पूर्व न जाने मुझे कितना पानी और निगलना होगा?

इस प्रसन्नता के बीच मेरे मन में एक विचार आया : प्रत्येक बीतते क्षण के साथ, मैं कर्ण से दूर जा रही थी। मैं शायद उसे फिर कभी नहीं देख सकूँगी।

मुझे अपने मस्तिष्क में दाई माँ की आवाज सुनाई दी और शायद इसलिए कि मुझे उनके धमक-भरे स्नेह की बहुत याद आ रही थी, मैंने यह स्वीकार किया कि वह सही कहती थीं।

उन्होंने कहा था, *तुम्हारे लिए इससे बेहतर कुछ नहीं हो सकता।*

# 19

## महल

मेरे पतियों ने जब मुझे खांडव में आने के बाद रहने हेतु एक काम चलाऊ कुटिया बनाने के लिए पुकारा, उस समय भी वह वन जल रहा था। मैंने सोचा उनकी उपेक्षा कर दूँ। मुझे गर्मी और चिढ़ लग रही थी और मैं उस समय साधारण दाने-पानी की सहायता से भोजन पका रही थी। हमारा दल, जिसमें अधिकतर सैनिक थे, ज्यादा उपयोगी नहीं था। इसके अतिरिक्त मैं भी असहज महसूस कर रही थी। मुझे पशुओं की चीख-पुकार सुनाई दे रही थी, हालांकि मुझे पता था कि ऐसा संभव नहीं था। जबसे अर्जुन ने खांडव दाह किया था, उस वन में जंगली पशु नहीं थे। कुछ सौभाग्यशाली भाग गए थे और शेष मारे गए थे।

हवा के कारण धरती के निकट की राख उड़ रही थी। धुएँ से मेरी आँखें जल रही थीं और वह जीभ पर जम रहा था। मैंने कृष्ण को देखना चाहा, फिर मुझे ध्यान आया कि वह किसी वस्तु की तलाश में कहीं गए थे। मेरे पति किसी व्यक्ति से बात कर रहे थे जिसे मैंने पहले कभी नहीं देखा था। वह कहाँ से आया था? वह पालथी मारकर ज़मीन पर बैठा हुआ था। अपने आस-पास उसने लकड़ी से कुछ रेखाएँ बनाई हुई थीं। मुझे नहीं पता उनका क्या अर्थ था। मैं उसे देखती रही। वह क़द में छोटा और गोल-मटोल था और उसने तन पर चमड़ा लपेटा हुआ था। स्वर्ण व अस्थि के बने कुंडलों के कारण उसकी कान की बालियाँ लटककर उसके कंधों तक आ गई थीं। उसने बिना पलक झपकाए मेरी ओर पलटकर देखा मानो मैं उस प्रदेश की रानी न होकर कोई घुसपैठिया थी।

"आओ पांचाली," युधिष्ठिर ने कहा। मैं लकड़ी के फट्टे पर उसके साथ जाकर बैठ गई तो मेरे कंधे पर हाथ रखने से पूर्व वह सकुचाया। दूसरे भाई शर्म से दूसरी तरफ देखने लगे। क्या वे लोग यह सोच रहे थे कि अगले या उससे अगले वर्ष उनमें से कोई अन्य मेरे साथ ऐसा करेगा?

अच्छा होगा कि ऐसी बातों पर विचार न किया जाए।

अर्जुन अपने रथ के सहारे टिककर खड़ा था और उसका चेहरा अग्नि की भांति लाल हो रहा था। "आदरणीय देवी," वह बोला, "यह मय है।" दूर उठते धुएँ पर अपनी दृष्टि टिकाए उसने औपचारिक संबोधन का प्रयोग किया। मेरे विवाह के समय अपने भाइयों के प्रति उसके मन में जो क्रोध था वह अब भी मौजूद था, यद्यपि उसने वह इतनी कुशलता से किया कि वह सिर्फ़ मुझे पता था। यदि मैं उससे बात करती तो वह नम्रतापूर्वक एकाक्षर में उत्तर देता था। यदि मैं किसी स्थान पर उसके पास जाती तो वह वहाँ से चले जाने का कोई कारण खोज लेता था। मैं उसे बात समझाना चाहती थी, किंतु मेरे मन में रोष के साथ उसके लिए सहानुभूति थी। कभी-कभी जब उसे यह पता नहीं होता था कि मैं उसे देख रही हूँ, तो उसके चेहरे पर कठोर सादगी झलकती थी, जिससे स्पष्ट हो जाता था कि उसे स्वयं से ईर्ष्या व घृणा हो रही है।

अर्जुन के लंबे बाल सिरे से झुलसे हुए थे। अग्निदेव द्वारा दिया गया धनुष अब भी उसके पास था। उसने उस धनुष का नाम हमें बताया था : गांडीव। बीच-बीच में वह अपने हाथ से धनुष के कटाव को ऐसे महसूस करता था मानो वह कोई स्त्री हो। मुझे दंश-सा लगा, फिर मैंने स्वयं को फटकारा। मुझे उसका आभारी होना चाहिए था कि वह नई पत्नी खोजने की अपेक्षा उस नए अस्त्र से स्वयं को बहला रहा था।

"यह देवताओं के लिए," अर्जुन ने कहा, "और पाताल-लोक के असुरों के लिए महलों का निर्माण करता है। यह हमारे लिए भी एक महल बना रहा है..."

"क्योंकि अर्जुन ने इसे आग से बचाया था," सहदेव ने गर्व से कहा।

"ऐसा महल जो किसी ने आज तक नहीं देखा!" भीम ने हाथ फैलाते हुए कहा। "मैंने उसे कहा है कि मेरे लिए ऐसा रसोईघर बनाए जहाँ बिना ईंधन के सौ अंगीठियाँ एक साथ जल सकें।"

भीम को जितना खाना पसंद था, उतना ही पकाना भी। मुझे यह देखकर बहुत आश्चर्य हुआ कि पिछले कुछ दिनों में जिस बीच मैं चावल पकाती व फल आदि काटती थी, उस बीच भीम भारी कार्यों में, और पशुओं के मृत शरीर को साफ़ करके उसे खुली आग पर पकाने में मेरी सहायता करता था। जब मैं आग के ऊपर से कोई भारी पात्र उठाने का प्रयास करती, तो वह बिना इस बात की चिंता किए कि हमारे हाथ परस्पर छू जाते थे, वह पात्र मुझसे ले लेता था। खांडव में प्रथम दिन ही उसने स्पष्ट रूप से यह घोषणा कर दी थी कि व्यास के नियम, जो कि दरअसल

राजसी जीवन के अनुसार बनाए गए थे, यहाँ इस वन जहाँ हम परस्पर निर्भर थे, हास्यास्पद थे। वह मेरे साथ अपने भाई की पत्नी के अनुसार ही आचरण करता था परंतु वह उन बारीक नियमों का ध्यान नहीं रख पाता था। मुझे जब भी सहायता की आवश्यकता होती थी, वह तत्पर रहता था। ऐसे गर्म, स्वेद-युक्त और कीड़े-मकोड़ों से भरे जंगल में यदि वह किसी भी प्रकार मेरे जीवन को थोड़ा भी सहनीय बना सकता तो वह उस कार्य को कर देता था। यदि युधिष्ठिर को इसमें कोई समस्या होती तो उसे तुरंत निर्वासित कर दिया जाता। मेरा नियम-परक पति उससे अधिक प्रसन्न नहीं था, किंतु अंत में उसने अपने भाई की बात को मान लिया। दूसरी तरफ, मैं ऐसे निष्ठावान साथी को पाकर आभारी महसूस कर रही थी। मैं आरंभ में भीम को असभ्य समझती थी परंतु इसके लिए मैंने चुपचाप उसके पास अपनी क्षमा याचना भिजवा दी थी और भोजन के समय मैं उसको दूसरों से अधिक खाना परोसती थी।

"और अस्तबल की दीवारें इतनी कुशलता से बनाई जाएँगी कि हमारे पशु सर्दी में गर्म और गर्मी में ठंडा महसूस करेंगे," नकुल ने कहा। मैंने यात्रा के दौरान देख लिया था कि उसे अश्वों से कितना लगाव था। वह हमें बीच-बीच में रोक देता था ताकि अश्वों को चारा और पानी दिया जा सके। रात्रि में, वह उनके बीच घूमता हुआ उन्हें गुड़ खिलाता था और उन्हें सहलाता जाता था। यहाँ तक कि युधिष्ठिर का बिगड़ैल घोड़ा भी रिरियाते हुए अपने विशाल सिर से उसे धीरे-से टहोका लगाता था और नकुल उसे देखकर हँस देता था मानो वह उसकी बात समझता हो। एक बार मैंने उसे यह कहते हुए सुना कि वह किसी परिचित दरबारी से भी अधिक जंगली पशुओं पर विश्वास करता था।

क्या खांडव वन के दाह ने उसे विचलित कर दिया था? मुझे नहीं पता। यद्यपि, मेरे पति समय-समय पर परस्पर असहमत होते रहते थे, उन्होंने अपने मतभेद कभी किसी बाहरी व्यक्ति पर प्रकट नहीं किए। (इस प्रकार, मैं अभी तक उनके लिए बाहरी थी।) कुंती ने उन्हें सब कुछ ठीक से सिखाया था।

"हमें स्फटिक व हस्तिदंत का एक विशाल कक्ष चाहिए होगा जहाँ राजागण राजनीति पर चर्चा कर सकें अथवा संगीत सुन सकें," युधिष्ठिर ने कहा।

"अथवा चौपड़ खेल सकें?" सहदेव ने चिढ़ाते हुए कहा क्योंकि चौपड़ खेलना युधिष्ठिर की अन्य कमज़ोरियों में से एक थी।

"एक सूर्य की दिशा में ऊर्ध्वगामी गुंबद भी होना चाहिए, जिसे देखकर सभी अचंभित हो जाएँ तथा जो पांडवों की गौरव-गाथा का वर्णन बन सके," अर्जुन ने

सुदूर दिशा में देखते हुए कहा मानो वह ऐसी अदृश्य चीज़ें देख पा रहा था जो हम लोगों को दिखलाई नहीं दे रही थीं। उसने अपने धनुष को कसकर पकड़ लिया मानो वह कभी नीचे रखा ही न हो।

भीम ने मुझे लजाकर देखा। "क्या हमें पांचाली से उसका मत नहीं पूछना चाहिए?"

मैंने वह देखा जो अब तक अन्य विकर्षणों के कारण मैं नहीं देख पाई थी : वह मुझसे प्रेम करता था। मुझे यह जानकर विचित्र पीड़ा महसूस हुई।

युधिष्ठिर ने हमेशा की भांति तर्कसंगत ढंग से हामी भरी, हालांकि मेरा मत जानने का यह विचार उसे अपने आप नहीं आया होगा। "तुम ठीक कहते हो, भाई। बताओ, पांचाली।"

मैंने कुछ कहने के लिए जैसे ही मुँह खोला तो मेरा मस्तिष्क खाली हो गया। मेरे चेहरे पर राख उड़ रही थी और वह मेरी त्वचा पर जमकर अस्थि की तरह सख़्त हो गई थी। मैंने कई दिन से स्नान नहीं किया था। अर्जुन को मुझसे प्रेम क्यों नहीं हो रहा था? वह मेरे मस्तिष्क से उस पुरुष का विचार हटा सकता था जो वहाँ से हटने के लिए तैयार नहीं था हालांकि मैंने उसे दोबारा देखा नहीं था।

. . .

बाद में, जब मैंने अर्जुन से पूछा कि उसने उन सभी पशुओं को क्यों मार डाला था तो उसने कहा, "अग्निदेव चाहते थे कि मैं उस वन का दहन कर दूँ। अब किसी देवता को तो मैं मना नहीं कर सकता न?"

परंतु कृष्ण ने कहा, "ऐसा किए बिना तुम यहाँ किस प्रकार रह सकते थे? अपना राज्य स्थापित कर सकते थे? इतनी ख्याति अर्जित कर सकते थे? इतिहास के चक्र की दिशा बदल सकते थे? किसी न किसी को तो इसका मूल्य चुकाना ही था। कम से कम तुम्हें तो इस बात का पता होना चाहिए, कृष्णा।"

वह ठीक कह रहे थे। किसी की विजय के लिए किसी को तो पराजित होना ही पड़ेगा। एक व्यक्ति की इच्छापूर्ति के लिए कई अन्य को अपनी इच्छाओं का त्याग करना पड़ता है। क्या मेरा – और मेरे भाई का – जीवन इस बात का प्रमाण नहीं था? परंतु मैं सहमत नहीं थी। एक बात यह भी थी : मैं इस बात पर विश्वास करना चाहती थी कि कभी-कभी बिना कुछ बुरा हुए भी कुछ अच्छा हो सकता है। मैं यह मानना चाहती थी कि कभी-कभी देवता हमें भेंट देते हैं और बदले में वे कुछ नहीं माँगते।

वह निरुश्वास लेते हुए, आंशिक सहानुभूति व आंशिक रोष के साथ मेरी ओर देखने लगा। "प्रिय" वह बोला, "जो तुम अपने हितैषियों से नहीं सीखना चाहती, वह तुम्हें समय सिखाएगा।"

. . .

वह उत्तर की प्रतीक्षा कर रहे थे, इसलिए मैंने सामने निर्जीव दृश्य की ओर देखते हुए पहला शब्द कहा।

"जल। मुझे जल चाहिए। सर्वत्र। फव्वारे और ताल, पक्षियों के क्रीड़ा करने हेतु सरोवर।"

मैंने सामने सामने बैठे उस कुरूप व्यक्ति से यह अपेक्षा नहीं की थी कि वह इसे संभव कर पाएगा, परंतु आँखों में पर्याप्त चमक के साथ उसने हामी भर दी।

"मैं महल के बीच से एक जलधारा चाहती हूँ जिसमें पूरे वर्ष कमल खिले रहें," मैंने कहा। मैं लज्जाविहीन हो रही थी, किंतु मैं ऐसा क्यों न करूँ? हर कोई असंभव-सी लगने वाली चीज़ें माँग रहा था - ईंधन विहीन अग्नि, सूर्य को छूती मीनारें। ("परंतु घर के बीच से जलधारा!" कुंती उसे देखकर स्तब्ध रह जातीं। "मूर्ख लड़की, क्या तुम्हें किसी ने नहीं बताया कि ऐसा जल सौभाग्य को बहा ले जाता है?")

"मैं कर दूँगा!" मय ने कहा। उसकी मुस्कान के पीछे से उसके टेढ़े दाँत दिखलाई दे रहे थे। "मैं तुम्हें और बहुत कुछ दूँगा : नदी की तरह दिखने वाले पुष्प, दीवार जैसे लगने वाले झरने। पिघली हुई बर्फ़ जैसे द्वार। केवल बुद्धिमान लोग ही मय का सत्य देख पाते हैं, परंतु इतने बुद्धिमान लोग तो बहुत कम हैं! सभी चिल्लाएँ : ऐसे राजमहल में रहने वाले पांडव कितने महान हैं! ऐसे महल का निर्माण करने वाला मय कितना महान है! परंतु पहले तुम्हें इसके लिए एक उपयुक्त नाम मुझे बताना होगा।"

मेरे पति बहस करने लगे। युधिष्ठिर इस महल का नाम अपने स्वर्गीय पिता के नाम पर रखना चाहता था, किंतु अन्य लोग, ऐसे व्यक्ति के लिए उसकी पितृ-भक्ति से सहमत नहीं थे, जिसके विषय में उन्हें कुछ याद ही नहीं था। अर्जुन उसका नाम अपने सर्वप्रिय देवता भगवान शिव के सम्मान में रखना चाहता था। नकुल का सुझाव था कि उसका नाम इंद्रपुरी होना चाहिए क्योंकि ऐसा महल देवराज के लिए ही उपयुक्त था। सहदेव को लगा कि ऐसा नाम अत्यधिक घमंड का सूचक हो सकता है।

"पांचाली क्या सोचती है?" भीम ने पूछा।

मैंने मय की ओर देखा। उसकी धब्बेदार भूरी आँखें चमक उठीं। मैं बाद में सोचने लगी कि क्या मैंने उसकी आँखों में दुर्भाव देखा था? कृतज्ञता के साथ-साथ, उसके मन में क्रोध और दुख भी होगा क्योंकि उसकी आँखों के सामने उसका घर राख के ढेर में बदल गया था और उसके साथी मारे गए थे अथवा तितर-बितर हो गए थे।

उसने अपना सिर एक ओर झुकाया मानो उसे पता था कि मैं क्या सोच रही थी और वह उससे सहमत भी था, किंतु शायद मेरे मस्तिष्क में वह शब्द भी उसने ही भेजे थे।

यदि पूर्वाभास, मेरे सिर के ऊपर से अपने मृत साथी के लिए चीखता हुआ निकलता तो भी मुझे उसका स्वर सुनाई नहीं देता। मैं सहसा यह सोचकर खुशी से मुस्कराई कि मुझे अब तक इसी बात की तो प्रतीक्षा थी!

मैंने कहा, "आपकी यह रचना भारत के प्रत्येक राजा की ईर्ष्या का कारण बनने वाली है। हम इस स्थान को माया महल कहेंगे।"

. . .

मय ने निर्माण के दौरान अब तक का सर्वोत्कृष्ट कार्य किया। मेरे पतियों ने जो कुछ इच्छा व्यक्त की थी, उसने उन सबको सौ गुना अधिक कर दिया और उस सबके ऊपर उसने जादू की पर्त चढ़ा दी जिसके कारण सभी चीज़ें विचित्र ढंग से अपना स्थान बदल लेती थीं और फलस्वरूप हम लोगों के लिए भी वह स्थान प्रतिदिन एक नया रूप ले लेता था। गलियारे ऐसे थे जो रत्नों की चमक से जगमगाते थे और सभा-गृह में पल्लवित होते वृक्षों के कारण दो घंटे की परिषद की कार्यवाही के बाद भी व्यक्ति को ऐसा प्रतीत होता था मानो वह किसी उद्यान में आराम कर रहा हो। लगभग प्रत्येक कक्ष में सुगंधित जल का ताल था, परंतु उसका समस्त जादू अनुकूल नहीं था। अपने आवास के आरंभिक दिनों में, जब हमें उन चीज़ों को विशिष्ट ढंग से देखने का अभ्यास नहीं हुआ था, हम स्फटिक की बनी पारदर्शी दीवारों से टकरा जाते थे अथवा रंगी हुई दीवार को खिड़की समझकर खोलने का प्रयास करते थे। अनेक बार हमारा पैर संगमरमर के फ़र्श का भ्रम पैदा करने वाले सरोवर में पड़ जाता था और उससे हमारे राजसी वस्त्र ख़राब हो जाते थे। ऐसे मौकों पर मुझे लगता था कि मुझे विदेह मय की उपहास भरी हँसी सुनाई पड़ती थी, परंतु इन सब चीज़ों से उस असाधारण एवं बेजोड़ महल के आकर्षण में वृद्धि ही होती थी।

जिस दिन महल का निर्माण समाप्त हुआ, मय अर्जुन को एक ओर ले गया।

"तुमने मय के जीवन की रक्षा की है," वह बोला, "इसलिए मैं तुम्हें चेता रहा हूँ। इस महल में रहो। इसका आनंद लो, परंतु इसे देखने के लिए किसी को यहाँ आमंत्रित मत करना।"

मेरे पति मय के उन रहस्यमय शब्दों पर विचार करते रहे। मय का आशय क्या था? क्या यह कोई चाल थी? क्या उसने महल के निर्माण के दौरान धीरे-से उसकी नींव में कोई शाप रख दिया था? सब जानते थे कि असुरों पर विश्वास नहीं किया जा सकता। तथापि, वे मय की बात को गंभीरता से नहीं लेना चाहते थे। उन्होंने इसके लिए, जिसे वह अपना घर कह सकते थे, इतने लंबे समय प्रतीक्षा की थी। यह महल उनके महत्त्व को दर्शाता था। (उस इच्छा को मैं कितनी अच्छी तरह समझती थी!) वह इसे सभी लोगों - मित्र और शत्रु - को दिखाने के अत्यंत इच्छुक थे। (मेरी भी यही इच्छा थी, हालांकि मुझे सिर्फ़ एक ही व्यक्ति का ध्यान आ रहा था।)

परंतु कृष्ण ने कहा, "मय ठीक कहता है। जो भी इस महल को देखेगा, इसे प्राप्त करने की इच्छा करने लगेगा। ईर्ष्या ख़तरनाक होती है। तुम्हें उससे अंत में तो जूझना ही होगा किंतु उसे समय से पूर्व क्यों निमंत्रण देना?"

. . .

हमें कृष्ण की बात अच्छी नहीं लगी किंतु हमें उनके विवेक पर विश्वास था। इसलिए, जिस भव्य समारोह की योजना बनाई गई थी, हमने उसे निरस्त कर दिया। निस्संदेह कुछ लोगों ने हमारी असत्कारशीलता पर आश्चर्य करते हुए हमारी निंदा भी की। (इससे युधिष्ठिर को कष्ट हुआ; वह लोगों के मत को बहुत महत्त्व देता था।) तथापि, जो लोग हमें चाहते थे वे बिना निमंत्रण के भी हमसे मिलने आ गए और ऐसी आश्चर्यजनक कथाओं के साथ लौटे कि अन्य लोगों ने भी वैसी बातें करना आरंभ कर दिया। कुछ लोग वहीं रुक गए क्योंकि युधिष्ठिर अत्यंत न्यायपरक व दयालु शासक था। शीघ्र ही खांडव के इर्द-गिर्द एक समृद्ध नगर बसने लगा। लोगों ने उसे इंद्रप्रस्थ नाम दे दिया - वह था ही इतना प्रभावशाली! चारण और भाट पांडव दरबार की विलक्षण भव्यता के विषय में गीत गाने लगे। धीरे-धीरे, वह सभी चेतावनियाँ जो हमें मय, कृष्ण और व्यास ने बहुत समय पहले दी थीं, स्मृति की अंधकारपूर्ण दरारों में लौट गईं।

मेरे लिए यह अच्छे वर्ष थे। मुझे अपना महल पसंद था और बदले में मुझे भी उससे आत्मीयता मिलती थी मानो वह पूरी तरह सजीव हो। उसके भीतर की

कुछ शांति, कुछ विवेक मेरे भीतर समाहित हो गए जिससे कि मैंने अपने संसार में प्रसन्न रहना सीख लिया था। (जबकि मेरे पास ऐसा महल था, मैं इनसे वंचित कैसे रह सकती थी?) मैं उचित समय पर अपने पतियों का साथ पाती रही और मुझे प्रत्येक के साथ रहना किसी भव्य नृत्य में बदलती गति के समान लगता था। मेरे पति भी एक-दूसरे से भिन्न थे। एक साथ मिलकर वह एक इकाई बनते थे, पाँच अंगुलियाँ जो परस्पर मिलकर एक शक्तिशाली हाथ बन जाती थीं - ऐसा हाथ जो आवश्यकता पड़ने पर मेरी रक्षा कर सकता था। ऐसा हाथ जिसने मुझे यह सुंदर महल उपहार में दिया था। क्या यह उनके प्रति आभारी होने का पर्याप्त कारण नहीं था?

मेरे पतियों ने भी मेरे सामर्थ्य की प्रशंसा करना सीख लिया था। हम सबको यह जानकर आश्चर्य हुआ कि प्रशासन के मामलों में मेरी समझ अच्छी थी। कोई पेचीदा निर्णय लेने से पूर्व युधिष्ठिर ने अधिकाधिक मुझसे परामर्श करना आरंभ कर दिया। मैं नारी शक्ति की अपनी बढ़ती समझ के साथ, इस बात में सावधान रहती थी कि अन्य लोगों के सामने परामर्श को टालकर उसे एकांत में ही दूँ।

मैंने इन्हीं वर्षों में प्रत्येक पति से एक पुत्र यानी कुल पाँच पुत्रों को जन्म दिया : प्रतिविंध्य, सुतसोम, श्रुतकर्मण, शतानीक और श्रुतसेन। (उनके नाम युधिष्ठिर ने चुने थे, जिसे भारी-भरकम, अनेकाक्षर वाले नाम पसंद थे। कभी-कभी जब मैं बच्चों के शोरगुल से परेशान हो जाती थी तो उनके नाम लेने में मुझे दुविधा हो जाती थी।) मुझे अपने पुत्र बहुत पसंद थे किंतु मैं स्वयं बहुत अधिक मातृवत् नहीं थी अथवा पाँच बार पत्नी और एक रानी बनने के कारण मेरी ऊर्जा अधिक खर्च होती थी। सौभाग्य से, दाई माँ जिन्हें मैंने अत्याचारी कुंती की पकड़ से छुड़ा लिया था, उन बच्चों को मेरे हाथ से लेने में बहुत प्रसन्न होती थीं। वह दिन-रात उन्हें दुलार से फटकारती हुईं उनके पीछे दौड़ती रहतीं, किंतु सच यह था कि दाई माँ ने मेरा जितना ध्यान बचपन में रखा था, उससे कहीं अधिक वह मेरे बच्चों का ध्यान रखती थीं और इस बात का वे भरपूर फायदा उठाते थे।

धृ, जो मेरे वृद्ध और झगड़ालू पिता को उनके राज्य के शासन में सहयोग दे रहा था, यथासंभव मुझसे मिलने आ जाता था। वह कुछ देर के लिए अपनी चिंताएँ भूलकर मेरे पतियों के साथ आखेट व अश्वारोहण के लिए जाता था और ज़ोर-ज़ोर से उनके साथ खेल की नीतियों पर बहस करता था। वह मेरे पुत्रों के साथ कुश्ती करता और उन्हें अनेक उपहार देता अथवा मेरे साथ उद्यान में टहलता था। एक बार, जब हम लोग आत्म-निर्भर थे, उसने अपरंपरागत घरेलू स्थिति को सँभालने की मेरी कला की प्रशंसा की थी।

"मुझे नहीं लगता था कि तुम यह सब कर सकोगी," वह बोला, "तुम छोटी-छोटी बातों पर चिढ़ जाती थीं और हमेशा लड़ने को तैयार रहती थीं। अब तुम सही अर्थ में रानी बन गई हो!"

मैं मुस्कराई, "यदि ऐसा है तो उसका श्रेय इस महल को जाता है।"

जब मैंने यह बात कृष्ण के सामने दोहराई तो उनकी त्योरियाँ चढ़ गईं। "इस पत्थर और धातु तथा एक असुर के हाथ के कमाल से इतना लगाव अच्छा नहीं है। इस संसार की सभी वस्तुएँ परिवर्तनशील और भंगुर हैं - कुछ अनेक वर्ष तक रहती हैं तो कुछ रातों-रात बदल जाती हैं। इस माया महल की प्रशंसा करना ठीक है, परंतु यदि तुम इसके साथ स्वयं को बाँध लोगी तो बाद में तुम्हें दुख होगा।"

कृष्ण के प्रति लगाव के कारण मैंने उनसे तर्क नहीं किया, परंतु अपने भीतर मुझे पता था कि मुझे किसी बात से भयभीत होने की आवश्यकता नहीं थी। मय ने हमको यह वचन दिया था कि कोई मनुष्य हमारे महल को क्षति नहीं पहुँचा सकता और कोई प्राकृतिक आपदा इसे नष्ट नहीं कर सकती। कोई इसे हमसे छीन भी नहीं सकता। जब तक हम - अथवा हमारे वंशज - इस महल में रहेंगे, यह अध्वंस्य होगा व हमारी रक्षा करेगा।

मेरी कल्पना के अनुसार यह अमरता के निकट था और मेरी संतुष्टि के लिए इतना पर्याप्त था।

. . .

मुझे कुंती को महल में बुलाने में भय लग रहा था और मैंने इसे टालने का यथासंभव प्रयास किया, परंतु, अंत में वह अपने रथ से उतरकर कराहती हुई और अपने कसे हुए पतले होंठों पर असहमति लिए आ ही गईं।

मेरे पति उसे महल में घुमाते रहे और इस बीच मैंने स्वयं को निंदा सुनने के लिए तैयार कर लिया, परंतु महल ने उस पर भी अपना जादू चला दिया और कुछ ऊपरी शिकायतों के बाद वह मौन हो गई तथा उसकी आँखों में बालवत् आश्चर्य उमड़ आया। जब नकुल और सहदेव ने - दोनों भाई जो कुंती की अपनी संतान न होते हुए भी उसे सबसे प्रिय थे - उसे मय की माया दिखाई तो मैंने कुंती को एकाध बार हँसते हुए सुना। यद्यपि, उसने कभी महल की योजना-शैली के लिए मेरी प्रशंसा नहीं की, कुंती को मिल रहे आनंद ने उस प्रतिकूलता को कुछ कम कर दिया जो मेरे हृदय के आस-पास एक पर्त की तरह जम गई थी।

कुंती एक विवेकशील नारी थीं – सच कहूँ तो वह मुझसे अधिक समझदार थीं। उन आरंभिक दिनों में उनकी तेज़ दृष्टि ने महल की विचित्रताओं के अतिरिक्त भी वहाँ बहुत कुछ देख लिया था। उन्होंने देखा कि मैं उस महल की स्वामिनी थी। जहाँ कुछ समय पहले मेरे पति उनके ऊपर निर्भर थे अब वे सब मुझ पर निर्भर हो गए थे। अपने पुत्रों को गंभीर रूप से दुखी किए बिना वह इस व्यवस्था को नहीं बिगाड़ सकती थीं। शायद उस महल ने कुंती के ऊपर अपनी शांति प्रदान करने वाली अंगुली रख दी थी जिसके कारण उन्हें यह समझ में आ गया कि वह जितनी घृणा मुझसे करती थीं उससे अधिक वह अपने पुत्रों से प्रेम करती थीं। यदि हम हस्तिनापुर में उनके पति के महल में ही रह रहे होते तो मुझे विश्वास है कि नियंत्रण प्राप्ति के लिए उनके साथ मेरा झगड़ा होता रहता, परंतु माया महल मेरा घर था और उसने यह बात स्वीकार कर ली थी। इसके बाद उसके दिन ठंडे और सुगंधित उद्यान में (जो सदैव ठंडा रहता था) बुलबुल को गाते हुए सुनकर बीतने लगे।

क्या वह मेरी कल्पना से अधिक चतुर कलाकार थीं और वह मेरे द्वारा भूल करने की प्रतीक्षा कर रही थीं जो उसे विश्वास था कि मैं अवश्य करूँगी?

# 20

## पत्नियाँ

मैंने अपनी सभी लड़ाइयाँ नहीं जीतीं। मेरे पतियों की अन्य पत्नियाँ भी थीं : हिडिंबा, कलि, देविका, बलंधरा, चित्रांगदा, उलूपि, करुणामति। मैं भी कितनी भोली थी जो ऐसा होने से रोकना चहती थी! कभी-कभी राजनीतिक कारण भी होते थे, किंतु इसके पीछे अधिकतर पुरुष कामना ही रहती थी। मैंने स्वयं को अपने कक्ष में बंद कर भोजन के लिए मना करके तथा अपने निकट आने पर अपने पतियों पर मूल्यवान वस्तुएँ फेंककर अपना विरोध प्रदर्शित किया। मेरी झल्लाहट युधिष्ठिर की धार्मिकता की तरह प्रसिद्ध हो गई और आने वाले वर्षों में पांचाली की ईर्ष्या पर अनेक गीत लिखे गए।

सच तो यह था कि मैं उतनी व्यग्र नहीं थी जितना मैं दिखलाती थी। मैं यथार्थवादी स्त्री थी और अपने पतियों से उनकी पत्नी होने तक उनके ब्रह्मचारी बने रहने की अपेक्षा नहीं कर सकती थी। मुझे यह भी पता था कि बाद में जितनी भी भावुक स्त्रियों से उन्होंने विवाह किया, वे मेरे जितनी विशिष्ट नहीं थीं। जब वह युवा थे और संकट में थे तो मैंने उनका साथ दिया था। मुझसे विवाह करने से वह दुर्योधन के विनाशकारी कोप से बच गए थे। मैंने उनकी नियति तक उन्हें पहुँचाने में एक बड़ी भूमिका निभाई थी। मैं खांडव में उनके कष्टों की साझी थी। मैंने यह विलक्षण महल, जिसे अनेक लोग देखना चाहते थे, बनवाने में उनकी सहायता की थी। यदि वे रत्न थे तो मैं सोने का तार थी जिसमें वे पिरोए हुए थे। अकेले होते तो वे सब कोने में बिखर जाते। उनके शौक अलग होते और अलग-अलग स्त्रियों के साथ उनकी निष्ठा होती, परंतु मिलकर, हम मूल्यवान और विशिष्ट बन गए थे। एक साथ मिलकर हम वह कर सकते थे जो हम में से कोई भी अकेले करने में असमर्थ था। मुझे बाद में समझ आया कि चालाक कुंती के मन में क्या बात थी जब उसने इस बात पर बल दिया कि मेरा विवाह पाँचों भाइयों से होना चाहिए और यद्यपि, वे लोग कभी मेरे मन को एक युवती की अपेक्षानुसार उत्साहित नहीं कर पाए, मैंने स्वयं को पांडवों के कल्याण के प्रति समर्पित कर दिया था।

अपने पति को अधिक आत्मसंतुष्ट होने देना ज्यादा अच्छा विचार नहीं है। मेरे क्रोध प्रदर्शन के कारण पांडव स्वस्थ आदर के साथ व्यवहार करते थे। जब मैं उन्हें अंत में क्षमा कर देती तो वे उचित रूप से पश्चाताप करते थे। इससे उनकी पत्नियों की संख्या न्यूनतम बनी रही और उससे भी अधिक महत्त्वपूर्ण यह कि वे महल में आने से कतराती थीं।

सिर्फ़ एक बार ऐसा हुआ कि जब अर्जुन ने कृष्ण की बहन सुभद्रा को अपनी प्रेमिका बना लिया और एक उन्मत्त रूमानी दौड़ में उसे रथ पर बैठाकर ले भागा तो मैं अत्यंत विचलित हो गई थी जबकि कृष्ण के बड़े भाई बलराम उनका पीछा करते रह गए थे। उनके विवाह के बाद, अर्जुन उसे लेकर मेरे पास आशीर्वाद के लिए आया। उसने एक साधारण सूती साड़ी पहन रखी थी किंतु उस में से उसका सौंदर्य छिप नहीं रहा था। घबराहट से उसके होंठ काँप रहे थे। (उसने मेरी झल्लाहट के विषय में सुन रखा था।) उसके माथे पर पसीने की बूँदें मोतियों के कण जैसी लग रही थीं। तथापि, उसकी आँखों का मत्त प्रेम छिप नहीं रहा था। उसका बिंब अर्जुन के चेहरे पर झलक रहा था। अर्जुन ने मेरी ओर इस प्रकार कभी नहीं देखा और न ही देखेगा। मेरे भीतर एक टीस उठी, एक अन्य पुरुष की स्मृति जिसे मैंने स्वयं से यह सोचकर बहुत समय से दूर रखा हुआ था कि वह मेरे मन से मिट जाएगी। जहाँ मुझे आंशिक रूप से सुभद्रा के भय से सहानुभूति थी, वहीं आंशिक रूप से उसके ऊपर क्रोध भी आता था कि उसने इतनी सरलता और बिना विचारे वह प्राप्त कर लिया था जो मैं पांडवों की महारानी होने के कारण मिली प्रसिद्धि के बावजूद भी प्राप्त नहीं कर पाई और न कर पाऊँगी। इसलिए मैं लुभाने व छल करने से संबंधित सुविचारित और तीखे कटाक्ष करके उसे रोता छोड़ वहाँ से लौट गई।

सुभद्रा (जिसका मुझ पर कोई ऋण नहीं था) से अधिक, अर्जुन (जिसके विश्वासघात से मैं अब परिचित हो गई थी) से अधिक, मुझे लगा कि कृष्ण ने मेरे साथ धोखा किया था, परंतु जब मैंने उन पर उनकी बहन के द्वारा अर्जुन को मुझसे छीनने का आरोप लगाया तो वह बिल्कुल विचलित नहीं हुए।

"अर्जुन कोई नाक की लौंग नहीं है जिसे कोई तुमसे छीन सकता है," उन्होंने कठोरता से उत्तर दिया। "वह स्वेच्छा से आता-जाता है। इसके अतिरिक्त, तुम्हें पता है कि वह चाहे किसी से भी विवाह कर ले, तुम्हारे प्रति उसकी निष्ठा पहले जैसी ही रहेगी। सबसे महत्त्वपूर्ण यह है कि उनके मिलन से एक महान योद्धा उत्पन्न होगा और उसके द्वारा उससे भी महान एक राजा जन्म लेगा।" उन्होंने शायद अपने शब्दों की कठोरता को कम करने के लिए मेरे कंधे को छुआ। "क्या यह तुम्हारी संक्षिप्त हृदय-वेदना से अधिक महत्त्वपूर्ण नहीं है?"

. . .

समय के साथ, मेरी अन्य पत्नियों के साथ मित्रता हो गई (इसमें इस बात से भी सहायता मिली कि वे सब अपने राज्य के लोगों के साथ रहना पसंद करती थीं। दूरी के साथ सामंजस्य में वृद्धि होती है : यह ऐसी बात है जिसे मेरी जैसी परिस्थिति में पड़ी स्त्रियों को ध्यान में रखना चाहिए।) मुझे आश्चर्य था कि सुभद्रा मुझे सबसे प्रिय लगने लगी। जब भी मिलने आती, वह मेरी छोटी-मोटी अन्यायपूर्ण बातों को बिना शिकायत किए सहन कर लेती थी - मेरे लिए पानी लाना, मेरे केश सँवारना, यहाँ तक कि गर्मी भरी दोपहर को मुझे पंखा झलना - बाद में मुझे स्वयं ही लज्जा महसूस होने लगती थी। यद्यपि, कोई उसके ऊपर कमज़ोरी का आरोप नहीं लगा सकता था, वह मुझसे अधिक सरलता से वश में आ जाती थी। शायद इसीलिए, जब हम दोनों पर विपदा आती, तो वह उसे अधिक बेहतर ढंग से सँभाल लेती थी। मेरे दुर्भाग्यपूर्ण वर्षों में, वह मेरे पुत्रों को अपने घर ले गई और स्नेह व अनुशासन के शानदार संतुलन के साथ बिल्कुल अपने पुत्रों की तरह उनकी देख-भाल की। इस कारण मुझे वह अत्यंत प्रिय थी, परंतु नहीं, उसने मेरे हृदय में इससे बहुत पहले स्थान बना लिया था। उसकी आदतें - एक भौं उठाने का ढंग अथवा उसकी हँसी या किसी भूल पर सिर झटकना - सभी कृष्ण से मिलती थीं और उसे देखकर ऐसा लगता था जैसे कृष्ण मेरे पास ही हैं।

एक दशक स्वप्न की भांति बीत गया। किसी स्वप्न की ही भांति मुझे वह वर्ष धुँधले-से ही याद हैं - उसी तरह जैसे हमें शांत सूर्यास्त के क्षण स्मरण रहते हैं। जब भी जीवन हमारे अनुरूप चलता है तो क्या हमेशा ऐसा ही महसूस होता है? सौभाग्य के साथ मेरे और मेरे पतियों की आयु, हमारी समृद्धि और हमारा आराम बढ़ता चला गया। प्रत्येक वर्ष जैसे-जैसे मैं अपने पतियों के साथ एक शय्या से दूसरी शय्या बदलती गई, एक-दूसरे के साथ महसूस होने वाला अटपटापन समाप्त होता गया। हमारे राज्य में व्यापार, उद्योग और कला का विकास हुआ। हमारी ख्याति अन्य राज्यों में जा पहुँची। हमारी प्रजा, समृद्धशाली होने के साथ, हमें अपनी प्रार्थनाओं में आशीर्वाद देती गई। अब हमारे पास वह सब कुछ था जिसकी हमें कभी आकांक्षा थी, परंतु भीतर कहीं, हम लोग अशांत और नीरस महसूस करते थे, हालांकि इस बात को कोई स्वीकार नहीं करता था। नियति के प्रवाह ने हमें पीछे की ओर तट पर धकेल दिया था। हम यह नहीं समझ सके कि वह दरअसल, एक बड़ी लहर का रूप ले रही थी। हम अपनी शांत अवस्था में खीज रहे और यह सोच रहे थे कि क्या हम उस अवस्था कभी दोबारा प्राप्त कर सकेंगे।

21

## परलोक

परलोक की सीमा रेखाएँ पृथ्वी पर हमारे अस्तित्व के नियमों से अधिक जटिल होती हैं। अपने कर्मों के आधार पर मृतात्माओं को विभिन्न लोकों में भेजा जा सकता है। सौभाग्यशाली ब्राह्मणों को ब्रह्मलोक भेजा जाता है, जहाँ वे स्वयं विधाता से दिव्य ज्ञान प्राप्त कर सकते हैं। क्षत्रियों में जो श्रेष्ठ होते हैं, वे सभी प्रकार के सुख एवं वैभव से परिपूर्ण इंद्रलोक में जाते हैं। कुछ कम भाग्यशाली क्षत्रियों को यम, सूर्य अथवा चंद्र के दरबार में स्थान मिलता है। दुष्कर्मियों के लिए एक सौ छत्तीस प्रकार के नर्क होते हैं, जिसमें से अलग पाप के लिए अलग नर्क होता है और उनमें अलग-अलग प्रकार की यातनाएँ होती हैं, जैसे जीभ काटना, गर्म तेल में खौलाना अथवा माँसभक्षी पक्षियों का भोजन बनाना और इन सभी का अत्यंत विस्तृत वर्णन हमारे ग्रंथों में बड़े चाव से किया गया है। धृ के गुरु का मत था कि नेक स्त्रियों को सीधे अगले जन्म में भेज दिया जाता है, जहाँ, यदि उनका भाग्य अच्छा हो तो, उन्हें पुरुष रूप में जन्म मिलता है, परंतु मेरा विचार था कि यदि ऐसे लोक होते हैं तो अच्छी स्त्रियों को ऐसे स्थान पर भेजना चाहिए जहाँ कोई पुरुष न हो ताकि वह पुरुषों की माँगों से बच सकें। यद्यपि, मैंने समझदारी की जो यह मत अपने तक ही सीमित रखा।

जो भी हो, मुझे समझ में आ गया था कि कुछ संकट आएगा जब नारद मुनि ने, जो हमसे अचानक ही मिलने आ गए थे, युधिष्ठिर को कहा था, “नहीं, महाराज, इंद्र के दरबार में मैंने आपके पिता की आत्मा को नहीं देखा था।”

हमने अत्यंत कम समय में अपने रसोइयों द्वारा पकाए भोजन का आनंद लिया (क्योंकि नारद की अत्यंत विचारशील रुचि थी) - उसमें तले हुए करेले तथा भरवाँ बैंगन से लेकर मसूर की दाल थी मक्खन के साथ जिसकी चटनी बनाई गई थी जो मुँह में डालते ही पिघल गई और बादाम से भरी चावल की गाढ़ी खीर थी।

भरपेट भोजन करने के बाद सभी लोग रेशमी बिस्तर पर आराम कर रहे थे। मैं युधिष्ठिर के पीछे बैठकर वर्क लगे पान के पत्तों और पाचक चूर्ण का थाल आगे बढ़ाते हुए पर्दे में से नारद मुनि का आकलन कर रही थी।

अपने पतले शरीर और साधारण सफ़ेद वस्त्रों में, नारद वैसे तो अहानिकर लगते थे, किंतु वह बहुत विख्यात थे। उनके शक्तिशाली पारिवारिक संबंध थे (ऐसा कहा जाता है कि उनका उद्भव ब्रह्माजी के मस्तिष्क से हुआ था) और वह भगवान विष्णु के अनन्य भक्त थे। एक दरबार से दूसरे दरबार तथा एक लोक से दूसरे लोक की यात्रा करना, सबकी खोज-ख़बर लेना और सर्वत्र खलबली फैलाना उनका पसंदीदा कार्य था। अनेक वंशों के विनाश में उनका योगदान रह चुका था और उन्हें सही अर्थों में विपत्तिकारक नारद कहा जाता था। मुझे समझ में नहीं आया कि वह अब क्या योजना बना रहे थे।

"यद्यपि, मैंने उन्हें यम के दरबार में देखा था," नारद ने शरारती कौवे की भांति अपना सिर हिलाते हुए जोड़ा।

"परंतु मेरे पिता इंद्र के दरबार में न होकर, यम के दरबार में क्यों हैं?" अपने परिवार के सम्मान में इस गिरावट पर चिढ़ते हुए युधिष्ठिर ने पूछा।

"आपके पितामह भी वहीं हैं," नारद ने अपने हाथ के पीछे धीरे-से उबासी लेते हुए कहा। "परंतु आप इस बात से परेशान न हों। हालांकि वहाँ के आसन और उनकी गद्दियाँ इंद्र के दरबार के आसन और गद्दियों की तरह सुविधाजनक तो नहीं हैं, पर वे लोग वहाँ आराम से रह रहे हैं। यद्यपि..."

"हमें क्या करना चाहिए जिससे हमारे पूर्वजों को इंद्र के दरबार में प्रवेश मिल जाए?" युधिष्ठिर ने बीच में टोकते हुए पूछा।

"संयोग से," नारद बोले, "मैंने भी उनसे यही बात पूछी। उन्होंने कहा कि यदि आप राजसूय यज्ञ करेंगे तो उन्हें इंद्रलोक भेज दिया जाएगा।"

"तो फिर हम वह यज्ञ अवश्य करेंगे!" युधिष्ठिर ने घोषणा की। "आप हमें बताइए कि वह कैसे किया जाता है।"

नारद ने उत्सुकता का नाटक करते हुए भँवें चढ़ाईं। "यह बहुत खतरनाक है! पहले आपको भारत के सभी राजाओं से कर लेना होगा। यदि वह नहीं देते तो आपको उनसे युद्ध करके उन्हें पराजित करना होगा। उसके बाद आपको एक विशाल अग्नि समारोह करना होगा जिसमें उन सभी राजाओं को उपस्थित होना होगा।"

मुझे इस पूरे प्रयास पर संदेह था। यदि लोक होते भी हैं तो भी इस बात का

क्या प्रमाण है कि मृतात्माओं को उनके द्वारा पृथ्वी पर किए गए कार्यों के आधार पर एक लोक से दूसरे लोक में भेजा जा सकता है? युधिष्ठिर को भी संकोच हो रहा था। वह शांतिप्रिय व्यक्ति था, किंतु अर्जुन की आँखों में चमक आ गई और भीम ने भी अपनी मुट्ठी ऊपर उठा ली। सहदेव और नकुल ध्यान से स्थिर होकर बैठे थे। मुझे संदेह था कि उन्हें पूर्वजों की कोई चिंता थी अथवा वह लोकों के अस्तित्व में मुझसे अधिक विश्वास करते थे। यद्यपि, नारद की कहानी ने उन्हें झकझोरकर उनकी शिथिलता से बाहर निकालने, ज़ंग लगते हुए अपने युद्ध-कौशल को दोबारा साफ़ करने, राजसी कोष भरने, अपनी ख्याति को फिर प्राप्त करने और साथ ही उत्तरदायी संतान बनकर प्रशंसा प्राप्त करने का अवसर प्रदान किया था।

"हम कब आरंभ करें?" अर्जुन ने पूछा।

"हमें जल्दबाज़ी नहीं करनी चाहिए!" युधिष्ठिर ने कहा। "हम कृष्ण को बुलाते हैं। वह हमें सलाह देंगे।"

"आह, महान रणनीतिज्ञ कृष्ण!" नारद ने हाथ बाँधकर उत्साहित होकर कहा। "आप कितने सौभाग्यशाली हैं जो उन्हें मित्र के रूप में पाया! आप तो जानते ही हैं न कि वह भगवान विष्णु के अवतार हैं?" नारद ने मेरी ओर कुटिल दृष्टि से देखा और जाँचने की चेष्टा की कि इस चौंका देने वाले दावे पर मेरा विश्वास था या नहीं।

"क्या वह सचमुच अवतार हैं?" अर्जुन ने उत्सुक होकर पूछा। "वह अत्यंत... साधारण लगते हैं और हम लोगों के साथ सदैव हँसी मज़ाक करते रहते हैं।"

"वह अपना दिव्य रूप सिर्फ़ उन्हें दिखाते हैं जो उसके लिए तैयार होते हैं।" नारद ने कहा, और हालांकि वह अर्जुन से बात कर रहे थे, उनकी दृष्टि मुझ पर ही टिकी हुई थी।

मैंने नारद की बात की उनकी अनेक अन्य उपहासपूर्ण युक्ति की तरह उपेक्षा कर दी थी, किंतु बाद में जब मैं अकेली थी तो मैं इस बात के विषय में सोचती रही। यदि मेरा विचार ग़लत हो हुआ तो? यदि सचमुच, लोक के ऊपर अन्य लोक हुए जो, दिन में अदृश्य हुए तारों की भांति, साधारण मनुष्यों को दिखाई नहीं देते तो? यदि समय समय पर, देवता नीचे आकर हम लोगों के बीच रहते हुए हमारी नियति को दिशा देते हों तो? अपने वर्तमान पति नकुल के सुप्त छायाचित्र के आगे, मेरे शयन-कक्ष की अंधकारपूर्ण खिड़की के पार, पीत वर्ण का चंद्रमा आकाश में चमक रहा था। उसके दाग़दार चेहरे के पीछे कौन-से रहस्य छिपे थे? मैं यह निर्णय

नहीं कर सकी कि क्या परलोक के नियमों को हमें पीछे छोड़ देना चाहिए और यह कि क्या हमें किसी साधु की ऐसी सलाह को नमन करना चाहिए जो सभी तर्कसंगत बातों के विरुद्ध हो।

. . .

जब कृष्ण आए तो मैंने उन्हें ध्यान से देखा। उनका व्यवहार ईश्वरीय नहीं था। उन्होंने मुझे हमेशा की तरह छेड़ा और कहा कि मैं मोटी हो गई हूँ (बिल्कुल झूठ)। उन्होंने मुझसे अपने लिए भोजन बनाने का आग्रह किया और फिर कहा कि मेरी बनाई हुई मिठाई से कहीं अधिक स्वादिष्ट मिठाई वह बचपन में वृंदावन में खाकर बड़े हुए थे (एक और झूठ)। जब मेरे पतियों ने उनसे राजसूय के विषय में पूछा तो आश्चर्यजनक रूप से वह उसके पक्ष में थे। उन्होंने कहा कि देश में बहुत भ्रष्टाचार हो रहा है और उसे ठीक करने की आवश्यकता है। अभी सावधानी से नियंत्रित ढंग से किए गए रक्तपात द्वारा बाद में नृशंस संहार को रोका जा सकता था। वह इससे पहले ईर्ष्या संबंधी दी गई अपनी चेतावनियों को भूल गए थे।

कृष्ण ने रणनीति बनाने में मेरे पतियों की सहायता की। उन्होंने इसका आरंभ उस समय के सबसे भयावह शासक और कृष्ण के पुराने शत्रु जरासंध को मरवाकर किया। (भीम ने मल्लयुद्ध के दौरान उसके शरीर को दो हिस्सों में चीर दिया था और उसने मुझे उसका पूरा विवरण बाद में विस्तार से सुनाया था।) उसके बाद उन्होंने अनेक राजाओं को छुड़ाया जिन्हें जरासंध ने बंदी बना रखा था और उन्हें उनके राज्य भी लौटा दिए। इससे मेरे पतियों को इतनी ख्याति मिली कि वह जहाँ भी गए, राजाओं ने उनसे मैत्री कर ली। किसे पता कि कर्ण के राज्य अंग में क्या हुआ होता? परंतु कृष्ण ने नेत्रहीन राजा के पास एक विनम्र पत्र भेजकर बड़ी चतुरता से इस समस्या को टाल दिया, जिसमें यह लिखा कि अपने ताऊजी के प्रति सम्मान के कारण पांडव उनके किसी भी सहयोगी को चुनौती नहीं देंगे। कुतर्क में न पड़ते हुए, नेत्रहीन राजा ने एक मृदु पत्र लिखकर यह उत्तर दिया कि यदि पांडव भारत के सभी राजाओं का समर्थन प्राप्त कर अपने पिता की प्रसिद्धि को बढ़ाएँगे तो उसे अत्यंत प्रसन्नता होगी। विजय के बाद जब पांडवों ने उसे आमंत्रित किया तो उसने लिखित उत्तर भेजा कि वह स्वयं तो अशक्त होने के कारण वहाँ नहीं आ पाएगा, लेकिन दुर्योधन तथा उसके मित्रों को हमारे महल में आकर, जिसकी सभी इतनी प्रशंसा करते थे, समारोह में उपस्थित होने में बहुत खुशी होगी।

धृतराष्ट्र के पत्र ने हमें उन्मादित कर दिया। हम यूँ तो विशाल समारोह के लिए तैयार थे, किंतु हमने यह नहीं सोचा था कि कौरव भी आएँगे। उनके आने के

समाचार से सब कुछ बदल गया। मेरे पति महल में घूम-घूमकर प्रत्येक वस्तु का नए सिरे से - दुर्योधन की नज़र से - निरीक्षण करने लगे। यहाँ तक कि मृदु स्वभाव वाला युधिष्ठिर भी चिड़चिड़ा हो गया। कौरवों के आने तक यह आवश्यक था कि सब कुछ बिल्कुल ठीक हो जाए। उसके बाद कौरव इस बात को स्वीकार करने के लिए बाध्य हो जाएँगे कि उनके निर्धन भाइयों ने - जिनका वे सदा अपमान उपहास करते थे - कितनी उन्नति कर ली थी।

और मैं? मैंने भी तैयारियाँ आरंभ कर दीं और एक अच्छी पत्नी होने के लिए कोई कमी नहीं छोड़ी। यह कठिन नहीं था। मैं भी यही चाहती थी कि दुर्योधन हैरान होकर देखे कि हमने उस बंजर स्थान पर क्या बना दिया था। मैं भी चाहती कि मेरे समेत, हमारी समस्त निधि देखकर उसकी आँखें चौंधिया जाएँ। इतने वर्षों के संघर्ष और अपमान, तथा अपना जीवन बचाने के लिए भागने के बाद, मेरे पतियों को कम से कम इतना तो मिलना ही चाहिए था। क्यों मैं अपनी सेविकाओं को देर रात तक धुलाई-सफाई में लगाए रखती थी या क्यों अपने रसोइयों को प्रत्येक बार के लिए विशेष भोजन तैयार करने को कहती थी, या क्यों अपने राजसी दर्ज़ी को ऐसे वस्त्र बनाने के लिए कहती जो हमने आज तक नहीं पहने थे, अथवा क्यों मालियों को आदेश देती थी कि वह अपने उद्यान के प्रत्येक पौधे को पल्लवित होने के लिए कहें, तो इसके पीछे छिपे कारण की जाँच न करने के प्रति मैं सावधान थी।

# 22

## चक्र

समारोह का आरंभ अच्छी तरह हुआ। मेरे पति अपनी विजय को लेकर अत्यंत उदार व विनम्र थे और उन्होंने सभी अतिथि राजाओं का जोश के साथ स्वागत किया। मेज़बान बनने का यह उनका पहला अवसर था और इस कार्य को ठीक से करने के लिए उन्होंने दृढ़ संकल्प किया हुआ था। अपनी ओर से, राजाओं ने शिष्टाचार की प्रशंसा की - उन्हें मूल्यवान उपहार भी दिए गए थे - और फिर वह उत्सव का आनंद लेने में व्यस्त हो गए। बाद में हमें पता लगा कि आरंभ से ही अनेक लोगों के हृदय में असंतोष व्याप्त था। बहुत कम लोग - विशेषकर शासक - ऐसे होते हैं जो अपने किसी साथी की अचानक हुई उन्नति से ईर्ष्या न करें। हम सभी को (युधिष्ठिर को छोड़कर) यह बात मालूम थी। हमें अधिक सावधान रहना चाहिए था, किंतु अलग-अलग तरीके से हम सबका ध्यान कौरव दल के कारण भंग हो गया था।

जिस दिन मुझे यह पता लगा कि जिस बात का मुझे डर और इच्छा दोनों थे, वह होने वाली थी - कर्ण भी दुर्योधन के दल में सम्मिलित होगा - मैं अपने एक छोटे-से निजी आँगन में गई जहाँ मेरे शयन-कक्ष का द्वार खुलता था और वहाँ गर्म पत्थर की दीवार पर पीठ टिकाकर अश्वगंधा के पौधों के बीच बैठ गई। मैंने धीरे से कहा कि मुझे उचित कार्य करने की शक्ति दो, हालांकि मुझे नहीं पता कि मैं यह किससे कह रही थी। मुझे देवताओं पर अधिक विश्वास नहीं था। वे आपस में झगड़ते रहते थे और किसी वांछित वस्तु को पाने के लिए चालें चलने में भी संकोच नहीं करते थे। दोपहर की मंद हवा चल रही थी। पीले रंग के अश्वगंधा पुष्प हिल रहे थे और अपनी तीखी, स्वेद-युक्त गंध छोड़ रहे थे। मुझे लगा कि मेरा महल मुझे गले लगाकर सलाह दे रहा था। मेरे विचार से वह कह रहा था कि कर्ण का आना मेरे लिए क्षतिपूर्ति का अवसर था।

जब कर्ण आया तो मैंने अपना आवेश और भूल तथा अटपटेपन को दूर कर दिया। अपने पतियों के साथ खड़े होकर मैंने स्थिर स्वर और अविचलित दृष्टि से उसका स्वागत भी वैसे ही किया जैसे शेष कौरव दल का। मैंने अवसर तैयार करके उसकी देखभाल की। मैं अपनी उदारता द्वारा उस पुराने अपमान को मिटा देने के लिए संकल्परत थी। हममें से कोई भी अब अपने विवाह के समय की तरह युवा और मूर्ख नहीं था। हम अपना अतीत भुला सकते थे।

परंतु कर्ण ने मेरे साथ अनुकूल व्यवहार नहीं किया। मैंने उसे अपना सबसे भव्य अतिथि कक्ष दिया था जिसमें एक आलिंद था जहाँ से एक सरोवर दिखता था जो रात्रि में चंद्रमा की रोशनी में चाँदी जैसा हो जाता था, किंतु उसने वह कक्ष दुःशासन को दे दिया और स्वयं अपने लिए एक छोटा कक्ष चुना जो आँगन की दीवारों की ओर खुलता था। अन्य लोगों की दृष्टि में उसका व्यवहार दोषहीन था। वह प्रत्येक सार्वजनिक गतिविधि - यज्ञ समारोह, नृत्य प्रदर्शन, दरबार संबंधी चर्चा में दुर्योधन के साथ आता था और संपूर्ण गतिविधि के दौरान प्रसन्नता से नहीं, किंतु धैर्य के साथ बैठा रहता था, परंतु जब युधिष्ठिर कोई अंतरंग बैठक आयोजित करता जहाँ मेरी भी भूमिका होती - परिवार के लिए निजी कक्षों में भोज, अथवा काव्य-पाठ की कोई शाम - कर्ण वहाँ अनुपस्थित रहता था। यदि संयोग से हम कभी महल के गलियारे में एक-दूसरे के निकट से गुज़रते तो वह मेरे अत्यंत आत्मीय अभिनंदन का उत्तर मात्र देता था - इसके अतिरिक्त कुछ नहीं। धीरे-धीरे मुझे भारी हृदय के साथ यह बात समझ में आ गई कि वह मुझको स्वयं से मुक्त नहीं करने देगा।

. . .

यज्ञ के अंतिम दिन, युधिष्ठिर को समस्त भारत के राजाओं में सर्वश्रेष्ठ घोषित किए जाने के बाद, उसे वहाँ एकत्रित राजाओं में से किसी एक को विशेष अतिथि चुनना था। कई रातों से मेरे पति इस बात का निर्णय करने की कोशिश कर रहे थे कि यह स्थान किसे दिया जाना चाहिए। क्या उन्हें आयु में सबसे ज्येष्ठ राजा को चुनना चाहिए? या जिसका राज्य सबसे बड़ा हो? सबसे अधिक दानवीर? अथवा जिसे वह अपना निकटतम सहयोगी बनाना चाहते थे? परंतु इस पर सहमति नहीं हो पाई।

अब सभा में युधिष्ठिर ने भीष्म से कहा, "पितामह, यहाँ उपस्थित सभी लोग इस बात से सहमत होंगे कि आप हम सब में सर्वाधिक ज्ञानी हैं। इसलिए, यही उचित होगा कि विशेष अतिथि का चयन आप ही करें।"

युधिष्ठिर के पीछे खड़े होकर मैं वह देख रही थी जो उसे दिखाई नहीं दे रहा था : सब लोग उसकी बात से सहमत नहीं थे। हालांकि भीष्म के विरुद्ध बोलने का उनमें साहस नहीं था किंतु उनके अनेक शत्रु थे। कुछ उन्हें उनकी प्रतिज्ञा के कारण ग़लत समझते थे, जो अत्यंत भीषण व अप्राकृतिक थी। कुछ उनसे इसलिए नाराज़ थे कि उन्होंने कौरव राज्य को अपने लिए बचाकर रखा हुआ था। कुछ उनसे सिर्फ़ इसलिए घृणा करते थे क्योंकि वह हमें प्रेम करते थे।

जब मुझे यह अंतिम बात समझ में आई तो मेरे हाथ काँपने लगे। इतने समय तक अपने महल में सुरक्षित रहते हुए मुझे लगता था कि हम सचमुच सुरक्षित हैं। मेरा मानना था कि जब तक किसी को हानि नहीं पहुँचाएँगे, हमें कोई हानि नहीं होगी, परंतु इस दौरान ईर्ष्या हमारे घर के बाहर मँडरा रही थी - और अब हमने उसे भीतर आ जाने का अवसर दे दिया था। मेरे सामने चेहरे विकृत होते गए और राजाओं ने एक-दूसरे के कान में फुसफुसाना शुरू कर दिया जिसके साथ मेरे पतियों के साथ उनकी सहज मैत्री प्रत्येक शब्द के साथ वाष्प की भांति उड़ने लगी।

"कृष्ण!" भीष्म ने घोषणा करके मुझे चौंका दिया। "कृष्ण को हमारा विशेष अतिथि होना चाहिए।"

उनका यह वक्तव्य बर्रे के छत्ते में फेंके गए पत्थर जैसा प्रतीत हुआ। सभा में शोरगुल होने लगा। कुछ लोग प्रसन्न थे (मेरे पति अपनी मुस्कान छिपा नहीं पाए), अनेक लोग क्रोधित हो गए और अधिकतर हैरान हो गए। हालांकि मैं कृष्ण से बहुत प्रेम करती थी, पर मैं भी आश्चर्य में पड़ गई उनके विषय में कही जाने वाली शानदार कथाओं के बावजूद वह अन्य शासकों की तुलना में छोटे थे। भीष्म को उनके विषय में ऐसा क्या पता था जो मैं नहीं जानती थी?

कृष्ण जो शेष यदु वंश के साथ सभा के मध्य में बैठे थे, उठ खड़े हुए। वह अधिक प्रसन्न नहीं थे। मेरे लिए उनके परिवर्तनशील भावों को पढ़ पाना सदा से ही कठिन था, किंतु मुझे लगा उस समय उनका समर्पित भाव था। वह स्वीकृति में हाथ जोड़कर धीरे-से मंच पर आ गए। उनके व्यवहार ने दर्शकों को प्रभावित किया; वे लोग भी शांत होने लगे। युधिष्ठिर ने राहत की साँस ली।

तभी चेदि नरेश शिशुपाल क्रोधित होकर अपने आसन से उठ खड़ा हुआ। मुझे वह स्वयंवर के दिन से ही याद था - वह उन असंतुष्ट राजाओं में सबसे आगे था जिन्होंने अर्जुन को मारने का प्रयास किया था। वह लोगों को भड़काने में अति कुशल था जिससे उसने उन शर्मनाक विचारों को बल दिया था जिन्हें वे लोग भीतर

दबा चुके थे। मेरा हृदय इस विचार से घबरा गया कि वह न जाने अब क्या करने वाला था।

शिशुपाल ने उपहासपूर्ण ढंग से तालियाँ बजाईं, "बहुत शानदार! सभा में इतने महान नायकों के होने के बावजूद यह पुरस्कार इस चरवाहे को दिया जा रहा है जो अपने मामा को छल से मारकर राजा बन बैठा! ऐसा व्यक्ति जिसे मेरे मित्र जरासंध ने अनेक बार रणभूमि से भगाया है! ऐसा पुरुष जिसने मेरे मित्र को भीम के हाथों छल से मरवा डाला! ऐसे व्यक्ति को आज हम सबके सामने सम्मानित किया जा रहा है! एक घटिया राजा के दरबार में और अपेक्षित भी क्या हो सकता है?"

सभी की सामूहिक रूप से साँसें तेज़ हो गईं युधिष्ठिर की ओर देखने का मेरा साहस नहीं हुआ। अर्जुन अपनी तलवार पर हाथ रखकर एक क़दम आगे बढ़ा।

"शिशुपाल," भीष्म ने स्वयं को नियंत्रित करते हुए कहा, "तुम यहाँ मेहमान हो, हालांकि अपने मेज़बान के प्रति होने वाले शिष्टाचार को तुमने भुला दिया है। मैं नहीं चाहता कि पांडवों के ऊपर तुम्हारी हत्या का पाप आए, इसलिए मैं चाहता हूँ कि तुम अपने द्वारा कहे गए यह अति अपमानजनक शब्द तुरंत वापस ले लो।"

"मैं अपने कहे हुए शब्द कभी वापस नहीं लेता," शिशुपाल बोला, "विशेषकर जब वह सत्य हों। कितना सुविधाजनक था न, जब देवता कुंती से मिलने वन में आते थे और वह बेचारा नपुंसक पांडु? और नपुंसक की बात हुई तो, क्या आप सभी महान राजाओं ने कभी यह सोचा है कि भीष्म ने वह प्रतिज्ञा लेने में इतनी शीघ्रता क्यों दिखाई जिससे यह इतना प्रसिद्ध हो गया?"

तभी गर्जना के साथ, भीम मंच के सामने आ पहुँचा, परंतु भीष्म ने भीम का हाथ पकड़ लिया। वह अब भी क्रुद्ध नहीं थे। उन्होंने कृष्ण की ओर संकेत किया। कृष्ण के पास तलवार नहीं थी, किंतु कुछ ऐसा था जो मैंने पहले कभी नहीं देखा था - उनके दाहिने हाथ में - एक काँटेदार चक्र था। उसकी सतह पर सूर्य की रोशनी चमक रही थी जिससे ऐसा भ्रम पैदा हो रहा था कि वह चक्र उनकी तर्जनी में तेज़ी से घूम रहा था।

"मैंने तुम्हारे सौ अपराध क्षमा करने का वचन दिया था," कृष्ण ने शिशुपाल से कहा। "तुमने वह संख्या बहुत पहले पार कर ली थी, किंतु मैंने धैर्य नहीं खोया क्योंकि मुझे पता है कि तुम्हें ठीक से गिनती नहीं आती।" उन्होंने शिशुपाल के क्रुद्ध स्वर को शांत होने तक प्रतीक्षा की। "इस बार तुमने पितामह का अपमान करके सभी सीमाएँ लाँघ दी हैं। तथापि, यदि तुम क्षमा माँग लो तो मैं तुम्हें छोड़ सकता हूँ।

इस तरह युधिष्ठिर का यज्ञ भी शांतिपूर्वक संपन्न हो जाएगा।"

"कायर! मुझे अपनी मीठी बातों से मूर्ख मत बनाओ," क्रोध में उन्मत्त शिशुपाल ने चिल्लाकर कहा, "जैसे तुमने मेरी सुंदर रुक्मिणी को मूर्ख बना लिया।"

मुझे मोटे तौर पर एक कथा याद आ गई - किस प्रकार कृष्ण की पसंदीदा पत्नी को उसके भाई ने शिशुपाल के साथ विवाह का वचन दे दिया था, परंतु उस समय अपने विचारों को सुलझाने का मेरे पास समय नहीं था। शिशुपाल अपनी तलवार हाथ में लिए कृष्ण की ओर दौड़ चुका था। मैंने कसकर अर्जुन की बाँह पकड़ ली। (ऐसे समय में युधिष्ठिर का कोई विशेष लाभ नहीं होता था।) "उसे बचाओ!" मैं चिल्लाई।

उसने मुझे अविश्वसनीय दृष्टि से देखा। "मैं कृष्ण के झगड़े में हस्तक्षेप नहीं कर सकता!"

"चिंता मत करो, पांचाली!" युधिष्ठिर ने मेरे कंधे को थपथपाकर कहा। "याद है, नारद ने कृष्ण की शक्तियों के विषय में क्या कहा था?"

शिशुपाल ने झटके से अपनी तलवार कृष्ण के पेट पर तान दी। तलवार की गति इतनी तेज़ थी कि वह धुँधली-सी दिख पाई। मैंने चिल्लाकर अपना चेहरा ढँक लिया। मेरे आस-पास खड़े लोग हैरानी से चिल्ला रहे थे। मुझे मर्मभेदी पीड़ा का अनुभव हुआ मानो उस तलवार ने मेरे ही शरीर को भेद दिया हो और फिर एक रिक्तता महसूस हुई जैसा पहले कभी नहीं लगा। यह वार इतना कठोर था कि मुझे लगा यदि कृष्ण मेरे जीवन में न हों तो किसी बात का फिर कोई महत्त्व नहीं था। न मेरे पति, नही मेरा भाई, न यह महल जिस पर मुझे इतना गर्व था, न ही कर्ण की आँखों में वह रूप जिसे देखने को मैं लालायित थी।

कृष्ण का मेरे लिए इतना महत्त्व कब से होने लगा? अथवा यह पहले से था और मुझे इसका तब तक भान नहीं हुआ जब तक इस आपदा ने मेरा ध्यान इस ओर आकृष्ट नहीं किया?

"पांचाली," मैंने भीम को कहते सुना। "अब तुम आँखें खोल सकती हो। यह समाप्त हो गया है।"

वह सचमुच समाप्त हो गया था। शिशुपाल का रक्त उगलता कटा हुआ सिर धरती पर पड़ा था। मैंने जल्दी से अपनी आँखें दोबारा बंद कर लीं।

"कृष्ण ने अपने चक्र से इसे काट डाला," भीम ने बताया। "परंतु शिशुपाल का सिर-विहीन धड़ आगे बढ़ता आ रहा था और उसकी तलवार अब भी कृष्ण की ओर तनी हुई थी। यह देखने लायक दृश्य था! अंतिम क्षणों में वह कृष्ण के

चरणों में आ गिरा। उसका शरीर जब गिरा तो सबसे आश्चर्यजनक घटना घटी। उसके शरीर में से एक प्रकाश निकला और कृष्ण में समा गया! इससे तुम क्या समझीं?"

मैं इतनी स्तब्ध थी कि बाहरी गतिविधियों या अपने भीतर के विक्षोभ का मेरे लिए कोई अर्थ ही नहीं था। इस बार मैंने जब आँखें खोलीं तो मैंने अपना ध्यान कृष्ण पर केंद्रित कर दिया। उन्हें देखकर ऐसा बिल्कुल नहीं लग रहा था कि उन्होंने अभी-अभी एक व्यक्ति की हत्या कर दी थी। एक मंद मुस्कान उनके होंठों पर खेल रही थी मानो वह किसी अरुचिकर नहीं, बल्कि पुरानी स्मृति को याद कर रहे हों। क्या उसका उस प्रकाश के साथ कोई संबंध था जिसका उल्लेख भीम ने किया था - और क्या वह शिशुपाल की आत्मा थी? उनके पैर रक्त से सने हुए थे।

"यह मेरा नहीं है," उन्होंने मेरे चेहरे के भाव देखकर कहा। 'मुझे चोट नहीं लगी है।" किंतु यह सत्य नहीं था। उनकी दाहिने हाथ की तर्जनी से रक्त टपक रहा था। (क्या ईश्वर का रक्त बहता है?) उन्होंने अवश्य ही चक्र फेंकने के लिए उसका प्रयोग किया होगा। (वहाँ अब चक्र नहीं था। मैं उसे अब कई वर्ष तक नहीं देख पाऊँगी।) मैंने अपनी साड़ी का एक कोना फाड़कर उनके घाव पर पट्टी बाँध दी।

"तुमने यह मूल्यवान साड़ी ख़राब कर ली," वह बोले। "मुझे तुम्हारे लिए नई साड़ी लानी पड़ेगी, हालांकि वह इतनी अच्छी तो नहीं हो सकती। आखिरकार, मैं एक छोटा-सा राजा हूँ!"

मैंने स्तब्ध होकर उनकी ओर देखा और शर्म से लाल हो गई। क्या उन्हें कर्ण समेत मेरे उन विचारों का भी पता था?

राजागण अपने आसनों से उठ चुके थे। कुछ गुस्से से विरोध कर रहे थे। कुछ ने अपनी तलवारें निकाल ली थीं। मुझे लगा मैंने सभा में नारद को एक कोने में बैठे देखा और उनके चेहरे पर भय व सुख के मिश्रित भाव थे। दुखित युधिष्ठिर सबसे व्यवस्था बनाए रखने के लिए कह रहा था। मेरे अन्य पति भी दर्शकों के बीच जाकर उन्हें शांत करवाने का प्रयास कर रहे थे। क्या वह कर्ण था जो अपने हाथ उठाकर उनकी सहायता कर रहा था? उसकी पीठ विशाल वृक्ष के तने के समान थी और वह उन्मादित भीड़ को मंच के ऊपर आने से रोक रहा था जहाँ मैं खड़ी थी। एक बार मेरा ध्यान उसकी ओर से हट गया।

यदि मैं कृष्ण को अपने भाव बताना चाहती थी तो उसका यही समय था। (कृष्ण से अपना दुविधापूर्ण दुख छिपाना इतना महत्त्वपूर्ण क्यों था?) अपने पैरों के नीचे की धरती मुझे अस्थिर लग रही थी। मेरा चेहरा गर्म हो रहा था। इस तरह

मैंने कभी अपनी अंतरात्मा को कृष्ण के सामने उजागर नहीं किया था। मुझे डर था वह मेरा मज़ाक उड़ाएँगे। फिर भी, मैंने कहा, "जब मुझे लगा कि आपकी मृत्यु हो गई है तो मैं भी मर जाना चाहती थी।"

कृष्ण ने मेरी आँखों में देखा। क्या उनके चेहरे पर जो मैंने देखा, वह प्रेम था? यदि हाँ, तो वह उन सभी प्रकार के प्रेम से भिन्न था जिनके विषय में मैं जानती थी। अथवा जिसे मैं प्रेम मानती थी, वह कुछ और था तथा यही असली प्रेम था। वह भाव मेरे शरीर, मेरे विचारों, मेरे कंपित हृदय के पार मेरे किसी ऐसे भाग में समा गया जिसका मुझे पता ही नहीं था। मेरी आँखें अपने आप बंद हो गईं। मैं स्वयं को किसी दुशाले के गुँथे हुए सिरे से अलग होता हुआ महसूस कर रही थी जिसके धागे सब तरफ उड़ रहे थे।

मैं वहाँ कितनी देर खड़ी रही? एक क्षण अथवा एक युग? कुछ चीज़ों को मापना संभव नहीं होता। मुझे सिर्फ़ इतना पता था : मैं नहीं चाहती थी कि वह समाप्त हो जाए।

फिर उनके स्वर ने मेरा दिवास्वप्न तोड़ दिया और उन्होंने हँसते हुए वही कहा जिसका मुझे डर था। "यह सब मेरे प्रिय मित्र पांडवों को न सुनाई दे जाए! इससे मैं संकट में पड़ जाऊँगा!"

"क्या आप कभी गंभीर नहीं हो सकते?" मैंने डरते हुए कहा।

"यह कठिन है," वह बोले। "जीवन में ऐसा कुछ नहीं जिसके लिए गंभीर हुआ जाए।"

इससे आगे संवाद का कोई अवसर नहीं था क्योंकि इस बार धरती सचमुच काँप रही थी। सभा के स्तंभ हिला रहे थे। यद्यपि, मय द्वारा उनमें डाला गया जादू उन्हें गिरने नहीं दे रहा था, लोग घबरा गए और चिल्लाते हुए भागने लगे। मुझे काले कौवों का स्वर सुनाई दे रहा था। तभी किसी ने हाथ पकड़ा। मैं घबरा गई, फिर देखा वह भीम था और उसके केश उसके चेहरे पर आ रहे थे।

"वहीं रुको!" पश्चाताप के साथ अपने गाल रगड़ता हुआ वह बोला। "बड़े भैया ने मुझे कहा कि मैं तुम्हें तुम्हारे कक्ष में पहुँचा दूँ। यह स्थान तुम्हारे लिए उपयुक्त नहीं है।"

मुझे यह अच्छा नहीं लगा लेकिन फिर कृष्ण ने मुझे धीरे से धकेल दिया। "जाओ कृष्णा। हम नहीं चाहते कि तुम्हें चोट आ जाए।"

भीम ने आश्चर्य से अपना सिर हिलाया। "हमारे यज्ञ का कितना दुर्भाग्यपूर्ण अंत हुआ है! अब क्या होगा? पुरोहित कह रहे हैं कि भूकंप आना अपशकुन है। वे

कह रहे हैं कि शिशुपाल की मृत्यु से देवता नाराज़ हो गए हैं।"

"पुरोहितों को ऐसी बातें कहने में मज़ा आता है," कृष्ण ने कहा। देवताओं के क्रोध से वह अधिक चिंतित नहीं लग रहे थे।

जब भीम मुझे जल्दी-जल्दी वहाँ से ले जा रहा था तो मैंने कर्ण को देखा। वह मंच के पास वाले द्वार तक आना चाह रही भीड़ को रोके हुए था और उनके भय का धैर्य के साथ सामना कर रहा था। जब उसने देखा कि मैं भीम के साथ सुरक्षित हूँ, उसने भीम को देखकर रुखाई से गर्दन हिलाई और वहाँ से जाने लगा। मैंने अपनी संपूर्ण मानसिक ऊर्जा उसकी पीठ पर केंद्रित करते हुए उसे धन्यवाद दिया और इच्छा की कि वह पलटकर एक बार मुझे देखे। मुझे पता था कि उसे मेरी इच्छा का बल महसूस हो रहा था - यहाँ तक कि भीम ने भी मुझे देखा और उसकी भँवें दुविधा से मुड़ गईं, परंतु कर्ण चला गया। उसकी चाल इतनी स्थिर थी मानो मेरा कोई अस्तित्व ही नहीं था।

# 23

## सरोवर

दुर्योधन अजीब ढंग से व्यवहार कर रहा था। अन्य राजागण तो शिशुपाल की मृत्यु के तुरंत बाद ही चले गए - उनमें से अधिकतर दुखी और असहमत भाव से बिना पूर्वसूचना दिए ही चले गए - किंतु कौरव दल नहीं गया। हम लोग तो उन्हें भी विदाई देना चाह रहे थे किंतु युधिष्ठिर ने विनम्रता का परिचय देते हुए हमें ऐसा नहीं करने दिया। शायद यह भी एक कारण था कि इस यज्ञ के, जिससे उसे बहुत आशाएँ थीं, ऐसे दुखद अंत के बाद हमारे अन्य मेहमानों के अविश्वास व हताशा से परेशान युधिष्ठिर को इस बात का संतोष था कि कम से कम दुर्योधन उसके साथ था। वह हमारे महल से भी बहुत प्रभावित था। उसे खुशी थी कि उसके पास एक ऐसी वस्तु थी जिसकी प्रशंसा उसका भाई कर रहा था। उसने दुर्योधन को महल में उन्मुक्त भाव से घूमने की अनुमति दे दी।

फलस्वरूप कौरव राजकुमार से मेरी भेंट अप्रत्याशित स्थानों पर होने लगी - रसोई में जहाँ वह अँगीठियों को बड़े चाव से देखता था, अथवा उद्यान में जहाँ वह मालियों से पूछता कि कुछ विशेष पौधे हमने कहाँ से प्राप्त किए। जल्द ही मुझे समझ में आ गया कि वह क्या चाहता था : अपने लिए बिल्कुल ऐसा ही महल। जब मैंने अपना रोष अपने पतियों पर व्यक्त किया कि वह उसे रोकें तो वह मेरी इस इच्छा पर उपहास करने लगे। उनका कहना था कि दुर्योधन इस कार्य को तब तक कभी पूर्ण नहीं कर सकेगा जब तक उसे मय जैसा जादूगर और शिल्पी नहीं मिल जाता और इसका प्रबंध वह कैसे करेगा?

“वह हस्तिनापुर के राजकोष को रिक्त कर देगा,” अर्जुन ने कहा, “और फिर लोगों पर अनुचित कर लगाकर उन्हें परेशान करेगा।”

“हो सकता है कि वह इतने परेशान हो जाएँ कि विद्रोह कर दें अथवा इसे

अपदस्थ कर दें," भीम ने कहा।

"हो सकता है वह इसके किसी छोटे किंतु समझदार भाई को राजगद्दी पर बैठा दें," नकुल ने कहा।

"ऐसा बिल्कुल नहीं हो सकता!" सहदेव बोला। "तुम्हें पता है न कि हमारे ताऊजी किस प्रकार *आँख बंद करके* इसे स्नेह करते हैं।" चारों भाई ज़ोर से हँसे और फिर युधिष्ठिर ने उन्हें चुप करवाया।

मैं दुर्योधन की योजना को सहजता से नहीं ले पा रही थी। हमने इस महल को बनाने में अपना सर्वस्व लगा दिया था। यह हमारी अंतरंग इच्छाओं और हमारी गुप्त आकांक्षाओं का मूर्त रूप था। यह हमारा ही रूप था।

जब भी मैं दुर्योधन को आँखों से किसी द्वार का माप लेते अथवा तैरती हुई सीढ़ियों की ओर संकेत करते देखती और उसके मामा शकुनि को उन चीज़ों के विवरण लिखते हुए देखती तो मुझे यह अतिक्रमण जैसा महसूस होता था और अधिक इसलिए कि दुर्योधन के हँसने का ढंग बताता था कि उसे पता था कि मेरे दिमाग़ में क्या चल रहा है। ऐसे क्षणों में कर्ण की उपस्थिति से बात और ख़राब हो जाती थी।

वह दुर्योधन के साथ खड़ा होकर पूरी तरह अनिच्छुक दिखाई देता था। मैंने कई बार सेवकों के माध्यम से सुना था कि वह बार-बार दुर्योधन से अंग देश लौटने की अनुमति माँग चुका था। परंतु हर बार दुर्योधन उसे यह कहकर रोक लेता था कि उसे अपने प्रिय मित्र के साथ की आवश्यकता थी।

मैं जानती थी कि मेरा इससे कोई संबंध नहीं था। तथापि, मुझे दुख होता था कि कर्ण को मेरे महल से लौटने की जल्दी थी और यह कि महल का सौंदर्य उसे आकर्षित नहीं कर पा रहा था। पहली बार, मैं महल को संदेह की दृष्टि से देखने लगी कि क्या यह सचमुच इतना विशिष्ट था जितना हमें लगता था।

कहीं ऐसा तो नहीं था कि मय ने अपनी माया का जादू महल की नींव पर न करके हम पर कर दिया था जिसके कारण हमें सुंदर लगने वाली चीज़ों का दरअसल हमसे परे कोई अस्तित्व ही नहीं था? परंतु इस बात में मैं ग़लत थी।

महल वास्तव में उतना ही जादुई था जितना मय ने दावा किया था और सभी जादुई आवासों की भांति इसमें निवास करने वालों के विचार भी पढ़ लेता था। आने वाले दिनों में, मुझे उसमें से एक ठंडक, एक निर्लिप्तता महसूस हुई। मैं बाद में सोचने लगी कि क्या मुझसे इस महल की अप्रसन्नता ही उस दुर्घटना का कारण थी, वह दुर्घटना जिसके दूरगामी परिणाम हुए? दुर्योधन के दिन टोह लगाने में और

उसकी रातें आमोद-प्रमोद में व्यतीत हो रही थीं। मुझे इससे बहुत घृणा होती थी। वह क्षण मुझे इस बात का स्मरण करवाते थे कि चाहे अपने पतियों के लिए मैं कितनी भी महत्त्वपूर्ण थी फिर भी कुछ ऐसे स्थान थे जहाँ न मैं उनके साथ जा सकती थी और न ही परामर्श दे सकती थी, परंतु मेरी इस असहजता के पीछे मेरे आहत हुए अहं से ज्यादा गंभीर कारण थे।

जो मैंने सुना वह अत्यंत अशांतिकारक था - बहुत कम वस्त्र पहने हुए नर्तकियाँ और गाड़ी भर के महँगी मदिरा जो दुर्योधन ने मेरे पतियों को भेंट की थी, सभा में फैली अफ़ीम की दुर्गंध। और द्यूत! प्रत्येक रात्रि को हाथी दाँत के बने हुए तख़्त पर पाँसे फेंके जाते थे और शकुनि के सहयोग से दुर्योधन प्रतिदिन युधिष्ठिर को चुनौती देता था।

आश्चर्य इस बात का था कि उस खेल के प्रति अपने अतिशय लगाव के बावजूद दुर्योधन न तो अच्छा और न ही समझदार खिलाड़ी था। वह बिना सोचे-समझे दाँव लगाता था और अधिकतर हारता था। शकुनि, जो कभी-कभी दुर्योधन के स्थान पर खेलता था, भी ऐसा ही था परंतु उसका भाग्य अच्छा था।

मेरे पति इस विषय में मज़ाक करते और कहते थे कि यदि दुर्योधन का यही हाल रहा तो हस्तिनापुर लौटने तक उसके पास एक गऊशाला बनवाने से अधिक धन शेष नहीं रह जाएगा। युधिष्ठिर को खेल पसंद था। वह प्रसन्नतापूर्वक खेलता था और जीतने पर अपनी खुशी बिल्कुल नहीं छिपाता था। यद्यपि, वह इस प्रकार की अव्यवस्थित जीवनशैली का अभ्यस्त नहीं था।

वह देर रात्रि में हमारे शयनकक्ष में आता था और उसके मुँह से मदिरा की गंध आती रहती थी तथा वह इतना उत्तेजित हो जाता था कि सो नहीं पाता था। नींद आने पर वह करवटें बदलता और बीच-बीच में बुरे स्वप्न देखकर चिल्लाता भी था। सुबह उठता तो उसका सिर भारी और स्वभाव चिड़चिड़ा होता था और वह स्वयं को किसी तरह भारी क़दमों से खींचकर सभा में जाता और राज्य के काम निपटाता था।

दाई माँ ने, जिनके अपने स्रोत थे, मुझे बताया कि वह इतना थक जाता था कि किसी काम पर ध्यान नहीं दे पाता था, परंतु मेरी सलाह पर भी उसने वह आमोद-प्रमोद नहीं छोड़ा। मैंने द्वारका भी यह सोचकर संदेश भिजवाया कि शायद कृष्ण उसे समझा पाएँ, परंतु वह भी किसी खोई हुई मणि से संबंधित कार्य से कहीं गए हुए थे और इसलिए उनसे बात नहीं हो पाई।

. . .

उस दिन सुबह मुझे बहुत दुख हुआ जब मैंने देखा कि युधिष्ठिर इतना थका हुआ और उदासीन था कि मुझे लगा कहीं दुर्योधन ने उसकी मदिरा में कुछ मिला तो नहीं दिया। क्या वह उसे कोई धीमा विष पिला रहा था? क्या उसके यहाँ रुकने का यही कारण था? क्या उसने इस कुचक्र की योजना बहुत समय पहले ही बना ली थी? क्या उसने शिशुपाल को भड़काया था जिसके कारण शिशुपाल ने ऐसा व्यवहार किया जो फिर उसकी मृत्यु का कारण बना और जिससे अन्य सभी राजागण युधिष्ठिर के विरुद्ध हो गए थे? क्या उसे यह समझ में आ गया था कि ऐसा करने से इस प्रकार की आदर्श स्थित उत्पन्न हो जाएगी जिससे वह अपने चचेरे भाई के हृदय में जगह बना लेगा?

अपने कक्ष की आलिंद में अपनी सेविका के साथ खड़े होकर सामने फैले सौंदर्य को निहारते समय मेरा मस्तिष्क हज़ारों दिशाओं में एक-साथ दौड़ रहा था। स्पष्ट था कि दुर्योधन को रोकने के लिए मुझे कुछ करना था। लेकिन क्या? अपनी व्यग्रता में, मेरा ध्यान अपने आस-पास नहीं गया कि तभी पास खड़ी एक स्त्री ने कहा, "महारानी, देखिए वहाँ कौन है!"

मेरे कक्ष से महल का सबसे सुंदर उद्यान दिखाई देता था जिसका स्वरूप मैंने स्वयं तैयार किया था (हालांकि मय ने उसमें कुछ सुधार किए थे) ताकि वह अनियोजित प्राचुर्य का प्रभाव पैदा कर सके। पल्लवित वृक्षों और रत्न-जड़ित पत्तों से युक्त पौधों के बीच, एक विशाल अनियमित आकार का सरोवर था जहाँ अनेक पक्षी स्नान के लिए आते थे। वह सरोवर वन्य कुमुदों से भरा हुआ था और उसका जल शानदार नीले रंग का था जो मेघाच्छादित दिनों में भी चमकता था। उसके मध्य में एक मंडप बना हुआ था जिसके स्तंभों पर महीन मीनाकारी की गई थी जिनमें देवी-देवताओं की कथाएँ दर्शाई गई थीं जो व्यक्ति के देखते-देखते परिवर्तित हो जाती थीं। उस मंडप तक जाने के लिए पानी के ऊपर बने अनेक सँकरे पुलों में से एक का प्रयोग करना पड़ता था, परंतु यहाँ पर मय ने एक चालाकी की थी : यद्यपि, सभी पुल देखने में ठोस लगते थे, किंतु वास्तव उनमें से सिर्फ़ एक असली था। शेष सभी पुल प्रकाश और वायु और भ्रमजाल के बने हुए थे और उनपर चलकर अनेक आगंतुक पानी में गिर जाते थे।

ऐसे ही एक पुल की ओर दुर्योधन जा रहा था। वह हमें नहीं देख सकता था क्योंकि मय ने स्त्रियों की आलिंद को चतुराईपूर्वक एक जाली से ढँक रखा था। मैंने अपनी सहेलियों से शांत रहने के लिए कहा ताकि मैं बिना पता लगे दुर्योधन को देख सकूँ। शायद ऐसा करने से मुझे युधिष्ठिर के विषय में उसके विचार मालूम हो जाएँ।

दुर्योधन को अच्छे वस्त्र पहनना पसंद था। उस दिन उसने सफ़ेद रेशमी वस्त्र (जो उद्यान में घूमने के लिए सर्वथा अनुपयुक्त थे) और ढेर-से आभूषण पहने हुए थे और अपने दल का नेतृत्व कर रहा था, जो यह मानते हुए कि उन्हें कोई नहीं देखा रहा, सामान्य से अधिक असभ्य व्यवहार कर रहे थे। वे अप्सराओं की मूर्तियों की ओर देखकर अश्लील मुद्राएँ बना रहे थे और इतनी ज़ोर से हँस रहे थे कि मेरे प्रिय कबूतर घबराकर वहाँ से उड़ गए। उनमें से कुछ फूल तोड़कर अपनी अंगुलियों में लपेट रहे थे। कुछ लोग पेड़ों से फल तोड़कर और उन्हें आधा खाकर झाड़ियों में फेंक रहे थे। उनके पीछे कर्ण सिर्फ़ अकेला व्यक्ति था जो शांति से खाली हाथ चल रहा था। उसका कवच, जो मैंने सुना था कि वह उसे कभी नहीं उतारता, पर पड़ रहे सूर्य के प्रकाश से मेरी आँखें चौंधिया गईं। उसके चेहरे पर झलक रहे तिरस्कार - पता नहीं वह भाव दुर्योधन के लिए था या मेरे उद्यान के लिए - से यह स्पष्ट था उसे यह पूरा अभियान समय व्यर्थ करने वाला लग रहा था। मैं बहुत चाहकर भी अपने आँखें उस पर से हटा नहीं पाई। मेरे मन में हताशा और दुख के बीच द्वंद्व चल रहा था और मैं किसी भी प्रकार उसके चेहरे पर से उदासीनता दूर करना चाहती थी।

मैं कर्ण के ख़याल में इतनी मग्न थी कि मेरा ध्यान इस ओर गया ही नहीं कि दुर्योधन क्या कर रहा था। तभी मुझे पानी में छपाक की आवाज सुनाई दी। उसका पैर अवश्य मायावी पुल पर पड़ गया होगा क्योंकि अब वह उस सरोवर में गिरा फड़फड़ा रहा था। मैं उसे घबराकर देखने लगी। वह हाथ-पैर पटककर बुरा-भला बोल रहा था और अप्ने घबराए हुए दरबारियों को पुकार रहा था जो वहीं उसके आस-पास घूम रहे थे किंतु वे भी अपने वस्त्र ख़राब होने के डर से पानी में कूदने से बच रहे थे। मेरी सेविकाएँ ठहाका लगाकर हँस पड़ीं। मुझे उन्हें रोकना चाहिए था, किंतु मुझे स्वयं भी हँसी आ रही थी और वह इतना हास्यास्पद लग रहा था।

क्या ऐसा था कि मेरे भीतर का एक अंश दोषमुक्त महसूस कर रहा था क्योंकि जो मैं नहीं कर पाई वह मेरे महल ने कर दिया था : एक क्षण के लिए ही सही, किंतु मेरे महल ने उस व्यक्ति को नीचा दिखा दिया था जो वैसे कुछ भी दिखावा करे, पर मेरे पतियों से घृणा करता था। अपनी मुस्कराहट से प्रेरणा पाकर, एक युवा स्त्री ने हँसते हुए स्पष्ट आवाज में कह दिया, "ऐसा प्रतीत होता है कि अँधे का पुत्र भी अँधा है!" मैंने उसे ज़ोर से डाँटा किंतु क्षति तो हो चुकी थी। सभी उस आलिंद की ओर देखने लगे।

दुर्योधन ने बीच की महीन जाली को देखा। मैं समझ गई कि वह क्या सोच रहा था : मैंने जान-बूझकर उसे सावधान नहीं किया और फिर उसके पिता की

अशक्तता का उल्लेख कर उसे बुरी तरह अपमानित किया। कर्ण भी, जो सरोवर में अपने मित्र की सहायता के लिए उतरा था, ऊपर देखने लगा – और उसने अंत में, यदि विडंबनापूर्ण ढंग से कहूँ तो, मुझे उतने ध्यान से देखा जिसकी मैं उसके महल में आगमन से लेकर अब तक प्रतीक्षा कर रही थी। यदि मैंने तुरंत क्षमा माँगकर, अपने सेविकाओं को सूखे वस्त्रों के साथ नीचे भेज दिया होता और उसे सार्वजनिक रूप से दंडित किया होता तो अब तक हुई क्षति को कम किया जा सकता था, परंतु कर्ण के चेहरे पर आए भयावह क्रोध ने मेरी जिह्वा को शिथिल कर दिया। मैं उसके समक्ष दुर्योधन से क्षमा माँगना और अपनी भूल को स्वीकार करना, और सिर नीचा करके चुपचाप अपने महल की माया का आरोप सुनना सहन नहीं कर सकती थी। वैसे भी, मैं अपने बचाव में बोलती भी क्या? यह कि कर्ण ने मेरा ध्यान इतना अकृष्ट कर लिया था कि मैं दुर्योधन को नहीं देख सकी? इस प्रकार मैं अपने अहं से लड़ती हुई यथावत खड़ी रही और इस बीच अवसर का वह क्षण बीत गया। दोनों मित्र गुस्से से बात करते हुए वहाँ से चले गए और मैं यह सोचती रह गई कि इसका परिणाम क्या होगा।

. . .

एक संदर्भ में मेरा महल अन्य महलों के समान ही था : यहाँ भी समाचार तेज़ी से फैल जाता था। दुर्योधन वाली इस दुर्घटना को एक घंटा भी नहीं बीता था कि कुंती ने मुझे अपने कक्ष में बुलवाया। (इससे मैं यह सोचने लगी कि मेरी कितनी सेविकाओं को उसने रिश्वत देकर अपना गुप्तदूत बना रखा था।) इस बुलावे पर मुझे आश्चर्य हुआ। महल में आने के बाद से अब तक मेरी सास ने कभी ऐसा साम्राज्यवादी तरीका नहीं अपनाया था। जब मैं उसके पास पहुँची तो मैंने उसके चेहरे पर वही पुराना भाव देखा : मेरी मूर्खता पर क्रोध का भाव। एक क्षण के लिए मुझे लगा मानो समय का चक्र घूम गया था और मैं फिर से नव-वधु बन गई थी। नम्रता और कटुता के साथ, उसने मुझसे पूछ कि मैं अपनी सेविकाओं की जिह्वा नहीं रोक पाई। उसने सलाह दी कि मुझे तुरंत युधिष्ठिर को सब कुछ बता देना चाहिए।

“शायद मेरा पुत्र अपने चचेरे भाई को शांत कर उसके आहत हुए आत्म-सम्मान को फिर से ठीक कर सके,” वह बोली। “यह बहुत बुरी बात है कि तुम्हारी मूर्खता के कारण उसे लज्जित होना पड़ेगा किंतु यह बहुत आवश्यक है। तुम्हें नहीं पता कि दुर्योधन कितना ईर्ष्यालु और ख़तरनाक हो सकता है।”

मुझे लगा कि वह ठीक कह रही थी। उसकी सलाह उचित थी और मैं स्वयं

भी यही सोच रही थी। यदि उसने यह बात अलग ढंग से कही होती तो मैं उसे मान लेती। आखिरकार वह कौरव वंश को मुझसे अधिक जानती थी और वह कौरवों के पेचीदा षड्यंत्रों से अनेक बार बच चुकी थी। यद्यपि उनके निर्णायक स्वर और मेरी ग्लानि ने मिलकर मुझे हठी बना दिया था। मैंने भी उसे – उतनी ही नम्रता के साथ – बता दिया कि मैं इस मामले को अपने आप निपटा लूँगी। आखिरकार, क्या मैं इस महल की रानी नहीं थी? यदि मुझे लगेगा कि मुझे अपने पति को इसकी सूचना देनी चाहिए तो मैं अवश्य दे दूँगी। इस आयु में उसे इन छोटे-मोटे मामलों की चिंता न करते हुए अपना ध्यान आध्यात्मिक गतिविधियों पर केंद्रित करना चाहिए।

कुंती ने मुझे होंठ दबाते हुए इतने गुस्से से घूरकर देखा कि उसके होंठ लगभग गायब हो गए। शायद उसे लगा कि यदि उसने मुझे अधिक कुछ कहा तो हम दोनों के बीच नम्रता का मुखौटा गिर जाएगा और फिर झगड़ा हो जाएगा जिसके परिणामस्वरूप उसके पुत्रों को दुख होगा। शायद हमारे झगड़े से उसे निर्मम स्पष्टता के साथ यह बात समझ में आ गई कि यहाँ की प्रभारी वह नहीं थी। शायद उसने सोचा होगा कि इसे अपनी भूल का परिणाम स्वयं भुगतने दिया जाए।

मैंने उसे प्रणाम करके अपनी भेंट के समाप्त होने का संकेत दे दिया।

मैंने युधिष्ठिर को उस घटना के विषय में नहीं बताया। वह पहले ही चिड़चिड़ा हो गया था और उसे सँभालना मुश्किल था, ऊपर से इस घटना से बात अधिक बिगड़ जाती। मैंने सोच लिया कि यदि दुर्योधन मेरे पति से शिकायत करेगा तो मैं उससे क्षमा माँग लूँगी, किंतु उसने वह बात ही नहीं उठाई। क्या वह लज्जित था? अथवा कुंती ने उस बात का बतंगड़ बना दिया था जो वास्तव में एक दुर्घटना से अधिक कुछ नहीं थी? दुर्योधन रोज़ की भांति दिन में जासूसी करता और रात में युधिष्ठिर के साथ द्यूत खेलता था।

कर्ण भी पहले की तरह सामान्य रूप से सबके साथ उबाऊ शिष्टाचार सहित व्यवहार करता रहा, परंतु उस दिन दुर्योधन के सरोवर में गिर जाने से एक अच्छी बात हुई कि एक सप्ताह बाद उसने बताया कि उसके पिता ने उसे हस्तिनापुर लौटने का संदेश भेजा है। विदाई भोज पर, उसने अपने धन्यवाद-ज्ञापन में मुझे विशेष रूप से सम्मिलित किया और मैंने भी उसी ढंग से उत्तर दिया।

कौरवों की वापसी के साथ हमारा जीवन सामान्य होने लगा। फिर भी कुछ अंतर था। राजसूय समारोह ने कुछ असंतुलित कर दिया था जिससे एक ख़ालीपन आ गया था। हो सकता है कि जो लोग किसी महान उद्यम को पूर्ण करते हैं उन्हें

ऐसा लगता है। अतिथियों की उस भीड़ के बीच, नित-प्रतिदिन की जिन सामान्य गतिविधियों को फिर से करने की हमारी इच्छा हो रही थी, उन्हीं गतिविधियों से अब हम असंतुष्ट महसूस कर रहे थे। युधिष्ठिर भी अपना राज-काज आधे मन से कर रहा था और संध्या के समय वह सभा में चुपचाप निरुत्साहित-सा बैठा रहता था। भीम पैर पटकता हुआ रसोई में आता और स्वयं पकाई हुई आधी सामग्री को बेस्वाद बताकर फेंक देता था। नकुल अपने अश्वों की उपेक्षा कर रहा था और सहदेव उन पुस्तकों को बिना पढ़े छोड़ देता था, जिन्हें व्यापारी उसके लिए सुदूर स्थानों से लाते थे। अर्जुन उत्तर में स्थित पर्वतों को उत्कंठापूर्वक देखता रहता था जिन्हें शिव का निवास माना जाता था। मैं अपने उद्यान में दुर्योधन के दल द्वारा की गई क्षति तो ठीक करती रहती थी, किंतु आदेश देते समय मैं बीच में ही अपनी बात भूल जाती थी। मेरी दृष्टि उस तख्त पर चली जाती थी जहाँ कर्ण बैठा था, उस मार्ग पर रुक जाती थी जहाँ वह चला था और एक बार फिर मुझे यह बात चुभ जाती थी कि मेरा महल उसे प्रभावित करने में असफल रहा था।

कभी-कभी मैं अपने जन्म के समय हुई भविष्यवाणी के विषय सोचती थी। क्या मैंने उसे पूरा कर दिया था? मैंने कुछ अप्रत्याशित कर दिया था : पाँच राजाओं से विवाह करके उनकी शक्ति को संयोजित कर दिया था जिससे वह भारत के संपूर्ण महाद्वीप के स्वामी बन सकते थे। इस संदर्भ में मैंने निश्चित तौर पर इतिहास में एक महत्त्वपूर्ण पहचान बनाई थी? मेरा एक मन इसके उत्तर में हाँ कह रहा था, परंतु दूसरे मन ने धीरे से कहा, बस यही, क्या सिर्फ़ इसी के लिए मेरा जन्म हुआ था?

इच्छा शक्तिशाली चुंबक की तरह होती है। क्या मेरी लापरवाह इच्छा के ही कारण एक वर्ष के भीतर ही वह निमंत्रण आया था? उसमें दुर्योधन ने अपने प्रिय चचेरे भाइयों को अपने नव-निर्मित महल में आकर उसे अनुगृहीत करने के लिए आमंत्रित किया था, यद्यपि उसका महल पांडवों के महल की भांति बिल्कुल दीप्तिमान नहीं था। शायद वह उन खेलों को पूरा करने का अवसर था जिसे खेलने से उसे इंद्रप्रस्थ में इतना आनंद आया था। उसने अंत में महारानी द्रौपदी को विशेष रूप से आमंत्रित किया था और कहा था कि उसकी नई पत्नी और काशी की राजकुमारी भानुमति उसकी प्रशंसक और उससे मिलने की इच्छुक थी।

यह अप्रत्याशित था। पत्नियाँ प्रायः राजाओं के साथ यात्रा पर नहीं जाती थीं। कुंती इस विचार के अनौचित्य पर नाराज़ हो गई, किंतु मेरा हृदय विचलित हो उठा था।

"वह सचमुच काफी व्यस्त रहता होगा," अर्जुन ने कहा। "नई सभा और नई पत्नी! पता नहीं उसने फिर से विवाह क्यों किया - उसकी पहले से ही बहुत-सी पत्नियाँ हैं और संतान भी हैं। जो भी हो, मैं वहाँ जाकर उसके अहं की तुष्टि नहीं करना चाहती।"

सहदेव ने सिर हिलाया। "यह सिर्फ उसका अहंकार नहीं है। इस निमंत्रण के पीछे कुछ बात है - कुछ ऐसा जिस पर मुझे विश्वास नहीं है।"

नकुल ने भँवे चढ़ाते हुए कहा, "मुझे लगता है कि वह कोई योजना बना रहा है।"

"मैं उसकी अपेक्षा किसी सर्प पर जल्दी विश्वास कर सकता हूँ," भीम ने कहा और फिर मुड़कर मुझे देखा। "क्या मैं ग़लत कह रहा हूँ, पांचाली?"

मुझे तुरंत स्पष्ट रूप से उसकी बात से सहमति व्यक्त करनी चाहिए थी। वह बात वहीं समाप्त हो जाती। युधिष्ठिर थोड़ा बड़बड़ाता पर फिर हम लोगों के संयुक्त स्वर को सुनकर वह दुर्योधन के निमंत्रण को अस्वीकार कर देता। अपनी कौन-सी कमज़ोरी के कारण मैं शांत रह गई? कौन-सी गुप्त आकांक्षा?

कुंती ने मुझे देखा लेकिन ऐसे कि कोई अन्य नहीं देख पाया। "तुम बिल्कुल ठीक कहते हो," उसने भीम से कहा, "सिर्फ़ मूर्ख ही मुसीबत को खोजने जाते हैं।"

युधिष्ठिर ने कहा, "तुम लोग व्यर्थ ही परेशान हो रहे हो! दुर्योधन को अंतत : यह बात समझ में आ गई है कि हमसे मित्रता करने से उसे लाभ होगा। इसके अतिरिक्त, जब वह यहाँ था तो उसे बहुत अच्छा लगता था। यह स्वाभाविक है कि वह हमारे आतिथ्य सत्कार से उऋण होना चाहता होगा। उसका निमंत्रण अस्वीकार करना अशिष्टता होगी।"

"तुम बहुत अधिक विश्वासी हो!" कुंती ने कहा। "अपने पिता की तरह... - यह शुरू से तुम्हारी..."

"मुझे लगता है युधिष्ठिर ठीक कह रहा है," मैंने टोकते हुए कहा। "दुर्योधन ने पुरानी शत्रुता भुलाने का यह एक प्रयास किया है। हमें भी अपनी भूमिका निभानी चाहिए।"

वह क्या था जिसने मुझे कुंती की बात को काटते समय झूठ बोलने पर विवश किया? क्या वह सिर्फ़ कुंती द्वारा मेरे पति और मेरे घर को फिर से नियंत्रित करने के उसके प्रयास पर व्यक्त की गई मेरी खीझ थी? अथवा वह हस्तिनापुर में किसी को - एक बार और - देखने की आशा। हालांकि मुझे पता था कि उसे देखने से मेरे हृदय को सिर्फ़ पीड़ा होगी? अथवा व्यास द्वारा किए गए दावे के अनुसार, मैं

सिर्फ़ उस प्रारब्ध का पालन कर रही थी जो पहले ही लिखा जा चुका था?

कुंती ने अपने होंठ दबाए और चुप रह गई। उसका अहं इतना अधिक था कि वह मुझसे तर्क नहीं करना चाहती थी। उसने, यद्यपि मुझे विचित्र ढंग से देखा मानो उसे यह पता लग गया था कि मेरे द्वारा बोले गए शब्द मेरे मस्तिष्क में छिपे विचारों से मेल नहीं खा रहे थे। मेरे शेष पति कुछ देर के लिए अनिश्चित-से देखते रहे, परंतु मैंने उन्हें इससे पहले अनेक अवसरों पर अच्छी सलाह दी थी जिसके कारण उन्होंने इस बार अपनी असहजता की उपेक्षा कर दी।

"हम जाएँगे," नकुल ने अपने भाई से कहा, "चूंकि तुम और पांचाली यही चाहते हो, परंतु यह बात निश्चित है, भाई कि दुर्योधन को हमारी कोई चिंता नहीं है। उसकी इच्छा सिर्फ हमें अपनी नई शान-शौकत दिखाने की है।"

"होने दो!" युधिष्ठिर ने लापरवाही से कहा। "हमारी शान-शौकत" - ऐसा कहते हुए उसने मुझे हाथ हिलाया - "उससे पुरानी हो सकती है किंतु अतुल्य है।"

मैंने झुककर इस युधिष्ठिर की प्रशंसा को स्वीकार कर लिया। मैंने तो अपने सबसे अच्छे रेशमी वस्त्र और महँगे आभूषण बाँधने की योजना बनानी शुरू कर दी थी और मैंने अपनी सैरंध्री को केश सँवारने के कुछ नए तरीके बनाने के लिए आदेश दे दिया था। पुनर्यौवन के कुछ पुलटिस लेना भी कोई बुरा विचार नहीं था। मैं चाहती थी कि भानुमति (या मैं किसी अन्य व्यक्ति के विषय में सोच रही थी?) इसी प्रकार मेरी प्रशंसा करती रहे।

"तुम भूल कर रहे हो," कुंती ने युधिष्ठिर से कहा, "कम से कम द्रौपदी को तो मत ले जाओ - इसका तुम्हारे साथ जाना न उचित है और न बुद्धिमत्ता।"

मैं विरोध करने के लिए तैयार थी किंतु मुझे उसकी ज़रूरत नहीं पड़ी। "ओह, माँ!" युधिष्ठिर ने कहा, "तुम हमेशा बुरे की ही कल्पना करती हो। पांचाली को कुछ नहीं होगा, बल्कि वह स्वयं इस बात को सुनिश्चित करेगी कि हम लोग कोई मूर्खता न कर बैठें।"

. . .

हमारा दल वसंत के एक सुहावने दिन निकल पड़ा। मेरे पति आगे चल रहे थे और उनके शरारती अश्व भी उन्हीं की तरह अधीर हो रहे थे। उनके निकट ही हमारे पुत्र भी अपने-अपने शावकों पर सवार उसी उत्सुकता से चल रहे थे। हमारे पीछे, सैकड़ों घुड़सवार उपहार की वस्तुएँ लेकर आ रहे थे। घोड़ों के खुरों से उठ रही बारीक धूल सुबह की धुँध की तरह वातावरण में छाई हुई थी। उसके पीछे, हमारा महल चमक रहा था और उसके अस्थिर स्वर्ण गुंबद सहसा दूर लगने लगे

थे। उदास कुंती के साथ बैठे हुए रथ में से मैंने बाहर सिर निकालकर मार्ग में लगे पारिजात वृक्षों की सुगंध को महसूस किया। अपने प्रथम अभियान पर निकले किसी बच्चे की भांति मैं उत्तेजित हो रही थी।

"मुझे आशा है हमारे वापस आने तक यह पुष्प इसी प्रकार खिले रहेंगे," मैंने कुंती से कहा।

कुंती ने कोई उत्तर नहीं दिया। जब से मैंने अपने पतियों को दुर्योधन का निमंत्रण स्वीकार करने के लिए मनाया था, तब से ही कुंती मुझसे बात नहीं कर रही थी। खीझकर मैंने भी यह तय किया कि जब तक उसका मिज़ाज ठीक नहीं हो जाएगा, मैं भी उससे बात नहीं करूँगी।

मैं नहीं जानती थी कि कुंती की आशंका ठीक निकलेगी और यह कि हस्तिनापुर जाकर हम अपने जीवन की सबसे बड़ी भूल कर रहे थे। मुझे नहीं पता था कि मैं इस सुगंधित फूलों से भरे मार्ग - या अपने प्रिय महल - को फिर कभी नहीं देख पाऊँगी।

24

# खेल

इस बार मैं हस्तिनापुर आई तो यह बहुत बदला हुआ लगा – अथवा मैं ही बदल गई थी। मैंने सोचा न था कि माया महल की स्वामिनी होने से मुझमें इतना परिवर्तन आ जाएगा। मुझे कौरव दरबार से भय नहीं लग रहा था और हालांकि दुर्योधन के इस नए महल ने अनेक लोगों को प्रभावित किया था, मैं तुरंत समझ गई कि यह हमारे महल का सिर्फ़ एक फीका प्रतिरूप था और उसमें आत्मा का स्पंदन पैदा करने वाली माया की कमी थी। मुझे वहाँ बुजुर्गों से भी डर नहीं लगा। मैं नेत्रहीन राजा धृतराष्ट्र, कृप और यहाँ तक कि मेरे भाई के लिए अभिशाप बनने वाले द्रोण से भी विनम्र आत्मसंयम के साथ बात कर रही थी। पितामह अनुमोदन की दृष्टि से मुझे बात करता हुआ देख रहे थे और एकांत मिलने पर वह मुझसे बोले, "अब तुम हम सब में सर्वश्रेष्ठ के समान, असली महारानी बन गई हो! अब तुम्हें इस बात की परवाह नहीं कि लोग तुम्हारे विषय में क्या सोचेंगे और इससे तुम्हें अत्यधिक स्वतंत्रता मिल गई है।" उन्हें उस अस्थिर परिस्थिति का पता नहीं था जिसपर मेरी स्वतंत्रता टिकी हुई थी। उन्हें यह भी नहीं मालूम था कि जब मैं एक कक्ष में जाती तो मेरा आत्म-विश्वास गिर जाता था। वहाँ से तभी लौटती थी जब मुझे यह विश्वास हो जाता था कि कर्ण वहाँ उपस्थित नहीं था। उन्हें यह नहीं ज्ञात था कि मैं ग़लत बातों का कितना अधिक ख़याल रखती थी।

यद्यपि भीष्म इस संदर्भ में सही थे : मैं कुछ मामलों में उनके साथियों के बराबर – अथवा उनसे श्रेष्ठ थी। इंद्रप्रस्थ में मेरे पति राज-काज के संबंध में मेरा मत सुनते थे और हालांकि कभी-कभी हम लोगों में बहस छिड़ जाती थी, वह मेरे अनेक सुझाव मान लिया करते थे। यद्यपि, हस्तिनापुर में राजसिंहासन पर नेत्रहीन राजा बैठता था और अनेक वृद्धजन उसके पास प्रतिष्ठित आसनों पर बैठते थे, असली सत्ता दुर्योधन के हाथ में रहती थी। जब वे लोग संधियों और नियमों पर चर्चा करते तो वह विनम्रता से सुनता रहता था किंतु अंत में होता वही था जो

दुर्योधन चाहता था। धृतराष्ट्र अपने सर्वप्रिय पुत्र का विरोध सहन नहीं कर पाता था और विरोध होने पर, उसका पुत्र आवेश में आकर उन वृद्ध योद्धाओं का अपमान कर देता था जो इतने वर्षों से उसके लिए हस्तिनापुर की रक्षा कर रहे थे। ऐसे अवसरों पर, सिर्फ़ कर्ण ही उसे शांत कर पाता था परंतु वह स्वयं भी कभी-कभी अपने बड़ों की सलाह के प्रति अधीर हो जाता था। यह देखकर, वृद्धजन अपनी प्रतिष्ठा बचाए रखने के लिए चुप हो जाते थे। प्रतिदिन वे लोग एक ऐसे जहाज़ पर रखी अलंकृत मूर्ति की भांति बैठे रहते थे जिसने बिना उनकी अनुमति के अपनी दिशा बदल ली थी और संकट की ओर बढ़ रहा था। यह सब मैंने स्वयं नहीं देखा क्योंकि हस्तिनापुर हमारे नगर की अपेक्षा अधिक रूढ़िवादी नगर था। हालांकि दरबार में स्त्रियों के लिए एक बंद कक्ष था, वहाँ पर हमें सिर्फ़ निमंत्रण पर ही जाने की अनुमति थी। सूचना के मेरे स्रोत सीमित थे क्योंकि दाई माँ को अन्य सेविकाओं से छिटपुट जानकारी ही मिलती थी अथवा कुछ बातें मेरे पति बता देते थे। मुझे यह तो पता लग ही गया : हमारे हस्तिनापुर पहुँचने से पूर्व ही कर्ण अपने राज्य लौट गया था। दुर्योधन द्वारा उसके पास लौट आने के लिए अनेक संदेश भिजवाए गए किंतु वह नहीं आया।

अपने पतियों के साथ मेरी बातचीत संक्षिप्त व असंतोषजनक होती थी क्योंकि दुर्योधन दिन में उन्हें आमोद-प्रमोद में उलझाए रखता था और रात्रि में मुझे डर था कि द्यूत का कुख्यात खेल खेलते थे। यद्यपि, इस बार कुछ बातें भिन्न थीं। इंद्रप्रस्थ छोड़ने से पहले, मैंने युधिष्ठिर से वचन लिया था कि वह मदिरा का सेवन करेगा और उसने अपना वचन निभाया। इस संयम ने खेल में उसकी सहायता की। वह पहले से भी अधिक जीतने लगा और उसे बहुत खुशी हुई, परंतु इसका अर्थ था कि उसे घर लौटने की जल्दी नहीं थी। यह देखकर मुझे कभी-कभी चिंता होती थी क्योंकि मैं इस असहज भाव को अपने से दूर नहीं कर पा रही थी कि हम शत्रु के राज्य में थे। अन्य अवसरों पर मुझे यह सोचकर खुशी होती थी कि कर्ण से भेंट होने का अब भी अवसर मिल सकता था यद्यपि, उस प्रसन्नता के बाद का भाव कटु होता था।

. . .

इस बार हमारे कक्ष पुराने महल में न होकर नई चमकती हुई इमारत में थे जिसकी भड़कीली शैली दुर्योधन द्वारा पसंद की गई थी जिसमें कमनीय सुंदरियों की प्रतिमाएँ थीं तथा आखेट व युद्धों के भयावह चित्र बने हुए थे। यह कक्ष उसकी सभा के निकट थे ताकि मेरे पति सहजता से वहाँ आ जा सकें। मैं इस परिवर्तन से अप्रसन्न नहीं थी। ताक-झाँक और गपशप से भरी उस पुरानी विद्वेषपूर्ण भूलभुलैया और घृणा के उसके जटिल इतिहास से दूर रहना अत्यंत सुखदायी था। यहाँ मैं

अपना समय स्वेच्छा से बिता सकती थी क्योंकि मेरे पति व्यस्त रहते थे और मेरे बच्चे सुबह से ही अन्य बच्चों के साथ खेलने या तमाशा व कूदते हुए बंदरों को देखने चले जाते थे। एक बार जब मैं महल की अन्य स्त्रियों से मिल चुकी तो फिर मेरे पास करने के लिए अधिक कार्य शेष नहीं था। इस सुविधा को मैंने बचपन से भोगा नहीं था - और उस समय मुझे उसके बारे में अधिक पता नहीं था कि मैं उसकी दुर्लभता का महत्त्व समझ पाती। मैं कविताएँ पढ़ती, लिखती अथवा आँगन में घूमती रहती थी। (मुझे यह अत्यंत मज़ेदार लगता था कि दुर्योधन ने यथासंभव हमारे महल जैसे फूल एकत्रित करने का भरपूर प्रयास किया था और सौंदर्य का विचार किए बिना वह एक-दूसरे के ऊपर ही लगा दिए गए थे।) मुझे सुगंधित वृक्षों के नीचे ही सेविकाएँ खाना-पीना दे जाती थीं। मैं पक्षियों का कलरव सुनती थी। मैं ठंडे, पतले सूती अनौपचारिक वस्त्रों में रहती थी क्योंकि हमारे कक्ष की सभी सेविकाएँ स्त्रियाँ थीं। दाई माँ मेरे केश सँवारतीं तो मैं दिवास्वप्न देखने लगती और यदि मेरी कल्पना वहाँ चली जाती जहाँ उसे नहीं जाना चाहिए था तो मैं अपने मन को यह कहकर समझा लेती थी कि उससे किसी को हानि नहीं हो रही थी।

मुझे इस बात की भी प्रसन्नता थी कि कुंती हमारे साथ नहीं रहती थी क्योंकि यद्यपि, हम एक-दूसरे से विनम्रता से बात करते थे, हमारे बीच कटुता बढ़ती जा रही थी। जिस दिन से मैंने दुर्योधन के निमंत्रण को स्वीकार करने के विषय में अपने पतियों के मत को बदला दिया था, वह मुझे सँकरी आँखों से देखने लगी थी। मुझे लगता था कि उसे यहाँ आने के मेरे मंतव्य पर संदेह था हालांकि वह उन मंतव्यों से अनभिज्ञ थी। इस कारण मुझे घबराहट व ग्लानि होती थी - परिणामस्वरूप मैं चिड़चिड़ी हो गई। सौभाग्य से, जब हम हस्तिनापुर पहुँचे तो गांधारी ने, जिसके साथ कुंती का पत्र-व्यवहार होता रहता था, कुंती को रहने के लिए अपने साथ बुला लिया था। "हम वृद्धाओं के पास," उसने अपनी आँख की पट्टी के नीचे से कहा, "बात करने के लिए ऐसा बहुत कुछ है जो तुम युवा लोग नहीं समझोगे।" मुझे लगता था कुंती इसके लिए तैयार नहीं होगी - आखिर, गांधारी के पुत्रों ने उसके पुत्रों को मारने का प्रयास जो किया था, परंतु कुंती ने तत्परता से वह स्वीकार कर लिया। शायद दोनों राजमाताओं के पास अपनी-अपनी बहुओं की बुराई करने का यह एक अच्छा अवसर था!

. . .

दुर्योधन की नई पत्नी, भानुमति मिलने आ रही थी। मैंने अत्यंत रमणीय वस्त्र और अभिमानी भाव धारण करने की तैयारी कर ली किंतु मैं उसे लेकर चिंतित नहीं थी। वह आयु में बहुत छोटी थी और मुझसे इतनी प्रभावित व भयभीत थी कि वह

बोलते समय हकलाती थी। दुर्योधन द्वारा इतनी कम आयु में भानुमति को उसके माता-पिता से अलग करने की बात पर मुझे बहुत क्रोध आया। मैं यह भी सोचने लगी कि उसने मेरे विषय में ऐसा क्या सुन रखा था जिसके कारण वह इतनी घबराई हुई थी।

जरी के अत्यंत भारी वस्त्रों के कारण उसकी बेचैनी को देखकर मैंने यह अनुमान लगाया कि दुर्योधन ने निश्चित ही उसे इस भेंट और उसके वस्त्रों को लेकर उसे आदेश दिया होगा। मैंने बातचीत के दौरान दुर्योधन का नाम लिया तो एक पीड़ा-भरी शर्म उसके चेहरे पर स्पष्ट दिखाई देने लगी। वह बेचारी उससे प्रेम भी करती थी और भयभीत भी रहती थी! मुझे दया की हलकी-सी चुभन महसूस हुई - कोई भी लड़की जो अहंकारी दुर्योधन से प्रेम करेगी उसे पीड़ा तो होनी ही है - और भानुमति को सहज करने के लिए मैं जो कर सकती थी, मैंने किया। उसने मेरा जिस तरह आभार व्यक्त किया उससे मुझे समझ में आ गया कि उस महल में बहुत कम लोगों ने उससे मित्रतापूर्ण बात की होगी। शीघ्र ही उसकी चूड़ियाँ खनकने लगीं फिर उसने मुझे अपने चाँदी की बिछिया दिखाईं और अपने शौक के विषय में मुझे बताने लगी - मिठाई खाना, अपने तोते को बोलना सिखाना और काशी से साथ आईं अपनी सहेलियों के साथ लुका-छुपी खेलना। उसने बताया कि कभी-कभी दुर्योधन भी अपने मित्रों के साथ उसकी इन क्रीड़ाओं में सम्मिलित हो जाता था। उसने यह कहकर मुझे चौंका दिया, "अपने पति के मित्रों में मुझे कर्ण सबसे अच्छा लगता है। वह दुःशासन की तरह छिपकलियों से मेरे डरने पर मेरा मज़ाक नहीं उड़ाता। कभी-कभी जब वह मेरा छिपने का स्थान खोज लेता है तो ऐसे करता है मानो उसने मुझे देखा ही न हो।" कर्ण के विषय में बात करते समय उसका चेहरा सहज खुशी से चमक उठा था। स्पष्ट था कि वह उसे पसंद करती थी।

भानुमति ने विदा ली और चलते समय मुझे भी अपने पास मिलने का निमंत्रण दिया, तब भी मैं कर्ण वाली बात को पचाने - और अपने भीतर उठे ईर्ष्या के मूर्खतापूर्ण दर्द की उपेक्षा करने - का प्रयास कर रही थी। उसने द्वार पर मुझे आवेशपूर्ण आलिंगन में भर लिया। "तुम बहुत अच्छी हो," वह बोली, "न कि कटु-जिह्वा वाली, जैसा कि मुझे उन लोगों ने चेताया था।" उन चेतावनी देने वालों का नाम पूछने से स्वयं को रोकने के लिए मैंने अपनी उपरोक्त कटु-जिह्वा को काट लिया, परंतु उसे इस बात का पता नहीं लगा और वह स्वयं ही बोलती रही, "हालांकि कर्ण ने ऐसा नहीं कहा था। उसने मुझे अलग ले जाकर कहा कि तुम बहुत भली व सुंदर हो - और उसने सत्य ही कहा था।" इतना कहकर वह मुझे शब्दहीन खड़ा छोड़कर, पायजेब खनकाती हुई वहाँ से चली गई।

. . .

कर्ण अंग से लौट आया था। (दाई माँ ने बताया कि वह दुर्योधन के लिखे एक पत्र के साथ वापस आया था जिसमें दुर्योधन ने ताना मारते हुए उससे पूछा था कि क्या वह पांडवों, विशेषकर अपने प्रतिद्वंद्वी अर्जुन का सामना करने से डरता था।) अपने मित्र की वापसी अथवा अपने अनुनय की विजय का जश्न मनाने के लिए दुर्योधन ने एक भव्य "पारिवारिक" भोज का आयोजन किया। इसका आशय यह था कि इस भोज में उसके सभी रिश्तेदारों व नज़दीकी मित्रों को, अपने-अपने घर की स्त्रियों के साथ सम्मिलित होना था।

इस समाचार से मैं एकदम उत्तेजित और क्रोधित हो गई और काफ़ी समय यह निर्णय लेने में लगा दिया कि मैं इस अवसर पर क्या पहनूँगी। यहाँ तक कि मेरी सबसे मूल्यवान साड़ी भी इस अवसर पर फीकी और पुरानी लग रही थी। अंत में मैंने इंद्रप्रस्थ के बुनकरों को ऐसे नए वस्त्र बनाने का आदेश दिया जैसे उन्होंने पहले कभी न बनाए हों, इतने शानदार कि अविस्मरणीय हो जाएँ। उनका कहा गया कि जैसे ही वस्त्र बनकर तैयार हो जाएँ उन्हें मुझ तक पहुँचा दिया जाए। उन्होंने मुझे वचन दिया कि वह दिन-रात काम करके इसे पूरा करेंगे। मेरे वस्त्र अभी आए भी नहीं थे कि परेशान और रोती हुई भानुमति मेरे पास आई और उस दिन के लिए मुझसे उचित वस्त्र चुनने में उसकी सहायता के लिए प्रार्थना करने लगी। मैंने उसके कक्ष में जाकर देखा कि वह साड़ियों से भरा हुआ था और हर साड़ी पिछली वाली से अधिक रंग-बिरंगी, और सोने के धागे से अधिक कशीदाकारी की हुई थी और रत्नों से भरे चंदन के बक्से पूरे फ़र्श पर फैले हुए थे। मुझे उसको यह समझाने में लगभग पूरा दिन लग गया कि कोई भी साड़ी पहनकर वह सुंदर लगेगी।

"परंतु यदि मैंने उचित वस्त्र नहीं पहने तो दुर्योधन बहुत नाराज़ होगा," यह बात उसने कम से कम बीस बार कही होगी। उसने एक बार अपनी बड़ी और निष्कपट आँखों से मेरी ओर देखते हुए यह भी कहा, "मैं चाहती हूँ कि कर्ण मेरी प्रशंसा करे।"

अंत में हमने एक गहरी लाल रेशमी साड़ी पसंद की जो इतने अधिक स्वर्ण व रत्नों से जड़ित थी कि मुझे डर था कि वह उसे पहनकर चल नहीं पाएगी और उसने उस साड़ी के साथ मेल खाता हुआ मोटे स्वर्ण में जड़े माणिक्य का हार भी पसंद किया।

अपने कक्ष में लौटने तक मैं भोज के लिए अपनी योजना बदल चुकी थी। भानुमति से मिलने के बाद मुझे अपनी उस भूल का एहसास हुआ जो मैं करने वाली थी। उसके लिए जो अक्षम्य था, वह मेरे लिए लज्जाजनक होता - यह बात कोई मेरे जितनी समझदार नहीं पर मेरी उम्र की स्त्री अच्छी तरह समझ सकती थी। मैंने अंत में सत्य को स्वीकार कर लिया : जो मैं चाहती थी - चाहे वह कर्ण की सिर्फ़ एक प्रशंसा-भरी दृष्टि ही क्यों न हो - वह पाप था। क्या मैं विवाहित नहीं

थी, वह भी पाँच बार - और वह भी उन पुरुषों के साथ जिनसे कर्ण की शत्रुता थी? अपने शास्त्रों में लिखे शब्द मेरे मस्तिष्क में उभर आए : *एक स्त्री जो किसी ऐसे पुरुष के विषय में कामनापूर्ण विचार रखती है जो उसका पति नहीं है, वह उतनी ही निष्ठाहीन होती है जितनी कि वह स्त्री जो ऐसे पुरुष के साथ संभोग करती है।* इंद्रप्रस्थ से जो इंद्रधनुष के समान रंगीन व हीरों से मंडित साड़ी तैयार होकर अभी-अभी आई थी, मैंने उसे एक तरफ रख दिया। उसके स्थान पर पर मैंने एक साधारण सफ़ेद रेशम की लाल व स्वर्णिम किनारे वाली साड़ी निकाली। मैंने दाई माँ को कहा कि मैं मोतियों का साधारण हार पहनूँगी और अपने बालों में केवल मोगरे के फूल लगाऊँगी। उन्होंने जीभ चटकाते हुए असहमति जताई कि उस अवसर पर ऐसे वस्त्र पहनना उचित नहीं होगा क्योंकि सफ़ेद साड़ियाँ सिर्फ़ वृद्ध स्त्रियाँ ही पहनती हैं, किंतु अंत में उन्होंने मेरी बात मान ली।

यद्यपि, इसके विपरीत जब मैंने भोज-कक्ष में प्रवेश किया तो सबकी दृष्टि मेरी ओर घूम गईं रंग-बिरंगे फूलों के गुलदस्ते की तरह सजी झुंड में खड़ी स्त्रियों के बीच मैं पुराने वस्त्रों में बिल्कुल अलग दिखाई दे रही थी। कुछ स्त्रियाँ मेरी रचनात्मकता से ईर्ष्या कर रही थीं, और कुछ अप्रसन्नता से परस्पर फुसफुसा रही थीं - इसे हमेशा अलग दिखना होता है, यह हमेशा दर्शाना चाहती है कि यह सबसे बेहतर है, हमेशा यह ध्यान आकर्षित करने की इच्छुक रहती है। कुंती, जो इस भोज पर हमारे साथ थी, निश्चय ही मेरे आडंबर पर खिन्न थी। फिर उसने मुझसे मेरी बाँह पकड़कर सहारा देने को कहा। चूंकि वह अपने आप चलने सकने में सक्षम थी, मैंने सिर्फ़ यह अनुमान लगाया कि वह मुझपर नज़दीक से नज़र रखना चाहती थी।

अभी हम कुछ ही क़दम चले थे कि मैंने हमेशा की तरह साधारण वस्त्रों में कर्ण को देखा। उसने भी उसी समय मुझे देखा और झटके से रुक गया। एक क्षण के लिए मुझे लगा कि वह भोज कक्ष में जाने के लिए कोई अन्य मार्ग लेगा - अतिथियों की इतनी भीड़ में मेरी उपेक्षा करना बहुत सरल था, परंतु उसने ऐसा नहीं किया। मेरे वस्त्रों को देखकर उसकी आँखों में कुछ ऐसा भाव था जिसे मैं पढ़ नहीं सकी। उस समय मुझे एहसास हुआ कि वह और मैं - दोनों सादे सफ़ेद वस्त्रों में - एक दूसरे की छवि प्रतीत हो रहे थे। अपने लिए वस्त्र चुनते समय क्या मेरे अवचेतन मन में इस प्रकार का विचार आया था? कुंती ने भी इसी समय हम दोनों की समानता पर गौर किया। उसने कठोरता से गहरी श्वास भीतर ली और मैं सोच में पड़ गई कि वह हमारी विचित्र समानता के विषय में क्या सोच रही होगी।

इतने में कर्ण हमारे निकट आ गया। उसने कुछ ऐसे झुककर अभिवादन किया कि उसकी इतनी मैत्रीपूर्ण मुद्रा मैंने इंद्रप्रस्थ में पहले कभी नहीं देखी थी।

उसने पहले कुंती का अभिनंदन किया, जो उचित भी था, और फिर बिना कुंती के उत्तर की प्रतीक्षा किए वह मेरी ओर मुड़ गया। "पांडवों की महारानी को इतने अच्छे रूप में देखकर बहुत प्रसन्नता हो रही है," उसने मुस्कराते हुए कहा। "मैं आशा करता हूँ आपकी अब तक की यात्रा सुविधाजनक रही होगी।"

शिष्टाचार से बात करना उसके लिए सामान्य बात थी, जैसा कि सभी दरबारी कहते थे। फिर भी मेरा हृदय धड़क रहा था। शायद यही वह अवसर था जिसकी मुझे इतने लंबे समय से प्रतीक्षा थी : अतीत को भुलाकर अपने संबंधों को सुधारना। शायद फिर मुझे कर्ण का विचार आना बंद हो जाए। मैंने मुस्कराने और यह कहने के लिए कि मुझे आशा है उसकी यात्रा अच्छी रही होगी व उसके स्वास्थ्य के विषय में पूछने के लिए स्वयं को तैयार कर लिया। क्या यह कहना उचित होगा कि उसे देखकर मुझे प्रसन्नता हुई? परंतु कुंती ने मेरी बाँह पर अपनी पकड़ कस रखी थी। उसकी आँखें कर्ण के बाद मुझे और फिर वापस कर्ण को देख रही थीं। उसका चेहरा पीला और कठोर लग रहा था।

उसने क्या अनुमान लगाया था?

कुंती की क्रूर दृष्टि के समक्ष मैं अपनी गुप्त बात को प्रकट नहीं कर सकती थी। इससे वह हमेशा के लिए मुझसे अधिक शक्तिशाली हो जाती। मैंने अपने चेहरे को पूरी तरह भावहीन बना लिया और इतना कम झुककर कर्ण का अभिनंदन किया कि वह उसकी उपेक्षा करने से भी अधिक बुरा था। मैं बिना कुछ कहे, कुंती को लेकर उसके पास से निकल गई। यद्यपि, जाते समय मैंने अपनी आँख के कोने से देखा कि उसका चेहरा क्रोध से तमतमा रहा था। मेरा हृदय व्यथित हो उठा। मैंने सब बर्बाद कर दिया! और मैं कर भी क्या सकती थी? प्रत्येक बार जब भी हम मिलते थे - वह कौन-सा बुरा नक्षत्र था जो हमें प्रभावित कर देता था और सब कुछ ग़लत चीज़ें हो जाती थीं - ऐसी चीज़ें जो मैं कभी नहीं चाहती थी? अब वह मुझे कभी क्षमा नहीं करेगा।

उस भव्य और अंतहीन भोज के दौरान, मैं स्वादिष्ट व्यंजनों को बिना चखे खाती, मुस्कराती रही तथा अपने आस-पास बैठी स्त्रियों से बिना सोचे-समझे इतनी बात करती रही कि मेरा मुँह दुखने लगा और इसी बीच मैंने निर्णय लिया कि अब घर लौटना चाहिए। मैंने उसी रात युधिष्ठिर से इस बारे में बात करने का विचार बना लिया। अपने महल के लिए मेरी इच्छा ने मुझे झकझोर दिया। मुझे उसकी उसी तरह आवश्यकता थी जैसे किसी घायल पशु को अपनी माँद की - बैठकर अपने घावों को चाटने के लिए।

# 25

## साड़ी

कृष्ण ने एक बार कहा था कि समय पुष्प की भांति होता है। यह बात मेरी समझ में नहीं आई थी, परंतु बाद में मैंने खिलते हुए कमल की कल्पना की कि किस प्रकार उसकी बाहरी पत्तियाँ झड़ जाती हैं और अंदर की पत्तियों को उद्घाटित करती हैं। अंदर वाली पत्ती को बाहर की पत्ती के बारे में कभी पता नहीं लगता जिसने उसे वास्तव में आकार दिया होता है और केवल उस फूल को तोड़ने वाला दर्शक ही यह देख पाता है कि किस प्रकार एक पत्ती दूसरी से जुड़ी रहती है।

उस दोपहर की पत्ती रक्तिम उच्छवास के साथ खुली थी। रजस्वला होने के कारण मैं सुस्त महसूस कर रही थी। बंगाल से एक व्यापारी द्वारा लाई हलकी सूती साड़ी पहनकर मैं अपनी खिड़की से आती मंद धूप में बैठी, उद्यान में कूजती मैना का स्वर सुन रही थी और पहले से बेहतर महसूस कर रही थी। युधिष्ठिर इस बात पर सहमत हो गया था (पिछली रात को हमारे शयनकक्ष में हुई बहस के बाद) कि अपनी इस यात्रा को समाप्त करके अपने राज्य लौटने का समय हो गया था। उसने वचन दिया कि वह आज ही दुर्योधन के समक्ष इस बात की घोषणा कर देगा। इस प्रकार, अब मैं अपने महल वापस जाने वाली थी, जहाँ किसी विशिष्ट व्यक्ति के चेहरे पर क्रोध को भुलाने का प्रयत्न कर सकूँगी।

मुझे इस बात का पता ही नहीं था कि कुछ घंटे पूर्व दुर्योधन की नई सभा में एक नई पत्ती खुल गई थी, जहाँ कौरव राजकुमार ने अपने चचेरे भाई के इतनी शीघ्र लौटने पर निराशा व्यक्त करते हुए उसे जाने से पहले द्यूत के एक अंतिम खेल के लिए चुनौती दी थी। *शायद इसी बहाने मैं उस धन का कुछ अंश वापस प्राप्त कर सकूँ जो तुमने जीत लिया है, हैं न?* और इस खेल में – जो इंद्रप्रस्थ में हुए पूर्व के सभी खेल रूपी पुरानी पत्तियों से जुड़ा हुआ था, जो अब झड़कर गिर चुकी थीं – युधिष्ठिर के प्रतिद्वंद्वी के रूप में दुर्योधन का स्थान शकुनि ने ले लिया। पंखुड़ी खुली

और उसने उसके उस कौशल को उजागर कर दिया जो उसने अभी तक छिपा रखा था। अपने भाइयों के अनुनय की उपेक्षा करते हुए, मेरा पति एक के बाद एक बाज़ी हारता चला गया - वह अपने रत्न, अपने अस्त्र-शस्त्र और अपनी समस्त संपत्ति तक हार गया। उसके बाद, दुर्योधन के पूर्ण वश, हठ की पकड़ और क्रीड़ा के उन्माद में उसने वह चीज़ें दाँव पर लगा दी जिन्हें हारने का उसके पास अधिकार नहीं था और वह उन्हें हार बैठा।

. . .

द्वार पर हलचल हुई। क्या मेरे पति जल्दी लौट आए थे? परंतु मेरे कक्ष के सामने जो व्यक्ति अजीब ढंग से सिर झुकाकर खड़ा था - उसके वस्त्रों को देखकर मैंने पाया - वह दुर्योधन का सेवक था। मुझे उसकी अशिष्टता पर बहुत गुस्सा आया। पुरुष सेवक को यह पता होना चाहिए था कि उसे बाहर ही प्रतीक्षा करनी चाहिए और मेरी किसी सेविका के हाथ संदेश भिजवाना चाहिए था।

मैंने अपने अर्द्ध-पारदर्शी वस्त्र को खींचकर अपने पास कर लिया। मैंने अत्यंत कठोरता से पूछा, "क्या चाहिए तुम्हें?" यद्यपि वह कुछ कह पाता, उससे पहले ही दाई माँ दौड़ती-हाँफती वहाँ पहुँच गईं।

"बच्ची, मेरी बच्ची," आवेश में वह औपचारिक शिष्टाचार को भूल गईं, "अनर्थ हो गया, ऐसी बात हो गई जिस पर तुम्हें विश्वास नहीं होगा।"

मेरा हृदय तेज़ी से धड़कने लगा, अथवा वह धड़कन मेरे मस्तिष्क के भीतर हो रही थी? मैंने आज से पूर्व इतनी कठोरता से कभी बात नहीं की थी। "खुद को सँभालो! मुझे साफ़-साफ़ बताओ कि बात क्या है?"

परंतु इतनी देर में वह मेरे पैरों में बैठकर सुबुक-सुबुककर रोने लगी।

मैंने दुर्योधन के सेवक को देखते हुए उसे आदेश दिया, "तुम जाओ!"

उसने घबराहट से अपने होंठों पर जीभ फेरी और झुककर बोला, "क्षमा करें, महारानी। मुझे अपना कार्य पूरा करना ही होगा। राजकुमार दुर्योधन ने आपको सभा में बुलवाया है।"

"सभा में?" मैंने अविश्वास से कहा। "परंतु स्त्रियाँ तो वहाँ नहीं जातीं! और मेरे पतियों के स्थान पर मुझे दुर्योधन ने क्यों बुलवाया है?"

दाई माँ ने मेरी साड़ी पकड़ रखी थी "क्योंकि वह जुए में सब कुछ हार गया है," वह रोते हुए बोलीं। "युधिष्ठिर। पहले राजकोष का सरा धन, फिर महल..."

"मेरा महल?" मैंने गुस्से से बीच में टोका। "उसे यह अधिकार नहीं है!"

चेहरे पर विकार से दाई माँ के होंठ खिंच गए। "यही नहीं, वह अपना राज्य भी हार गया है। उसके बाद वह रुकना चाहता था क्योंकि उसके पास दाँव पर लगाने के लिए कुछ था ही नहीं। लेकिन उस दुष्ट शकुनि ने कहा, ज्येष्ठ भाई होने के नाते तुम अपने पांडव भाइयों को दाँव पर लगा सकते हो।"

"यह तो बिल्कुल निरर्थक बात है!" मैंने चिल्लाकर कहा। "निश्चित तौर पर वह ऐसा नहीं कर सकता।"

"उसने ऐसा किया और वह हार गया। फिर उसने स्वयं को भी दाँव पर लगा दिया और हार गया। उन राक्षसों का भाग्य उस गिद्ध शकुनि के पक्ष में था। इसके बाद दुर्योधन ने कहा कि द्रौपदी के अंतिम दाँव के विरुद्ध, मैंने तुमसे जो कुछ भी जीता है, मैं वह सब कुछ दाँव पर लगाता हूँ।"

मेरा सिर चकरा रहा था। "नहीं!" मैंने कहा।

दाई माँ ने हामी भरी और अपना चेहरा छिपाकर फिर से रोने लगी।

मेरा मुँह सूख गया। मेरे भीतर अनेक प्रतिवाद परस्पर टकरा रहे थे।

*मैं रानी हूँ। द्रुपद की पुत्री और धृष्टद्युम्न की बहन। पृथ्वी के महानतम महल की स्वामिनी। मुझे सिक्के के थैले की भांति दाँव पर नहीं लगाया जा सकता अथवा किसी नर्तकी की भांति सभा में नहीं बुलाया जा सकता।*

तभी मुझे किसी पुस्तक में पढ़ी हुई एक बात याद आई और मैंने सोचा भी नहीं था कि वह विचित्र नियम कभी मुझ पर ही लागू हो जाएगा।

*एक पत्नी, गाय अथवा दास की तरह, अपने पति की संपत्ति होती है।*

"मेरे शेष पतियों ने क्या कहा?" मैंने धीरे-से सेवक से पूछा।

"वह कुछ नहीं कह सके," उसने दुखी स्वर में कहा। "वह तो पहले ही दुर्योधन के दास हो चुके थे।"

मेरा सिर घूमने लगा, किंतु मैंने स्वयं को सँभाला। मैं न्याय-शास्त्र के अन्य शब्द याद कर रही थी। *यदि संयोगवश पुरुष स्वयं को हार जाए, तो अपनी पत्नी पर उसका कोई अधिकार नहीं होता।*

"सभा में वापस जाओ," मैंने उसे आदेश दिया, "और वहाँ वृद्ध-जनों से यह पूछो : क्या यह सत्य नहीं है कि एक बार जब युधिष्ठिर दुर्योधन की संपत्ति बन गया तो उसके पास मुझे दाँव पर लगाने का कोई अधिकार नहीं था?"

सेवक जल्दी से चला गया। मैंने एक गहरी ठंडी साँस ली। यह अच्छी बात थी कि मैं अनपढ़ नहीं थी जिसे नियमों की समझ नहीं थी। बुज़ुर्गों को पता लग

जाएगा कि मैं किस नियम का संदर्भ दे रही थी। वह तुरंत दुर्योधन की धृष्टता को रोक देंगे। विशेषकर भीष्म इस प्रकार मेरे अपमान का कतई समर्थन नहीं करेंगे। मेरे लिए अभी चिंता तो समाप्त नहीं हुई थी, किंतु कम से कम मैंने स्वयं को दुर्योधन के मित्रों द्वारा घूरे जाने के अनादर से तो बचा ही लिया था।

ऐसा सोचना मेरी भूल थी। विधि के ज्ञाताओं ने मेरी रक्षा नहीं की।

. . .

सभा में हुई उस घटना का विस्तृत वर्णन किया गया था यद्यपि मेरे लिए वह धुँधला है। अगले ही क्षण दुःशासन दौड़ता हुआ आया और चिल्लाकर बोला कि अब दुर्योधन मेरा स्वामी था और क्या मुझे उसका आदेश नहीं मानना चाहिए? क्या दाई माँ भागकर गांधारी के कक्ष में सहायता माँगने गई थी? क्या दुःशासन ने उसे मारकर गिरा दिया था? क्या उसने मेरे केश खींचे थे जिन्हें आज तक किसी भी पुरुष ने सिवाय आदरपूर्ण प्रेम के साथ नहीं छुआ था? मैंने उससे वस्त्र बदलने की प्रार्थना की। मेरी विनम्रता को झूठा बताकर वह मुझ पर हँसने लगा और महल के गलियारे में सबके सामने से मुझे घसीटता हुआ ले गया। किसी ने हस्तक्षेप करने का साहस नहीं किया। मैंने स्वयं को सैकड़ों पुरुष आँखों के सामने सभा में खड़ा पाया। अपनी अस्त-व्यस्त साड़ी को समेटते हुए मैंने अपने पतियों से सहायता की याचना की। उन्होंने यातना-भरी दृष्टि से मुझे देखा किंतु वह सब शिथिल होकर बैठे रहे। मैं देख सकती थी कि वह सभी युधिष्ठिर की शब्द-बेड़ियों से बँधे पहले ही दुर्योधन की संपत्ति बन चुके थे। उसी शब्द ने मुझे भी दुर्योधन की संपत्ति बना दिया था। उन्हें लगा कि मुझे - अथवा स्वयं को - छुड़ाने का उनके पास कोई अधिकार नहीं था। जब मैंने नेत्रहीन पुरुष का नाम लिया तो वह अपना सिर इधर-उधर घुमाकर दुविधा में होने का नाटक करने लगा। मेरी उत्कंठा बढ़ रही थी किंतु अभी मैंने हिम्मत नहीं हारी थी। मैंने सहायता के लिए पितामह को पुकारा क्योंकि मुझे विश्वास था कि वह अवश्य हस्तक्षेप करेंगे। क्या उन्होंने मुझे अपनी प्रिय पौत्री नहीं कहा था? क्या उन्होंने मुझे वह सब गुप्त बातें नहीं बताई थीं जो उन्होंने दूसरों से छिपा रखी थीं? क्या उन्होंने माया महल की स्वामिनी बनने में मेरी सहायता नहीं की थी? परंतु मुझे यह देखकर विश्वास नहीं हुआ कि वह भी अपना सिर झुकाकर बैठे रहे।

यह देखकर अपनी विजय पर दुर्योधन हँसने लगा। उसने अत्यंत बेशर्मी के साथ मुझे अपनी जाँघ पर बैठने के लिए कहा। और फिर अंत में मैंने कर्ण की ओर देखा। वह मेरी अंतिम आशा था और वही अकेला था जो दुर्योधन को रोक

सकता था। उसने मेरी तरफ पलटकर देखा। उसकी दृष्टि स्थिर थी। उसके चेहरे पर प्रतीक्षा के भाव थे। मुझे पता था कि वह क्या चाहता था : कि मैं घुटनों के बल गिरकर उससे दया की भिक्षा माँगूं। फिर वह मुझे बचा लेता। वह असहाय लोगों की सहायता करने के लिए विख्यात था, परंतु मैं स्वयं को इस स्तर तक नहीं गिरा सकती थी। यदि मर जाऊँ, तो भी नहीं।

वह हमारा शत्रु था। मैंने हाल में उसके मैत्री प्रयास को अस्वीकार कर दिया था। तो फिर यदि वह मेरी सहायता के लिए नहीं आया तो मुझे विश्वासघात का एहसास क्यों हो रहा था?

मैंने अपने आत्म-सम्मान का आह्वान किया और अपने आँसुओं को रोक लिया। मैंने अपने भीतर की समस्त घृणा को बटोरा और उसे कर्ण पर केंद्रित कर दिया।

मेरी आँखों में तिरस्कार का भाव देखकर कर्ण का चेहरा ऐसा सफ़ेद और स्थिर हो गया मानो वह हस्तिदंत का बना हुआ हो। दुर्योधन अपनी विजय पर हँस रहा था। उसने चिल्लाकर दुःशासन से कहा, "पांडवों के सुंदर वस्त्र और आभूषण उतार लो। यह सब अब हमारा है!" इससे पहले कि दुःशासन उन्हें छू पाता, मेरे पतियों ने अपने ऊपर के वस्त्र, सोने के हार और बाजूबंद उतारकर फेंक दिए। कर्ण फ़र्श पर पड़े उस चमकदार सामान के ढेर को ध्यान से देखने लगा मानो उसमें कुछ रहस्य छिपा हो। उसका मुख हर्षविहीन मुस्कान के साथ खुला। "द्रौपदी के साथ अलग व्यवहार क्यों? इसके वस्त्र भी उतार लो।"

. . .

भाट और चारण गीत के माध्यम से बताते हैं कि जब दुःशासन ने मेरी साड़ी खींचकर मेरी नग्नता को सबके सामने उजागर करने का प्रयास किया तो क्या हुआ था। मेरी साड़ी खींचते-खींचते वह थक गया किंतु किस प्रकार वह लंबी होती चली गई? क्या यह कोई चमत्कार था? मुझे नहीं पता। मैंने अपनी आँखें बंद कर ली थीं। मैं रोकने का बहुत प्रयास कर रही थी कि किंतु मेरा शरीर काँपता जा रहा था। मैंने अपनी साड़ी को कसकर अपनी मुट्ठी में दबा रखा था मानो उस निरर्थक कार्य से मैं स्वयं को बचा सकती थी! सर्वाधिक शर्मनाक बात जो किसी स्त्री के साथ हो सकती है, वह मेरे साथ होने जा रही थी - मेरे साथ, जो यह सोचती थी कि अपने समय के महानतम राजाओं की गौरवान्वित एवं प्रिय पत्नी होने के नाते मुझे कोई क्षति नहीं पहुँचा सकता था! इस समय वह सब शिथिल हुए बैठे थे जबकि मैं दुःशासन के साथ संघर्ष कर रही थी। जादूगरनी ने कहा था, जब किसी बड़े संकट

में फँस जाओ तो उस व्यक्ति का ध्यान करो जो तुमसे प्रेम करता है। मैंने धृ का ध्यान करना चाहा किंतु मुझे सिर्फ़ यह विचार आया कि जब उसे मेरे साथ बीती इस घटना का पता लगेगा तो वह कितना क्रोधित और असहाय महसूस करेगा।

फिर - चूंकि ऐसा कोई नहीं था जो मेरी सहायता कर सकता था - मैंने कृष्ण के विषय में सोचा। उनका मुझ पर कोई ऋण नहीं था और हमारा कोई संबंध भी नहीं था। शायद इसीलिए मैं अपेक्षा से उत्पन्न होने वाले क्रोध में बिना बहे उन पर अपना ध्यान केंद्रित कर पाई। मैंने अकारण ही उनके चेहरे पर आ जाने वाली उनकी मुस्कान के बारे में सोचा। दरबार की आवाजें - दु:शासन के कुवचन, दर्शकों की फुसफुसाहट - सहसा शांत हो गईं। सहसा किसी उद्यान में पहुँच गई। वहाँ सरोवर में हंस थे, जिसके ऊपर एक वृक्ष झुका हुआ था और उसके नीले फूल नीचे गिर रहे थे पानी के बहने की आवाज आ रही थी मानो इस जगत का कोई अंत नही था। हवा में चंदन की सुगंध थी। मेरे साथ तख़्त पर कृष्ण बैठे हुए थे और वह मुझे चमकती किंतु कोमल दृष्टि से निहार रहे थे। उन्होंने मुझसे कहा, *यदि तुम न चाहो तो कोई तुम्हें लज्जित नहीं कर सकता।*

मुझे हैरानी हुई और लगा कि वह बिल्कुल ठीक कह रहे थे।

मैंने सोचा कि मैं इन लोगों को अपनी नग्नता को देख लेने दूँ। मैं इनकी परवाह क्यों करूँ? शालीनता की सीमा का अतिक्रमण करने पर मुझे नहीं अपितु इन्हें लज्जित होना चाहिए।

क्या यह अपने आप में एक चमत्कार नहीं था?

कृष्ण ने हामी भरी। उन्होंने मेरे हाथों को थामा। उनके स्पर्श से मेरी कसी हुई पेशियाँ सहज हो गईं और मेरी मुट्ठियाँ खुल गईं। वह मुस्कराए और मैंने बदले में मुस्कराने की तैयारी कर ली।

परंतु तभी एक अन्य चेहरा मेरे मस्तिष्क में घूम गया। मैंने घृणा से भरी नई आँखों को देखा। मुझे फिर वही शब्द सुनाई दिए जिन्होंने मेरा भाग्य तय कर दिया था। वह शब्द मेरे भीतर उसी प्रकार गूँज रहे थे जिस प्रकार किसी धनुष से विष-बुझा बाण छोड़ने के बाद उसकी डोरी की आवाज गूँजती है। उसने जो दंड मुझे दिया था वह मेरे द्वारा किए अपराध से कहीं अधिक था।

*कर्ण,* मैंने स्वयं से कहा, *तुमने मुझे सबक सिखाया है, और बहुत अच्छी तरह सिखाया है।*

क्या प्रतिशोध की इच्छा प्रेम प्राप्ति की कामना से अधिक शक्तिशाली होती है? उसमें ऐसा क्या दुष्ट जादुई प्रभाव होता है जो मानव हृदय को उसकी ओर इतनी

ज़ोर से खींचता है? यह कहते-कहते, मेरे हाथ कृष्ण के हाथ से फिसलने लगे। उनका चेहरा धुँधला होता गया।

मैंने अपनी आँखें खोलीं। मेरे शरीर पर अब भी वस्त्र थे और दुःशासन फ़र्श पर मूर्छित पड़ा था। मैंने उसके ऊपर पैर रखकर निकली चटकती हुई बर्फ़ जैसी आवाज में मैंने सभा को संबोधित किया। "आज इस कृत्य के फलस्वरूप होने वाले युद्ध में तुम सब लोग मारे जाओगे। जिस तरह मैं आज यहाँ रोई हूँ, उससे अधिक दयनीय स्थित में तुम्हारी माताएँ और पत्नियाँ रोएँगी। यह संपूर्ण राज्य मुर्दाघर बन जाएगा। तुम्हारा श्राद्ध करने के लिए एक भी कौरव उत्तराधिकारी जीवित नहीं बचेगा। यदि कुछ बचेगा तो वह आज के दिन की लज्जापूर्ण स्मृति, जो तुम लोगों ने एक असहाय स्त्री के साथ करने का प्रयास किया है।" मैं यह कह तो सबको रही थी किंतु मेरी दृष्टि कर्ण पर ही टिकी हुई थी। मुझे एक बात की प्रसन्नता थी। आज जो कुछ हुआ उससे मेरी सभी शंकाएँ दूर हो गई थीं। अब मुझे कभी उसका ध्यान आकर्षित करने की इच्छा नहीं होगी। अपने पीछे मैंने भीम और अर्जुन को प्रतिज्ञाएँ लेते सुना और नेत्रहीन राजा की उत्कंठा भरी याचना सुनी जिसमें वह मेरा नाम पुकारकर मुझसे अपना शाप वापस लेने के लिए प्रार्थना कर रहा था। मेरे भीतर लाल रंग की धुँध में कृष्ण का चेहरा घुल गया किंतु मेरे शब्द रुक नहीं रहे थे।

मैंने अपने केश उठाकर सबको दिखाए। मेरा स्वर अब शांत था क्योंकि मुझे पता था कि मैं जो कुछ कह रही थी वह अवश्य घटित होगा। "मैं अपने केश तब तक नहीं बाँधूँगी," मैंने कहा, "जब तक मैं इन्हें कौरवों के रक्त से नहीं धो लेती।"

. . .

मैंने सभा में उस दिन क्या सीखा?

इतने समय तक मैं अपने पतियों की ताक़त पर भरोसा करती थी। मैं सोचती थी कि चूंकि वह मुझे प्रेम करते हैं, वह मेरे लिए कुछ भी कर सकते हैं, परंतु अब मुझे समझ में आया कि हालांकि वह मुझसे प्रेम करते थे - जितना कोई पुरुष कर सकता है - कुछ और भी चीज़ें थीं जिनसे वह अधिक प्रेम करते थे। उनके लिए सम्मान, एक-दूसरे के प्रति निष्ठा और प्रतिष्ठा की अवधारणाएँ मेरी पीड़ा से अधिक महत्त्वपूर्ण थीं। वह मेरे हिस्से का प्रतिशोध लेंगे, अवश्य लेंगे, किंतु तब जब उन्हें लगेगा कि परिस्थितियाँ ऐसी होंगी कि उन्हें नायकों वाली ख्याति मिलेगी। स्त्री इस प्रकार नहीं सोचती। उस दिन यदि मेरे पास सामर्थ्य होता तो मैं उन्हें बचाने के लिए स्वयं को झोंक देती। मैं इस बात की परवाह नहीं करती कि लोग क्या सोचेंगे।

मेरी आवश्यकता के समय उन्होंने जिस तरह चुनाव किया था उससे हमारे संबंधों में कुछ बदल गया था। मैं भविष्य में उनके ऊपर पूरी तरह निर्भर नहीं रहती थी। जब मैं स्वयं को आहत होने से बचाने की सावधानी बरतती थी तो मेरा वह प्रयास जितना शत्रु से बचने का होता था उतना ही उनसे भी बचने का होता था।

पुरुषों के लिए, कोमल भाव सदैव ताक़त और गौरव से जुड़े हुए होते हैं। इसीलिए कर्ण मेरे याचना करने की प्रतीक्षा करता रहा जबकि वह चाहता तो मेरी उस पीड़ा को एक शब्द कहकर रोक सकता था। यही कारण था कि जब मैंने उससे दया की भिक्षा नहीं माँगी तो उसने मुझे अपना लक्ष्य बनाया। इसीलिए उसने दुःशासन को ऐसे कृत्य के लिए उकसाया जो सम्मान के उस नियम के विरुद्ध था जिसका पालन वह अपने जीवन में करता आया था। उसे पता था कि उसे बाद में इसके लिए पछताना पड़ेगा – उसकी कठोर मुस्कान में उसकी पीड़ा का दर्द पहले से ही मौजूद था।

परंतु एक स्त्री का हृदय क्या अंत में शुद्ध हो पाया था?

यही वह अंतिम सत्य था जो मैंने समझा। अब तक मैं स्वयं को अपने पिता से और उन सभी पुरुषों से बेहतर समझती आई थी जिन्होंने सिर्फ़ उस एक व्यक्ति को दंडित करने के लिए हज़ारों मासूम लोगों पर अत्याचार किया था जिसने उनको क्षति पहुँचाई थी। मुझे लगता था कि मैं उनको प्रेरित करने वाली आकांक्षाओं से ऊपर थी, परंतु मेरे भीतर भी वही सब था और मेरे रक्त में भी प्रतिशोध भरा हुआ था। जब वह क्षण आया तो मैं स्वयं को रोक न सकी, जैसे एक कुत्ता हड्डी को चबाने का लोभ नहीं छोड़ पाता चाहे उसके मुँह से खून आने लगे।

मैं अपने भीतर पहले से ही इन बातों को सीखकर बैठी थी। इन्हें मैं वनवास के लंबे समय के दौरान अपनी इच्छित वस्तुओं को प्राप्त करने के लिए प्रयोग करने वाली थी, चाहे उसकी कुछ भी क़ीमत मुझे चुकानी पड़े।

यद्यपि, चतुर कृष्ण ने, जिन्होंने मुझे एक अलग प्रकार की शांति प्रदान की थी, अपनी निराशापूर्ण आँखों के द्वारा – मुझे क्या सिखाने का प्रयास किया था?

# 26

## चावल

मेरे शाप से भयभीत होकर, नेत्रहीन राजा द्वारा मेरे पतियों को उनका राज्य और उनकी स्वतंत्रता लौटाने के बाद, दुर्योधन द्वारा युधिष्ठिर को उसकी पत्नी के हाथों बचाए जाने का ताना मारने के बाद उसे एक बार फिर द्यूत की चुनौती दे दी। द्यूत में हारने वाले को बारह वर्ष का वनवास भोगना था। मैंने युधिष्ठिर को इस चुनौती को अस्वीकार करने का आग्रह किया। इसके बाद, उसने अपनी प्रतिष्ठा बचाने के लिए मेरा आग्रह अस्वीकार कर दिया। फिर उसका वह खेल, जैसा कि मुझे पता था, फिर से हार जाने पर हमने अपने राजसी वस्त्र उतारकर सेवकों जैसे वस्त्र पहन लिए। जब हमने सफ़ेद और अश्रुहीन दिख रही कुंती से विदा ले ली और मैंने अपने रोते-बिलखते बच्चे दाई माँ को सौंप दिए, जिनका पालन-पोषण सुभद्रा के यहाँ हुआ। इसके बाद कुंती ने हमें दोषी की तरह देखा (क्योंकि वह जानती थी कि मैं उन्हें बचा सकती थी, मुझे अपने पतियों के साथ वन में जाने की ज़रूरत नहीं थी, मेरे बच्चों को मेरी अधिक आवश्यकता थी)। फिर हम नगर से होते हुए नंगे पैर पैदल चलकर वन में पहुँच गए।

यह सब कुछ हो जाने के बाद, दुर्योधन और उसके साथी विजय से हर्षित होते हुए अश्वों पर सवार होकर माया महल पर क़ब्ज़ा करने जा पहुँचे।

जब वह महल के सामने पहुँच गए, दुर्योधन ने रुककर श्वास ली। आखिरकार, अब यह मेरा है! उसके साथियों को तब यह बात समझ में आई कि दुर्योधन ने यह सब कुछ इसलिए किया था - इस महल को पाने के लिए, जिसकी प्रतिकृति बनवाने में वह असमर्थ रहा था, जहाँ उसका अपमान हुआ था और जहाँ अब उसकी विजय हुई थी। वह इतिहास दोबारा लिखना चाहता था। उसके ऐसा कहने के साथ ही, हवा का झोंका आया और उसने पूरे महल को आच्छादित कर दिया और देखते-देखते महल के गुंबद और बुर्ज आदि विघटित होने लगे। दुर्योधन इतनी ज़ोर से चाबुक मारकर अपने घोड़े को आगे भगाता गया कि उसके मुँह से

रक्तिम झाग बहने लगा। फिर भी, जब तक वह महल के मुख्य द्वार तक पहुँचा, धरती पर कुछ चीज़ों के ढेर ही शेष रह गए थे : अस्थियाँ, केश, रेत और नमक।

मुझे कैसे पता लगा? मैंने स्वप्न देखा था।

मेरे पतियों ने यह अनुमान लगाया कि महल के निष्ठावान सेवकों ने हमारे दुर्भाग्य की कथा सुनकर महल को आग लगा दी थी, किंतु मुझे कटु विश्वास था कि मेरा स्वप्न सत्य था। मेरे महल ने उसके अधिकृत स्वामियों को छोड़कर किसी अन्य का उसमें निवास करना अस्वीकार कर दिया था। हमारे प्रति निष्ठावान रहने के लिए वह महल जो कर सकता था, उसने किया।

वन में आगे बढ़ते समय, मेरे साथ नमक की छोटी थैली थी जो मैंने अपने महल के प्रति सम्मान के रूप में अपने साथ रखी थी। रात को मैं उस नमक को पत्थरों व टहनियों से छिले हुए अपने शरीर पर लगाती थी और उस जलन को सहर्ष सहन करती थी। इससे मुझे सब कुछ याद रहता था। स्वप्न में मुझे वह महल फिर से दिखाई दिया जो पहले से अधिक भव्य और जीवंत लगता था। मुझे पता था कि मुझे इस प्रकार का घर फिर कभी नहीं मिलेगा।

घृणा के लिए अब मेरे पास एक और कारण हो गया था।

. . .

वह छायादार और घना वन, महत्त्व की दृष्टि से बहुत सुंदर था। यदि मैंने स्वयं को उत्तेजित करने दिया होता तो मेरा जीवन बिल्कुल भिन्न हो सकता था। यद्यपि मुझे वह सिर्फ़ उन चीज़ों का स्मरण करवाता था जो मुझसे छीन ली गई थीं। जैसे-जैसे हम उसके भीतर जाते गए, मुझे लगा कि वह हमें देख रहा था। क्या उसे पता था कि हमने उसके किसी भाई को जलाया था? क्या वह इसके लिए हमसे घृणा करता था? मैं रात को सावधान रहती थी और मुझे कुछ रेंगने की आवाजें आती रहती थीं।

मेरे पतियों को ऐसी कोई आशंका नही थी। वह बच्चों की तरह उत्तेजित थे। मेरे विचार से उन्हें अपने बचपन के दिन याद आते होंगे जो शायद उनके सबसे प्रसन्नता भरे दिन थे। वह गंध और बेरी को भी उतनी ही प्रसन्नता से खोजते थे जितना काँटेदार बदंत के पत्तों को जिनके स्पर्श से घंटों खुजली होती रहती थी। इससे यदि मुझे परेशानी होती थी तो इसमें मेरा क्या दोष? उन्हें देखकर ऐसा लगता ही नहीं था कि उनका राज्य छिन गया है!

जब वह मुझे किसी शेरनी के साथ उसका शावक दिखाते थे अथवा किसी विशाल घोंघे द्वारा छोड़े गए गिरे हुए वृक्षों पर चाँदी-से निशान दिखाते थे तो मुझे

अधिक रुचि दिखानी चाहिए थी। मुझे पल-पल उछलते-कूदते नारंगी पूँछ वाले बंदरों को देखकर उनके साथ हँसना चाहिए था। इस प्रकार वह बारह वर्ष जल्दी और अधिक खुशी के साथ बीत सकते थे। हमें भोजन की कभी कमी नहीं महसूस होती थी। अर्जुन पर्याप्त शिकार खोज लाता था। भीम कंद-मूल खोज लेता और वृक्षों पर से पके हुए फल गिरा लेता था। नकुल और सहदेव मेरे पालने के लिए हिरण के शावक पकड़ लाते थे और जंगली बकरियों का दूध निकाल लाते थे। हम कहीं भी जाते तो मेरे पति मेरे लिए हवादार और सुगंधित कुटीर बना लेते थे जिसमें कोमल घास के बिछौने होते थे और पत्तों से बुनी छत से सुबह सूर्य की किरणें भीतर आ जाती थीं। कभी-कभी युधिष्ठिर गीत गाता था - ऐसा उसने महल में कभी नहीं किया। मुझे यह देखकर आश्चर्य हुआ कि उसकी आवाज मधुर और भरी हुई थी।

यद्यपि एक विचित्र कठोरता ने मेरे भीतर घर कर लिया था। मेरे पति मेरे लिए जो भी सुविधा जुटाते थे,मैं उसे अस्वीकार कर देती थी। मेरे चेहरे पर सदैव असंतोष के भाव रहते थे और मेरे शुष्क केश मेरे चेहरे पर बिखरे रहते थे। प्रतिदिन जब मैं उन्हें भोजन परोसती तो मैं उन्हें यह याद दिलाती कि किस प्रकार उन्होंने मुझे निराश किया था और मैंने दुर्योधन की सभा में क्या सहन किया था। हर रात मैं कौरवों द्वारा मारे गए ताने दोहराती थी ताकि उनकी याद उनके मस्तिष्क में ताज़ा बनी रहे। रात को दीपक बुझा देने के बाद, मैं अपनी शय्या पर करवटें बदलती रहती। मेरे नीचे की कोमल घास सहसा मुझे लकड़ी की तरह कठोर लगने लगती और मुझे कर्ण का जटिल व रहस्यमय चेहरा याद आ जाता जब उसने कहा था, 'इसके वस्त्र भी उतार लो'। (परंतु मैं इसका उल्लेख नहीं करती थी।) प्रत्येक सुबह जब मैं पसीने और बेचौनी के साथ उठती तो मैं प्रतिशोध की कल्पना करती : एक आग उगलती रणभूमि, गिद्धों से भरा वातावरण, कौरवों और उनके सहयोगियों के क्षत-विक्षत शरीर - जिस तरह मुझे इतिहास को बदलना था (परंतु मैं कर्ण के शव की कल्पना नहीं कर पाती थी। इसके स्थान पर मैं कल्पना करती कि वह घुटने के बल मेरे चरणों में लज्जा से सिर झुकाए बैठा है। जब मैंने उसके लिए उचित दंड का निर्णय लेना चाहा तो मैं ऐसी कल्पना करने में फिर से असफल हो गई।)।

इस प्रकार उस कपटी समय के साथ युद्ध में मेरी विजय हुई, जिसने अन्यथा हमारे द्वेष की धार को हलका अथवा पूरी तरह समाप्त कर दिया होता।

. . .

सबसे क्रोधी स्वभाव के ऋषि दुर्वासा अपने एक सौ शिष्यों के साथ हमारे यहाँ आ गए और वह भूखे थे। वह घटना कुछ इस प्रकार घटी : वह हस्तिनापुर

गए थे जहाँ दुर्योधन ने उनकी बहुत अच्छी देखभाल की। उसकी सेवा से प्रसन्न होकर ऋषि ने उसे वरदान माँगने को कहा। राजकुमार दुर्योधन ने उनसे कहा कि यदि मुनिवर वन में जाकर उसके चचेरे भाइयों को भी आशीर्वाद देंगे तो उसे बड़ी खुशी होगी।

दुर्वासा ने सहर्ष स्वीकार कर लिया और वह इस समय नदी पर स्नान कर रहे थे। उन्होंने यह कड़ा निर्देश भी दिया था कि जब तक वह लौटें तब तक भोजन तैयार होना चाहिए।

किसी अन्य दिन मुझे इस बात से कोई परेशानी नहीं हुई होती। हस्तिनापुर से वनवास के लिए निकलते समय व्यास ने मुझे एक पात्र दिया था। उनका कहना था कि वह पात्र सूर्यदेव का था और उसमें दिव्य गुण थे। उसमें जो भी पकाया जाता था वह सभी के खाना समाप्त करने तक समाप्त नहीं होता था लेकिन यह सिर्फ़ तब तक था जब तक मैं स्वयं भोजन न कर लूँ। उसके बाद पात्र से और भोजन नहीं मिलता था।

मुझे व्यास के उस पात्र पर संदेह था (मैंने सुना था कि ऋषियों के दिए उपहार कुछ न कुछ जटिलता के साथ मिलते थे) लेकिन अभी तक उसने अपना कार्य पूर्ण किया था। (कभी-कभी संदेह होने के कारण, ऐसा इसलिए होता था क्योंकि हमारे अतिथि यह सुनिश्चित कर लेते थे कि पात्र में मेरे लिए भोजन शेष रहता था, परंतु भीतर ही कहीं मैं जानती थी कि यह संसार रहस्यों से भरा हुआ है)।

यद्यपि, आज मैं भोजन कर चुकी थी और पात्र को धोकर रख दिया था। वह खाली पात्र मेरे रसोईघर की टाँड़ पर रखा चमक रहा था। मेरे पति शीघ्रता से पकाने के लिए लकड़ी और भोजन की व्यवस्था करने चले गए। मैंने इस आशा में आग जला ली कि उन्हें शायद कुछ सफलता मिल जाए यद्यपि इतने लोगों को खिलाने के लिए उन्हें क्या मिलता? अग्नि को देखते हुए मेरे भीतर चिंताएँ उठने लगीं। दुर्वासा अपने विचित्र शापों के लिए विख्यात थे। निश्चित तौर पर दुर्योधन ने उन्हें यहाँ इसी उद्देश्य से भेजा था जिससे वह नाराज़ होकर हमें शाप देकर किसी असाध्य रोग से ग्रस्त कर दे दें अथवा हमें कोई आकर्षक पशु बना दें। मैंने कल्पना की कि वह अपने महल में आराम करते हुए हमारे लिए नई-नई परेशानियाँ खड़ी करने के विषय में सोच रहा था। क्या इस नई चाल में कर्ण का भी हाथ था? उसके प्रति मेरे क्रोध के बावजूद, मुझे नहीं लगा कि ऐसा होगा। उसे अपने ऊपर इतना गर्व था कि वह ऐसे कुचक्र रचने के विषय में नहीं सोच सकता था।

प्रायः जब मैं भयभीत होती थी और मुझे समझ नहीं आता था कि मैं क्या करूँ, तो मैं कृष्ण के बारे में सोचने लगती थी। दुर्योधन की सभा में हुई घटना के बाद मुझे ऐसा करने की आदत पड़ गई थी। ऐसा करने से मेरी समस्या तो दूर नहीं होती थी परंतु मुझे शांति अवश्य मिलती थी। कभी-कभी मैं उनके साथ काल्पनिक संवाद भी किया करती थी। चूंकि मुझे कभी पलटकर उत्तर नहीं मिलता था, तो मेरे लिए यह अपनी कुंठा व्यक्त करने का अच्छा अवसर होता था।

उस दिन मैंने कहा, "क्या हमें पहले ही कम दुख हैं? क्या हमारी पहले ही काफी परीक्षा नहीं ली जा चुकी है? आप कैसे मित्र हैं? अब समय आ गया है जब आप हमारे लिए अपनी तथाकथित दिव्य शक्तियों का प्रयोग करें!"

तभी मैंने देखा कि वह सामने बैठे मुस्करा रहे थे। क्या मेरी उत्कंठा के कारण मुझे दृष्टिभ्रम हो रहा था?

"कोई भी परिस्थिति," वह बोले, "अपने आप में अच्छी या बुरी नहीं होती। उस परिस्थिति पर हमारी प्रतिक्रिया ही दरअसल हमारे दुखों का कारण है। यद्यपि, मनोविज्ञान की बातें बहुत हो चुकीं! मुझे भूख लग रही है।"

"मुझे तंग मत करो," मैंने पलटकर उत्तर दिया। "आपको तो पता है कि इस समय इस घर में, जहाँ मुझे रहने के लिए विवश कर दिया गया है, बिल्कुल भी भोजन नहीं है।"

"तुम्हें अपने पिता के महल में धृ के साथ ही रहना चाहिए था," उन्होंने समभाव से कहा। "मेरे सामने वह तुमसे अनेक बार प्रार्थना कर चुका है। अथवा तुम सुभद्रा के साथ रह सकती थीं और अपने उन उद्दंड बालकों को सँभालने में उसकी सहायता कर सकती थीं। परंतु नहीं! तुम तो इस बात पर अड़ी हुई थीं कि मेरे प्रिय पांडव मित्रों को प्रतिदिन परेशान करोगी।"

शायद मैं अपने ग्लानि भाव से दुखी थी, इसलिए मैंने कहा, "बिल्कुल ठीक, अब आप इस दुर्दशा में मुझे और मारो। आपके जैसा मित्र और कर भी क्या सकता है?"

"शांति! शांति!" कृष्ण ने हँसकर हाथ उठाते हुए कहा। "मैं खाली पेट नहीं लड़ सकता। तुम फिर से क्यों नहीं देख लेतीं? हो सकता है तुम्हारे भोजन पात्र के तले में कुछ भोजन शेष हो।"

"मैंने आपको बताया न कि मैंने वह धोकर रख दिया है। क्या आपको वह दिखाई नहीं दे रहा?" मैंने क्रोध में पात्र उठाकर कृष्ण की ओर उछाल दिया।

उन्होंने उसे सफ़ाई से पकड़ लिया। "क्या तुम अपने पतियों के साथ भी ऐसे ही करती हो? आह, अच्छा है, इससे उन्हें शत्रु के बाणों से बचने का अभ्यास भी हो जाएगा।"

कृष्ण की मुस्कान संक्रामक थी। मैंने अपने चेहरे पर भी मुस्कान आती हुई महसूस की,परंतु मैंने तुरंत उसे क्रोध के भाव में परिवर्तित कर दिया।

"आह, मिल गया!" पात्र के किनारे से चावल का एक दाना हटाते हुए वह बोले, जबकि वह दाना - मुझे पूरा विश्वास है - क्षण-भर पहले वहाँ नहीं था। "तुम घर का काम ठीक से नहीं करतीं।" ऐसा कहते हुए उन्होंने वह चावल का दाना अपने में मुँह रखकर उसे चबाने का स्वाँग किया। उसके बाद उन्होंने पीने के लिए पानी माँगा। "यह बहुत अच्छा था," वह बोले। "संसार के सभी जीव मेरी तरह तृप्त हो जाएँ!"

मैंने त्योरी चढ़ाते हुए उन्हें देखा। यह मज़ाक करने या पहेलियाँ बुझाने का समय नहीं था।

सहसा उन्होंने अँगीठी से एक आधी जली हुई लकड़ी निकाली और मेरी ओर उछाल दी जिसके कारण मैं पीछे हट गई।

"मैंने गुस्से से घबराहट में चिल्लाकर कहा, "यह क्या कर रहे हो?"

"तुम्हें कुछ दिखाने की चेष्टा कर रहा हूँ। इस लकड़ी ने तुम्हें डरा दिया, है न? यदि तुम तुरंत पीछे नहीं हटतीं तो तुम्हें इससे चोट भी लग लग सकती थी, परंतु देखो - तुम्हें जलाने के प्रयास में यह स्वयं को स्वाहा कर रही है। हृदय के साथ भी ऐसा ही होता है..."

मैं उनका आशय समझ गई थी।

"मैं चाहती हूँ कि आप इस समय सामने पड़ी समस्या पर ध्यान दें," मैंने टोकते हुए कहा। "ऋषि दुर्वासा हमें चींटी-भक्षी बनाने वाले हैं।"

"यह तो देखने लायक होगा।" कृष्ण का स्वर हलका था किंतु उनकी आँखों में वही पुरानी निराशा थी। "यद्यपि, ऐसा कुछ नहीं होने वाला है। देखो!"

मैंने पीछे मुड़कर देखा। भीम अपने कंधे पर केले के गुच्छे लादकर ला रहा था।

"यह अत्यंत आश्चर्यजनक बात है!" वह बोला। "वापस आते समय मुझे मार्ग में ऋषि दुर्वासा व उनके शिष्य मिले थे। वह हमारी कुटिया से दूर जा रहे थे। मुझे लगा कि वह मार्ग भटक गए हैं, इसलिए मैंने उनसे अपने पीछे आने को कहा। पहले तो वह आनाकानी करते रहे और फिर आखिरकार उन्होंने मुझे बताया कि उन्हें अब भूख नहीं लग रही थी। उन्होंने ज़ोरदार डकार ली और हम सभी को

आशीर्वाद देकर झटपट वहाँ से लौट गए।" भीम ने अपना सिर हिलाया। "यह ऋषि भी विचित्र होते हैं। अच्छा है कि मैं ऐसा नहीं हूँ।"

मैंने पलटकर कृष्ण की ओर देखा, किंतु वह स्थान जहाँ वह अब तक बैठे थे, रिक्त था। मैंने पात्र के किनारे को छुआ जहाँ क्षण भर पहले चावल का एक दाना चिपका हुआ था।

"वह कहाँ गए?" मैंने भीम से पूछा।

"कौन?"

"कृष्ण।"

"कृष्ण? जहाँ तक मुझे पता है वह कहीं नहीं गए हैं। क्या तुम्हें याद नहीं, उन्होंने कहा था कि वर्षा-ऋतु तक वह द्वारका में व्यस्त रहेंगे? अभी दुर्वासा के विषय में बात करते समय तुम्हें अचानक कृष्ण का विचार कैसे आ गया? देखो! वह जलती हुई लकड़ी तुम्हारे पैर के बहुत पास पड़ी है, तुम्हें चोट न लग जाए!"

भीम ने वह जलती हुई लकड़ी फिर से आग में फेंक दी और अपने भाइयों को दुर्वासा के अकथ व्यवहार के विषय में बताने के लिए चला गया।

. . .

यह पहला अवसर नहीं था जब दुर्योधन ने हमारे लिए संकट खड़ा करने का प्रयास किया था। एक बार, कौरवों के पशु-अवस्थान का निरीक्षण करने के बहाने से वह द्वैत वन में हमें ताना मारने आया था। एक बार उसने अपनी ही बहन के पति जयद्रथ को मेरा अपहरण करने के लिए उकसाया था। उसके यह दोनों प्रयास असफल हो गए थे। दुर्योधन को एक गंधर्व राजा ने बंदी बना लिया था और फिर उसे बाद में अर्जुन ने छुड़ाया था। उसने इस अपमान के फलस्वरूप लगभग आत्म-हत्या करने का निर्णय ले लिया था। जयद्रथ के वन में पहुँचने से पहले ही भीम ने उसे पकड़ लिया था और दंड स्वरूप उसके बाल काट दिए थे। तब जयद्रथ को लगभग एक वर्ष तक गंगा नदी के तट पर भिक्षु बनकर रहना पड़ा जब तक उसके केश फिर से पर्याप्त रूप से लंबे नहीं हो गए।

मुझे अपने शत्रुओं के लज्जित होने पर बहुत प्रसन्नता होती थी और मैं इस बात की परवाह नहीं करती थी कि किसी को इस बात का पता लगा या नहीं, हालांकि युधिष्ठिर का कहना था कि अपनी भावनाओं को इस प्रकार उजागर करना अनुचित भी है और मूर्खतापूर्ण भी। मैं उसकी बात नहीं मानती थी। अपने निर्वासनकाल में मुझे इस तरह का संतोष बहुत कम मिल पाया। यद्यपि, बाद में मैंने समझा कि मैं कितनी अनभिज्ञ थी। अपमानित शत्रु सबसे ख़तरनाक होता है। मेरे

उपहासपूर्ण शब्द हस्तिनापुर पहुँच गए, जिन्हें सुनकर दुर्योधन व जयद्रथ अत्यंत क्रोधित हुए। वह योजना बनाते और प्रतीक्षा करते थे और जब उपयुक्त समय आता तो हम पर ऐसे वार करते थे कि हमें बहुत पीड़ा होती थी।

. . .

"भीम के जाने के बाद मैंने रिक्त स्थान को देखते हुए "धन्यवाद" कहा। मुझे पता था कि वहाँ उस दिन जो कुछ भी हुआ, मैं उसकी अधिकारी नहीं थी। मुझे लज्जा और ग्लानि महसूस हो रही थी। "मैं जानती हूँ कृष्ण, आप चाहते हैं कि मैं घृणा का त्याग कर दूँ," मैंने धीरे से कहा, "सिर्फ़ यही एक चीज़ है जो आप मुझसे चाहते है, परंतु मैं यह नहीं कर सकती। यदि मैं चाहूँ, तो भी मुझे पता नहीं कि यह कैसे होगा।"

कुटिया के बाहर साल के वृक्ष हिल-डुल रहे थे और उनके पत्ते मानो दीर्घश्वास ले रहे थे।

# 27

## कथाएँ

जब हम राजा थे, उस समय से भी अधिक लोग वन में हमसे मिलने आते थे। क्या ऐसा इसलिए था कि सब कुछ हार जाने के बाद हम अधिक सुलभ हो गए थे? धृ प्रायः आता था और वह अपने साथ रंग-बिरंगे रेशमी तंबू लाता था जिन्हें वह हमारी कुटिया के आस-पास लगा देता था। उसके रसोइये आहते को साफ़ करके हमारे लिए दावत का भोजन बनाते थे। संगीतकार संध्याकाल में वीणा बजाते तो उसके सुर शांतिपूर्ण अँधकार में सर्वत्र फैल जाते थे। कुछ दिन जब वह हमारे साथ होता तो मेरे पति आराम से बैठकर खाते-पीते और हँसी-मज़ाक करते रहते थे।

एक दिन दोपहर के भोजन के समय, युधिष्ठिर ने सहज भाव से कहा, "यहाँ रहना अपने महल में रहने जैसा ही तो है!"

मुझे लगा कि किसी ने मेरे ऊपर खौलता हुआ तेल डाल दिया हो। मेरे मुँह में भोजन का स्वाद बिगड़ गया।

"नहीं, ऐसा नहीं है!" मैंने चिल्लाकर सबको अपनी तीव्रता से हैरान कर दिया। "कोई भी वस्तु मेरे उस महल की कमी पूरी नहीं कर सकती जिसे मैंने तुम्हारी भूल के कारण खो दिया।"

युधिष्ठिर के चेहरे की चमक ओझल हो गई और वह बिना भोजन समाप्त किए ही उठकर चला गया। अन्य सभी ने मुझे उलाहने की दृष्टि से देखा और यहाँ तक कि धृ ने भी बाद में मुझे एक ओर ले जाकर कहा कि मुझे अपनी जिह्वा पर नियंत्रण रखना चाहिए। युधिष्ठिर को वनवास से मिल रहे ज़रा-से सुख को नष्ट करके कुछ लाभ नहीं होने वाला था। क्या वह पहले से ही दुख नहीं झेल रहा था?

"तुम्हारे लिए अच्छा होगा यदि तुम उसकी तरह नीतिपूर्ण बातें करो," उसने

आगे जोड़ा। "इस प्रकार तुम्हें स्वयं को हर समय कष्ट देने की आवश्यकता नहीं रहेगी।" उसने मेरे चेहरे, मेरे मुँह के आस-पास पड़ गई नई व कटु झुर्रियों को छुआ और अधिक नम्रता के साथ बोला। "मेरी वह बहन कहाँ है जो मुझे तंग करती थी, जो मेरे शिक्षक के साथ शरारतें करती थी, जो नारी के बंधनों को तोड़कर उनसे मुक्त होने का स्वप्न देखती थी, जो इतिहास बदलने के लिए तत्पर थी?"

मैंने अपनी आँखों में सहसा उमड़ आए आँसुओं को छिपाते हुए अपना चेहरा घुमा लिया। यहाँ तक कि धृ भी, जो किसी समय पर मेरे सभी स्वप्न और भय से परिचित था, नहीं समझ पाया कि मैं उस स्थान को लेकर क्या महसूस करती थी जो मेरा था, जहाँ की मैं सचमुच रानी थी। किसी भी अन्य स्थान पर सुखी रहना अपने सुंदर महल के साथ विश्वासघात करने जैसा था। मैं अपने भाई को आहत नहीं करना चाहती थी - जो हमें प्रसन्न रखने का इतना कठिन प्रयास कर रहा था - मुझे पहले ही उसके भोजन का मज़ा ख़राब करने का दुख हो रहा था। इसलिए मैंने अपने विचार स्वयं के भीतर खुल गई अंधेरी गुफ़ा में छिपाकर रख लिए। *वह मर चुकी है। आधी तो वह उस दिन मर गई थी जिस दिन वह सभी लोग, जिन्हें वह प्रेम करती थी और जिन पर उसे भरोसा था, उसे लज्जित होता देखते रहे और विरोध तक नहीं किया। उसका शेष आधा भाग उसके महल के साथ नष्ट हो गया था, परंतु घबराओ मत। जिस स्त्री ने उसका स्थान लिया है, वह इतिहास के पटल पर उस कन्या द्वारा कल्पना किए गए निशान से कहीं अधिक गहरा निशान छोड़ेगी।*

. . .

मुझे वापस ले जाने के प्रयास के अंतर्गत, धृ अपने साथ दाई माँ के संदेश लाया था जो बीमार थी और अपनी मृत्यु से पहले मुझसे मिलना चाहती थी। एक अतिरिक्त प्रोत्साहन के रूप में वह अपने साथ मेरे पुत्रों को भी लाया था, जो द्वारका में रहते थे और कांपिल्य में अपने मामा के साथ छुट्टियाँ बिताते थे और मुझे डर था, कि दोनों ही स्थानों पर कुछ ज्यादा ही मग्न रहते थे। कभी-कभी अर्जुन व सुभद्रा का पुत्र अभिमन्यु भी उनके साथ आता था और निस्संकोच अपने मामा कृष्ण की हँसी एवं अपने आकर्षण से परिपूर्ण दमकता रहता था। अर्जुन उसके युद्ध कौशल से बहुत प्रसन्न था और घंटों इस बात का उल्लेख करता रहता था कि किस प्रकार वह बालक वयस्क योद्धाओं से अधिक रण-नीतियाँ जानता था। उसकी आँखों में गर्व देखकर मुझे बुरा लगता था। वह हमारे पुत्र को कभी इस दृष्टि से नहीं देखता था हालांकि वह उससे भी उतना ही स्नेह करता था। यद्यपि, मैं उसे

दोष नहीं देती। हम सभी अभिमन्यु को बहुत चाहते थे। हमें पता था कि उसका जन्म महान कार्यों के लिए हुआ था।

जहाँ तक मेरे पुत्रों का प्रश्न है, मैं उनके साथ असहज और चुप रहती थी। मुझे उनको यह बताने के लिए शब्द नहीं मिलते थे कि मैं उनसे प्रेम करती थी और यह कि मुझे इस बात का दुख था कि नियति ने हमें इस प्रकार से अलग कर दिया था, परंतु वे तो पहले ही विरक्त और सुदूर अजनबी हो चुके थे क्योंकि उन्हें दरबारी मनोरंजन से दूर कर दिया गया था। शायद उनके चिड़चिड़ेपन का भी यही कारण था कि मैंने उनकी अपेक्षा अपने पतियों के साथ रहना पसंद किया था। किस बालक को इस बात से चिढ़ नहीं होगी?

शायद वह मेरी भूल थी, किंतु मैं कुछ समय के लिए भी वन को छोड़कर जाने के लिए तैयार नहीं थी। मैंने निराश धृ को कह दिया था कि मेरा स्थान अपने पतियों के साथ ही है। उन्हें वन की मुसीबतों में छोड़कर मैं महल का सुख नहीं भोग सकती थी। यद्यपि, यह इतना सरल नहीं था।

मैंने अपने बचपन के सहज वातावरण में लौटने के अपने भाई के आग्रह को अस्वीकार क्यों किया था? मैंने अपने पुत्रों के साथ स्मृतियाँ निर्मित करने का अवसर - जिससे उन्हें और मुझे आने वाले वर्षों में सुकून मिलता - क्यों छोड़ दिया? दाई माँ के उन्नत वक्षस्थल में अपना चेहरा रखने की इच्छा होने के बावजूद, मैंने उनसे मिलने से मना क्यों कर दिया जबकि उन्होंने अपना पूरा जीवन मेरी देखभाल करते समर्पित कर दिया था? क्या ऐसा इस भय के कारण था कि मेरे पतियों को मेरे बिना रहने की आदत हो जाएगी, कि वह मेरी अनुपस्थिति में शांति पाकर राहत की साँस लेंगे? या यह कोई अलग प्रकार का भय था : यदि मैंने अपनी कोमल भावनाओं के आगे समर्पण कर दिया तो इससे मेरे प्रतिशोध की धार कुंठित हो जाएगी और मैं उस विनाश को ला पाने में असफल हो जाऊँगी जो अब मेरे जीवन का उद्देश्य बन गया था?

. . .

हमारे समस्त अतिथियों में युधिष्ठिर को ऋषि बहुत पसंद आते थे। वह सदा से ही तपस्वियों की ओर आकर्षित रहता था। कभी-कभी मैं सोचती थी कि यदि वह राजा न होता तो शायद भिक्षु बनना पसंद करता। वह घंटों उनके साथ दर्शन-शास्त्र पर चर्चा करता रहता था। मेरे विलाप अथवा उसके भाइयों के क्रोध के कारण उसे उन तपस्वियों का शांत स्वभाव निश्चित ही अच्छा बदलाव लगता होगा। हमारे मित्र या संबंधियों की तरह वह उसे दोष नहीं देते थे और न ही दया दिखाते थे। वह

अजनबियों की तरह हमारी बदली हुई परिस्थितियों को देखने भी नहीं आते थे। उनकी दृष्टि में हमारी स्थिति नियति के विशाल ढाँचे में सिर्फ़ एक धागे की तरह थी जिसे धैर्य के साथ सहन करने और फिर समय के बदलने की प्रतीक्षा करने की आवश्यकता थी। अपने दुर्भाग्य से हमारा ध्यान हटाने के लिए वह हमें ऐसे लोगों की कथाएँ सुनाते थे जिन्हें हमसे कहीं अधिक कष्ट थे।

युधिष्ठिर को ये कथाएँ बहुत पसंद थीं। वह उसके उपदेशात्मक स्वभाव को बहुत भाती थीं। किसी ऋषि के चले जाने के बाद भी वह उन कथाओं पर अनेक सप्ताह तक विचार करता रहता व उनसे शिक्षा लेता और यह भी सुनिश्चित करता था कि हम लोगों से उस कथा का कोई शिक्षाप्रद अंश छूट न गया हो। मुझे भी ये कथाएँ पसंद थीं हालांकि मैंने पाया कि उन कथाओं को सुनकर जिस प्रकार के विचार उत्पन्न होते थे उनसे मेरे पति, आवश्यक नहीं कि सहमत हों।

. . .

मेरी पसंदीदा कथा नल और दमयंती की थी। इसका शायद कारण यह था कि वह हमारे जीवन के बहुत निकट थी - उस निकटता पर युधिष्ठिर का ध्यान नहीं जाता था। (यद्यपि बाद में मुझे लगा कि युधिष्ठिर जितना कहता था उसे कहीं अधिक उसके समझ में आता था। कौन जाने, शायद यह जीने का अधिक बुद्धिमत्तापूर्ण ढंग था, जिससे वह बहुत-सी अप्रिय परिस्थितियों में पड़ने से बच जाता था।)

संक्षेप में यह कथा इस प्रकार है : निषाद राजा नल, दमयंती नाम की एक संदर राजकुमारी से प्रेम करता था। उसके स्वयंवर पर दमयंती ने देवताओं की अपेक्षा नल को अपना वर चुना। इससे नाराज़ होकर, कलि नामक एक देवता ने चालाकी से नल को उसके भाई पुष्कर के साथ द्यूत के खेल में हराकर उसका राज्य छीन लिया था। (यद्यपि, नल ने अपनी पत्नी को दाँव पर नहीं लगाया था।) फिर नल ने दमयंती को उसके पिता के महल में सुरक्षित रहने के लिए कहा किंतु वह नहीं गई। जब नल के तन पर से अंतिम वस्त्र भी हट गया तो दमयंती ने अपनी साड़ी फाड़कर आधी नल को दे दी, परंतु नल उसे वन में यह सोचकर अकेला सोता छोड़कर चला गया कि दमयंती के लिए अब उसका त्याग कर देना ही अच्छा होगा। वह दोनों अलग रहते हुए अनेक वर्ष तक पीड़ा भोगते रहे। बाद में, वह - विकृत अवस्था में अपना नाम बदलकर - राजा ऋतुपर्ण के यहाँ सारथी का कार्य करने लगा, जो द्यूत के खेल में निपुण था। नल ने उससे द्यूत की विद्या सीखी। इस बीच, दमयंती ने अपने पिता के महल में रहते हुए, अपने पति की खोज में लोगों

को भेजा और जब उसे यह संदेह हुआ कि ऋतुपर्ण का सारथी ही नल है, तो उसने उसे अपने स्वयंवर में बुलाया। यद्यपि, वह स्वयंवर नल से मिलने की सिर्फ़ एक चाल थी। इस भेंट में, आरोप और रुदन, क्षमा एवं प्रेम की पुनर्भिव्यक्ति हुई। नल को अपना खोया रूप वापस मिल गया और फिर उसने पुष्कर को दोबारा द्यूत के खेल में चुनौती दी तथा अपना खोया हुआ राज्य भी जीत लिया।

यह कथा सुनाते हुए ऋषि ने कहा, "संसार के इतिहास में आरंभ से ही, सद्गुणी लोगों को ही अनजान कारणों से दुख भोगना पड़ता है। नल और दमयंती की कथा से अपने दुर्भाग्य को हिम्मत के साथ सहन करने की शिक्षा लो। उनकी तरह, तुम्हारे भी बुरे दिन समाप्त हो जाएँगे।"

युधिष्ठिर ने कहा, "देखो, किस प्रकार कैसी भी परिस्थिति में नल ने सदाचार का त्याग नहीं किया। दमयंती ने भी कभी उसे उसकी हार के लिए उलाहना नहीं दिया तथा अपना पूर्ण समर्थन दिया जो एक पुरुष को संकट के समय चाहिए होता है।"

मैंने कहा, "और उसने उसका बदला कैसे चुकाया? वन में उसे अकेला छोड़कर! यह कैसा सदाचार है?"

यह सुनकर युधिष्ठिर को पीड़ा हुई। इसी बीच ऋषि ने नीतिपूर्णता के साथ कहा कि उनकी पूजा का समय हो गया था। मैं रसोई में चली गई, परंतु अपने मस्तिष्क से दमयंती का विचार नहीं निकाल पाई। इस प्रकार के वन में साथ के नाम पर सिर्फ़ निशाचरों की आवाजें थी उसके साथ। ऐसे में वह कितनी भयभीत हुई होगी - और वह कितनी साहसी भी होगी क्योंकि वह सीधे अपने माता-पिता के पास नहीं गई, अपितु अनेक वर्षों तक उसने नल को खोजने की कोशिश की। एक बार तो उसे - वह जो संसार-भर में अपने सौंदर्य के लिए विख्यात थी - चुड़ैल समझकर लोगों ने पत्थर भी मारे थे!

मैं सोचने लगी कि क्षति व्यक्ति को कैसा बना देती है। यह सोचते हुए मैंने अपने उलझे हुए बाल छूकर देखा और सोचने लगी कि क्या मैं भी चुड़ैल जैसी दिखने लगी थी। मुझे पता था कि युधिष्ठिर इतना विनम्र था कि उसके लिए ऐसा कहना संभव नहीं था कि मैं एक आदर्श पत्नी नहीं थी। वह दमयंती जैसी किसी स्त्री के साथ अधिक प्रसन्न रहता। वह मुझसे बेहतर स्त्री थी। (परंतु क्या मुझे *बेहतर* शब्द की तलाश थी? ऐसा कब होता है कि सहिष्णुता गुण न रहकर व्यक्ति की कमज़ोरी बन जाता है?) अपने पिता के घर लौटने के बाद मैं अपने पति को खोजना जारी नहीं रख पाती। यदि मैं दूसरा स्वयंवर आयोजित करवाती तो फिर वह वास्तविक स्वयंवर होता।

# 28

## कमल

उस वर्ष भीम मेरा पति था और वह उसका पूरा लाभ उठाना चाहता था। यद्यपि उसे निश्चित तौर पर संभोग में आनंद आता था तथा मेरे शरीर पर उसके लोहे जैसे तन एवं जोश के पर्याप्त प्रमाण मिलते थे, वह सिर्फ़ शारीरिक सुख तक सीमित नहीं था। यदि मैं उसे अपनी कोई चोट दिखाती तो वह लज्जित होकर पश्चाताप की मुद्रा में आ जाता था। वह मेरी इच्छा का कार्य करने के लिए सदैव तत्पर रहता था। यह उसकी कमज़ोरी थी : वह मुझे प्रसन्न रखना चाहता था। मेरे अन्य पतियों में से कोई भी मेरी इस प्रकार देखभाल नहीं करता था। जब मुझे क्रोध आता था तो वह अपने किसी अन्य कार्य में व्यस्त हो जाते थे। मेरे आवेश के दौरान केवल भीम मेरे पास सिर झुकाकर खड़ा रहता था जब तक मैं स्वयं लज्जित होकर बोलना बंद नहीं कर देती थी।

भीम को मेरे साथ रहना अच्छा लगता था। मुझे उसे अपने पास से दूर भेजना पड़ता था, अन्यथा वह रसोई में पानी भरना, ईंधन के लिए लकड़ी काटना, ताड़ के पत्तों से मुझे पंखा झलना और सब्जी को बारीक टुकड़ों में काटना जैसे कार्यों में मेरा सहयोग करता था। यदि मैं उसे अनुमति देती तो वह सहर्ष मेरे सभी कार्य अपने हाथ में ले लेता। वह युधिष्ठिर की तरह वाक्पटु नहीं था जो घंटों दर्शन पर चर्चा कर सकता था। वह जुड़वाँ भाइयों की भांति विनोदी स्वभाव का अथवा अर्जुन की तरह भावुक नहीं था। यद्यपि, जब हम दोनों अकेले होते थे तो वह मुझे ऐसी बातें बताता था जो उसने कभी किसी को नहीं बताई थीं और उन घटनाओं को जिन्हें वह शब्दों में व्यक्त नहीं कर पाता था, उन्हें हाथ के संकेत से बताता था। उसके शत्रु जो उसे सिर्फ़ एक तूफ़ान, एकनिष्ठ और विध्वंसक समझते थे, उन्हें यह सब देखकर आश्चर्य होता।

उदाहरण के लिए : जब दुर्योधन ने उसे विष-युक्त खीर खिलाई थी, तो बालक भीम शिथिल पड़कर ज़मीन पर गिर पड़ा और यद्यपि वह अपनी आँखें नहीं

खोल पा रहा था उसने अपनी चेतना खोई नहीं थी। उसने शकुनि की लकड़बग्घे सी हँसी सुनी और फिर उन लोगों ने भीम को बेलों से इतना कसकर बाँधा कि उसका माँस कटा जाता था। रात्रि में, नदी का जल स्याही की जैसा था। जब उन्होंने उसे पानी में फेंका तो उसे अपना शरीर नम हवा में मुड़ता हुआ प्रतीत हुआ। वह जल के भीतर स्थित पाताल लोक में कई दिनों तक रहा। उसे वह पानी रेशम की तरह लग रहा था अथवा उसके शरीर पर सर्प रेंग रहे थे? यहाँ तक कि बिना आँखों के भी उसे पता लग रहा था कि वह इंद्रधनुषी रंगों जैसे थे। अपने स्वभाव के अनुसार, वह उसे काटते रहे। उनके विष से दुर्योधन का खिलाया विष निष्फल हो गया। वह हरी गाद के फ़र्श पर बैठा हुआ था। आलस से भरे हुए भीम ने एक सर्प पकड़ा - फिर दो, तीन, बीस - और उन्हें उछालकर मार डाला। किसी ने नागराज को यह सूचना दे दी। वह दौड़कर उस दैत्य-बालक को मारने आया जिसने उसकी प्रजा पर कहर ढा रखा था। उसने फिर ऐसा क्या देखा जिसके कारण उसने बालक को उठाकर अपनी गोद में बैठाकर सुधा-पान करवाया? और विष-युक्त भीम ने नीले धारीदार मुँह वाले नागराज पर भरोसा कयों किया? उसने जब सुधा-पान किया तो उसके भीतर हज़ार हाथियों का बल आ गया। उसके बाद नागराज ने भीम को जल के प्रवाह में छोड़ दिया और पानी ने उसे ऊपर सतह तक पहुँचा दिया ताकि वह उस महान कार्य को पूर्ण कर सके जिसके लिए उसका जन्म हुआ था।

"मैं वहाँ से जाना नहीं चाहता था," भीम ने मुझे बताया। "जब उन्होंने मुझे उठाया तो वह अपनी माँ या भाइयों के आलिंगन से भी मधुर लग रहा था।" वास्तव में, मैं उन्हें भूल ही गया था। मैंने नागराज के हाथ को कसकर पकड़ लिया और चिल्लाया, 'मुझे अपने पास ही रख लो'। उन्होंने अपनी चमकती आँखों को बंद किया और फिर सिर हिलाकर मना कर दिया। यद्यपि, मुझे ऊपर धकेलने से पूर्व, उन्होंने मुझे एक बार चूमा।"

उन्होंने जब अपना बायाँ हाथ उठाया तो मैंने कुछ ऐसा देखा जिस पर मेरा ध्यान अभी तक नहीं गया था। उनके हाथ की पृष्ठ भाग पर एक लाल निशान था जैसे दो पुंकेसर वाला फूल अथवा सर्प की विभक्त जिह्वा।

. . .

इस दौरान मुझे भीम सबसे अच्छा लगता था। शांत दोपहर के समय जब इमली के पेड़ पर जंगली कबूतर बोलते थे, तो भीम की आवाज मधुर और चिंतनशील हो जाती थी जब वह इस दौरान रुककर बोलने के लिए सही शब्द खोजता था। यदि कथा समाप्त होने के बाद वह मुझे हाथ पकड़कर हमारी वैवाहिक

कुटीर में ले जाता था तो मुझे कोई आपत्ति नहीं होती थी। फिर भी – मुझे यह स्वीकार करते हुए लज्जा महसूस होती है – मैं उससे उस तरह से प्रेम नहीं करती थी, जैसे वह चाहता था। अब पीछे मुड़कर देखती हूँ तो लगता है कि मैंने उस तरह से अपने किसी भी पति को प्रेम नहीं किया। मैं एक अच्छी पत्नी थी क्योंकि मैंने अच्छे और बुरे दोनों दिनों में उनका साथ दिया था। मैं जब भी उनके साथ होती थी तो उन्हें मानसिक व शारीरिक सुख प्रदान करती थी। मैं उनका गुण-गान करती थी। मैं वन में उनके साथ गई और उन्हें नायक बनने पर बाध्य किया, परंतु मेरा हृदय – क्या यह बहुत छोटा था? अत्यंत अस्थिर? बहुत कठोर? यहाँ तक कि अपने श्रेष्ठ दिनों में भी अपना हृदय उन्हें पूरी तरह नहीं दिया।

मुझे यह कैसे पता? ऐसा इसलिए क्योंकि उनमें से किसी में भी मुझे उस प्रकार आवेशित करने का सामर्थ्य नहीं था जैसा कर्ण की स्मृति मात्र से मुझे महसूस होता था।

क्या कुंती अपने माँ होने के सहजबोध द्वारा यह बात जान गई थी? क्या इसी कारण वह मुझ पर पूर्ण विश्वास नहीं करती थी? परंतु निश्चित ही उसे वह बात तो पता ही थी जो मुझे जादूगरनी ने बताई थी : हम सायास प्रेम नहीं कर सकते – और न ही उसे बाँधकर रख सकते हैं। अधिक से अधिक हम अपने कर्मों को नियंत्रित कर सकते हैं। हृदय स्वयं में नियंत्रण से परे है। यही इसकी ताक़त है और यही कमज़ोरी भी।

मुझे अधिक दुख इस बात का है : भीम की कमज़ोरी को पहचानकर मैंने उसका लाभ उठाया। जब वह आस-पास होता था तो मैं अधिक ज़ोर से रोती थी क्योंकि मुझे पता था कि वह युधिष्ठिर से झगड़ पड़ेगा जिससे युधिष्ठिर को अधिक पीड़ा होगी। पैदल चलते समय, मैं मार्ग के कठिन होने के विषय में कहती तो वह मुझे उठाकर चलने लगता था, हालांकि थोड़ा प्रयास करने पर मैं स्वयं चल सकती थी। यह देखने के लिए कि वह मेरी खुशी के लिए कहाँ तक जा सकता है, मैं असंभव चीज़ों की अनुचित माँग किया करती थी। (स्वर्ण कमल का मामला भी ऐसा ही था।) अंत में कुरुक्षेत्र में, उसने बारंबार युद्ध के नियमों का उल्लंघन किया और विजय अथवा गौरव के लिए नहीं, अपितु मेरी खुशी के लिए हत्याएँ की। हाँ, पहला अलिखित नियम मैंने ही तोड़ा, जो सिर्फ़ योद्धाओं के लिए ही नहीं, अपितु हम सबके लिए था : अपने अहं की तुष्टि के लिए मैंने प्रेम का प्रयोग किया।

. . .

मुझे वह कमल का फूल बदरी में मिला जहाँ गंगा का जल ठंडा और अत्यंत

स्वच्छ होता है। यह उन दिनों की बात है जब अर्जुन हम सबको छोड़कर दिव्य अस्त्रों की खोज में चला गया था। अनेक महीनों तक हमें उसका कुछ पता नहीं लगा। हम लोग चिंता से व्याकुल थे और किसी एक स्थान पर रुक पाना हमारे लिए असंभव हो रहा था। उसके लिए हमारी चिंता में एक अन्य स्वार्थी विचार घुला हुआ था : उसके बिना पांडवों के लिए दुर्योधन के विरुद्ध युद्ध जीत पाना असंभव था।

निराशा में डूबी मैं नदी के तट पर बैठी थी जब मैंने उसे प्रवाह के साथ तैरते हुए देखा। हाँ, वह सचमुच स्वर्णिम था, जैसा कि व्यास ने बाद में लिखा होगा (अथवा मैं पहले ही लिख चुकी थी?)। वह मानो किसी आंतरिक उद्देश्य से तैरता हुआ मेरी ओर ही आ रहा था। मैंने ऐसा मादक पुष्प पहले न कभी देखा था और न ही उसकी सुगंध महसूस की थी। मैंने उसे उठा लिया और अपने चेहरे के निकट लाई। मुझे लगा कि मेरा मस्तिष्क मंद पड़ रहा था और मेरे उद्दंड विचार शांत हो रहे थे। एक क्षण के लिए मैं अपने प्रतिशोध को भूल गई, न ही मुझे इस बात का दुख हो रहा था कि मैंने रोकर अर्जुन को उसके विनाश की दिशा में भेज दिया था और न ही वह निषिद्ध आँखें मेरे सामने आ रही थीं।

फिर उस फूल की सुगंध गायब हो गई। मैंने देखा कि वह फूल फीका पड़ गया था। उसका रंग हलका हो गया, उसकी पत्तियाँ झड़ गई थीं। मेरी पीड़ा पूर्णावेश के साथ लौट आई।

मुझे पता था कि मेरी पीड़ा का हल नया फूल खोजने में नहीं अपितु कृष्ण द्वारा मुझे बार-बार दिए गए परामर्श में था : अतीत को भुला दो। सहज हो जाओ। भविष्य को उसकी अपनी गति से आने दो और उसके रहस्यों को स्वेच्छा से प्रकट होने दो। मैं जानती थी कि मुझे अपने आस-पास खिल रहे जीवन से ही आनंदित होना चाहिए : यह स्वच्छ वायु, यह नवोदित सूर्य का प्रकाश, मेरे कंधे पर पड़े दुशाले का पर्याप्त सुख। यद्यपि चूंकि यह अधिक सरल था और चूंकि मैं उसकी आँखों में आई चमक देखने का संतोष प्राप्त करना चाहती थी, मैं भीम के पास गई। मौन रहते हुए मैंने वह मृत फूल उसे दिखाया और उसी मौनावस्था में वह मेरे सामने झुका और मुझे जो चाहिए था, उसे लाने वहाँ से चल दिया।

जब वह कई दिन बाद लौटा, तो उसके हाथ कमल के फूलों से भरे हुए थे। रात्रि को, शय्या पर, वह उन फूलों को मेरे उलझे हुए बालों में गूँथा करता था।

वह बोला (अथवा मैंने शायद इस शब्दों की कल्पना की) : "रात-दिन मैं उस फूल की सुगंध का पीछा करता हुआ चलता रहा जैसे एक शिकारी शिकार की तलाश में चलता रहता है। वन में सर्वत्र अँधकार था और मेरा पीछा करते हुए वन्य

पशुओं की आँखें रत्नों की भांति चमक रही थीं। मैंने अपना शंख बजाया तो उसकी ध्वनि से चारों दिशाएँ गूँज उठीं और पशु की आँखें ओझल हो गईं। मैं मुस्कराया। मैंने सोचा कि इसी प्रकार मैं रणभूमि में भी अपने शत्रुओं को पराजित कर दूँगा। एक उपवन में मेरी भेंट एक वानर से हुई जिसकी पूँछ से मेरा मार्ग अवरुद्ध हो रहा था। मैंने उसको अपना परिचय दिया कि मैं पवन देव का पुत्र और पांडवों में से एक भीम हूँ और उससे पूँछ हटाने के लिए कहा। वह दुविधापूर्ण दृष्टि से मुझे देखता रहा और ऐसा लगा कि वह मुझे नहीं जानता था। शायद वह जराग्रस्त था। उसने मुझसे कहा कि मैं उसकी पूँछ उठाकर एक ओर रख दूँ और आगे बढ़ जाऊँ। मैंने झुककर उसे अपनी अंगुली से उठाकर एक तरफ करने का प्रयास किया - किंतु मैं ऐसा नहीं कर पाया! मैं अपने दोनों हाथों और फिर पूरी शक्ति से भी पूँछ नहीं उठा सका। मैं ज़मीन पर गिरकर रोने लगा। मैंने पूछा कि तुम कौन हो? वह मुस्कराया और बोला कि वह हनुमान था।

"मैं उसे देखता रहा। वह भगवान राम का कार्य करने के लिए एक छलांग में समुद्र पार कर गया था! मैंने बचपन में यह कथा सुनी थी और मैं इसे दंतकथा समझता था, परंतु वह मेरे सामने था, पवन देव का बड़ा पुत्र - और मेरा भाई अपने आप में एक देवता। उसने मुझे गले से लगाया और कहा, मैं तुम्हें अपनी शक्ति प्रदान करता हूँ। मैं कुरुक्षेत्र में तुम्हारे साथ रहूँगा यद्यपि, कोई मुझे रथ पर बनी छवि के अतिरिक्त किसी रूप में नहीं देख सकेगा। उसने कमल के फूलों के सरोवर की ओर संकेत किया और फिर वह ओझल हो गया। मैंने सरोवर पर हज़ारों दैत्य-पहरेदारों से लड़ाई की। उनमें से अनेक को मार डाला और तुम्हारे लिए यह लाया जो तुम्हें चाहिए था।" उसने अपना चेहरा मेरे वक्षस्थल पर रख दिया। "क्या अब तुम प्रसन्न हो?"

जब हम बाद में तृप्त होकर लेटे हुए थे तो मैंने उससे पूछा, "तुम्हें एक देवता को स्पर्श करके कैसा लगा?"

उसने कोई उत्तर नहीं दिया। शायद वह सो चुका था। अथवा ऐसे प्रश्न का शायद कोई उत्तर नहीं होता। बाद में, जब यही प्रश्न मैंने अर्जुन से पूछा था तो वह भी मौन रह गया था।

# 29

## भेंट

अनेक वर्ष शीरा के समान घुटन भरे और निराकार ढंग से बीते। हम सब उन वर्षों की निष्क्रियता के तले संघर्ष करते रहे किंतु हम में से किसी ने भी अर्जुन से अधिक पीड़ा नहीं भोगी। युधिष्ठिर अपनी नैतिकता निभाने में व्यस्त रहता था, नकुल व सहदेव वन के खूंखार पशुओं को भगाने के अपने शौक को पूरा करते रहते थे और भीम मेरे प्रेम में फँसा हुआ था जो उसे मिथकीय अजगर की भांति अपनी कुंडली में लपेटे रहता था। यद्यपि पारे की तरह रहने वाला, जिसके लिए सबसे अधिक महत्त्व ख्याति का था और जो स्वयं को पति या भाई या पुत्र से अधिक नायक मानता था, युधिष्ठिर द्वारा उस पर लादे गए वचन के बंधन में बँधा खीजता रहता था। अर्जुन कौरवों से युद्ध करके अपनी खोई प्रतिष्ठा वापस पाने के लिए लालायित रहता था, किंतु वह जानता था कि वनवास की अवधि पूर्ण होने से पहले ऐसा कर पाना संभव नहीं था। चूंकि वह मुझसे प्रतिशोध नहीं ले सकता था, इसलिए मेरी उपेक्षा करता रहा : मेरे उलझे बाल, मेरी उलाहना भरी दीर्घश्वास, मेरी मिर्च-सी तीखी ज़बान।

आरंभ से ही हमारे विवाह में परेशानियाँ रहीं क्योंकि अर्जुन की माँ ने उसके भाइयों से मेरे विवाह का जो आदेश उसे दिया था, उसके लिए वह मुझे दोष देता था। यद्यपि, माया महल में आशीर्वाद से परिपूर्ण उस जादुई समय में, हम लोग शांतिपूर्वक अपनी-अपनी पसंद के कार्यों में व्यस्त रहे। वह राज्य का सेनापति था तथा उसके ऊपर सुरक्षा का उत्तरदायित्व था। वह राज्य की अंतिम सीमा तक जाकर सुनिश्चित करता था कि वहाँ सब कुछ ठीक-ठाक था। इसके बीच, उसे प्रतियोगिताओं में भाग लेना एवं अपनी अन्य पत्नियों के पास भी जाना होता था। एक बार फिर अब जबकि हम अपने दिनों की एकरसता में डूबे हुए थे, हमारे बीच का तनाव फिर उभर आया। मुझे संकेत ग्रहण कर, अपने तौर-तरीके सुधार लेने चाहिए थे, परंतु मैं अपनी ही सर्प-कुंडली में उलझी हुई थी और धृतराष्ट्र की भांति

दृष्टिहीन हो गई थी। अर्जुन वन में अकेले ज्यादा समय बिताने लगा था। वह कहता था कि वह आखेट पर जा रहा है, किंतु वह भँवें सिकोड़े खाली हाथ लौट आता था। एक दिन सुबह वह हमें छोड़कर चला गया।

उसके पास, निश्चित ही कारण था : युद्ध हमारे सिर पर था, जिसके लिए उसे अपने युद्ध-कौशल में सुधार लाना था और नई तकनीकें सीखनी थीं। और हमारे साथ ग्रामीण व ज़ंग लगा जीवन जीते हुए वह ऐसा कैसे कर सकता था? उसने युधिष्ठिर से कहा, समय मुझे खा रहा है। मुझे लगता है कि मैं युद्ध आरंभ होने से पहले ही विघटित हो जाऊँगा। उसने हिमवान पर्वत पर जाकर तप द्वारा भगवान शिव को प्रसन्न करने का निर्णय किया। वह उनसे पाशुपतास्त्र प्राप्त कर अजेय होना चाहता था।

"एक बार मुझे पाशुपतास्त्र मिल गया," वह बोला, "तो कर्ण जीवित नहीं बच सकता!"

मैंने, जिसने दुर्योधन की सभा में इतने अपमान के बाद भी हिम्मत नहीं हारी, जब यह सुना तो मेरा चेहरा लाल हो गया, मेरे घुटने मुड़ गए और मैं ज़मीन पर गिर पड़ी। मेरे पति भागकर मेरे पास आए। युधिष्ठिर ने मेरा सिर अपनी गोद में रख लिया। भीम ने मेरे चेहरे पर पानी के छींटे मारे। नकुल व सहदेव ने मुझे पंखा झला। अर्जुन ने खुशामदी अंदाज़ में, असाधारण स्नेह का प्रदर्शन करते हुए, मेरा हाथ अपने हाथ में ले लिया हालांकि उस वर्ष वह मेरा पति नहीं था।

"चिंता मत करो," वह बोला। "मैं इसलिए जा रहा हूँ ताकि समय आने पर तुम्हारा सम्मान तुम्हें लौटा सकूँ।" (उसके शब्द, उसके उद्देश्य के प्रति पूर्ण निष्ठ न होते हुए भी लगभग सत्य थे।) "मुझे यात्रा के लिए शुभकामना दो।"

मैंने संकोच क्यों किया?

मेरे पतियों को लगा कि मैं भय के कारण अर्जुन से बात नहीं कर पा रही थी। उन्हें मेरी यह बात नारी-सुलभ और अच्छी लगी। उन्होंने मुझे आश्वस्त किया कि अर्जुन को कुछ नहीं होगा। आख़िरकार, वह विश्व का सर्वश्रेष्ठ योद्धा था। और उसके पिता इंद्र निश्चित ही उसका ध्यान रखेंगे।

मेरा हृदय इतना कमज़ोर, इतना अविवेकी क्यों था? इतना सब होने के बाद मुझे इतनी चिंता करने की क्या आवश्यकता है कि उन प्राचीन आँखों वाले उस पुरुष के साथ क्या होगा? क्या वह मेरा शत्रु और उस व्यक्ति का घातक प्रतिद्वंद्वी नहीं था जो मेरे प्रतिशोध के लिए अपने प्राण संकट में डालने जा रहा था? अपनी अज्ञानता पर मुझे क्रोध आ रहा था किंतु मैं उसे स्वयं से दूर नहीं कर पा रही थी।

बाहरी और भीतरी आवाज़ों को शांत करने के लिए मैंने कहा, "ईश्वर तुम्हें सफल करे और तुम अपनी हार्दिक इच्छा पूर्ण करके सुरक्षित लौट आओ।"

यद्यपि, मेरा स्वर लड़खड़ा रहा था। शायद इसीलिए अर्जुन को अपनी यात्रा में इतनी कठिनाइयाँ झेलनी पड़ीं।

. . .

इंद्रकील पर्वत पर, जहाँ हवा पूर्णतया स्वच्छ थी, अर्जुन ने भगवान शिव की उपासना की। यद्यपि, शिव प्रकट नहीं हुए। उनके स्थान पर एक जंगली शूकर ने उसका पीछा किया। अर्जुन ने ज्यों ही अपना गांडीव धनुष उठाकर शूकर पर बाण साधा, अन्यत्र कहीं से एक बाण आया और उसने शूकर को मार गिराया। इस अतिक्रमण से क्षुब्ध होकर अर्जुन पीछे मुड़ा तो उसने देखा कि वहाँ छाल पहने एक शिकारी खड़ा था। वह अर्जुन के क्रोध से भयभीत नहीं हुआ। जब अर्जुन ने क्रोधित होकर उस पुरुष पर बाण चलाए, तो उसके सभी बाण - यहाँ तक कि उसके दिव्यास्त्र भी - उस शिकारी के पैरों में जा गिरे, जबकि शिकारी का प्रत्येक बाण निशाने पर लग रहा था।

"मेरे शरीर से रक्त बह रहा था और वह शिकारी वहाँ खड़ा मुझ पर हँस रहा था," अर्जुन ने हमें बाद में बताया। उसके स्वर में अचंभित नाराज़गी झलक रही थी। "द्रोणाचार्य से शिक्षा पूरी होने के बाद से अब तक किसी का एक बाण भी मुझे छू नहीं सका था! मैंने शिव से सहायता हेतु प्रार्थना की, किंतु कुछ नहीं हुआ। मेरा हृदय डूब रहा था।"

हताश होकर, अर्जुन ने वन-पुष्पों की एक माला बनाई और ईश्वर की मिट्टी से बनी प्रतिमा पर चढ़ाकर उन्हें प्रसन्न करने का अंतिम प्रयास किया। जब अर्जुन ने आँखें खोलीं तो देखा कि माला वहाँ नहीं थी। "मुझे विश्वास हो गया था कि भगवान ने मेरा साथ छोड़ दिया है," वह बोला। "फिर मुझे वह माला दिखाई दी - वह शिकारी के गले में पड़ी हुई थी, जो स्वर्णिम आभा में चमक रहा था!"

शिव का स्वांग देखकर, अर्जुन उनके चरणों में गिर गया। प्रभु ने अर्जुन को गले से लगाकर उसे अपना घातक पाशुपतास्त्र प्रदान किया और कहा कि उसे उस अस्त्र का प्रयोग केवल न्यायसंगत युद्ध में ही करना चाहिए।

परंतु क्या वह युद्ध सचमुच न्यायसंगत होगा जब अर्जुन उस अस्त्र का प्रयोग कर्ण पर करेगा? अथवा क्या वह बहुत समय पहले ही अपने मार्ग से भटक चुका था? अभिमन्यु के रक्त ने तब तक कुरुक्षेत्र की मिट्टी को सोख लिया था, भीष्म को उनकी मृत्यु का रहस्य बताने के लिए विवश किया जा चुका था और

द्रोण को मेरे भाई के पराक्रम से नहीं, अपितु एक झूठ द्वारा पराजित किया जा चुका था।

विजय से हर्षित और ईश्वर की उपस्थिति से मत्त, अर्जुन को इनमें से किसी बात का संदेह नहीं हुआ। "अवश्य!" आत्म-विश्वास से भरकर उसने अपना सिर ऊपर उठाते हुए कहा। क्या दिव्य पुस्तकों के रक्षक चित्रगुप्त ने मनुष्यों के दंभ पर रहस्यमय व शरारती ढंग से मुस्कराते हुए अर्जुन के इस वचन को कहीं दर्ज किया था? क्या यही कारण था कि अंतिम महाप्रयाण के समय अर्जुन भी पर्वत पर गिर गया था?

. . .

अर्जुन की कथा और भी है : इंद्र तथा अन्य देवता कैसे प्रकट हुए और युद्ध आरंभ होने पर उसे और अस्त्र देने का वचन दिया। किस प्रकार वह अर्जुन को इंद्र के महल में ले गए और वहाँ उसे देवराज के आसन पर उनके साथ ही बिठा दिया जहाँ अर्जुन स्वर्ग के संगीत व नृत्य का आनंद लेता रहा। (मुझे संदेह था कि उसके पूर्वज वहाँ उपस्थित थे, किंतु मुझे पता था इसलिए मैंने उससे नहीं पूछा।) किस प्रकार उर्वशी नामक अप्सरा को अर्जुन से प्रेम हो गया था और उसने अर्जुन से अपनी कामना तृप्त करने के लिए कहा था। अर्जुन ने उसे मना कर दिया था। (उसने यह विवरण बताते समय मुझे अवश्य देख लिया था।) उर्वशी ने उसे शाप दिया, जिसके कारण अर्जुन को एक वर्ष का समय नपुंसक के रूप में व्यतीत करना पड़ा था। सौभाग्य से उसके पिता ने बीच में मध्यस्थता कर दी थी। वह शाप को निष्प्रभावी तो नहीं करवा सके किंतु कम से कम अब अर्जुन नंपुसकता वाला वर्ष स्वयं चुन सकता था।

अनेक ऐसी बातें थीं जो अर्जुन ने किसी से नहीं कहीं। (क्या ऐसा सभी कथाओं के साथ नहीं होता, यहाँ तक कि मेरी यह कथा भी तो ऐसी ही है?) जब आप किसी पुरुष के साथ सोते हैं तो उसके स्वप्न भी आपके भीतर समाहित हो जाते हैं, इसलिए मुझे यह पता था।

प्रथम रात्रि को जब वह वहाँ था तो उर्वशी उसके पास केवल बादलों का आवरण ओढ़े हुए उसके पास आई। उसने अर्जुन के शयनकक्ष में प्रवेश किया और उसका हाथ पकड़ लिया।

"मैं तुम्हारे लिए जल रही हूँ," वह बोली। "मेरी इस पीड़ा को शांत कर दो।"

अर्जुन ने अपने कान बंद कर लिए और उससे दूर हो गया। "आप मेरे पूर्वज पुरुरवा की प्रेमिका हैं," उसने कहा, "और इस नाते आप मेरी माँ के समान हैं।"

अर्जुन के अज्ञानता भरे शब्दों को सुनकर उर्वशी मुस्कराई। "पृथ्वी की नारियों के नियम हमारे ऊपर लागू नहीं होते," उसने कहा। "जब पुरुरवा जीवित थे तो मैं उनके प्रति निष्ठावान थी, परंतु बहुत समय पहले ही उनकी मृत्यु हो गई और अब मैं अपने लिए किसी भी पुरुष को चुनने हेतु स्वतंत्र हूँ। आओ, अब हमें समय नष्ट नहीं करना चाहिए!"

उसका चेहरा चंद्रमा के समान चमक रहा था, उसके वक्षस्थल पर उत्तेजना का स्वेद मोतियों जैसा लग रहा था और उसकी नाभि के दर्शन मात्र से राजा अपने राज्य उस पर न्योछावर कर सकते थे। अर्जुन के पास उसका प्रतिरोध करने की शक्ति कहाँ से आई? पहले मुझे लगा कि ऐसा उसने मेरे लिए किया था। हे दंभ! मुझे अब अपने स्वप्न में सत्य का पता लगा। अर्जुन देवताओं के समक्ष यह सिद्ध करने को तत्पर था कि वह उनके सर्वश्रेष्ठ आकर्षण से भी अधिक शक्तिशाली था और जिन अस्त्रों को देने का वचन देवताओं ने उसे दिया था, उन्हें प्राप्त करने का वह अधिकारी था। मृत्यु के धातु-निर्मित घातक अस्त्र-शस्त्रों के आगे उर्वशी का क्या महत्त्व था?

. . .

जब कृष्ण को पता लगा कि उनका प्रिय मित्र एक वर्ष के लिए नपुंसक बनने वाला था, वह हँसने लगे - और जब अर्जुन ने उन्हें आँखें तरेर कर देखा तो वह अधिक ज़ोर से हँसने लगे। "क्या तुम यह नहीं देख सकते," कृष्ण ने कहा, "कि यह रूप तुम्हारे तेरहवें वर्ष के लिए सर्वथा उपयुक्त रहेगा। घाघरा-चोली पहने और महाबली भुजाओं में कंगन पहने हुए वीर अर्जुन को कौन पहचान सकता है? तुम्हें उर्वशी को विशेष धन्यवाद का संदेश भेजना चाहिए! नारद तो वहाँ जाते ही रहते हैं - वह तुम्हारे दूत बनकर जा सकते हैं..."

"नहीं, धन्यवाद," मेरे पति ने भँवें सिकोड़कर कहा।

कृष्ण मेरी ओर मुड़े। "शाप भी वरदान बन सकता है, कृष्णा। क्या तुम सहमत हो?"

मैंने सावधानी से सिर हिलाकर हामी भर दी। वह हमेशा मुझे इस बात का विश्वास दिलाते थे कि दुर्भाग्य - विशेषकर हमारा - वास्तव में कुछ और था, छद्म वेश में कुछ बेहतर। उनके और युधिष्ठिर के मध्य फँसी एक स्त्री अपनी इस दयनीय स्थिति का आनंद भी नहीं ले सकती थी।

. . .

हमारा वनवास का वह अंतिम वर्ष, दिव्य मुलाकातों से भरा हुआ था। एक दिन तपती दोपहर में युधिष्ठिर की भेंट सरोवर के किनारे एक यक्ष से हो गई, जो वास्तव में एक अदृश्य सत्ता का रूप था और जिसने युधिष्ठिर के शेष भाइयों को पहले ही अपने वश में कर लिया था। यक्ष ने युधिष्ठिर को कहा कि यदि वह उसके सौ प्रश्नों के सही उत्तर नहीं देगा तो वह उसे भी मार डालेगा। दार्शनिक प्रश्नों के उत्तर देना, यद्यपि युधिष्ठिर की विशिष्टता थी, वह अपने सामने उपस्थित संकट को भूल गया और विवेक के उस खेल में कूद पड़ा - और उसे जीत भी गया। प्रसन्न होकर, यक्ष ने उसके मृत भाइयों को जीवित कर दिया और उसे वरदान माँगने के लिए भी कहा। युधिष्ठिर ने जो माँगा वह मेरे लिए आश्चर्य की बात नहीं थी। उसने विजय माँगी - आसन्न युद्ध में नहीं, अपितु उन छह शत्रुओं पर जो हमें परेशान करते हैं : काम, क्रोध, लोभ, अज्ञान, अहंकार और ईर्ष्या।

उसका असली पुरस्कार यह था कि वह बाद में कई सप्ताह तक हमसे वही प्रश्न पूछता रहा जो यक्ष ने उससे पूछे थे (और जब हम उत्तर बताने में विफल हो जाते थे, तो वह विजयी भाव से, हमें उत्तर बताता था)। यद्यपि, मैं उसकी प्रश्नावली पर अपनी चिढ़ व्यक्त कर देती थी, मुझे भीतर ही भीतर मज़ा भी आता था।

*ऐसा क्या है जो संख्या में घास से अधिक है?*

*मनुष्य के मस्तिष्क में उठने वाले विचार।*

*वास्तव में, धनवान कौन है?*

*वह व्यक्ति जिसके लिए अनुकूल और प्रतिकूल, सुख एवं दुख, अतीत व भविष्य एक समान हैं।*

*पृथ्वी पर सबसे बड़ा आश्चर्य क्या है?*

*प्रतिदिन असंख्य लोग मृत्यु का ग्रास बनते हैं, फिर भी शेष रह गए लोग ऐसे जीते हैं मानो वह अमर हैं।*

. . .

शय्या पर अर्जुन के साथ मैं उसके मस्तिष्क के उस भाग को खोज रही थी जिसमें उसने शिव के साथ अपनी भेंट को संचित किया हुआ था। अंत में जब वह मुझे मिला तो वहाँ सिर्फ़ प्रकाश का एक समुद्र था जिसमें मैं विलीन हो जाना चाहती थी किंतु हो न सकी। मेरे विचार से उस समय मुझे उससे सबसे अधिक ईर्ष्या हो रही थी। वह अत्यंत महान और आनंदमय रहस्य के मध्य रहकर आया था। उसने अस्तित्व के उस सत्य के दर्शन किए थे जो सुख एवं दुख के बीच झूलते इस संसार

से परे था। मैं पूरी रात जागती रही और मेरी आत्मा वह जानने के लिए उत्सुक थी जो उसने जान लिया था।

एक बार मैंने कृष्ण से शिकायत की, "मुझे देवता दर्शन क्यों नहीं देते? क्या ऐसा इसलिए है कि मैं स्त्री हूँ?"

"तुम्हारा यह विचार अत्यंत हास्यास्पद है!" कृष्ण ने हँसकर कहा। "देवता तो लिंगभेद से परे होते हैं, उनको इस बात से क्या अंतर पड़ता है?"

मैं उनसे पूछना चाहती थी कि यदि यह सत्य है तो हमारे शास्त्र देवी-देवताओं के विवाह की कथाओं से क्यों भरे पड़े हैं, परंतु मेरे पास पूछने के लिए अधिक महत्त्वपूर्ण प्रश्न था। "ईश्वर के गले लगने के बाद भी अर्जुन को उन अस्त्रों की इतनी चिंता क्यों थी, चाहे वह कितने भी शक्तिशाली थे? यदि मैं उसके स्थान पर होती तो मैं अन्य कुछ नहीं माँगती। "

कृष्ण ने अपने नेक स्वभाववश अपना हाथ मेरे कंधे पर रखा। "तुम कुछ नहीं माँगती, सखि?" (वह मुझे उन दिनों इसी नाम से पुकारते थे : सखि, अर्थात् प्रिय मित्र। मुझे यह नाम अच्छा लगता था, हालांकि कभी-कभी मुझे ऐसा महसूस होता था कि वह इसका प्रयोग मज़ाक में करते थे।) "फिर तो तुम हम सबसे अधिक समझदार हो!" एक क्षण के लिए उनके होंठों पर मुस्कान छा गई मानो वह कोई ऐसा मज़ाक छिपा रहे हों जिसके विषय में अन्य कोई नहीं जानता था।

# 30

## छद्म वेश

हमारे वनवास के बारह वर्ष समाप्त होने जा रहे थे। अब युधिष्ठिर ने जो बाजी हारी थी, उसके अनुसार हमें एक वर्ष अज्ञातवास में बिताना था। इस वर्ष के दौरान यदि दुर्योधन ने हमारा पता लगा लिया, तो हमें बारह वर्ष का वनवास फिर से बिताना पड़ेगा।

युधिष्ठिर ने यह निर्णय लिया कि हम यह वर्ष इंद्रप्रस्थ के दक्षिण में, मत्स्य राज्य में व्यतीत करेंगे। "हमें इतना निकट खोजने के विषय में कोई सोच भी नहीं सकेगा," उसने कहा। "हम छद्म वेश में राजा विराट के महल में रहेंगे। मैंने सुना है कि उसका घर बहुत विशाल और अव्यवस्थित है। यदि हम कुछ ऐसा नहीं करेंगे जिससे हमारी ओर ध्यान आकर्षित हो तो मुझे लगता है कि हम सुरक्षित रहेंगे। एक-दूसरे के सामने आ जाने के बाद भी हमें ऐसा व्यवहार करना चाहिए मानो हम अजनबी हैं। किसी भी स्थिति में हमें एक-दूसरे से संपर्क नहीं करना चाहिए। याद रहे, यदि हम पहचान लिए गए तो हमें फिर से बारह वर्ष का वनवास भोगना होगा।"

जैसा कि तय हुआ था, शाम के समय, जब आकाश आहत-सा नील के रंग का दिखाई दे रहा था, मैंने विराट नगर में अकेले प्रवेश किया। मैं तेज़ क़दमों से असहज अवस्था में महल तक जाने वाले मार्ग पर चल रही थी। इससे पहले जीवन में कभी मैं अकेले आम रास्ते पर नहीं चली थी। शोर मचाते फेरी वालों, बैलगाड़ी वालों तथा पैदल लोगों की चिंता किए बिना अपने घोड़ों को भगाते ताँगेवालों के बीच से रास्ता बनाती हुई मैं अत्यंत कठिनाई से आगे बढ़ रही थी। लोग मुझे घूर रहे थे - इसमें उनका क्या दोष? इस समय सभी भद्र महिलाएँ अपने-अपने घरों के अंदर सुरक्षित थीं। इसके अतिरिक्त, छाल को सीधा करके बनाई हुई साड़ी और घोंसले जैसे बालों के साथ, जिन्हें वर्षों से सँवारा नहीं गया था, मैं निश्चित ही पागल औरत की तरह लग रही थी। मैं उन लोगों की टिप्पणी की उपेक्षा करने तथा

अपनी व्यथा को छिपाने का प्रयास कर रही थी। वहीं कहीं अँधकार में, हाथ से बुने रसोइये जैसे पुराने वस्त्र पहनकर भीम खड़ा यह सुनिश्चित कर रहा था कि मैं रानी सुदेष्णा के महल तक सुरक्षित पहुँच जाऊँ। मैं नहीं चाहती थी कि वह युधिष्ठिर की चेतावनी भुलाकर मेरी सहायता के लिए आगे आ जाए।

अपनी व्यथा से अपना ध्यान हटाने के लिए मैं अपने पतियों के विषय में सोचने लगी। मेरे द्वार के भीतर चले जाने के बाद, भीम को रसोईघर में जाकर अपने लिए काम माँगना था। उसे उन लोगों के लिए पकवान बनाने होंगे जो उसकी अपनी खाने की तश्तरी धोने के योग्य भी नहीं थे! युधिष्ठिर पहले ही महल में अपने लिए स्थान प्राप्त कर चुका था। कुछ दिन पूर्व उसने ब्राह्मणों वाली एक सफ़ेद धोती पहन ली थी, अपने गले में तुलसी-माला डालकर वह राजदरबार में प्रवेश पा चुका था। उसने वहाँ कहा कि वह दार्शनिक चर्चा तथा द्यूत के खेल में अति निपुण था और उसे रहने के लिए स्थान चाहिए था। विराट ने, जिसे द्यूत बहुत पसंद था, युधिष्ठिर को अपने पास रख लिया। अब सत्य के प्रणेता युधिष्ठिर को दरबारियों की चापलूसी करने की कला सीखनी थी। नकुल और सहदेव राजा के बाड़े में कार्य करते थे। पिछले अनेक वर्षों में विराट ने भारत भर से सर्वश्रेष्ठ गाय अपने पास एकत्रित कर ली थीं। वह दोनों इन गायों की देखभाल करते थे। मुझसे अनुमति लेकर वह दोनों मुझे प्रसन्न करने की कोशिश करते थे और यह याद दिलाते थे कि उन्हें पशुओं से कितना प्रेम था, परंतु मुझे सत्य पता था : वह तेज़ धूप में मेहनत करते थे, बाड़े से गोबर साफ़ करते थे और देखने वालों के तानों को सहन करते थे।

और अर्जुन, हमारा योद्धा? पिछली रात्रि के अँधकार में उसने उन शब्दों का प्रयोग कर दिया जिनसे उर्वशी का दिया शाप सक्रिय हो गया। सुबह तक, उसके बाल लंबे होकर उसकी पीठ तक आ गए। बिना मूँछ और दाढ़ी के उसका चेहरा नग्न लग रहा था। उसका तन लचीला व पतला होकर लाल साड़ी में लिपटा हुआ था। जब वह चलता था तो उसके कूल्हे हिलते थे। उसकी मुस्कान शर्मीली किंतु आत्म-विश्वास से भरी हुई थी। उसके शरीर ने इन नारी-सुलभ सूक्ष्मताओं को कैसे ग्रहण किया होगा? उसके हाथों में मूँगे के कंगन थे। जब उसने मुझसे अपने केश सँवारने को कहा तो मैं अपने आँसुओं को बहने से नहीं रोक सकी। उसे राजकुमारी उत्तरा के नृत्य-गुरु का कार्य करने को दिया गया था। वह भी स्त्रियों के आवास में ही रहने वाला था। उसके पौरुष के लुप्त होने पर और नपुंसक होने के नाते उसके साथ होने वाले मज़ाक को देखते हुए भी मुझे अपनी भावनाओं पर संयम रखना था।

"तुम पाँच में से किसी को भी अपनी समस्या बताए बिना मैं पूरे वर्ष तक कैसे रहूँगी?" मैंने कहा।

अर्जुन ने अपनी साड़ी के किनारे से मेरे आँसू पोंछे। शायद उसके भीतर आया परिवर्तन शारीरिक बदलाव से भी अधिक था क्योंकि वह अब बहुत कोमल स्वर में बात करता था। तुम कर सकती हो। जितना सोचती हो, तुम उससे कहीं अधिक सामर्थ्यवान हो। याद करो, कृष्ण जब हमें विदा करने आए थे, तो उन्होंने क्या कहा था : *"समय दयालु व सम है। यह वर्ष कितना भी लंबा प्रतीत हो, वास्तव में यह इंद्रप्रस्थ में बिताए खुशी के एक वर्ष से अधिक लंबा नहीं हो सकता।"* अर्जुन ने अपना गांडीव, मौसम से बचाए रखने के लिए गोचर्म में लपेटकर नगर के बाहर एक शमी वृक्ष में छिपाकर रखा था। मैं कृष्ण के विषय में सोचने लगी जो हमें रथ में बैठाकर रात के समय नगर के छोर पर ले आए थे। हमें वहीं छोड़कर वह ऐसे हाथ हिलाकर चले गए मानो एक सप्ताह बाद ही फिर से मिलने वाले थे। मैंने दो छवियों को अपनी स्मृति में बसा लिया : अर्जुन का लपेटकर रखा अस्त्र और अँधकार को भेदती कृष्ण की मुस्कान। जब मैंने सेविका की नौकरी पाने की आशा से, काँपते हाथ से रानी का द्वार खटखटाया तो इन्हीं दोनों छवियों ने मुझे सांत्वना दी। मैं धैर्य रखूँगी। मैं साहस रखूँगी। यह वर्ष भी बीत ही जाएगा।

. . .

सुदेष्णा ने कहा, "मुझे तुम्हारी सब परेशानियाँ सुनकर बहुत दुख हो रहा है किंतु मैं तुम्हें नौकरी पर नहीं रख सकती। यद्यपि, तुमने इतने वर्ष रानी द्रौपदी की सेविका के रूप में कार्य किया है, उसके बाल बनाए हैं और वस्त्र धोए हैं। तुम्हारा काम अवश्य अच्छा होगा - सभी लोग जानते हैं कि वह महिला कितनी क्रोधी स्वभाव की थी! क्या यह सच है कि वह क्रोध में अपने पतियों के ऊपर चीज़ें फेंका करती थी?"

"सही बात यह है कि तुम अपने फटे वस्त्रों और गंदे बालों के बावजूद अत्यधिक सुंदर लगती हो। नहाने-धोने के बाद क्या होगा! यदि मेरे पति को या भाई को या पुत्र को तुमसे प्रेम हो गया तो क्या होगा? हालांकि मैं भाई के लिए अधिक चिंतित नहीं हूँ। वह अपनी देखभाल स्वयं कर सकता है। तुमने सुना है उसके विषय में? मत्स्य का - शायद समस्त भारत का - सर्वश्रेष्ठ योद्धा और विराट का सेनापति? वह मेरी सेविकाओं के प्रेम में पड़ता ही रहता है। जब उसका मन उनसे भर जाता है तो वह उन्हें पर्याप्त उपहार देकर शांत रखता है, अत्यंत उदार है, मेरा भाई कीचक।"

"तुमने कहा तुम सदा पर्दे में और भीतरी आवास में ही रहोगी? कोई पुरुष यहाँ होगा तो बाहर नहीं आओगी। जब तक रानी द्रौपदी के अपमान का प्रतिशोध पूरा नहीं हो जाता तब तक श्रंगार भी नहीं करोगी?"

"यद्यपि, यह थोड़ा अधिक लगता है, किंतु तुम निष्ठावान हो।"

"तुमने अपने पतियों के विषय में क्या बताया? वह गंधर्व हैं, आधे-पुरुष, आधे देवता? तुमने कहा कि यद्यपि, तुम्हें शाप मिला हुआ है और तुम्हें अलग रहना है, फिर भी वह हर समय तुम्हें देखते रहते हैं? वह अत्यंत क्रोधी और शक्तिशाली हैं? फिर तो तुम्हें अपना आचरण शुद्ध रखने का पर्याप्त पुरस्कार मिलता होगा!"

"मुझे लगता है कि तुम्हें कार्य पर रखना सुरक्षित है।"

"मेरे साथ यही समस्या है - मैं अत्यंत दयालु हूँ - किसी को ना नहीं कह सकती।"

"तो तुम मेरे बाल भी उसी प्रकार सँवार सकती हो जैसे द्रौपदी ने राजसूय यज्ञ के समय बनाए थे? इस पूर्णिमा को विराट एक बहुत बड़ा उत्सव - एक प्रकार का काव्य महोत्सव - आयोजित कर रहा है, उसे इस तरह की चीज़ें पसंद हैं। वह दिन कैसा रहेगा? और क्या तुम मेरे चेहरे से यह धब्बे मिटा सकती हो?"

"बढ़िया, बहुत बढ़िया! मुझे लगता है कि हमारा साथ अच्छा जमेगा। "

"वैसे, तुम्हारा नाम क्या है? क्या मैं तुम्हें सिर्फ *सेविका* कहकर पुकारूँ? अच्छी बात है, जैसा तुम कहो।"

"अब मुझे एक बात बताओ जिसे जानने को मैं अत्यंत उत्सुक हूँ : द्रौपदी पाँच पतियों को सँभालती कैसे थी? मुझसे तो विराट ही कठिनाई से सँभलता है और वह वृद्ध भी हो गया है! उन लोगों की सोने की क्या व्यवस्था थी? और हाँ, एक बात और : तुम्हारे वह गंधर्व पति - उनके साथ विवाह करके कैसा लगता है? मेरा आशय है कि उनके पास भी क्या वैसी चीज़ ही होती है जैसी अन्य पुरुषों के पास?"

कभी-कभी मुझे लगता था कि वह वर्ष कभी समाप्त ही नहीं होगा और यह कि समय वहीं ठहर गया था। सुदेष्णा जैसी लापरवाह स्त्री के प्रत्येक इशारे पर भागना अत्यंत अपमानजनक महसूस होता था। *मेरा दर्पण लाओ, सैरंध्री। थोड़ा चंदन का - लाल वाला - लेप और बनाओ और इस बार उसे थोड़ा और महीन पीसना। मुझे बालों का ढंग पसंद नहीं है। इसे फिर से बनाओ!* वन की अत्यंत बुरी कठिनाइयों में भी मेरा आत्म-सम्मान तो बचा रहता था। हमारे अतिथि भी मेरा आदर करते थे। जिन लोगों को मैं पसंद करती थी, यदि मैं उनसे अधिक नहीं

मिल पाती थी, तो भी वह मुझसे मिलते रहते थे। और कृष्ण। क्या ऐसा कभी हुआ था कि वह एक वर्ष तक मुझसे मिलने न आए हों? यह सोचकर मेरे हृदय में एक विचित्र-सी तृष्णा जाग गई। मैं सोचने लगी कि व्यक्ति एकाकीपन के कारण भी मर सकता है।

सुदेष्णा के लिए मुझे उचित बात कहनी चाहिए : अपने अस्थिर मस्तिष्क के बावजूद वह दयालु थी। उसने मुझे अपने निजी उद्यान में बैठने की अनुमति दे रखी थी। *मुझे पता है तुम दुखी हो। इससे तुम्हें थोड़ी राहत मिलेगी।* शायद अच्छा होता यदि वह सही अर्थों में क्रूर होती क्योंकि उसके इसी उद्यान में वह कामुक कीचक मुझे देखता था।

सुदेष्णा का उद्यान वैसा ही था जैसा मैंने कल्पना की थी : विशाल, नीरस, आडंबर व महँगे फूलों से सुसज्जित। मैं उससे दूर भी नहीं रह पाती थी यद्यपि, वह मुझे मेरे अपने जटिलता से व्यवस्थित उद्यान की याद दिलाता था जहाँ प्रत्येक कोने पर एक आश्चर्य छिपा हुआ था : एक आसन जिसका भाग पर्वतीय तेंदू वृक्ष के नीचे छिपा हुआ था, उशिर की पंक्ति जिसमें से तीखी गंध आती थी - किंतु उसके लिए उसके पत्तों को रगड़ने की विधि पता होनी चाहिए। खो गया था, अब सब कुछ खो चुका था : मय की माया के फलस्वरूप पूर्ण वयस्क वट-वृक्ष का उद्यान, स्वर्ण के रंग के केतकी पुष्प, शिम्सपा वृक्ष जो धीमे-से मेरा नाम पुकारते थे। सुदेष्णा के उद्यान के एक कोने में मैंने एक अशोक का वृक्ष देखा - यह वही वृक्ष था जिसके नीचे बैठकर रामायण में, सीता ने दुख झेले थे। जब मेरा समय आया तो मैंने उसके नीचे बैठकर सीता का धैर्य अपने भीतर संचित करने का प्रयास किया। उन्होंने भी अपना ध्यान उन्हें परेशान कर रही राक्षसियों से हटाकर अपने प्रिय राम पर केंद्रित कर दिया था और तब जाकर उन्हें शांति मिली थी, परंतु मुझे ऐसा करना नहीं आता था। जब मैं कोई कार्य नहीं कर रही होती थी तो क्रोध मेरे मस्तिष्क में गहन धुएँ की भांति भर जाता था : कौरवों के प्रति क्रोध जिनके कारण आज मेरी यह दशा थी, युधिष्ठिर के प्रति क्रोध जिसकी मूर्खतापूर्ण श्रेष्ठता के कारण वह कौरवों की चाल में फँस गया था, अपने शेष पतियों के प्रति क्रोध जिनपर क्रोधित होने का मुझे कोई अधिकार नहीं था।

यहीं मेरी भेंट कीचक से हुई। वह शारीरिक रूप से अत्यंत आकर्षक था और उसके होंठ कामुक थे। वह बहुत-से आभूषण पहनता था और उसमें से कस्तूरी व मदिरा की गंध आती थी। "क्या तुम मेरी बहन की कोई नई सेविका हो? तुम सुंदर हो!" उसने अपनी सुरमा-लगी आँखें चढ़ाकर मुझे ऊपर से नीचे तक प्रशंसा की दृष्टि से देखा। मेरा चेहरा गर्म हो गया। यहाँ तक कि दुर्योधन ने भी अपनी सभा में

मुझे इस तरह नहीं देखा था क्योंकि उसे पता था कि मैं रानी हूँ। क्या इसका अर्थ यह है कि पुरुष साधारण स्त्रियों को इसी प्रकार देखते हैं? स्त्रियों को वह स्वयं से तुच्छ समझते हैं? अपनी सेविकाओं के प्रति सहसा मेरे मन में करुणा जागृत हो उठी। जब मैं फिर से रानी बनूँगी तो मैं यह सुनिश्चित करूँगी कि साधारण स्त्रियों के साथ अलग ढंग से व्यवहार किया जाए।

यद्यपि, उसमें अभी बहुत समय शेष था। अभी तो मुझे कीचक से निपटना था।

मैं चुपचाप उठकर वहाँ से चल दी।

शायद यही मेरी भूल थी। यदि तिरस्कार के स्थान पर मैं चापलूस बनी रहती, यदि उसके सामने अन्य स्त्रियों की भांति मैं भी लज्जा और प्रसन्नता का दिखावा करती तो वह शायद मुझमें रुचि नहीं लेता। सुदेष्णा के पास बहुत-सी सेविकाएँ थीं जो आयु में मुझसे छोटी थीं और सुंदर भी थीं। वन-जीवन ने मेरे शरीर को बर्बाद कर दिया था और मैंने उस बर्बादी को ठीक करने का कोई प्रयास नहीं किया, परंतु यह संकेत देकर कि मैं उसकी नहीं हो सकती थी, मैंने कीचक की शिकारी-प्रवृत्ति को जागृत कर दिया था। उस क्षण के बाद वह मुझे अकेला नहीं छोड़ता था।

मैंने जो समस्या उत्पन्न कर दी थी, मुझे तुरंत उसका पता नहीं लग पाया। मेरे सामने कई अन्य चुनौतियाँ थीं। मैंने उस दौरान यह समझा कि अपने पतियों से दूर रहने की अपेक्षा उनके निकट रहना मेरे लिए अधिक कठिन होता था। विराट के साथ चलते समय युधिष्ठिर पर कभी दृष्टि पड़ जाती थी तो उसे सम्मानपूर्वक झुककर अभिवादन करते देख मैं एक ओर दुबक जाती थी। मैं नृत्य-शाला में अर्जुन को अन्य स्त्रियों के साथ हँसी-मज़ाक करते सुनती तो मुझे आश्चर्य होता था कि उसके पास हँसने का साहस कहाँ से आता था। कभी-कभी मैं बाहर बाड़े की ओर देखकर पीत-वर्ण की धोतियों में गंदगी में कार्य रहे लोगों में से नकुल और सहदेव को खोजती थी। जब रानी और उसकी प्रिय सेविकाओं के लिए रसोईघर से विशेष पकवान बनकर आते थे तो मैं सोचती कि उनमें से कौन-सा पकवान भीम ने पकाया होगा और क्या उसे पता होगा कि मैं इसमें से कुछ नहीं खाऊँगी।

रात्रि को मैं अपनी शय्या पर लेटकर अपनी अंगुली से अपनी हथेलियों में नव-निर्मित छालों को महसूस करती थी। अँधेरे में मेरे अपने हाथ किसी अन्य के हाथ प्रतीत होते थे। कृष्ण ने कहा था : जब तुम दुखी होओ कृष्णा - और तुम्हें अपने पतियों से अधिक दुख होगा क्योंकि तुम्हारा अहं अधिक क्षीण व अधिक हठी है - तो उस समय यह ध्यान रखना कि तुम रानी की सेविका की सिर्फ भूमिका निभा रही हो, वह भी कुछ समय के लिए। मैंने वह शब्द दोहराए किंतु थकान मेरे

मस्तिष्क के साथ चाल चल रही थी। कभी-कभी निद्रा में जाने से पहले, ऐसा प्रतीत होता था कि मैंने जीवन में जो कुछ किया है वह सब सिर्फ़ भूमिका है। स्वीकृति पाने की इच्छुक राजकुमारी, ग्लानि से भरी वह लड़की जिसका हृदय उसकी बात नहीं सुनता था, पत्नी जो अस्थिर ढंग से पाँच गुना बड़ी भूमिका निभा रही थी, विद्रोही पुत्रवधु, सर्वश्रेष्ठ जादुई महल की रानी, भटकी हुई माँ, कृष्ण की प्रिय मित्र जो उनके पढ़ाए पाठ नहीं सीखती थी, प्रतिशोध से ग्रस्त स्त्री - इनमें से कोई भी सच्ची पांचाली नहीं थी।

यदि नहीं, तो मैं क्या थी?

. . .

हमारा अज्ञातवर्ष समाप्त होने से एक महीना पूर्व कीचक ने मुझे कोने में घेर लिया और बोला कि यदि मैं उसके साथ स्वेच्छा से नहीं गई और उसे तृप्त नहीं किया तो वह मुझे बल पूर्वक अपने साथ ले जाएगा। मैं उसकी पकड़ से छूटकर सुदेष्णा के पास गई, परंतु उसने मुझे कीचक की बात मान लेने को कहा। "किसे पता तुम अपने उन पतियों को फिर से मिल पाओगी या नहीं," वह बोली। "अथवा वह हैं भी या नहीं? तुम कीचक को प्रसन्न कर दो और वह तुम्हें आजीवन किसी चीज़ का अभाव नहीं होने देगा।"

उसके बाद मुझे शरण के लिए एक ही स्थान सूझा : विराट की सभा। एक राजा निश्चित ही एक अबला और असहाय स्त्री की सहायता करेगा। कीचक वहाँ भी मेरे पीछे आ गया। उसने मुझे भरी सभा में ज़मीन पर गिरा दिया और उसकी अवज्ञा करने के लिए मुझे लात मारी। मैंने न्याय के लिए विराट से गुहार लगाई किंतु वह बधिरों की भांति चुपचाप बैठा रहा। वह असहाय बना सिर झुकाकर अपनी लज्जा को छिपाता रहा। वह जानता था कि कीचक की सहायता के बिना वह राज्य का कार्य नहीं चला सकता था। जब राजा का ही व्यवहार ऐसा था तो उसके दरबारियों से मैं क्या आशा करती? यद्यपि जिस बात का मुझे सबसे अधिक दुख हुआ, वह युधिष्ठिर का व्यवहार था : वह मुझे शांति से चुपचाप देखता रहा मानो मैं कोई नाटक कर रही थी।

मैं उन सबको घृणा से देखती रही। मुझे लगा कि समय का चक्र पीछे घूम गया था और मैं एक बार फिर मज़ाक उड़ाते दुर्योधन के सामने असहाय खड़ी थी। जब मैंने युधिष्ठिर को क्रोध से देखा तो वह बोला, "धैर्य रखो, देवी। तुम्हारे गंधर्व पति शीघ्र ही शाप-मुक्त हो जाएँगे। उसके बाद वह तुम्हारी सहायता करेंगे।"

मैंने उसकी बात पर अपना विरोध व्यक्त करने की चेष्टा की, परंतु उसने

मुझे कठोरता से ऐसा करने से रोक दिया। शायद उसे रहस्य उद्घाटित हो जाने का भय था। "अपने निवास पर लौट जाओ और रोकर अभिनय मत करो!"

उसके शब्दों ने मुझे विष-बुझे बाणों की तरह बींध दिया। अनुनय-विनय समाप्त होने के बाद मैंने अपने आँसू पोंछ लिए। "यदि मैं आज अभिनय कर रही हूँ," मैंने थूकते हुए कहा, "तो उसके लिए कौन उत्तरदायी है?"

कीचक ने हमारी बातों पर ध्यान नहीं दिया। "देखा!" वह बोला, "यहाँ तुम्हारी रक्षा के लिए कोई नहीं है। मैं इन सबसे शक्तिशाली हूँ। तुम्हें अब मेरे साथ शय्या पर आना ही पड़ेगा।"

इस पर भी युधिष्ठिर चुप रहा।

मैं फिर से दौड़ी - इस बार अपने कक्ष में गई - और भीतर से द्वारा बंद कर लिया। कीचक ने हँसकर मुझे जाने दिया। वह जानता था कि कोई कमज़ोर ताला उसे बाहर नहीं रोक सकता था। शीघ्र ही वह अपनी इच्छा पूरी कर लेगा।

मैंने सबसे अधिक ठंडे जल में स्नान किया, फिर भी मैं भीतर से दहक रही थी। मैं सो नहीं पा रही थी, न ही कुछ खाया जा रहा था। अर्द्ध-रात्रि के बाद, जब महल में शांति छा गई तो मैं उठी और महल के भूलभुलैयादार गलियारों को पार करती हुई भीम के कक्ष तक जा पहुँची। मैं द्वार खोलकर भीतर चली गई और उसे जगाया। अचंभित होकर उसने मुझसे चले जाने का आग्रह किया। "अगर किसी ने हमें साथ देख लिया तो क्या होगा? हम अपना भेद खोले बिना क्या उत्तर देंगे? और फिर इतना समय जो हमने कष्ट में काटा है, वह सब बर्बाद हो जाएगा।"

मैंने उसे कहा कि मुझे भेद खुल जाने की अथवा दुर्योधन द्वारा शर्त जीत लेने की चिंता नहीं थी। वन के खतरों से कहीं अधिक खतरे यहाँ इस महल में मौजूद थे। मैंने उसे दरबार में हुए अपने अपमान और युधिष्ठिर की कायरता के विषय में बताया। मैंने कहा, "यदि कीचक ने मुझे दोबारा छुआ तो मैं विष खा लूँगी।"

भीम ने मेरे दरारों से भरे हाथ लिए और अपने चेहरे के निकट ले आया। मुझे अपने हाथ के छालों पर उसके आँसू महसूस हो रहे थे। उसने कहा, "तुम्हारे साथ के बिना यह राज्य किस काम का? मैं तुम्हें वचन देता हूँ कि यदि मैं पकड़ा गया तो भी कल मैं कीचक का वध कर दूँगा।"

अब जब मुझे पता लग गया था कि मेरा काम हो जाएगा, मैं बर्फ़ की तरह स्थिर हो गई। हमने मिलकर बिना अपने पतियों के साथ विश्वासघात किए, कीचक को मारने की योजना बनाई।

. . .

और फिर? समय मानो भागने लगा और उसके साथ हिमस्खलन की तरह विनाश की तैयारी होने लगी। नृत्य-शाला के अँधकार में जहाँ मैंने उसे लुभाकर बुलाया था, कीचक को मार दिया गया। जब उन्हें अगले दिन सुबह उसका कुचला हुआ शव मिला, यह समाचार आग की तरह फैल गया।

यह गंधर्व जादू था! अन्यथा ऐसा कौन था जो भारत के सर्वश्रेष्ठ योद्धा में से एक को मार सके? दुखित सुदेष्णा ने मुझे चुड़ैल की तरह जलाकर मार डाला होता परंतु वह मेरे पतियों से भयभीत थी। इसके स्थान पर उसने मुझे अपने निवास-कक्ष में निर्वासित कर दिया जो मेरे लिए बहुत अच्छा था।

यद्यपि, यह बात बहुत दूर कौरव दरबार तक जा पहुँची। दुर्योधन ने सुनते ही समझ लिया कि कीचक को भीम ने ही मारा था। (एक बार गंधर्वों द्वारा पकड़े जाने के कारण वह जानता था कि गंधर्वों की कार्य-शैली इससे भिन्न थी।) कर्ण ने सुझाव दिया कि उन्हें तुरंत उत्तर व दक्षिण दोनों दिशाओं से विराट पर आक्रमण कर देना चाहिए। वे जानते थे कि यदि पांडव वहाँ होंगे तो अपने मेज़बान की सहायता करने के लिए वे नैतिक रूप से विवश हो जाएँगे। यदि ऐसा नहीं हुआ तो कौरवों को थोड़े-से प्रयास से एक समृद्ध राज्य मिल जाएगा।

भाटों ने (जिन्हें युद्ध के विवरण सुनाना अति प्रिय है) उस युद्ध के विषय में पर्याप्त गीत गाए हैं, इसलिए मैं उन्हें वहीं छोड़ रही हूँ। इतना कहना काफ़ी होगा कि पांडवों में से चार (छद्म वेश में ही) विराट के साथ दक्षिण में गए और अर्जुन विराट के पुत्र को रथ में बैठाकर उत्तर दिशा में गया। जब राजकुमार उत्तर घबरा गया तो अर्जुन ने (साड़ी में ही) कौरवों को सम्मोहन अस्त्र चलाकर मूर्छित कर दिया। क्रोध से भरे दुर्योधन ने, मूर्छा से उठने के बाद यह घोषणा कर दी कि पांडवों का भेद खुल गया था और उन्हें फिर से वनवास के लिए जाना होगा, परंतु युधिष्ठिर ने नक्षत्रों का मानचित्र यह कहते हुए भिजवाया कि युद्ध के दिन ही उनका तेरह वर्ष का वनवास समाप्त हो चुका था। इस प्रकार उससे भी बड़े युद्ध की तैयारी आरंभ हो चुकी थी।

यद्यपि, मुझे एक बात बहुत स्पष्ट याद थी : जब राजा विराट को हमारी असलियत का पता चला तो वह हमारे पैरों में गिर पड़ा और हमसे अपने दुर्व्यहार के लिए क्षमा माँगने लगा और उसने सुदेष्णा से भी ऐसा ही करने के लिए कहा। उसने हमें अपने सिंहासन पर बैठाया और स्वयं हाथ जोड़कर मंच पर बैठ गया। दुखी सुदेष्णा भी उसके साथ बैठ गई। वह मुझसे आँख नहीं मिला पा रही थी। उसने मुझे अपनी भाई की हत्या के लिए कभी क्षमा नहीं किया होगा। यद्यपि, विराट ने, जो अधिक व्यावहारिक था, राजकुमारी उत्तरा का विवाह अर्जुन से करने

का प्रस्ताव किया। पहली बार मेरे पति ने (पसलियों में मेरी कोहनी की चोट की सहायता से) सही निर्णय लिया : राजकुमारी का विवाह हमारे पुत्र अभिमन्यु से कर दिया जाए।

विवाह के समय, हम लोग फिर से विराट के सिंहासन पर बैठे। मैं स्वर्णिम वस्त्रों में बैठी थी और मेरे रूखे बाल - लावा की तरह सुंदर और ख़तरनाक भी - मेरी पीठ पर लहरा रहे थे। लोग कह रहे थे कि गहरे रंग की त्वचा के साथ मैं बिजली वाले बादल की तरह लग रही थी। मैंने इसे अपना प्रशंसा मान लिया। हमारे आस-पास हमारे मित्र व संबंधी बैठे हुए थे जो हमारे वनवास के अंत होने का जश्न मनाने और (यद्यपि किसी ने इस बात का उल्लेख नहीं किया) आगामी युद्ध में हमें अपना समर्थन देने आए थे। वहाँ धृ, मेरे पिता और मेरे पाँच पुत्र भी उपस्थित थे। उनके चेहरे देखकर उनके नाम समझने का प्रयास करते समय मेरा हृदय विचलित हो रहा था, परंतु वह बिना तिरस्कार भाव से मुझे देखकर शर्माते हुए मुस्करा रहे थे। शायद - चूंकि वह अब बड़े हो गए थे - वह हमारी परेशानियों को बेहतर ढंग से समझते थे और उन्होंने मुझे मेरे निर्णयों के लिए क्षमा भी कर दिया था।

विवाह के मंडप में बाँका, सजीला अभिमन्यु बैठा था और उसके हतप्रभ हाव-भाव देखने से ही पता लग रहा था कि वह सुंदर, धृष्ट उत्तरा से प्रेम करने लगा था। मुझे उनकी जोड़ी अच्छी लग रही थी। मुझे विश्वास था कि शीघ्र ही हमें अपने शेष पुत्रों के लिए भी अच्छी कन्याएँ मिल जाएँगी। पुरोहितों ने घंटियाँ बजाकर मंत्रोच्चारण आरंभ कर दिया। सुदेष्णा ने मुझे सोने के चषक में अनार का ठंडा रस लाकर दिया, जैसा कि मैं उसके लिए लाया करती थी। और कृष्ण? उस दिन सुबह ही, उनसे इतने लंबे समय के बाद मिलकर मैं रो पड़ी थी और उन्होंने मेरे - और फिर अपने आँसू पोंछे। अब वह मेरे पीछे इतने निकट बैठे थे कि मैं अपनी गर्दन पर उनकी साँसों को महसूस कर रही थी। पुरोहितों के प्रवचनों के बीच में, वह कुछ ऐसी अभद्र टिप्पणी कर देते थे कि मुझे हँसी आ जाती थी।

मुझे यह क्षण इतना प्रिय क्यों लग रहा था? क्या ऐसा इसलिए था कि मेरा अहं दोषमुक्त हो गया था? क्या इसलिए कि मुझे सबके सामने वह सम्मान प्राप्त हुआ था जिससे मुझे इतने महीनों से वंचित रखा गया था? इसलिए कि मुझे पता था कि कौरवों के हाथों हुए मेरे अपमान का प्रतिशोध लेने का समय आ गया था? मैं स्वीकार करती हूँ कि मुझे सदैव इस प्रकार की चीज़ें अच्छी लगती रही हैं। यद्यपि, कुछ और बात भी थी : हमारे आस-पास घिरते अँधकार में यह अंतिम टिमटिमाहट थी और यह अंतिम बार था जब मैं पूरी तरह इतनी प्रसन्न थी।

# 31

## तैयारी

जब दुर्योधन ने शर्त की बात का सम्मान करने और हमें इंद्रप्रस्थ लौट आने से मना कर दिया तो हमें आश्चर्य नहीं हुआ। न ही - युधिष्ठिर, जिसने शांतिपूर्ण समाधान की आशा की थी, को छोड़कर - हम विशेष रूप से हताश हुए थे। सच यह था कि हम लोग तो युद्ध के लिए बेचैन थे, जिससे दुर्योधन ने जो कष्ट हमें दिए थे, उनमें से कुछ का हिसाब चुकाने का अवसर हमें मिल सके। उसी रात, धृ ने कुछ संदेशवाहकों को हमारे संभावित सहयोगियों के पास सहायता के संदेश के साथ भेज दिया। हमारी स्थिति गंभीर थी। हस्तिनापुर के पहले से ही काफ़ी सहयोगी थे, जिनमें ऐसे राजा थे जिनके पिता व पितामह की शांतनु, फिर भीष्म और फिर धृतराष्ट्र से मित्रता थी। क्या हम इतनी सरलता से उनकी निष्ठा-परिवर्तन की उम्मीद कर सकते थे? बहुत-से तो यह मानते थे कि दुर्योधन ने कुछ ग़लत नहीं किया। युधिष्ठिर ने मूर्खतापूर्ण ढंग से द्यूत खेला - और अपना सब कुछ हार बैठा। अब उसे वह वापस चाहिए था। कौन योग्य क्षत्रिय इस अनुचित माँग को चुपचाप मान जाएगा?

इन सब समस्याओं के बावजूद, हमारा हृदय भारी नहीं था, हमारा रक्त-चाप अतार्किक रूप से उल्लसित था। अंत में (क्या सिर्फ़ मैं ही इसी प्रकार सोचती थी?) मामला निपट जाएगा। या तो हम लोगों का प्रतिशोध पूरा हो जाएगा - अथवा इसका फिर कोई महत्त्व नहीं रह जाएगा क्योंकि हम सब मर चुके होंगे।

द्वारका को छोड़कर सभी राज्यों में दूत भेजे गए थे। हमने निर्णय लिया कि अर्जुन को स्वयं अपने सर्वप्रिय मित्र के पास जाकर सहायता माँगनी चाहिए। हमें ऐसा लगा - हमें कारण तो नहीं पता था क्योंकि कृष्ण ने कोई प्रमुख युद्ध नहीं जीता था - कि यदि वह हमारे साथ होंगे तो हमारी पराजय नहीं हो सकती। (यदि उनका कुख्यात गुरिल्ला दल, नारायणी सेना, हमारे पक्ष में युद्ध करे तो इसमें कोई हानि नहीं थी।)

यद्यपि, हस्तिनापुर ने अनेक गुप्तचरों को नियुक्त किया हुआ था और इसलिए, अर्जुन के निकलने से पहले ही, दुर्योधन अपने सबसे तेज़ घोड़े को लेकर द्वारका रवाना हो गया। वह जानता था कि यदि वह वहाँ पहले पहुँच गया, तो मेहमान नवाज़ी के नियमों के अनुसार कृष्ण को अर्जुन से पूर्व दुर्योधन का आग्रह मानना पड़ेगा।

. . .

दुर्योधन ने शकुनि को लौटकर बताया (हाँ, हमारे भी हस्तिनापुर में गुप्तचर थे) :

"मामाजी, यह आपकी अत्यंत शानदार युक्ति थी कि मैं रात में ही घोड़ों को लेकर तेज़ी से निकल जाऊँ और यदि वह थक जाएँ तो दूसरे घोड़े ले लूँ। मैं दोपहर तक अर्जुन से पहले, द्वारका पहुँच गया था। कृष्ण उस समय विश्राम कर रहे थे, किंतु उनके सेवक मुझे उनके कक्ष में ले गए। उनके सिर की तरफ़ एक आसन रखा था तो मैं उसपर आराम से बैठा गया। कुछ देर बाद, अर्जुन भी आ गया। जब उसने मुझे वहाँ देखा तो उसका चेहरा देखने वाला था! वहाँ बैठने के लिए कोई अन्य आसन नहीं था। उसे संकेत समझकर वहाँ से चले जाना चाहिए था किंतु वह कृष्ण के पैरों की तरफ तख़्त के पास ज़रा-सी जगह में खड़ा हो गया। जैसे ही कृष्ण की आँख खुली, उस चापलूस अर्जुन ने उन्हें झुककर प्रणाम कर दिया। कृष्ण ने - जो, आपको तो पता ही है, शुरू से अनुचित ढंग से पांडवों के समर्थक रहे हैं - अर्जुन से पूछा कि उसे क्या चाहिए। मैंने जान-बूझकर अपना गला साफ़ किया और जब कृष्ण ने मुड़कर मुझे देखा तो मैंने कहा कि मैं वहाँ अर्जुन से पहले आया था इसलिए माँगने का अधिकार मुझे पहले मिलना चाहिए, परंतु, चूंकि वह बहुत चालाक हैं, सो उन्होंने कहा कि, मैंने तो अर्जुन को पहले देखा है, इस कारण उसका अधिकार तुम्हारे बराबर हो जाता है और वैसे भी वह आयु में तुमसे छोटा है, सो तुम्हें उसे पहले माँगने देना चाहिए। मुझे क्रोध तो बहुत आया, किंतु आपके कहे अनुसार मैंने स्वयं पर नियंत्रण रखा। यहाँ तक कि मैं मुस्करा भी दिया।

"खैर, स्थिति उतनी बुरी नहीं हुई जितना मुझे डर था। कृष्ण ने कहा कि वह स्वयं युद्ध में भाग नहीं लेंगे। उन्होंने कोई प्रतिज्ञा ली हुई है, उसके बारे में मुझे अधिक कुछ याद नहीं। वह बोले, वह अस्त्र भी नहीं उठाएँगे। फिर उन्होंने हमारे समक्ष यह प्रस्ताव रखा : हम उन्हें चुन लें अथवा उनकी नारायणी सेना (जैसा कि आपको पता है, यही तो मेरा वहाँ जाने का मुख्य कारण था)। मुझे विश्वास था कि अर्जुन उनकी सेना माँग लेगा किंतु वह मूर्ख तो भावुक हो गया और और बोला कि

उसे अपने मित्र के मार्गदर्शन तथा आशीर्वाद के अतिरिक्त और कुछ नहीं चाहिए और यह कि कोई सेना कृष्ण की बराबरी नहीं कर सकती। मैंने अपनी पूरी ताक़त लगाकर किसी तरह अपनी हँसी को रोका। संक्षेप में, परिणाम यह रहा कि मुझे अपने लिए नारायणी सेना मिल गई, वह एकाध दिन में हस्तिनापुर पहुँच जाएगी - और अर्जुन को अपने लिए सारथी मिल गया है क्योंकि कृष्ण ने युद्ध में यही कार्य करना है, अर्जुन के अश्व हाँकने हैं। हालांकि, मुझे नहीं पता कि कृष्ण ने इसके लिए हामी क्यों भरी। कुछ भी हो, बेशक उनके पास हमसे कम भूमि है, किंतु वह भी हैं तो राजा! दोनों बिल्कुल मूर्ख हैं। वह एक-दूसरे के ही होने लायक हैं!"

"बलराम? ओह, हाँ, वहाँ से मैं सीधा उनसे मिलने पहुँचा। जब से मैंने उनसे गदा-युद्ध सीखा है और धन्यवाद स्वरूप उन्हें गाड़ी भरकर सर्वश्रेष्ठ मदिरा भेजी थी, वह मेरे अच्छे मित्र बन गए हैं। हाँ, यह भी एक चालाकी भरा क़दम था। बलराम को मदिरा पान बहुत पसंद है! हालांकि ऐसा मैंने इसलिए किया था क्योंकि किसी पारखी को कुछ अच्छा भेंट करने से आनंद मिलता है। वह हमेशा ऐसा कहते हैं कि मेरे पास गदा-युद्ध की कला भीम से बेहतर है - निश्चित ही, ऐसा है। वह भीम अपनी गदा ऐसे चलाता है मानो वह कोई बड़ा-सा खीरा हो। मैंने सोचा कि बलराम को अपने पक्ष में युद्ध करने के लिए तैयार करना सरल होगा किंतु उन्होंने अपने भाई के विरुद्ध युद्ध करने से मना कर दिया। यद्यपि, मेरे प्रति स्नेह होने के कारण उन्होंने युद्ध न लड़ने का निर्णय लिया है। फिर उन्होंने एक विचित्र बात कही। वह बोले, जहाँ कृष्ण हैं, वहीं विजय है। ऐसा कहकर उन्होंने मुझे उदासी-भरी दृष्टि से देखा - मानो मैं अभी से मर चुका हूँ! सच में, मैं इस बात से कुछ परेशान हो गया। एक क्षण को मुझे लगा कि मैंने कहीं ग़लत चुनाव तो नहीं कर लिया!"

"तुम ठीक कहते हो : वह अपने भाई को कुछ ज्यादा ही शक्तिशाली समझते हैं। उनका इसमें कोई दोष नहीं है - वह दोनों आजीवन साथ रहे हैं, बिल्कुल मेरे और दुःशासन की तरह। जो भी हो, हम अपना चयन कर चुके हैं और मुझे कभी अपने लिए निर्णय पर पछतावा नहीं हुआ।"

"मै सहमत हूँ! निश्चित ही विजय हमारी ही होगी! अंतिम बार हमारी सेना की संख्या कितनी थी? ग्यारह अक्षौहिणी? अश्वों, रथों, हाथियों और अस्त्रों की तो बात ही क्या, मुझे नहीं लगता कि पांडव इसकी आधी संख्या भी जुटा पाएँगे। सबसे अनुभवी योद्धा हमारे पक्ष में हैं - भीष्म, द्रोण, और विशेषकर सबसे अच्छा मित्र कर्ण! क्या तुम्हें पता है कि उसने ब्रह्मचर्य का व्रत लिया हुआ है? वह युद्ध समाप्त होने तक माँस, मदिरा तथा स्त्री को छुएगा भी नहीं। वह प्रतिदिन शुद्धि के लिए गंगा

में स्नान करने जाता है और यदि मार्ग में उसे कोई ब्राह्मण या भिखारी मिल जाए तो वह जो माँगता है, कर्ण उसे वह वस्तु दे देता है! उसका मानना है कि ऐसा करने से उसकी शक्तियों में इतनी वृद्धि हो जाएगी कि वह अर्जुन को पराजित कर देगा। उसके जैसा योद्धा साथ होने से हमारी पराजय कैसे हो सकती है?"

"यदि मान लो, कि हम नहीं जीत पाए तो मैं रणभूमि में गौरव के साथ प्राण देना चाहूँगा। उन शापित पांडवों के साथ अपना राज्य बाँटने से मर जाना बेहतर है। मुझमें कितनी भी कमियाँ हों - नहीं, नहीं मामाजी, आप व्यर्थ ही मुझे दोषरहित कहकर मुझे प्रसन्न करने का प्रयास करते हैं, किंतु मैं स्वयं को अच्छी तरह जानता हूँ - मैं युद्ध और मृत्यु के देवता का आभारी हूँ कि मेरी उन कमियों में कायरता शामिल नहीं है।"

. . .

यहाँ तक कि शयनकक्ष भी अच्छे गुप्तचरों की पहुँच से दूर नहीं होते और हमारे गुप्तचर बहुत अच्छे थे। इसलिए हमें पता था कि हस्तिनापुर में लोग ठीक से नहीं सो पा रहे थे। नेत्रहीन राजा स्वप्न में अपने पुत्रों की खोपड़ियों के ढेर देखकर झटके से उठ बैठता था। दुःशासन अपनी छाती पकड़कर भीम का नाम लेता हुआ चिल्लाकर उठ जाता था। दुर्योधन अत्यधिक मदिरा पीकर स्वयं को उदासी में डुबो लेता था ताकि वह फ़र्श पर घूमता ही न रहे। मैं ऐसा नहीं कह सकती कि मुझे उनमें से किसी पर भी दया आ रही थी।

गुप्तचरों ने बताया कि सिर्फ़ एक कर्ण था जो चैन से सोता था और सुबह तरो-ताज़ा उठकर नदी पर अपने नित्यकर्म के लिए चला जाता था, जहाँ प्रतिदिन अनेक लोग उससे भिक्षा माँगने के लिए खड़े रहते थे। यदि ऐसा ही चलता रहा तो वह युद्ध आरंभ होने से पहले ही भिखारी हो जाएगा। मेरे पति उसकी मूर्खता पर हँसते थे और अर्जुन उपहास करता हुआ कहता, "वह अत्यधिक आडंबर करता है!"

मुझे पता था कि कर्ण आडंबर नहीं करता था - उसने ऐसा करने की कभी चिंता नहीं की। यद्यपि, ऐसा करके वह अपने दुष्कर्मों का प्रायश्चित कर स्वर्ग में अपने लिए स्थान सुनिश्चित कर रहा था। वह दुर्योधन का आत्म-विश्वास बढ़ाने के लिए उससे चाहे जो भी कहता हो, मुझे मालूम था कि उसे युद्ध में अपने जीवित बचने की आशा नहीं थी। ना ही - मेरा हृदय यह सोचकर विचलित हो गया - वह जीवित बचने का इच्छुक था।

लोगों को यह मानना अच्छा लगता है कि सद्गुणों का पुरस्कार जल्दी मिलता है और यह कि उत्तेजना अधार्मिकता का परिणाम है। यद्यपि, चीज़ें इतनी

सहज नहीं होती हैं। उदाहरण के लिए : भीष्म (जिन्हें कौरवों ने अपना सेनापति बनाया था) संध्या के समय गंगा के किनारे ओस से गीला हुआ दुशाला ओढ़े हुए सफ़ेद पत्थरों पर बैठे मिलते थे। धृ (जो पांडवों का नेतृत्व करने वाला था) प्रतिदिन अग्रणी की तरह आहत होने और थक जाने तक लड़ता रहा - और फिर भी उसे नींद नहीं आती थी। कुंती ने वर्षों लंबा वनवास विदुर के घर में काट दिया किंतु अब वह बीमार हो गई और कुछ खा नहीं सकती थी। जब युधिष्ठिर ने उसे विराट के महल में हम लोगों के साथ रहने के लिए बुलाया तो उसने अनेक अविश्वसनीय बहाने बना डाले। यहाँ तक कि युद्ध के लिए तैयार होते मेरे पतियों के लिए उसने जो आशीर्वचन भेजा, वह भी द्विअर्थी था। वह उनकी विजय के लिए प्रार्थना करती थी और यह भी चाहती थी कि उन्हें अपने भाइयों का खून न बहाना पड़े। ("भाई!" उसका संदेश सुनकर भीम चिल्लाया, "वह कौरव नामक कीड़े हमारे भाई कब से हो गए?" सहदेव को संदेह हुआ कि कहीं दुर्योधन ने गांधारी की मदद से कुंती का मत-परिवर्तन न कर दिया हो।)

मेरे पतियों की आँखों के नीचे काले रंग के अर्द्ध-चंद्र बन गए थे। अर्जुन (जो उन दिनों मेरा पति था) स्वप्न देखते हुए, अभिमन्यु का नाम लेता हुआ, कठोर भाषा में कुछ बड़बड़ाता था जो मैं समझ नहीं पाती थी। एक रात गलियारे में टहलते हुए मैंने युधिष्ठिर को खिड़की के पास खड़े होकर चाँदनी में भीगी घास को निहारते हुए देखा। उसने भी स्वप्न में खोपड़ियों का ढेर देखा था, परंतु उसके स्वप्न में और भी कुछ था : पहाड़ के ऊपर, पाँचों पांडव हाथ में विजय चषक लिए चमकते सिंहासन पर बैठे थे। जब उन्होंने वह प्याले अपने होंठों से लगाए तो उनमें भरा पेय रक्त में बदल गया।

मुझे तो स्वप्न में राक्षस दिखते थे। बिना आरोहियों के अश्व चिल्लाते हुए रात भर मुझे भयभीत करते थे और उनकी आँखों का सफ़ेद रंग अग्नि-प्रकाश में चमकता था। हाथी अपने घुटनों पर बैठकर बुरी तरह से चिंघाड़ते थे। गीदड़ मनुष्यों के कटे अंग अपने मुँह में दबाकर धुएँ में चुपके से निकल जाते थे। एक विशाल उलूक हमेशा उस भारी वातावरण में उड़ता रहता था और वह अपने पंखों से आकाश को मिटा देता था जिससे मुझे अकारण ही भय लगता था।

मुझे उन स्वप्नों का अर्थ समझने का प्रयास करना चाहिए था। मुझे अपने पतियों के साथ उन पर चर्चा करके उन्हें सतर्क करना चाहिए था। मुझे चाहिए था कि मैं उन्हें सावधान करती कि जिस मार्ग पर वह चलने जा रहे थे, वह मार्ग मृत्यु से भरा हुआ था, परंतु मैं उन्हें किसी ऐसी चीज़ से सावधान नहीं करना चाहती थी जिसके कारण मेरा प्रतिशोध अधूरा रह जाए जिसके लिए मैंने इतने लंबे समय

प्रतीक्षा की थी। जब मेरे पति मुझे अपने दुस्वप्नों के विषय में बताते, तो मैं हँस देती थी।

"मुझे भारत के सर्वश्रेष्ठ नायकों से इस तरह के अंधविश्वास की अपेक्षा नहीं थी!" मैं उन्हें ऐसा कहकर चिढ़ाती थी। "निश्चय ही रक्तपात होगा। निश्चय ही मौतें होंगी। क्षत्रिय होने के नाते क्या तुम लोगों ने आजीवन इसी बात का प्रशिक्षण नहीं लिया? क्या अब तुम्हें डर लग रहा है?"

इसके उत्तर में वह युद्ध की तैयारी को और तेज़ कर देने के अतिरिक्त कर भी क्या कर सकते थे?

. . .

मनुष्यों से पराजित न होने के लिए देवता भी अपनी तैयारियों में लगे हुए थे। शायद वह कर्ण की प्रतिज्ञा से बहुत प्रभावित थे। शायद उसके संकल्प ने उन्हें चिंता में डाल दिया था। जो भी हो, उन्होंने अपनी चाल के लिए कर्ण को चुना। यह बात कुरुक्षेत्र में युद्ध आरंभ होने से बहुत पहले गीत की सामग्री बन चुकी थी। सुदेष्णा की आलिंद में बैठकर अपने उलझे हुए बालों को अपनी अंगुली पर लपेटते हुए, मैं इस बात को संघर्षमय हृदय के साथ सुन रही थी।

वह गीत कुछ इस प्रकार था : सूर्यदेव, जो कर्ण के मनपसंद देवता थे, कर्ण के स्वप्न में आए। "कल," सूर्य ने कर्ण को चेताया, "देवराज इंद्र दोपहर में ब्राह्मण वेश में तुम्हारे पास आएँगे और तुमसे तुम्हारा स्वर्ण कवच तथा कुंडल माँगेंगे, परंतु तुम्हें उन्हें मना करना है। सिर्फ़ यही दो चीज़ें हैं जो तुम्हें तुम्हारा पीछा कर रहे दो भयंकर शापों से बचा सकती हैं। उनके बिना तुम अर्जुन को पराजित नहीं कर सकते और न ही युद्ध में जीवित बच सकते हो। इसीलिए इंद्र वह तुमसे लेना चाहते हैं।"

यदि कर्ण इस समाचार से परेशान हुआ था, तो भी उसने यह व्यक्त नहीं किया। "हे देव," वह बोला, "पहले मुझे यह बताइए कि मुझे यह कवच-कुंडल प्राप्त कैसे हुए?"

क्या सूर्यदेव हिचकिचाए? उन्होंने कहा, "तुम्हारे पिता ने तुम्हें यह दोनों चीज़ें दी थीं।"

"तो फिर मुझे बताइए," कर्ण ने कहा, "मेरे पिता कौन हैं?" उसने दबी आवाज में यह भी कहा, "और मेरी माँ?"

"मुझे क्षमा करो," सूर्यदेव बोले, "मुझे उनका नाम बताने की अनुमति नहीं है। तुम्हें यह बात शीघ्र ही पता लग जाएगी, हालांकि यह जानकर भी तुम्हें अच्छा

नहीं लगेगा।" कर्ण का चेहरा देखकर सूर्यदेव बोले, "चिंता मत करो। तुम्हारा जन्म कुलीन वंश में हुआ है। तुम्हारी माँ एक रानी है और तुम्हारे पिता एक देवता हैं, परंतु यह बात ध्यान से सुनो : कल इंद्र के कुछ कहने से पूर्व, उन्हें यह कहकर बीच में टोक देना कि तुम अपने कवच के अतिरिक्त उन्हें कुछ भी दे सकते हो। इस प्रकार तुम्हारा वचन भी अक्षुण्ण रहेगा।"

कर्ण चुपचाप खड़ा होकर प्रतिशोध तथा अपनी ख्याति को तौलता रहा। अंत में वह बोला, "मुझे अत्यंत प्रसन्नता है कि मेरे सर्वप्रिय देवता, यानि आपने स्वयं मुझे सतर्क किया है। यद्यपि, आपकी सलाह मान लेने से मेरे वचन की आत्मा भंग हो जाएगी। लोग कहेंगे कि कर्ण अपने प्राण गँवाने से डर गया, इसलिए उसने अपना वचन तोड़ दिया। यह मुझसे सहन नहीं होगा।" जब सूर्य को समझ में आ गया कि कर्ण अपना विचार नहीं बदलेगा तो वह दुख और प्रशंसा से भरकर बोले, "कम से कम इतना तो करो : इंद्र को कहना कि तुम्हें उनकी योजना का पता है। खीज में वह तुमसे एक वरदान माँगने के लिए कहेंगे। तब तुम उनका शक्ति नामक अस्त्र माँग लेना जिसे उनका पुत्र अर्जुन भी नहीं झेल सकता। इससे तुम्हें शायद अपनी इच्छा पूर्ण करने का एक अवसर मिल जाए।"

कर्ण ने कुछ नहीं कहा। शायद वह सोच रहा था कि क्या सचमुच सूर्यदेव को उसकी इच्छा का ज्ञान था। उसके मन के भीतर इतनी सारी इच्छाएँ संघर्षरत थीं कि उसे स्वयं ही ठीक से पता नहीं था।

अगले दिन, एक चीज़ को छोड़कर, सब कुछ वैसा ही हुआ जैसा सूर्य ने बताया था : जब कर्ण ने अपना कवच अपने तन से काटकर अलग कर दिया, इंद्र ने कहा, "कर्ण! जो तुमने किया है वह शायद मैं भी नहीं कर सकता था। मैं तुम्हें अपना यह अस्त्र - शक्ति प्रदान करता हूँ और साथ ही तुम्हें एक वरदान भी देता हूँ। जब तक भारत भूमि रहेगी, तब तक इस पृथ्वी के सबसे बड़े दानी कहलाओगे। इस संदर्भ में तुम्हारी प्रसिद्धि अर्जुन से भी अधिक होगी!"

वह गीत यहाँ समाप्त हो गया, परंतु मैंने इसके आगे भी कल्पना की : कर्ण जब महल पहुँचा तो उसके तन से उसके अपने ही किए घावों से रक्त टपक रहा था, परंतु उसके चेहरे पर विजयी मुस्कान थी क्योंकि इंद्र ने उसे एक ऐसा वरदान दे दिया था जिससे पांडवों की रानी द्वारा दिया गया शाप - कर्ण की भावी पीढ़ियाँ सिर्फ़ उसके शर्मनाक कार्यों को याद रखेंगी - कट जाएगा। अपनी इस पराजय पर मुझे क्रोध आना चाहिए था, परंतु फिर भी मैं क्यों मुस्करा रही थी?

. . .

हमारे आस-पास योद्धा अपनी सेनाओं के साथ एकत्रित हो गए थे : सात्यकि और धृष्टकेतु, जयत्सेन, कैकय बंधु, पांड्य और महिष्मती के राजागण, मेरे पिता के साथ शिखंडी और मेरे पुत्र। वातावरण में पिघली हुई धातु की गंध थी क्योंकि क्षेत्र की प्रत्येक भट्टी में उस समय अस्त्र-शस्त्र बन रहे थे। हमारी सेना की संख्या सात अक्षौहिणी थी और उनके चलने से उड़ने वाली धूल ने सूर्य को ढँक दिया था, लेकिन हमारी संख्या दुर्योधन के कहीं निकट भी नहीं ठहरती थी।

इस अवसर पर मैंने एक और स्वप्न देखा।

दुशाला ओढ़े, मेरी ओर पीठ करके एक महिला नदी किनारे बैठी थी। नदी की शांत सतह पर उषा बेला का कुहरा ऊपर उठ रहा था। वह चौंक उठी मानो उसने कुछ सुना हो।

मैंने देखा कि मेरे स्वप्न में कोई आवाज नहीं हो रही थी : नदी शांत बह रही थी और पक्षियों का कलरव भी नहीं था।

अब मैंने एक पुरुष को देखा। उसका चेहरा देखने से पहले ही मैं समझ गई कि वह कर्ण था। मुझे कैसे पता? कवच को काटने से उसके तन पर कोई निशान नहीं था जैसा कि मैंने अपेक्षा की थी। क्या उसके चलने के ढंग से मैंने जाना? अथवा हमारे बीच कोई अनोखा संबंध था जिसने हमें इस स्वप्निल जगत में भी बाँध रखा था?

वह स्त्री उसकी ओर बढ़ी, उसका चेहरा अब भी ढँका हुआ था। मैं देख सकती थी कि वह स्त्री युवा नहीं थी। उसने राजसी ढंग से हाथ उठाया। क्या वह गांधारी हो सकती थी? परंतु वह अपने पुत्र के प्रिय मित्र से ऐसा क्या कहना चाहती थी जो महल में नहीं कहा जा सकता था? शायद वह चाहती थी कि कर्ण उसके पुत्र को शांति स्थापित करने के लिए समझाए। यदि ऐसा है, तो वह अपना समय व्यर्थ कर रही थी!

फिर मैंने देखा कि कर्ण झटके से पीछे हट गया। अचंभा और संदेह के मिले-जुले भाव उसके चेहरे पर आए किंतु फिर शिष्टाचार की जीत हुई और उसने झुककर प्रणाम किया। उस स्त्री के दुशाला हटाने से पूर्व मैं समझ गई थी कि वह कुंती थी जो छिपकर एक ऐसे पुरुष से मिलने आई थी जो पांडवों का काल बनने का दम भरता था।

कुंती रो रही थी। इतने वर्षों में मैंने उसे कभी रोते हुए नहीं देखा। जब उसे दुर्योधन के हाथों हुए मेरे अपमान का पता लगा था तब भी उसने अपने होंठ इतनी ज़ोर से दबा लिए थे कि वह रक्तहीन हो गए थे। जब हम बारह वर्ष के वनवास के

लिए निकले थे, तब भी उसकी आँखों में आँसू नहीं थे बल्कि वह चमक रही थीं, परंतु सदैव उसने स्वयं पर नियंत्रण रखा, यह वही रानी थी जो कांपिल्य की गंदी बस्ती में हमारी प्रथम भेंट में ही मुझ पर हावी हो गई थी। यद्यपि, आज आँसू उसके गाल पर बह रहे थे और उसके चेहरे पर असावधानी-भरे तिरस्कार के चौंका देने वाले भाव थे। उसने कर्ण की ओर अपने हाथ फैला दिए जैसे कोई अपने अति घनिष्ठ व्यक्ति के लिए करता है, और फिर वह पीछे हटते हुए याचना की मुद्रा में घुटनों के बल बैठ गई।

मैंने उसके होंठों को पढ़ने का निरर्थक प्रयास किया। क्या वह कर्ण से अपने पुत्रों के विरुद्ध युद्ध न करने की याचना कर रही थी? क्या चिंता और आयु के कारण वह इस स्थिति में आ गई थी? क्या वह इतनी गिर गई थी कि अपनी कमज़ोरी से हम सबको अपमानित किया था? यद्यपि, जो मैंने इसके बाद देखा उससे मुझे और भी आश्चर्य हुआ। मैंने कर्ण से अपेक्षा की थी कि वह स्पष्ट रूप से मना करके उस भेंट को समाप्त कर देगा, किंतु वह क्रुद्ध मुद्रा में कुंती से अत्यंत आवेशपूर्ण ढंग से बात कर रहा था। उसके पास कुंती से कहने के लिए क्या था? अब वह अपनी आँखों से आँसू पोंछ रहा था। कर्ण! स्वप्न में भी मुझे इस बात पर आश्चर्य हो रहा था। अब उसने कुंती को धीरे से उठाया और उसके पैर छुए और कुंती ने उसके बालों में स्नेहपूर्वक हाथ फेरा। उसने झुककर कुंती के हाथों को क्यों चूमा?

मेरी आत्मा का प्रत्येक अंश उनकी वार्ता को सुनने का इच्छुक था। उसने हाथ उठाकर कुंती को पाँच अंगुलियाँ दिखाईं। क्या वह मेरे पाँच पतियों के बारे में बात कर रहा था? फिर उसने अपने बाएँ हाथ की तर्जनी को उठाया ताकि कुंती उसकी छह अंगुलियाँ देख सके। फिर उसने अपने बाएँ हाथ की मुट्ठी बनाई और उसे नीचे गिरा दिया मानो वह पत्थर हो। कुंती ने फिर ज़ोर से रोना शुरू कर दिया। उसने कर्ण का हाथ पकड़ लिया जिसे कर्ण को फिर झटके से छुड़ाना पड़ा। मैंने देखा कुंती ने एक शब्द बोला जिसे मैंने पहचान लिया - क्योंकि अपना नाम सुनने में कोई व्यक्ति भूल नहीं कर सकता। वह मुझे सदा द्रौपदी बुलाती थी, हालांकि उसे पता था कि मुझे पांचाली सुनना पसंद था।

उसके संदर्भ में मेरे सभी संदेह उभर आए। वह मेरे विषय में उस पुरुष से क्या कह रही थी जो कभी मेरा पति बनना चाहता था?

कर्ण स्थिर खड़ा रहा। पहली बार मैंने उसे अनिर्णय की स्थिति में देखा। कुछ देर बाद उसने एक दीर्घ श्वास ली मानो वह किसी स्वप्न से जागा हो। उसने कुंती के हाथ झटक दिए, कठोरता से झुककर उसे प्रणाम किया और बिना कुछ कहे वहाँ

से चला गया। जब मेरी नींद खुली तो मुझे यह विचार आया कि उसे कुछ बोलने के लिए अपने ऊपर ही भरोसा नहीं था।

मैंने यह भी सोचा : जब मैंने उसे स्वप्न में देखा तो मुझे उस पर क्रोध नहीं आ रहा था। मेरी भावनाएँ कब बदल गई थीं? मैं अब भी युद्ध चाहती थी। मुझे अब भी दुर्योधन और दुःशासन से प्रतिशोध लेने की इच्छा थी। यद्यपि, कर्ण के विषय में सोचने पर मुझे सिर्फ़ स्वयंवर का वह क्षण याद आता था जब मैंने ऐसे शब्द कह दिए थे जिन्होंने उस तेजस्वी युवक को कटु व्यक्ति में बदल दिया था।

सचमुच, हृदय को समझ पाना असंभव है।

मैं परेशान थी कि मुझे उस स्वप्न के विषय में अपने पतियों को कहना चाहिए अथवा नहीं। मुझे लगा कि जो मैंने स्वप्न में देखा था वह सचमुच घटित हुआ था हालांकि मैं उसका कारण मेरे जागृत मस्तिष्क को समझ नहीं आया। मैं उन्हें कष्ट नहीं देना चाहती थी कि वह यह सोचने लग जाएँ कि उनकी माँ उनके घोर शत्रु से मिलने क्यों गई थी। उन्हें अब अन्य मामलों पर ध्यान केंद्रित करने की आवश्यकता थी। अपने उन संबंधियों के प्रति, जिनसे उन्होंने जीवनभर प्रेम किया था, अब अपना हृदय कठोर कर लेने की आवश्यकता थी। उन्हें अब अपनी आत्मा से ग्लानि भाव को निकाल फेंकना था। प्रतिशोध लेने का जो वचन उन्होंने मुझे दिया था, उसे पूर्ण करने के लिए उन्हें उस शंका से बिना परेशान हुए आगे बढ़ना था जो मेरे हृदय में उठ चुकी थी जब मैंने कुंती को अकथ ढंग से रोते हुए देखा था और उस आवाज से आगे बढ़ना था जिसने धीरे से कहा था, *क्या यह संभव है?*

# 32

## रणभूमि

जब तक मैं कुरुक्षेत्र पहुँची, सेनाएँ अपना-अपना स्थान ले चुकी थीं क्योंकि अगले दिन से युद्ध आरंभ होना था। मत्स्य राज्य से रथ में बैठकर आते हुए मेरा शरीर दर्द कर रहा था और पहली बार मुझे अपनी आयु का पूर्ण बोध हो रहा था। यद्यपि, वह पीड़ा मेरी उत्तेजना को ठंडा नहीं कर सकी। मेरी नसों में रक्त उछल रहा था। वन में काँटों भरी शय्या पर अनिद्रा की स्थिति में लेटे हुए अथवा रानी सुदेष्णा के कक्ष में चंदन घिसते हुए मुझे जिस दिन की प्रतीक्षा थी - वह प्रतिशोध का दिवस अंतत : आ पहुँचा था।

सुभद्रा और उत्तरा, जो और भी अधिक दूर, द्वारका से आईं थीं, की स्थिति मुझसे भी बुरी थी। उत्तरा गर्भवती थी और उसका कष्टप्रद तीसरा महीना चल रहा था। यद्यपि, हम सभी ने उससे घर पर ही रुकने के लिए कहा था, किंतु वह नहीं मानी। उसे मार्ग में अनेक बार उल्टियाँ हुई थीं और सुभद्रा पूरा समय उसकी देखभाल में व्यस्त रहती थी। सुभद्रा ने मुझे चुपचाप बताया कि वह गर्भस्थ शिशु की सुरक्षा को लेकर आशंकित थी। किसी तोड़ लिए गए कमल-पुष्प की भांति उत्तरा के कुम्हलाए चेहरे को देखकर कोई उसे कुछ नहीं कह सका। उसे अभिमन्यु के साथ बहुत कम समय मिला था और वह उससे अत्यधिक प्रेम करती थी। मेरा अभिनंदन करते समय, उसने आँखें नीची कर रखी थीं। सहसा किसी आवाज से चौंककर जब उसने भूल से आँखें उठाईं तो मैंने देखा कि चुपचाप देर तक रोते रहने से वह सूज गई थीं। उसे पता था कि उसे रोना नहीं चाहिए क्योंकि ऐसा करना शिशु के लिए हानिकारक हो सकता था, परंतु अपने भीतर बढ़ रहे हृदय-विदारक भय के कारण वह और कर भी क्या सकती थी? वह भय जिसे व्यक्त करना अपशकुन माना जाता : यदि उसका पति युद्ध में जीवित नहीं बचा तो क्या होगा?

सबसे अंत में कुंती आई। वह हस्तिनापुर से आई थी और उसने सबसे कम दूरी तय की थी। फिर भी वह इतना थक चुकी थी कि जब वह रथ से उतरी तो उससे ठीक से खड़ा भी नहीं हुआ जा रहा था। मुझे देखकर अचंभा हुआ कि वह कितनी वृद्ध लग रही थी। उसके बाल पूरी तरह सफ़ेद हो चुक थे, उसका चेहरा ढल गया था और वह छड़ी की सहायता से झुककर चल रही थी। कुछ ही सप्ताह पूर्व अपने स्वप्न में मैंने उसे इससे कहीं बेहतर स्थिति में देखा था। कर्ण के साथ हुई उसकी मुलाकात में कुछ ऐसा हुआ था जिसका प्रभाव उसके ऊपर इस रूप में पड़ा था। एक बार फिर मुझे यह जानने की जिज्ञासा हुई कि उस दिन क्या हुआ था और उस भेंट ने क्या कर्ण को भी इसी प्रकार प्रभावित किया था।

यद्यपि, हम सभी लोग थके हुए थे, पांडवों ने जब पूछा कि क्या हम रणभूमि देखना चाहेंगे तो हम तुरंत तैयार हो गए। यहाँ तक कि कुंती भी चलने के लिए तैयार हो गई और बोली कि वास्तव में रणभूमि को देखना हमारी प्रार्थनाओं को पांडवों की अधिक प्रभावी ढंग से रक्षा के लिए प्रेरित करेगा। मैं इससे सहमत तो नहीं थी, किंतु मैं भी उस महान रोमांच के स्थान को देखने को उत्सुक थी। इसके अतिरिक्त मैं युद्ध आरंभ होने से पूर्व अपने पतियों के साथ अधिक से अधिक समय बिताना चाहती थी।

धीरे-धीरे हम छोटे-से टीले पर चढ़ गए। युधिष्ठिर ने मेरा हाथ थामा और अर्जुन ने सुभद्रा का जिससे (हाँ, आज भी) मेरे भीतर ईर्ष्या का हलका-सा स्फुरण हुआ था। अभिमन्यु उत्तरा को सावधानी से पथरीले मार्ग से ऊपर ले गया। इस बीच मैंने देखा कि हिडिंबा से उत्पन्न भीम का पुत्र घटोत्कच कुंती को उठाकर ऊपर ले गया। यद्यपि, वह वन में अपनी माता के राक्षस परिवार के बीच बड़ा हुआ था, उसका व्यक्तित्व अत्यंत सौम्य और अच्छा था। जिस प्रकार वह अपनी चमकती आँखों से भीम को देख रहा था, उससे यह स्पष्ट था कि वह भीम को अपना आदर्श मानता था। उसके माथे पर लाल रंग का शुभ-चिन्ह दमक रहा था। उनके निकलने से पूर्व अवश्य उसकी माँ ने उसके मस्तक पर वह निशान बनाया होगा।

उसे देखकर मुझे हिडिंबा की याद आ गई। यद्यपि, मैंने अपने पतियों की अन्य पत्नियों को सहन करना सीख लिया था, वह मुझे अच्छी नहीं लगती थी। वह कठोर स्त्री थी और बिना अन्य लोगों की परवाह किए, वह हमेशा अपने मस्तिष्क की बात करती थी। शायद मुझे इसी बात के कारण उससे ईर्ष्या होती थी। लाक्षागृह से भागते समय उसकी भेंट भीम से हुई थी और भीम ने हिडिंबा की जाति के लोगों की इच्छा के विरुद्ध उससे विवाह कर लिया था। उसके शीघ्र बाद, जब पांडव कांपिल्य के लिए रवाना हुए, जहाँ अर्जुन मेरे स्वयंवर में भाग लेना चाहता था,

हिडिंबा ने अपने लोगों के साथ रहना पसंद किया। भीम के साथ भी मेरे विवाह का अनपेक्षित समाचार पाकर वह अवश्य दुखी हुई होगी किंतु उसने अपने मन को समझा लिया। उसने अपना जीवन अपने लोगों की देखभाल करने, उन्हें अनुशासन के साथ रखने और अपने पुत्र के पालन-पोषण को समर्पित कर दिया। जब हमें अपना राज्य वापस मिल गया और हमने अपना महल बना लिया, भीम ने उसे अपने साथ रहने के लिए इंद्रप्रस्थ बुलाया था - किंतु उसने विनम्रता के साथ उसे मना कर दिया था। राजसूय यज्ञ के समय जब मेरी उससे भेंट हुई, तो वह अत्यंत शिष्टता और धैर्य के साथ मुझसे मिली थी। मैं उसकी इस बात से चिढ़ गई थी कि यद्यपि वह एक निर्धन वन्य जाति में जन्मी थी और वास्तव में पति विहीन थी, वह मुझे अत्यंत पूर्ण लगी एवं मेरी संपत्ति से सर्वथा अप्रभावित प्रतीत हो रही थी।

युद्ध से पूर्व, जब भीम ने हिडिंबा से सहायता माँगी, मुझे लगा कि वह कोई बहाना बना देगी अथवा अपने कुछ गिने-चुने सैनिक दल भेज देगी। उसके पास ऐसा करने का अधिकार भी था। भीम ने, अर्जुन की तरह, जो अपनी अन्य पत्नियों से नियमित रूप से मिलने जाता था, हिडिंबा के संपर्क में रहने का अधिक प्रयास नहीं किया था। (जबकि भीम ने घटोत्कच को इतने वर्षों में पहली बार देखा था।) इसके अतिरिक्त, राक्षस कमज़ोर नगरवासियों के झगड़ों से स्वयं को दूर रखते थे, परंतु हिडिंबा ने अपने एकमात्र पुत्र, अपने सबसे प्रिय साथी को अपने पिता के साथ युद्ध में लड़ने के लिए भेज दिया। वह घटोत्कच के जाने से रोने वालों में से नहीं थी। यद्यपि, मैं कल्पना कर सकती थी कि वह उसके चले जाने के बाद फूट-फूट कर रोई होगी। अपने मातृ-हृदय की गहराई में, क्या उसे अपनी इस उदारता पर दुख हुआ होगा? पहली बार, मैंने उसकी प्रशंसा की और मैं उसके बलिदान से दीन महसूस कर रही थी।

हमारा जीवन एक भिन्न कालखंड में प्रवेश कर चुका था। हम स्त्रियाँ - जो पुरुषों से किसी तरह कम न थीं - ऐसी चुनौतियों का सामना करने जा रही थीं जिनकी हमने कभी कल्पना नहीं की थी। सुभद्रा व हिडिंबा के लिए जो क्षुद्र रोष और कुंती के लिए जो वैमनस्य मेरे मन में था, वह अब मुझे उचित नहीं लग रहे था। व्यक्ति के रूप में हमारा अस्तित्व अब पार्श्व में जा रहा था। अब जो बात अधिक महत्त्वपूर्ण थी वह यह थी कि हमारे प्रियजन एक-दूसरे के विरुद्ध युद्ध करने के संकट में पड़ने जा रहे थे। अब से, हमारी उत्कंठा, गौरव तथा चिंता के बीच हमारा द्वंद्व और सबकी सुरक्षा के लिए हमारी प्रार्थना ही हमें एकजुट कर पाएगी।

. . .

कुरुक्षेत्र के विषय में मेरा प्रथम दृष्टिकोण धुँधला व अनिश्चित था क्योंकि जब हम पहाड़ी के ऊपर पहुँचे तो सूर्यास्त होने वाला था। वास्तव में, पहली बार मैंने जिसे रणभूमि समझा था वह समंतपंचक सरोवर था जिसके किनारे स्त्रियों के तंबू लगे हुए थे। संध्या बेला के प्रकाश में, सरोवर का पानी रक्तिम प्रतीत हो रहा था। मैंने स्वयं को समझाया कि इसका कोई अर्थ नहीं था। सूर्यास्त के समय, कोई भी सरोवर ऐसा ही दिखाई देगा। यद्यपि, मेरे मन से अशांति दूर नहीं हो रही थी।

सेना को देखने से पूर्व, मेरे कानों में पशुओं का शोर गूँजने लगा। इस समय भी घोड़ों की हिनहिनाहट और हाथियों की चिंघाड़ सुनाई पड़ रही थी, जबकि पशु आराम कर रहे थे। कल यह शोर कितना भयंकर होगा जब पशुओं के इस शोर, युद्ध-शंखनाद और अस्त्रों के प्रक्षेपण से युद्ध के शोरगुल से और वृद्धि हो जाएगी!

पांडव सेना ने रणभूमि का पश्चिमी भाग घेर रखा था। उनका मुख पूर्वी दिशा की ओर रहेगा - जो, युधिष्ठिर के अनुसार, शुभ संकेत था। (परंतु सूर्य की किरणें आँखों में पड़ने से क्या सैनिकों के लिए युद्ध करना कठिन नहीं होगा?) जब मैंने नीचे सेना को एकत्रित हुए देखा तो मैं उसके आधिक्य को देखकर आश्चर्यचकित रह गई। मुझे संख्या का पता था किंतु उन्हें देखने से उनकी वास्तविकता एकदम भिन्न लग रही थी। जहाँ तक मेरी दृष्टि देख पा रही थी, वहाँ तक मुझे तंबू दिखाई दे रहे थे और उनके आस-पास अंतिम क्षण की तैयारियों में जुटी छोटी-छोटी इतनी आकृतियाँ घूम रही थीं कि उन्हें गिनने का प्रयास भी नहीं किया जा सकता था। मुझे विश्वास नहीं हो रहा था कि हमारी सहायता के लिए इतनी संख्या में लोग आ पहुँचे थे!

तथापि, मैं प्रसन्न नहीं हो सकती थी। हमारे तंबुओं के आगे, निर्जन स्थान को घेरे हुए कोहरे से परे, कौरव सेना प्रतीक्षा कर रही थी। वह हमारी सेना की तुलना में बहुत विशाल थी - हमारी सात और उनकी ग्यारह अक्षौहिणी और उनका नेतृत्व, सबसे अनुभवी योद्धा भीष्म कर रहे थे और द्रोण उप-सेनापति थे। युद्ध में उनके सामर्थ्य से अधिक ख़तरनाक था मेरे पतियों का उनके लिए स्नेह। उस स्नेह के कारण पांडवों के अस्त्र भटक सकते थे, अपने पितामह पर, जो उनके बचपन से संरक्षक थे और अपने गुरु पर, जिनके बिना उन्होंने अस्त्र चलाना नहीं सीखा होता, बाण चलाते समय उनके हाथ काँप सकते थे।

मैंने आँखों को संकुचित करके वाष्प के पर्दे को ताका और भीष्म तथा द्रोण के विषय में कल्पना करने लगी कि वह अगले दिन की सुबह की प्रतीक्षा दुख के साथ कर रहे थे अथवा कर्त्तव्य के हताश भाव के साथ। लेकिन यह सोचते-सोचते

ही मेरे छली मस्तिष्क के विचारों ने अपनी दिशा बदल ली। मैं किसी अन्य चेहरे की कल्पना करने लगी, जो मुझे सबसे ख़तरनाक लगता था। मेरी नज़र में वह समस्त सेना से अलग खड़ा पांडव खेमे की ओर देख रहा था जहाँ उसे पता था कि मैं भी हूँ। मैं उसके चेहरे पर आ रहे भावों की कल्पना नहीं कर सकी।

अग्नि की क्षुद्र शिखाएँ सेना के पड़ाव को इंगित कर रही थीं, जो देखने में भ्रामक रूप से शांतिपूर्ण लग रहा था। रसोइये भोजन पका रहे थे। मेरा भाई, जिसे सेनापति नियुक्त किया गया था, वहाँ नीचे कहीं सैनिकों के बीच घूमता हुआ उनका उत्साहवर्धन कर रहा था। मेरे पुत्र उसके साथ थे। मैं उन्हें देखने के लिए बेचैन थी और यदि, वह अनुमति देते तो मैं उन्हें पकड़कर देखना चाहती थी कि वह युवा होकर कैसे लगते थे - उन्हें क्या पसंद था, वह खाली समय में क्या करते थे और क्या उनका विवाह का कोई विचार था? पिछले बारह वर्षों में, हम लोगों ने बहुत कम बार और संक्षेप में बात की थी। मेरी इच्छा हुई काश, वह यह अंतिम शाम मेरे साथ बिताते, और फिर मैंने उस विचार को स्वयं से दूर कर दिया। हमारे इन वनवास के वर्षों में, धृ उनके साथ रहा था और उनके एकाकीपन अथवा उदासी में वही उन्हें सांत्वना देता था तथा उनकी विजय के अवसर पर उनकी प्रशंसा करता था। मेरे अथवा मेरे पतियों से अधिक उसने उनके माता-पिता की भूमिका निभाई थी। यह उपयुक्त था कि इस कठिन अवसर पर वह सब धृ के साथ रहें। यह सचमुच कठिन था क्योंकि उसने मुझे बताया था कि उसके ऊपर अनेक लोगों के जीवन का दायित्व था। इसके अतिरिक्त, हालांकि उसने कहा नहीं, परंतु वह अवश्य ही इस बात को लेकर भी चिंतित था कि, जिस कार्य के लिए उसका जन्म हुआ था, उसे वह किस प्रकार पूर्ण करेगा, क्योंकि द्रोण के पास अध्ययन के दौरान यह उसे यह स्पष्ट हो गया था कि वह युद्ध में द्रोण की बराबरी नहीं कर सकेगा।

मैं जैसे ही मुड़ी, मुझे लगा कि हवा के क्षणिक झोंके के साथ बाँसुरी के धीमे व दुखित स्वर आ रहे थे। क्या वह कृष्ण की बाँसुरी थी? मुझे पता था कि वह नीचे अश्वशाला में उन अश्वों का निरीक्षण कर रहे थे जिन्हें कल वह चलाने वाले थे। अंत तक, उन्होंने युद्ध को रोकने का तथा मेरे पतियों व उनके भाइयों के बीच संधि करवाने का प्रयास किया था। कृष्ण अपनी सुरक्षा को संकट में डालकर हस्तिनापुर गए थे और वहाँ उन्होंने दुर्योधन को यह कहा था कि यदि वह पांडवों को मात्र पाँच गाँव दे देगा तो भी वह संतुष्ट हो जाएँगे। इसके उत्तर में, दुर्योधन ने जब उपहास करते हुए यह कहा कि वह मेरे पतियों को सुई की नोंक के बराबर भूमि भी नहीं देगा तो उसकी बात सुनकर किसी को भी क्रोध आ जाता। यद्यपि, कृष्ण ने कंधे उचकाए और वह मुस्कराते हुए आराम से दुर्योधन के, जिसने कृष्ण को बंदी बनाने

का आदेश दिया था, सैनिकों की पकड़ से निकल गए और अब, उस युद्ध की पूर्वसंध्या को, जो शायद हमारे युग का सर्वाधिक नृशंस युद्ध होगा, वह बाँसुरी बजा रहे थे! उन्हें इतनी शांति और इतना साहस कहाँ से मिलता था?

अर्जुन सुभद्रा को युद्ध के वह नियम समझा रहा था, जो दोनों पक्ष के वरिष्ठ योद्धाओं द्वारा बनाए गए थे और जिनका दोनों पक्षों को पालन करना था। यह एक शिष्ट युद्ध था, जो महान होने के साथ-साथ गौरवमयी और सबसे महत्त्वपूर्ण, सदाचारी युद्ध होगा। सूर्योदय के बाद, दोनों सेनापतियों द्वारा शंखनाद के उपरांत ही युद्ध आरंभ किया जाएगा और इसी संकेत के साथ सूर्यास्त पर युद्ध रोक दिया जाएगा। रात्रि में युद्धविराम रहेगा जिस समय योद्धा एक-दूसरे के शिविरों में सकुशल आ-जा सकेंगे। प्रत्येक सेना के पीछे अलग शिविरों में पत्नियाँ व माताएँ रहेंगी। युद्ध में विजय किसी की भी हो, परंतु स्त्रियों को कोई हानि नहीं पहुँचाई जाएगी। युद्ध बराबर वालों में लड़ा जाएगा - पैदल सैनिक के साथ पैदल सैनिक, रथी के रथी और महारथी के साथ उन्हीं अस्त्रों से युक्त महारथी युद्ध करेगा। सेवकों, सारथियों और संगीतकारों को, जो युद्ध बिगुल बजाते थे और पशुओं को भी हानि नहीं पहुँचाई जाएगी। निरस्त्र पर आक्रमण नहीं किया जाना चाहिए और सबसे महत्त्वपूर्ण जिसने अस्त्र नीचे डाल दिए हों, उसकी हत्या नहीं की जाएगी।

सुभद्रा अर्जुन की बात को ध्यान से सुन रही थी। उसका चेहरा प्रसन्नता से चमक रहा था। उसे देखकर अर्जुन की आँखें नरम पड़ गईं और फिर उसने हाथ आगे बढ़ाकर सुभद्रा की लट उसके कान के पीछे कर दी। उसने इतनी कोमलता और स्नेह से मेरे साथ कभी व्यवहार क्यों नहीं किया?

निश्चय ही मुझे इसका उत्तर पता था : मैं कभी सुभद्रा के जैसा व्यवहार नहीं कर पाई हालांकि मैं कभी-कभी ऐसा करना चाहती थी। यद्यपि, मैंने अपने पतियों के साथ बहुत समय बिताया था। मैं उन्हें अच्छी तरह जानती थी। मेरा व्यवहार अत्यधिक आलोचनात्मक रहता था। मेरी आँखों ने उनके गहनतम छिद्रों में झाँककर उनकी प्रत्येक कमज़ोरी को उजागर कर दिया था।

इस समय भी, मेरे भीतर की शंकालु प्रवृत्ति यही सोच रही थी कि युद्ध के आवेश में लोग इन नियमों का पालन कैसे करते होंगे?

इस उद्यम, इस अभूतपूर्व युद्ध, जिसके द्वारा हमारे युग के नायकों को पहचाना व याद किया जाएगा, की श्रेष्ठता के विषय में बताते हुए अर्जुन का चेहरा कांतिमय हो गया था। मैंने उसके चेहरे के बाद उसके भाइयों की ओर देखा। उनके चेहरे पर

भी वही चमक-भरा उत्साह दिखाई दे रहा था। यहाँ तक कि युधिष्ठिर भी, जो इतने समय से झिझक रहा था, अब तैयार था। अभिमन्यु और घटोत्कच के चेहरे सबसे अधिक उत्तेजित थे, जो इस रोमांच के प्रति अत्यधिक आश्वस्त थे कि उनका नाम उनके वंशजों के हृदय पर छप जाएगा। वह एक-दूसरे के समक्ष इतनी डींग मार रहे थे कि कौन कितने शत्रुओं को मारेगा कि मैं मुस्कराए बिना नहीं रह सकी। उनका कुछ उत्साह मेरे भीतर भी समा गया। मैंने ऊपर देखकर यह प्रार्थना की कि इन सभी को इनकी कल्पना से अधिक ख्याति प्राप्त हो। मेरी प्रार्थना पूरी भी नहीं हुई थी कि तभी रात्रि के काली चादर में एक सितारा टूटकर नीचे गिरा। इस शुभ-संकेत को देखकर मेरा हृदय प्रसन्न हो गया। देवताओं ने मेरी प्रार्थना सुन ली थी!

मुझे यह ध्यान रखना चाहिए था कि देवता कितने चतुर होते हैं। वह किस प्रकार आपको एक हाथ से आपकी मनपसंद वस्तु देते हैं, जबकि दूसरे हाथ से कोई अधिक मूल्यवान वस्तु ले लेते हैं। हाँ, कीर्ति तो उन दोनों युवकों को मिलेगी और भाट-चारण उनके पिता से अधिक उनकी प्रशंसा में गीत गाएँगे। यद्यपि, जब वह ऐसा करेंगे तो सुनने वाले अपने कान बंद कर लेंगे।

• • •

मेरे पति युद्ध-कौशल चर्चा कर रहे थे। धृ को कल सुबह सैनिकों को समुद्र की आकृति में सुसज्जित करना चाहिए अथवा मकर की आकृति में? सेना के आरंभ में किन राजाओं को रखना चाहिए? किन्हें पीछे रखना चाहिए? अभिमन्यु ने प्रथम आक्रमण का नेतृत्व करने की याचना की, किंतु उसके चाचाओं का मानना था कि उसे इसका पर्याप्त अनुभव नहीं था। उत्तरा उन्हें एक-एक करके, आश्चर्य व भय से भरी बीमार किंतु चमकदार आँखों से बहस करते हुए देख रही थी और उसने अपने हाथ से अपना हलका-सा उभरा हुआ पेट थामा हुआ था। क्या मैं कभी इतनी युवा थी? मैं यह सोचते हुए पहाड़ी की किनारे पर आ पहुँची जहाँ पुराने पेड़ों का एक खंड था।

सहसा मेरे सामने महर्षि व्यास आ गए, जिन्होंने उन सब बातों की भविष्यवाणी की थी जो आज हमें यहाँ तक ले आई थीं। अँधेरे में उनकी आँखें चमक रही थीं और उनके वक्ष पर पड़ा यज्ञोपवीत ऐसे चमक रहा था मानो बर्फ़ से बनाया गया हो। जिस दिन मेरी उनसे आम के उपवन में भेंट हुई थी, वह उस दिन की तुलना में एक दिन भी अधिक वृद्ध नहीं लग रहे थे।

मुझे अपनी छाती में ठंड-सी महसूस हुई। वह क्यों आए थे? इस महान उद्यम को आरंभ करने से पूर्व मेरे अंदर अब और कोई दुखद भविष्यवाणी सुनने

का साहस नहीं था, परंतु मैंने औपचारिक शब्दों द्वारा अपनी व्यग्रता को छिपा लिया। "महर्षि, आपको अचानक यहाँ देखकर बहुत सुखद आश्चर्य हो रहा है। मुझे प्रसन्नता है कि आप अत्यंत स्वस्थ दिखाई दे रहे हैं।"

"यह खेद का विषय है कि द्रुपद की पुत्री के साथ समय उतना उदार नहीं रहा है," वह अपनी घनी दाढ़ी पर हाथ फेरते हुए बोले। मानो उन्हें पता था कि उनकी उपस्थिति से मैं कितना सहज महसूस कर रही थी। "शायद, मच्छरों की दवा के डब्बे के स्थान पर मुझे तुम्हें आयु-रोधक मरहम देना चाहिए था!"

आपके लिए उपहास करना सरल है, मैंने क्रोध में सोचा। आपका व्यवहार भिन्न होता यदि आपके प्रियजन तलवार की धार पर ठहरे हुए होते।

"क्या मैं ऐसा करता?" उन्होंने मुझे चौंकाते हुए कहा। "मैं तुम्हें बताता हूँ कि मैं इससे पहले कहाँ था : मैं अपने ज्येष्ठ पुत्र के पास गया था जो कुछ परेशानी में है। मेरे विचार से तुम उसे जानती हो - उसका नाम धृतराष्ट्र है।"

"वह नेत्रहीन राजा? वह आपका पुत्र है?" मैंने अचंभित होकर पूछा। "परंतु मैं सोचती थी कि वह भीष्म के बड़े भाई का पुत्र है..."

"यह लंबी कथा है," व्यास बोले, "और इसके कुछ अंश मेरे अहं के लिए उतने प्रशंसनीय नहीं हैं। मैं तुम्हें वह किसी दिन सुनाऊँगा। अभी, मैं तुम्हें अपने दूसरे पुत्र का नाम बताता हूँ। उसका नाम है - था - पांडु।"

मैं हैरत से उनको देखती रही और उन्हें इतना शीघ्र आँकने के लिए मैं स्वयं पर लज्जित हो रही थी। उनके पौत्र इस युद्ध में एक-दूसरे को मारने के लिए लड़ रहे थे! युद्ध में विजय किसी भी पक्ष की हो, व्यास की पराजय तो होनी ही थी।

"आप इतने शांत कैसे हैं?" मैंने धीरे से पूछा।

व्यास मुस्कराए। "तुम्हारा यह जीवन, इस ब्रह्मांडीय प्रवाह में एक बुलबुले से अधिक कुछ भी नहीं है और इसका निर्माण तुम्हारे पूर्वजन्मों के कर्मों के आधार पर होता है। जो व्यक्ति इस जीवन में तुम्हारा पति है, वह शायद पूर्वजन्म में तुम्हारा शत्रु रहा हो और जिससे तुम आज घृणा करती हो, वह तुम्हारा प्रेमी रहा हो। तो फिर, उनमें से किसी के लिए भी क्यों रोना?"

उनके विचार मेरे लिए अपरिचित नहीं थे। जिन तपस्वियों ने हमारे वनवास के दौरान हमसे भेंट की थी, उन्होंने इसी प्रकार की बातें कहकर मुझे अपने भाग्य के समक्ष समर्पण करने के लिए समझाया था। मैंने उन पर अविश्वास नहीं किया, किंतु मैं उनसे सहमत भी नहीं थी। सौंदर्य और भय से भरे इस संसार ने मुझे बहुत मज़बूती से जकड़ रखा था। मुझे इसमें अपना न्यायपूर्ण स्थान चाहिए था।

शायद आगे अन्य जन्म भी थे, परंतु मुझे अपने प्रतिशोध का संतोष इसी जन्म में चाहिए था।

"युद्ध उसी दिशा में जाएगा जहाँ इसे जाना चाहिए – जिस तरह मैंने अपनी पुस्तक में इसे निर्धारित किया है," व्यास ने कहा। "मेरे लिए यह नाटक देखने जैसा है और मैं उससे अधिक इसके लिए दुखी क्यों होऊँ?" मेरे चेहरे पर हठी भाव देखकर वह रुक गए। "परंतु मैं यहाँ दर्शन समझाने नहीं आया हूँ। मैं तुम्हें एक उपहार देना चाहता हूँ – वही जो मैंने नेत्रहीन राजा को दिया है : एक विशेष दृष्टि जिससे तुम युद्ध के महत्त्वपूर्ण अंशों को दूर से देख सको।"

मैं झटके से गहरी श्वास लेते हुए उनके इस उपहार की विशालता को समेटने का प्रयास कर रही थी। मैं, एक स्त्री होकर वह देखने वाली थी जिसे आज तक किसी स्त्री – बहुत कम पुरुषों – ने देखा था!

"क्या धृतराष्ट्र ने इसे स्वीकार कर लिया?"

"उसमें अपने पुत्रों को उनके द्वारा किए कर्मों के परिणाम भुगतते हुए देखने का साहस नहीं था – ऐसे कर्म जिन्हें उसने स्वयं अपने अनुपयुक्त स्नेह के कारण बढ़ावा दिया था। इसके स्थान पर उसने कहा कि मैं वह दृष्टि उसके सारथी व विश्वासपात्र संजय को दे दूँ। संजय उसे युद्ध का हाल बताएगा। उसका अंत होने तक उसे दुख होगा, क्योंकि संजय शब्दों को चबाता नहीं है! परंतु तुम – क्या तुम्हारे भीतर अपने समय के विशालतम दृश्य को देखने का साहस है? क्या तुम अटल रहकर अन्य लोगों को कुरुक्षेत्र में हुई घटनाओं के विषय में बता सकोगी? कारण यह है कि केवल साक्षी – न कि अभिनेता – सत्य को जानता है।"

मुझे संकोच हो रहा था। मैं भयभीत थी। पहली बार मेरा उल्लासोन्माद क्षीण हो रहा था और मैं युद्ध के दूसरे पक्ष से अवगत हो रही थीः हिंसा व पीड़ा। मुझे युद्ध में पीड़ा झेलते हुए लोगों से कम पीड़ा नहीं होने वाली थी। और क्या मुझे किसी भी प्रकार धृतराष्ट्र से कम ग्लानि का अनुभव होगा? इस युद्ध के लिए क्या अपने ढंग से, मैं भी उतनी ही उत्तरदायी नहीं थी जितना कि वह था? शायद, जीवनभर की त्रासदी का समाचार एक पंक्ति में संदेशवाहकों के माध्यम से ही सुनना ही श्रेयस्कर था।

मैंने गहरी श्वास ली। शब्दों के बाहर आने तक मुझे समझ नहीं आ रहा था कि मैं क्या कहूँ। "मुझे आपका उपहार स्वीकार है। मैं यह युद्ध देखूँगी और इसे सुनाने के लिए जीवित रहूँगी। यही न्यायोचित है चूंकि इस युद्ध को आरंभ करवाने में मेरा भी योगदान है।"

"पुत्री, अपने आपको इतना श्रेय मत दो!" व्यास की मुस्कान सदा की भांति विडंबनात्मक थी। बाद में, उसके विषय में सोचने पर मुझे उसमें छिपी करुणा का पता लगा। "इस युद्ध के बीज तुम्हारे जन्म से बहुत पहले बोए जा चुके थे, हालांकि शायद तुमने इसे थोड़ा उकसाया तो है। तथापि, मैं तुम्हारे निर्णय से प्रसन्न हूँ।" उन्होंने अपना हाथ बढ़ाकर मेरे मस्तक के उस बिंदु को छुआ जो तीसरे नेत्र का स्थान माना जाता है। मैंने स्वयं को न जाने किस बात के लिए तैयार कर लिया। शायद दिव्य संगीत का एक फव्वारा, एक चकाचौंध प्रकाश। यद्यपि, व्यास का स्पर्श हताशापूर्ण ढंग से सामान्य था, वह किसी चिड़िया के पंख की सरसराहट से अधिक कुछ नहीं था। मैंने आस-पास देखा। सब कुछ पहले की भांति ही लग रहा था। उस झुटपुटे में, मैं अपने पतियों को भी नहीं देख पा रही थी।

क्या व्यास मेरे साथ मज़ाक कर रहे थे?

"तुम्हें संदेह हो रहा है न?" चिंता मत करो। कल से आरंभ होकर, अगले अठारह दिनों तक - क्योंकि यह नरसंहार इतने ही दिन तक चलेगा - तुम इस युद्ध का प्रत्येक महत्त्वपूर्ण क्षण देखोगी।"

वह पीछे परछाईं में चले गए। उनकी दाढ़ी की स्पष्ट सफ़ेदी को छोड़कर अँधकार सब कुछ निगल गया।

"रुकिए!" मैं चिल्लाई। "आपने कहा कि आपने इस युद्ध की कथा पहले ही लिख दी है। तो मुझे बताइए कि इसमें विजय किसकी होगी?"

"क्या नाटककार से उसके नाटक का चरमोत्कर्ष पूछना उचित है? परंतु इस मामले, मैं तो नाटककार भी नहीं हूँ - मैं तो सिर्फ़ इतिहासकार हूँ। नियत समय से पूर्व, अंत बता देना मेरी धृष्टता समझी जाएगी। ओ मेरी पुत्री, मैंने जब तुम्हें पहली बार देखा था, तुम आज भी उतनी ही अधीर हो!"

इतना कहकर वह गायब हो गए।

"तुम कहाँ हो, पांचाली?" मैंने युधिष्ठिर को पुकारते हुए सुना। "अब हमें रात्रि भोजन के लिए नीचे चलना चाहिए। हमें कल के लिए तैयार भी होना है।"

मैंने उसे अपना हाथ थाम लेने दिया और मैं उसके शिष्टाचार का अनमने ढंग से उत्तर देती गई। हम धुआँ उगलती मशाल की रोशनी में अपने शिविर में पहुँचे। सेवकों ने ताड़-पत्रों से एक कच्चा ढाँचा खड़ा कर दिया था जो युद्ध समाप्त होने तक हम स्त्रियों के लिए आवास का काम करने वाला था। उन्होंने रेशमी पर्दों और चंदन की अगरबत्ती से वातावरण को सुविधाजनक बनाने का प्रयास किया था और वह अपने साथ एक संगीतकार को भी लाए थे जो इकतारा बजाने के साथ

धीमी आवाज में गाता था। तथापि, वातावरण में तूफ़ान से पहले की अशांति थी और चादर के नीचे का फ़र्श पत्थरों के कारण सख़्त था जिसके कारण कुंती को बैठने में परेशानी हो रही थी। मुझे इससे कोई अंतर नहीं पड़ता था। एक बार मेरा महल मुझसे छिन गया तो फिर सभी स्थान - चाहे वह हवेली हो या झोपड़ी - मेरे लिए एक समान थे।

जब हम भोजन करने के लिए बैठे तो मेरे पुत्र और उनके पीछे धृ व शिखंडी भी आ गए। उन्होंने मृदु भाव से नहीं तो शिष्टता से अवश्य मेरा अभिवादन किया और मुझे पता था कि मुझे इससे संतुष्ट रहना चाहिए। मैं उन लोगों से इतना कुछ कहना चाहती थी किंतु अब मुझे कुछ भी याद नहीं आ रहा था। धृ परेशान लग रहा था। शिखंडी ने, जिसे मैंने बहुत समय से देखा नहीं था, अपने बाल बढ़ा लिए थे। उसके कारण उसका चेहरा संदिग्ध लगता था - एक ओर से पुरुष और किसी दूसरी ओर से स्त्री। मेरे पुत्रों ने कवच धारण कर रखे थे, हालांकि अभी उसकी कोई आवश्यकता नहीं थी, परंतु उनके लिए यह इस नए और रोचक खेल का अंग था। मैं बहुत चाव से उनके कवच पर अठखेलियाँ करते अग्नि-प्रकाश को देख रही थी। मुझे याद नहीं कि जब उन्होंने मेरे पैर छुए तो मैंने आशीर्वचन में उन्हें क्या कहा, और मुझे आश्चर्य हो रहा था कि यद्यपि, अन्य माताओं की तरह मुझे इस अवसर पर उनके लिए चिंतित होना चाहिए था, तथापि मैं बिल्कुल भयभीत नहीं थी।

व्यास की शक्ति ने काम करना शुरू कर दिया था। मुझे ऐसा लग रहा था मानो मैं नदी में गिर गई थी। मानो मैं उन लोगों से, जिन्हें मैं आज तक सर्वप्रिय मानती रही, बहुत दूर किसी जल-प्रपात की ओर बहती जा रही थी। कहीं दूर मुझे बहते हुए पानी का स्वर सुनाई दे रहा था अथवा वह क्या घबराहट में लोगों के चिल्लाने की आवाज थी? शीघ्र ही प्रवाह तेज़ होकर मुझे अपने साथ बहा ले जाने वाला था। मैंने अपने आस-पास के चेहरों को देखा। वह सब पत्थर के बने, कठोर व भावहीन लग रहे थे। मेरी व्याकुलता पर किसी का ध्यान नहीं गया। प्रत्येक व्यक्ति अपने भीतरी संसार में कैद था जहाँ वह स्वयं को इस शानदार नाटक के समर्थक की तरह देख रहा था।

कृष्ण ने, जिन्होंने तंबू में अंत में प्रवेश किया, मुझे प्रश्न-भरी दृष्टि से देखा। बाद में, जब उन्होंने अलविदा कहा, तो उन्होंने एक और गूढ़ बात मेरे कान में कही कि यह शरीर पुराने वस्त्रों जैसा है इसलिए इसे छोड़ने का दुख नहीं होना चाहिए।

. . .

उस रात, किसी समय मैं अपने तंबू से बाहर निकलकर आकाश में चाँद को देख रही थी जो बहुत बड़ा और ताँबे जैसा दिखाई दे रहा था। मुझे खगोल-विद्या का इतना ज्ञान नहीं था कि मैं समझ पाती कि यह संकेत शुभ है अथवा अशुभ। नीचे ख़ाली स्थान पर, जहाँ किसी समय सरस्वती नदी बहती थी, मुझे सहसा कुछ हलचल दिखाई दी। पहले मुझे लगा कि वह कोई वन्य पशु होगा किंतु वह एक स्त्री थी जो नागफनी के पौधे इकट्ठे कर रही थी जिन्हें लोग कभी-कभी भोजन की कमी होने के समय खाते थे। वह रुक गई और सतर्क होकर मुझे देखने लगी। चंद्रमा के प्रकाश में मैंने देखा कि वह अत्यंत दुर्बल थी और उसकी साड़ी पर पैबंद थे और उसमें गाँठें बँधी हुई थीं। मेरे विचार से वह किसी पैदल सैनिक की पत्नी थी जो शिविर में रह रही थी। मैंने यह सोचकर उसे संकेत किया कि मैं उसे एक मुद्रा दे दूँगी।

वह स्त्री थोड़ा आगे आई और बड़ी आँखें खोलकर मुझे देखने का प्रयास करने लगी। अचानक, वह मुड़ी और फिर उसने अपने हाथों को इस तरह झटका दिया कि मैं उस मुद्रा को पहचानकर चकित रह गई। उसके बाद, वह वहाँ से भाग गई। वह संकेत बुरी नज़र के विरुद्ध किया गया था!

मैं वहीं जम-सी गई। मुझे पता था कि उसने मुझे पहचान लिया था - मेरे गंदे और उलझे हुए बालों से मुझे कोई पहचान सकता था। क्या मुझे लोग इस प्रकार देखने लगे थे? इतने समय तक मुझे लगता था कि मेरे साथ अन्याय हुआ है। मैं मानती थी कि दुर्योधन के हाथों हुए मेरे अपमान के कारण इस देश के लोग - विशेषकर स्त्रियाँ - मेरे साथ सहानुभूति रखती थीं और यह कि वनवास के दौरान अपने पतियों के साथ मैंने जो कष्ट सहे थे, उसके लिए लोग मेरी प्रशंसा करते थे। जब मैंने नीचे विशाल पांडव समर्थकों को देखा तो मैंने यह अनुमान लगाया था कि इन सैनिकों ने मेरे पतियों का साथ देने का निर्णय इसलिए किया था क्योंकि हमारे मनोरथ में वह हमारा समर्थन करते थे। अब मुझे लगा कि उनमें से अधिकतर के लिए वह सिर्फ़ उनका कार्य था, गरीबी और भुखमरी से बचने का सिर्फ़ एक विकल्प। यह भी हो सकता था कि उन्हें उनके अधिपतियों द्वारा जबरन सेना में भर्ती किया गया था। निस्संदेह, ऐसे लोगों की पत्नियों के लिए मैं दुर्भाग्य की सूचक थी, एक ऐसी स्त्री जिसने उनके पतियों को उनके घरों से अलग कर दिया था, एक चुड़ैल जो अपने हाथ के एक इशारे से उन्हें विधवा बना सकती थी।

कटु मुस्कान के साथ मुझे यह विचार आया कि हमें अपनी प्रतिष्ठा के विषय में कितना कम पता होता है।

. . .

उस रात मुझे ठीक से नींद नहीं आई, किंतु बीच-बीच में सोते-जागते हुए मैंने एक स्वप्न देखा जो युद्ध समाप्त हो जाने तक का मेरा अंतिम स्वप्न था। कृष्ण मुझसे बात कर रहे थे। जब उन्होंने बोलने के लिए मुख खोला, तो मुझे उसके भीतर संपूर्ण पृथ्वी, सभी लोक और उनके साथ घूमते उनके ग्रह एवं अग्निमय उल्काएँ दिखाई दे रही थीं। उन्होंने, जो बात मुझे शाम को कही थी, वही फिर से कही - परंतु इस बार वह मेरे समझ में आ गई। *जिस प्रकार हम पुराने वस्त्र उतारकर नए वस्त्र धारण करते हैं, समय आने पर, आत्मा भी पुराना शरीर त्यागकर नया शरीर प्राप्त कर अपने कर्म करती है। इसलिए विद्वान लोग जीवित अथवा मृत किसी के लिए भी दुख नहीं करते।*

मैंने अपने भीतर खोजा तो पाया कि वह सच कह रहे थे। यह सत्य था कि हमारी विजय हो अथवा पराजय, हम जिएँ अथवा मरें, दुख मनाने का कोई कारण नहीं था। मेरी आत्मा नई तलवार की भांति चमक रही थी। जिस तरह शुद्ध इस्पात को ज़ंग छू भी नहीं सकता, उसी तरह दुख अब मुझे प्रभावित नहीं कर सकता था। मैं हलकापन महसूस कर रही थी और मुझे ऐसा लग रहा रहा था कि जीवन का नाटक उसी प्रकार उद्घाटित हो रहा था जैसे होना चाहिए था। क्या यह मेरा सौभाग्य नहीं था कि मैं इसमें भागीदार थी?

सुबह जब मैं उठी तो मेरा हृदय एक बार फिर निराश हो गया। मैंने कृष्ण के कहे शब्दों को दोहराया किंतु वह मेरी जिह्वा पर पत्थर की तरह जड़ हो गए। मुझे नहीं पता कि उन शब्दों ने मुझे इतना प्रसन्न क्यों कर दिया था। कुछ ही मिनटों में, खुले आकाश में बादलों से बने चित्र की तरह वह बिखरने लगे और मैं उन्हें याद तक नहीं कर पाई। यद्यपि, मुझे पिछली रात्रि में देखी उस स्त्री का चेहरा अच्छी तरह याद था। हमारे भीतर ऐसा क्या है जो हमारे मस्तिष्क में नकारात्मक छवियों का इतना गहरा प्रभाव छोड़ देता है? मैंने दोबारा उसे अपने विरुद्ध हाथ उठाए देखा तो मेरे भीतर एक भयानक संदेह पैदा हो गया : क्या मैंने अपनी क्षुद्र संतुष्टियों के लिए अपने पतियों - और शायद समस्त राज्य - को विनाश की ओर धकेल दिया था?

# 33

युद्ध की सुबह मैं अत्यंत थकी हुई थी और पीड़ा महसूस कर रही थी। मुझे ऐसा लग रहा था कि मेरे सिर में काँटेदार पाट के रेशे भरे हुए थे। पूरी रात, टुकड़ों में स्वप्न के दौरान, मेरे तंबू के अँधकार के बाहर चेहरे संलीन होते रहे। : मेरे पति, मेरे पुत्र, धृ और अंत में पुरातन विचलित नेत्रों वाला एक पुरुष। जब वह दिखाई दिया तो मैं फिर शय्या पर लेटी नहीं रह सकी। यद्यपि, सूर्य उदय नहीं हुआ था और युद्ध अभी आरंभ नहीं हुआ था, मैंने पहाड़ी के ऊपर जाने का निर्णय किया। पिछली रात, मैंने व्यास से अपनी वार्ता अथवा उनके द्वारा दिए गए उपहार के विषय में किसी को नहीं बताया। (सच कहूँ तो मुझे स्वयं उसमें पूरी तरह विश्वास नहीं था।) अभी मैंने सिर्फ़ अपनी सेविका को सुभद्रा को यह बताने के लिए कहा था कि मैं कहाँ जा रही हूँ ताकि वह मेरे लिए चिंतित न हो। मैंने यह भी कहा था कि चूंकि मैं प्रार्थना में लीन रहूँगी, इसलिए कोई मुझे परेशान न करे। यह झूठ भी नहीं था। युद्ध देखते समय, मैं देवताओं से अपने प्रियजनों की रक्षा के लिए प्रार्थना भी करने ही वाली थी। क्या यह विश्वासघात होगा यदि उन लोगों में से कोई शत्रु पक्ष की ओर से लड़ रहा हो?

ऊपर चढ़ते समय, मैंने सुना कि नाद करने वाले योद्धाओं को तैयार होने के लिए कह रहे थे। अश्वों की उत्तेजना भरी हिनहिनाहट सुनाई पड़ रही थी। वह जानते थे कि कुछ अति महत्त्वपूर्ण होने जा रहा था। मैं स्वीकार करती हूँ : मेरा हृदय भी प्रत्याशा के कारण तेज़ी से धड़कने लगा था। यदि व्यास ने सत्य कहा होगा तो मैं इस महान दृश्य की साक्षी - अपने पक्ष की एकमात्र साक्षी, एकमात्र स्त्री-साक्षी - बनने वाली थी। युद्ध का परिणाम कुछ भी हो, किंतु इसमें मेरी भूमिका गौरवपूर्ण होगी।

यद्यपि, जब मैं पहाड़ी की चोटी पर पहुँची, मेरी चाल मेरी इच्छा के विरुद्ध धीमी होने लगी। मेरे पैर मुझे ऊपर नहीं ले जा पा रहे थे। मेरी आँखों पर ज़बरदस्त भार पड़ने लगा। मैं बैठ गई - मुझे नहीं पता कि मैं पत्थर पर बैठी थी अथवा ज़मीन पर। मुझे कुछ सुनाई या दिखाई नहीं पड़ रहा था। मुझे सूर्य की उष्णता का भी एहसास नहीं हो रहा था। जिसे मैं सदा से चेतनावस्था समझती थी, उसमें से जब मुझे बाहर निकाला गया तो मैंने महसूस किया कि जो भूमिका मैं अब निभाने वाली थी, उसका पांचाली के गौरव से कोई संबंध नहीं था। जो बल मेरे भीतर प्रविष्ट हो रहा था - उसकी प्रहारक कठोरता को मैं अपने शरीर की प्रत्येक कोशिका में महसूस कर रही थी - वह अपने उद्देश्य की पूर्ति के लिए मेरा उपयोग करने वाला था। मैं भयभीत थी, किंतु अब बहुत देर हो चुकी थी।

शेष युद्ध के दौरान, मैं प्रतिदिन सुबह पहाड़ी पर चढ़ जाती थी और इस अवस्था में - जिसे बेहतर शब्द में मैं समाधि कह सकती हूँ - चली जाती थी। पूरे दिन मुझे न भूख लगती थी, न प्यास। हालांकि शाम होने तक मैं पूरी तरह थक जाती थी और मुश्किल से वापस नीचे जा पाती थी। इस दौरान मेरे बाल सफ़ेद हो गए और मेरे तन से मेरा माँस पिघलने लगा। जब सुभद्रा ने देखा कि यह सब क्या हो रहा था (यद्यपि उसे वह समझ में नहीं आया), उसने मेरे साथ एक सेविका को भेजा ताकि वह मुझे पानी पिला सके - सिर्फ़ वही एक वस्तु थी जो मैं पी पाती थी - और फिर शाम को मुझे सकुशल वापस नीचे ले आए। उस लड़की ने मुझे बाद में बताया कि मैं कभी हँसती तो कभी रोती थी जिससे वह डर जाती थी। कभी-कभी मैं किसी अनजान भाषा में कुछ बड़बड़ाती थी। मुझे इसमें से कुछ भी याद नहीं है। यद्यपि, अपने शेष जीवन में, मैं कुछ छवियों को भुला नहीं सकूँगी जो मेरे सामने प्रकट होती थीं - जिनके लिए मैं बाद में शब्द खोजने का प्रयास करूँगी और कुछ इतनी भयावह थीं कि वह सदा मेरे भीतर ही क़ैद रहेंगी।

मैंने सोचा था कि मुझे दृश्यों को दूरबीन से देखने जैसा एहसास होगा, किंतु मैं ग़लत थी। सच में, सुदूर होने वाली घटनाएँ भी मुझे ऐसे दिख रही थीं मानो वह मुझसे कुछ ही हाथ की दूरी पर हों - परंतु यह कम से कम था। उदाहरण के लिए : मैंने कौरव सेना के सबसे आगे, अपने चाँदी जैसे रथ में बैठे सफ़ेद बाल वाले भीष्म को देखा। उनकी ध्वजा पर स्वर्णिम ताड़ का वृक्ष बना हुआ था। वह अपनी सेना को यह कहते हुए उत्साहित कर रहे थे कि आज रणभूमि में प्राण देने वाले सभी सैनिकों के लिए स्वर्ग के द्वार खुले हुए थे। उनके चेहरे पर ओज व विचित्र प्रसन्नता थी और उनके शब्दों में इतना आत्मविश्वास था कि मैंने भी उनकी बात को मान लिया, परंतु जब मैं उनके चेहरे को देख रही थी, तो वह पानी पर बनी छवि की

तरह हिलने लगा। उनकी थकान मुझे अपने शरीर में महसूस हो रही थी। उनका हृदय इतना भारी हो रहा था कि मुझे आश्चर्य हुआ कि वह श्वास कैसे ले रहे होंगे। उस समय मुझे एहसास हुआ कि मुझे जो दृष्टि मिली थी उससे मैं लोगों के मुखौटों को भेदकर उनके अंतर तक देख सकती थी। यह सोचकर मैं उल्लासित होने के साथ भयभीत भी हो गई। मैंने ऊपर आकाश की ओर देखा और उस संकेत की आशा करने लगी जो भीष्म ने कहा था कि वह सत्य होगा, परंतु मेरे ऊपर आकाश रिक्त व असहज नीला रंग लिए दमक रहा था।

यदि युद्ध ने भीष्म जैसे महात्मा को भी कपटी बना दिया था तो हमारे जैसे शेष लोग क्या आशा कर सकते थे?

मैंने दुर्योधन को तेज़ी से दौड़ते हुए देखा मानो स्वर्ण के मैदान में कोई सर्प भाग रहा हो। "उसने अपने सेनापतियों को आदेश दिया, "पहले शिखंडी को मारो। भीष्म को कोई अन्य नहीं मार सकता। जब तक भीष्म हमारा नेतृत्व कर रहे हैं, हम अजेय हैं!" उसके स्वर्ण मुकुट के नीचे उसका चेहरा पतला दीख रहा था और पांडव सेना को देखते हुए उसकी आँखें जलते कोयले के समान लग रही थीं। यद्यपि, जब उसने देखा कि कुछ योद्धाओं ने उसके आस-पास सुरक्षा घेरा बना लिया था तो उसके चेहरे की कठोर रेखाएँ थोड़ी कोमल हो गईं। उनके कंधे पर एक-एक करके हाथ रखता हुआ वह बोला, "मैं तुम्हारी निष्ठा को सदैव याद रखूँगा।" वह भी उसे देखकर मुस्कराए। ग्रीष्मकाल में पटरी पर चमकती गर्मी की तरह, उनके भीतर जागृत होते प्रेम और उसके आदेश पर अपने प्राण गँवाने की इच्छा को देखकर मैं हैरान थी। उसने एक संदेशवाहक को निकट बुलाया, अपने शिरोभूषण में से एक रत्न निकालकर उसे दिया। "यह भानुमति को देना और उससे कहना कि मैं शीघ्रातिशीघ्र उसके पास आऊँगा।" उसके बाद उसकी आँखें गहरा गईं और वह रणभूमि में किसी को ढूँढ़ने लगा। "कर्ण कहाँ है?" उसने पूछा। "तुम में से एक जाओ और उसे कहो कि दुर्योधन ने बुलाया है। मुझे आज अपने मित्र की सबसे अधिक आवश्यकता है।"

समाधि की अवस्था में भी मेरी श्वास असमान होने लगी और प्रत्याशा से मेरे हाथ काँपने लगे। यद्यपि, इससे पहले कि मैं कर्ण को देख पाती, मेरी दृष्टि पांडव सेना की ओर चली गई। यह अपेक्षाकृत कितनी छोटी लग रही थी! उसके मध्य में राजा के प्रतीक स्वरूप सफ़ेद छत्र के नीचे युधिष्ठिर खड़ा था। उसका चेहरा निस्तेज व दुर्बल लग रहा था। हृदय से वह अब भी युद्ध नहीं चाहता था और न ही वह यह चाहता था कि अपने स्वार्थ के लिए हज़ारों लोगों की मृत्यु हो जाए। उसके निकट, हमारे सबसे पराक्रमी सैनिकों से घिरा शिखंडी खड़ा था। एक तरफ का

नेतृत्व भीम कर रहा था और दूसरी का नकुल व सहदेव। मैं धृ को देखने लगी। वह विन्यास के पिछली ओर था और अपने कांस्य व चाँदी के रथ पर सेना के बीच से गुज़रता हुआ वह विभिन्न अधिकारियों को निर्देश देता जा रहा था। मेरे पुत्र घोड़ों पर सवार होकर उसके पीछे चल रहे थे।

मुझे यह देखकर आश्चर्य हो रहा था कि वह प्रत्येक व्यक्ति जिसकी मुझे चिंता थी, इस रणभूमि में उपस्थित था। अठारह दिन बाद जब युद्ध समाप्त होगा, तो पता नहीं इनमें से कितने यहाँ से लौट पाएँगे?

अब मेरी दृष्टि रणभूमि के एक छोर पर हो रही विचित्र गतिविधि पर पड़ी। अर्जुन का स्वर्णिम रथ हमारी सेना को पार करता हुआ तेज़ी से किसी अनजान प्रदेश की ओर जा रहा था। इस समय जब युद्ध बिल्कुल सिर पर आ पड़ा था, तो वह उस ओर क्यों जा रहा था? क्या उसे नेतृत्व करने के लिए सेना के शीर्ष पर नहीं होना चाहिए था? मैं कृष्ण को उसके छह घोड़ों वाले रथ को हाँकते हुए देख रही थी। अपनी कलाई के हलके से झटके से वह कितनी कुशलता से उन्हें नियंत्रित कर रहे थे। अपनी चाबुक से, उन्होंने कौरव पुत्रों की ओर संकेत किया जिन्हें अर्जुन उतनी ही अच्छी तरह जानता था जितना वह स्वयं को पहचानता था। और फिर अर्जुन ने अपना प्रिय गांडीव नीचे रख दिया और वह अपना मुँह अपने हाथों में छिपाकर रोने लगा।

. . .

अंतिम क्षण में अर्जुन के विषाद और उत्तर में अर्जुन की निष्क्रियता से बाहर निकालने के लिए कृष्ण द्वारा दिए गए प्रवचन के विषय में बहुत कुछ कहा जा चुका है। व्यास को इस घटना के विषय में पहले ही पता था क्योंकि उन्होंने इसे स्वप्न में देख लिया था। लोग कहते हैं कि उन्होंने यह आदि देवता, गणेश को बताई जिन्होंने फिर इसे लिख डाला। (क्या यह वही थे जिन्हें मैंने वट वृक्ष के नीचे अपने हिलते हुए हस्ति सिर के साथ बैठे देखा था?) अन्य लोगों ने कृष्ण के वचनों को अनेक भाषाओं व छंदों में अनूदित किया। कुछ लोगों ने इसे बृहत् नाम दिए किंतु अधिकतर ने इसे सिर्फ़ *गीता* कहा। यदि कवि व दार्शनिक प्रलय के दिन पृथ्वी के समाप्त होने तक इसके विषय में लिखते रहें तो भी मुझे आश्चर्य नहीं होगा।

अर्जुन समेत किसी को - यह आशा नहीं थी कि अपने ही प्रियजनों को देखकर, विजय प्राप्त करने के लिए जिनकी हत्या की जानी थी, ग्लानि भाव से पांडव इस प्रकार शिथिल पड़ जाएँगे। अर्जुन एक व्यावहारिक पुरुष था। इस दौरान, वह सबसे धैर्यवान और अपने कौशल को परखने के लिए सबसे उत्सुक रहता

था। कौन यह सोच सकता था कि युद्ध की समाप्ति पर लाखों लोगों के मारे जाने व आहत होने के बाद उजड़े हुए संसार में रहने के विचार से वह इतना विचलित हो जाएगा? यद्यपि जो युद्ध आरंभ करते हैं, किंतु परिहार की कला में पारंगत नहीं होते, उन्हें कभी न कभी इन भावनाओं का सामना करना ही पड़ता है। अगले कुछ दिनों में मेरे पति युद्ध में अपनी-अपनी भूमिका पर बुरी तरह खेद व्यक्त करेंगे व चाहेंगे कि काश, यह युद्ध रद्द हो जाता, परंतु तब तक हम सबको यह पता लग जाएगा : युद्ध हिमस्खलन जैसा होता है। एक बार यह आरंभ हो जाए तो फिर यह अपने सामर्थ्यानुसार विनाश करने के बाद ही थमता है।

जब मैंने कृष्ण को अर्जुन को समझाते, उसे सांत्वना देते, उसे युद्ध में ही नहीं बल्कि उसके पार भी सफल होने की शिक्षा देते हुए देखा तो मैं उस विनोदी और निश्चिंत व्यक्ति को लगभग पहचान ही नहीं सकी जिसे मैं बचपन से जानती थी। उन्होंने इतना दर्शन किस से सीखा था? उन्होंने इस दर्शन को अपना ज्ञान कब बना लिया?

मैंने उन शब्दों को दोहराया जो वह अन्य स्त्रियों को कहते थे जब मैं उनके पास रात्रि में जाती थी। *इंद्रियों को मिलने वाला सुख एक दिन समाप्त हो जाता है, और इसलिए यह वास्तव में सिर्फ़ दुख का स्रोत हैं। इनसे आसक्ति मत रखो तथा : जब कोई व्यक्ति उस अवस्था को प्राप्त कर लेता है जहाँ उसके यश व अपयश एक समान हो जाते हैं तो उसे सर्वोच्च मान लिया जाता है। उस अवस्था को प्राप्त करने का प्रयास करो।* उत्तरा अपने अन्य कारणों से इन बातों पर अधिक ध्यान नहीं दे पाती थी, किंतु कुंती और सुभद्रा उन बातों को सावधानी से सुनती और समझते हुए हामी भरती थीं। मैं इतने ज्ञानी पुरुष जैसा बनना तो दूर उसकी कल्पना भी नहीं कर सकती थी। मुझे अनासक्त भाव से रहना अथवा यश व अपयश के प्रति एक समान महसूस करना नहीं आता था। शायद व्यक्ति इस संसार को तभी त्याग सकता है जब उसे इससे भी बड़ी कोई अन्य निधि मिल जाए। कृष्ण ने ऐसा संकेत दिया कि ऐसी निधि मेरे भीतर ही थी - *अस्त्र उसे मार नहीं सकते, अग्नि जला नहीं सकती, वह शाश्वत और फिर भी आनंददायक है* - किंतु उनके यह शब्द, पानी के नीचे लंबे समय तक पड़े चिकने पत्थरों की भांति, मेरे हाथ से फिसल रहे थे। जो ज्ञान हमारी अपनी कड़ी परीक्षा में शुद्ध न किया गया हो, वह हमारे लिए उपयोगी नहीं हो सकता। इसलिए, मेरा मुख यद्यपि कृष्ण के शब्दों को तोते की तरह दोहरा रहा था, मेरी अभिलाषा पश्चाताप एवं प्रतिशोध के मध्य झूल रही थी और मेरे हृदय की चुभन बंद नहीं हो रही थी।

कृष्ण की कही एक बात मुझे स्पष्ट थी। जब अर्जुन ने पूछा कि सद्भावना के

बावजूद व्यक्ति ग़लत कार्य करने के लिए प्रेरित क्यों होता है तो कृष्ण ने उत्तर दिया, *हमारे दो सबसे भीषण शत्रु, क्रोध व कामना के कारण।* मैं इन दोनों को कितनी अच्छी तरह जानती थी, मेरे दो पुराने साथी - नहीं, मेरे स्वामी - और उनकी संतान, प्रतिशोध! और यह कितने निष्ठावान होते हैं! जब मैंने स्वयं को इनसे दूर करने का प्रयास किया, तो यह और अधिक दृढ़ता से मुझसे लिपट गए।

कृष्ण के प्रवचन सुनने के बाद मैं अर्जुन की तरह यह दावा नहीं कर सकती थी कि मेरे सभी भ्रम मिट गए थे, परंतु मुझे स्वयं को देखना आ गया था। यदि मैं अपने क्रोध और उसके दुष्ट भाई, क्षोभ को अपने हृदय से दूर नहीं कर पाई थी तो, कम से कम, मैं कभी-कभी अपनी तीखी टिप्पणियों को रोकने लगी थी जिन्हें इतने वर्षों तक उन्मुक्त भाव से देते हुए मुझे गर्व महसूस होता था।

. . .

कृष्ण का अर्जुन से संवाद का एक अंश मैं बताने में असमर्थ थी। अर्जुन ने वह मुझे बाद में बताया हालांकि उसके बिखरे हुए शब्दों का कुछ अधिक अर्थ नहीं निकला। उसने बताया कि कृष्ण ने उसे ईश्वर के रूप में दर्शन दिए थे।

उसने बताया, "कृष्ण के नेत्र ही सूर्य, चंद्रमा व अग्नि थे। उनके शरीर में ही पर्वत और समुद्र एवं नक्षत्रों से परे का गहन अँधकार था। हमारे सभी शत्रु - और हमारे कुछ मित्र - उनके विशाल मुख में समाकर काल का ग्रास बन गए।" ऐसा कहकर वह काँप उठा। "वह भयावह था - और कल्पनातीत रूप से सुंदर भी। क्या वह नहीं देखा?"

मैंने सिर हिला दिया। "मैंने सिर्फ़ प्रकाश का एक बृहत् पुंज देखा मानो कोई दिव्यास्त्र छोड़ा गया हो। मुझे कुछ दिखाई नहीं दे रहा था। मुझे लगा कि संसार का अंत आ पहुँचा है।"

"वह संसार का अंत ही था - वह संसार जिसे मैं जानता था," अर्जुन ने कहा। "अब हर चीज़ का अर्थ भिन्न है - हमारा जीवन, हमारी मृत्यु और उसके मध्य जो कुछ भी होता है।" वह शून्य में देखने लगा और फिर कुछ नहीं बोला, किंतु उसके चेहरे से विषाद का भाव जा चुका था।

मैंने भी कुछ नहीं कहा किंतु मुझे बहुत दुख हो रहा था। कृष्ण ने, जिसे मैं अपना प्रिय मित्र और रक्षक मानती थी, मुझे अपना दिव्य रूप क्यों नहीं देखने दिया? जब से युद्ध आरंभ हुआ था, उन्होंने मेरी ओर अधिक ध्यान नहीं दिया था। मैं समझ सकती थी : वह अधिक महत्वपूर्ण घटनाओं में व्यस्त थे, परंतु इतनी छोटी बात नहीं थी कि उसकी उपेक्षा की जाती। मैंने भी निश्चय किया कि जब तक

उनकी ओर से मेरी देखभाल का प्रमाण नहीं मिलेगा, मैं भी उनसे अधिक संबंध नहीं रखूँगी।

मैंने यह निर्णय तो ले लिया किंतु इससे मेरे हृदय में चुभन कम नहीं हुई। मुझे बार-बार इस बात पर आश्चर्य हो रहा था कि उन्होंने अर्जुन को इस दिव्य दर्शन के लिए अधिक उचित क्यों जाना। मेरे अंदर ऐसे किस आवश्यक तत्त्व का अभाव था जिसके कारण मुझे ब्रह्मांड के रहस्य से वंचित रखा गया था?

. . .

व्यास द्वारा दी गई दृष्टि ने मुझे और क्या दिखाया?

मेरे पिता का द्रोण के साथ युद्ध और उन दोनों के चेहरे पुरानी घृणा से कठोर हो गए थे। एक-दूसरे पर घातक प्रहार करने के मध्य, उन दोनों को अतीत में साथ बिताए क्षण याद आ जाते थे : गुरुकुल के दिन, पाठ एवं भोजन का संयुक्त उपभोग, वह आखेट जब वह दोनों वन में मार्ग भटक गए थे और गुरुकुल छोड़ते समय विदाई के दौरान बहाए अश्रु। भीम का दहाड़ते हुए दुर्योधन के भाइयों की हत्या करना। जब उसके हृदय में रक्तपात की कामना कम हो गई तो वह भ्रातृ हत्या के कारण पश्चाताप से भर उठा क्योंकि वह स्वयं को कैसे भी समझाता किंतु वह जानता था कि उसकी शिराओं में भी वही रक्त बह रहा था। घटोत्कच द्वारा अपनी राक्षसी माया से विशालकाय आकार धारण करना और क्रोध में चिल्लाना तथा उसके चेहरे की समस्त सौम्यता का पिघलना। जब वह भय से भागते हुए सैनिकों को अपने पैरों तले कुचलता था तो उसकी अंतरात्मा रोती थी, क्या यह गौरव की बात है? मैंने देखा कि शिखंडी, जो अब पहले से अधिक उभयलिंगी हो गया था, एक के बाद एक भीष्म पर बाण छोड़ रहा था और प्रत्येक बाण के निष्फल हो जाने पर वह खीज में बड़बड़ाता था। उसके मस्तिष्क का एक भाग इस बात से संतुष्ट था कि अभी तक उसके हाथों भारत के सर्वश्रेष्ठ योद्धा की हत्या का जघन्य पाप नहीं हुआ था। अर्जुन का रथ रणभूमि के मध्य से उल्कापिंड की भांति मार्ग में आने वाली प्रत्येक वस्तु को जलाता हुआ गुज़र रहा था - किंतु वह अपने पितामह और गुरु से दूर रहता था क्योंकि शायद वह उन्हें मारने के लिए अभी तैयार नहीं था।

इस प्रकार युद्ध चलता रहा और प्रत्येक योद्धा के भीतर चल रही लड़ाई से यह बाहरी युद्ध मेल खा रहा था। तथापि, वह नरसंहार कम नहीं हुआ। मैंने असंख्य निर्दोष व दोषी लोगों की मृत्यु के दुख देखे और यह दोनों ही भयावह थे। कुछ ही घंटों में धरती लाल हो गई मानो आकाश से रक्त वर्षा हुई हो। अठारह दिन के बाद क्या होगा? मैं विजय के लोलक को आगे-पीछे होता देख रही थी। वह एक

घंटा कौरवों के पक्ष में तथा दूसरे ही घंटे में पांडवों के पक्ष में घूम जाता था। मेरी दृष्टि कर्ण को - खोजने और फिर - ढूँढ़ने में असफल हो रही थी, जिसके हृदय को पढ़ने की मेरी सबसे अधिक इच्छा थी।

रात को मुझे उसकी अनुपस्थिति का कारण पता लगा। युद्ध आरंभ होने से पूर्व, भीष्म ने दुर्योधन से कहा था कि वह कौरव सेना का नेतृत्व तभी करेंगे यदि कर्ण रणभूमि से दूर रहेगा। (क्या इसका कारण उन दोनों के बीच की पुरानी शत्रुता थी? अथवा ऐसा था जैसा कि मेरे पति भी मानते थे कि भीष्म पांडवों को बचाने का प्रयास कर रहे थे? अथवा कोई अन्य कारण था जो मेरे स्वप्न से संबंधित था?) यह जानते हुए कि भीष्म अधिक अनुभवी योद्धा थे, कर्ण ने - अपने मित्र की खुशी के लिए - यह बात मान ली, हालांकि उसे बहुत क्रोध आया था, क्योंकि यही तो वह युद्ध था जिसकी उसने जीवनभर प्रतीक्षा की थी। अब वह अपने शिविर में बैठा भीष्म की विजय - अथवा उनकी मृत्यु - की प्रतीक्षा कर रहा था। मेरी दृष्टि तो वहाँ तक नहीं जा सकती थी किंतु मेरी कल्पना ने इस अभाव की पूर्ति कर दी। वह अपने शिविर में तेज़ क़दमों से इधर से उधर घूम रहा था, उसकी पीठ तोप के सुब्बे की तरह सीधी थी और उसके अस्त्र-शस्त्र उसकी योगी शय्या पर तैयार रखे थे, जहाँ वह सोता था। उसके कान युद्ध से आ रही प्रत्येक ध्वनि को ध्यान से सुन रहे थे और वह स्वयं अधीरता से व्यग्र हो रहा था।

मैं कल्पना कर रही थी कि शाम को दुर्योधन उसके पास आया और युद्ध की रणनीति पर चर्चा करने लगा। उसे भीष्म पर खीज आ रही थी क्योंकि उसे लग रहा था कि यद्यपि, भीष्म अपने वचन के कारण हस्तिनापुर के राजसिंहासन से बँधे हुए थे, हृदय से वह पांडवों के पक्ष में थे। कर्ण ने दुर्योधन को शांत करने के लिए अपनी खीज छिपा ली और सदा की भांति उससे सहमति व्यक्त की - वह दुर्योधन का एकमात्र मित्र था जिसके ऊपर उसे विश्वास था। कर्ण ने उसे भरोसा दिया कि यदि भीष्म असफल हो गए तो वह अवश्य ही अर्जुन को मार डालेगा। क्या उसके पास इंद्र की दी हुई अजेय शक्ति नहीं थी? अर्जुन की मृत्यु के बाद पांडव कुछ नहीं कर सकेंगे। दुर्योधन उन्हें आसानी से एक-दो दिन में ही मार देगा!

यद्यपि, कर्ण द्वारा उत्साहित होने के बाद, जब दुर्योधन वहाँ से चला गया, तो कर्ण अपनी शय्या पर बैठ गया और उसने अपने हाथ अपने चेहरे पर रख लिए। जब उसने हाथ हटाए - मैं इसकी कल्पना क्यों कर रही थी? - उसकी अंगुलियाँ अश्रुओं से गीली थीं।

34

## रहस्य

पितामह समस्या सिद्ध हो रहे थे। हम सब यह पहले से जानते थे कि वह अत्यंत पराक्रमी योद्धा व एक शानदार रणनीतिकार थे, परंतु जिस ऊर्जा के साथ वह पांडव सेना को रौंद रहे और अकेले ही हज़ारों सैनिकों को मार रहे थे, उससे मेरे पति हतप्रभ थे। वह बीच-बीच ऐसी व्यूह-रचनाएँ भी करते थे जिन्हें भेदना लगभग असंभव होता था : खुले हुए पंखों वाला सारस, जटिल विन्यास वाला समुद्री सर्प, अनेक तहों वाला मंडल। अंतर्मन में (दुर्योधन की तरह) पांडव भी जानते थे कि पितामह उनसे इतना स्नेह करते थे कि उन्हें हानि नहीं पहुँचा सकते थे। क्या उन्होंने खुले दरबार में यह घोषणा नहीं की थी कि वह दुर्योधन को विजय दिलाने के लिए सब कुछ करेंगे किंतु वह पांडवों का वध नहीं करेंगे?

"वह अपने वचन के कारण हमसे सीधे बात नहीं कर सकते," रणनीतिकार सहदेव ने कहा। "इसलिए वह हमारे लिए गुप्त संदेश भेज रहे हैं। उन्होंने कहा है कि परिस्थितियों ने हमें विरोधी पक्षों में रख दिया है, किंतु तुमसे लड़ते हुए भी तुम्हारी सहायता करूँगा।"

"निश्चय ही!" अर्जुन ने कहा। "क्या हमारे मामा शल्य ने भी हमें यही नहीं कहा था जब दुर्योधन ने उन्हें चालाकी से अपनी ओर मिला लिया था? *वह सोचता है कि वह जीत गया, किंतु खेल तो दो लोग खेलते हैं। जब कर्ण रणभूमि में आएगा, तो मैं उसका सारथी बन जाऊँगा, और अपने शब्दों से उसके हृदय में निराशा का संचार करता रहूँगा।* "

सिर्फ़ युधिष्ठिर ने इस बात से असहमत होकर अपना सिर हिलाया।

"पितामह किसी अन्य धातु के बने हुए हैं," वह बोला।

वह सत्य कह रहा था। भीष्म ने अपनी युवावस्था में जो वचन दिया था -

कि वह सभी आक्रमणकारियों के विरुद्ध लड़कर हस्तिनापुर के सिंहासन की रक्षा करेंगे - वह उनके हृदय में इतना गहरा बैठा हुआ था जितना बाद में उनके हृदय में जागृत हुआ प्रेम था। और जब (अर्जुन की कुछ विजय-यात्राओं के बाद) दुर्योधन ने उनके ऊपर पांडवों का पक्ष लेने का आरोप लगाया तो उन्होंने इतना भीषण युद्ध किया कि हमारे सैनिक कहने लगे कि उन्होंने पृथ्वी पर मृत्यु के देवता, यम का अवतार ले लिया था। यहाँ तक कि सबसे पराक्रमी योद्धा भी भीष्म के चाँदी के रथ को अपनी ओर आता देख अपना स्थान छोड़कर भाग खड़े हुए - परंतु इससे उनकी रक्षा नहीं हो सकी। (इस धार्मिक युद्ध के नियम अभी से टूटने लगे थे।) भीष्म के क्रोध के सामने प्रतिदिन हमारी सेना क्षीण होती जा रही थी। रोज़ रात्रि को हमारे शिविर में हताशा छा जाती थी जब मेरे पतियों का इस तथ्य से सामना होता था जिसके विषय में उन्होंने सोचा नहीं था : कथाओं में सत्य कहा गया था कि भीष्म अजेय हैं! वह पांडवों का वध नहीं करेंगे, परंतु उन्हें ऐसा करने की आवश्यकता ही नहीं थी। एक बार उनकी सेना का पर्याप्त रूप से विनाश हो गया, तो उनकी पराजय निश्चित थी।

नौंवा दिन - जब व्यास के अनुसार, युद्ध अपने मध्य-बिंदु तक पहुँच चुका था - सबसे बुरा था। इस दिन अर्जुन और भीष्म के बीच घमासान युद्ध हुआ, परंतु अर्जुन उसे हृदय से नहीं लड़ रहा था। कृष्ण के इतना समझाने के बावजूद, वह अपने बचपन की स्मृतियों को भुला नहीं पा रहा था। वह उस व्यक्ति को आहत करने का साहस नहीं कर पा रहा था जिसने उसे गोद में खिलाया था और बचपन के दुख में उसे सँभाला था। यद्यपि, भीष्म के मन में इस तरह की भावनाएँ नहीं थीं। वह अर्जुन पर एक के बाद एक निरंतर तीखे बाण छोड़ते गए जब तक वह लहुलुहान नहीं हो गया। बीच-बीच में वह उन्मत्त उदासीनता के साथ अस्त्र छोड़ते जाते थे जिनसे पूरे के पूरे व्यूह ध्वस्त हो जाते थे। आखिरकार, क्रुद्ध होकर कृष्ण, जिन्हें इस बात का विश्वास हो गया था कि हमारी सेना समाप्त होने वाली थी, अपने रथ से कूदकर नीचे उतर आए और अपना चक्र लेकर भीष्म की ओर दौड़े।

पितामह ने अस्त्र नीचे रख दिए और स्वयं हाथ जोड़कर कृष्ण के समक्ष नतमस्तक हो गए। उनके चेहरे पर मुझे आशा के भाव नहीं लग रहे थे।

"आप क्या मुझे आखिरकार मुक्त करने आए हैं, गोविंद?" भीष्म ने पूछा। "क्या मैंने अपनी चोरी की पर्याप्त कीमत चुका दी है?"

कृष्ण ने अपना चक्र उठा लिया, किंतु अर्जुन ने अपने मित्र को उसकी प्रतिज्ञा की याद दिलाते हुए, अपनी पूरी शक्ति से पकड़ लिया।

“आप मेरे लिए अपनी प्रतिज्ञा मत तोड़िए! यह भयंकर पाप होगा!” वह बोला। “कल मैं एक सच्चे क्षत्रिय की भांति भीष्म का सामना करूँगा - अपना ध्यान वर्तमान क्षण पर रखते हुए अतीत की किसी स्मृति को याद नहीं करूँगा और भविष्य के पश्चाताप पर दुख नहीं करूँगा। मैं यह वचन देता हूँ!”

कृष्ण ने अर्जुन को ऐसा देखा मानो वह उसे पहचानते ही न हों। फिर, धीरे से उन्होंने अपना अस्त्र नीचे कर लिया। अब वह भीष्म से बोले, “हे वसु, आप अपने ही कर्म से बँधे हुए हैं। इसलिए आपकी मुक्ति आपके अपने हाथ में है।”

मैंने बाद में अर्जुन से पूछा कि भीष्म का *चोरी* से क्या तात्पर्य था? मैं उस ईमानदार वृद्ध पुरुष को किसी से ऐसी कोई वस्तु लेने की कल्पना नहीं कर सकती थी जो उनकी अपनी नहीं थी। कृष्ण उन्हें उस विचित्र नाम *वसु* से क्यों पुकार रहे थे? और वह किस कार्य की बात कर रहे थे?

अर्जुन ने कंधे उचकाए। वृद्धजन हमेशा अतीत की रहस्यमयी घटनाओं का उल्लेख करते थे जो सिर्फ़ उनके लिए महत्त्वपूर्ण होती थीं। जहाँ तक कृष्ण का संबंध था, उनकी टिप्पणी के एक अंश को भी समझ पाने के लिए पूरा जीवन चाहिए था। इतना तो मुझे पता ही था!

यद्यपि, मैं उस बात को ऐसे ही नहीं जाने दे सकती थी। यह सिर्फ़ स्त्रियों की, जैसा कि युधिष्ठिर कहता था, कपटपूर्ण उत्सुकता के कारण नहीं था। कथाओं का महत्त्व होता है। जब मैं छोटी थी, तब से इस बात को मानती थी कि कथाओं को समझना और उन्हें भविष्य के लिए सँभालकर रखना आवश्यक होता है जिससे कि हम वही भूल बार-बार न दोहराएँ। मैंने अपने प्रश्न मन में ही रख लिए और उचित अवसर की प्रतीक्षा करने लगी। वह अवसर मेरी अपेक्षा से जल्दी आ गया।

. . .

उस रात देर से, कृष्ण के आग्रह पर, पांडव नंगे सिर भीष्म के शिविर में पहुँचे। उन्होंने पितामह के चरण छुए और उनसे पूछा कि उन्हें किस प्रकार मारा जा सकता था। उन्होंने - करुणा व कुछ राहत के साथ - पांडवों को बता दिया कि उन्हें क्या करना है।

उसके फलस्वरूप, शिखंडी को उसके खुले बालों के साथ अर्जुन के रथ के सामने खड़ा कर दिया गया। उसने भीष्म को युद्ध के लिए ललकारा और भीष्म ने तुरंत अपने अस्त्र यह कहते हुए नीचे रख दिए, अंबा तुम्हें पता है कि मैं तुमसे युद्ध नहीं करूँगा। इसके बाद अर्जुन ने रोते-रोते एक के बाद एक निरंतर तीर छोड़े जो भीष्म के तन को बींधते चले गए। इतना होने पर भी भीष्म ने अपने अस्त्र नहीं

उठाए जिसे देखकर शिखंडी भी अपने चेहरे को अपने हाथों में छिपाए खड़ा रोता रहा।

किस प्रकार भीष्म शर-शय्या पर लेटे रहे, इस विषय में पर्याप्त गीत गाए जा चुके हैं। उस दिन युद्ध कुछ देर के लिए थम गया और दोनों पक्ष एक साथ शोकाकुल हो गए। जब भीष्म ने अपने सिर के लिए सहारा माँगा तो दुर्योधन उनके लिए रेशमी तकिया ले आया जिसे पितामह ने लेने से मना कर दिया। सिर्फ़ अर्जुन को पता था कि उन्हें क्या चाहिए था : उसने धरती में तीन बाण मारकर पितामह के सिर के लिए सहारा तैयार कर दिया और इस पर, इतनी पीड़ा में भी, भीष्म मुस्कराते रहे।

बहुत समय तक भीष्म की मृत्यु नहीं हुई। उन्होंने तय किया था कि जब सूर्य उत्तरायण में प्रवेश करेगा तभी वह अपने प्राणों का त्याग करेंगे और वह भी अपना कर्त्तव्य पूर्ण करने के बाद : युधिष्ठिर को राज्य करने के नियम बताकर, जिन्हें दुर्योधन ने उनसे सीखने से मना कर दिया था। इस बीच, प्रतिदिन उन्हें युद्ध का समाचार दिया जाता था और दोनों पक्ष के योद्धा उनसे सलाह लेने आया करते थे। हंसों के झुंड उनके ऊपर से उड़ते हुए उन्हें मधुर गीत सुनाते जाते थे। लोग कहते थे कि वह हंस वास्तव में छद्म वेश में दिव्यात्माएँ थीं जो स्वर्ग से संदेश लाती थीं। रात्रि में भी, भीष्म से मिलने लोग आते थे। वह उनके पास गुप्त वेश में छिपकर अकेले आते थे और उन्हें वह सब बातें बताते थे जिन्हें अन्य लोगों के समक्ष कहना संभव नहीं था।

मुझे यह कैसे पता? क्योंकि उनमें मैं भी एक थी।

. . .

मैं प्रथम रात्रि में ही भीष्म के पास गई थी, जब चंद्रमा अंगुली के नाखून जितना पतला था और सहसा हवा के झोंके से ज़मीन पर परछाइयाँ तैर जाती थीं। मैं बहुत सावधानी से चुपचाप गई थी - मैं नहीं चाहती थी कि कुंती मुझसे कोई प्रश्न करे क्योंकि वह यही चाहती थी कि मैं उचित संरक्षण के साथ दिन के प्रकाश में भीष्म से मिलने जाऊँ। यद्यपि, इस प्रकार जाने से मैं स्वच्छंद भाव से उनसे बात नहीं कर पाती और वह सब नहीं पूछ पाती जिसे मैंने अनेक वर्षों से अपने हृदय में दबा रखा था : वह भीष्म - जिन्हें अपने सदाचारी होने पर गर्व था, जो मुझे अपनी सर्वप्रिय पौत्री मानते थे और मुझे यह विश्वास दिलाते थे कि उन्हें मेरी चिंता थी - उस दिन दरबार में, जब मेरे साथ वह गंभीर अन्याय हो रहा था और मैंने उन्हें सहायता के लिए पुकारा था, तो भी वह मौन क्यों बैठे रहे?

मैं सुरक्षाकर्मियों की पहुँच से दूर आ जाने के बाद अधिक सहजता से चल पा रही थी। मुझे नहीं लगता था कि मेरा वहाँ किसी से सामना हो जाएगा। दोनों पक्षों के प्रमुख योद्धा, जो दिनभर उनके साथ रहे थे, अब अगले दिन की तैयारी से पहले आराम कर रहे थे - क्योंकि भीष्म के आहत हो जाने के बाद भी युद्ध रुका नहीं था। पितामह की स्थिति को देखते हुए, उन्होंने युद्ध के स्थान को पितामह की शय्या से थोड़ा दूर करके शय्या का स्थान खाली कर दिया था। यद्यपि, वह सड़ रहे शवों की दुर्गंध को छिपा नहीं सके अथवा आहत लोगों की पीड़ा से भरी आवाजों को शांत कर सके। क्या वह आवाजें, अपनी ही पीड़ा में लिपटे भीष्म को विचलित कर रही थीं? क्या उन्हें इस बात की ग्लानि थी कि उनके कारण इतना विनाश हो रहा था? अथवा क्या वह उनके कर्त्तव्य का माधुर्यहीन परिणाम था, असली ईश्वर के लिए सहन की गई थोड़ी-सी बुराई?

. . .

यह मानना की भीष्म के पास कोई नहीं होगा, मेरी भूल थी। एक पुरुष उनके पास घुटनों के बल बैठा हुआ था। मैंने पितामह को कहते सुना - वह अत्यंत दुर्बल लग रहे थे - "यह कौन है जिसके आँसू मुझे मेरे घावों से अधिक पीड़ित कर रहे हैं?" मैंने झाड़ियों के पीछे झुककर उस व्यक्ति को रुँधे कंठ से बोलते सुना। "मैं कर्ण हूँ। मैं आपसे अपने उन कर्मों के लिए क्षमा माँगने आया हूँ, पितामह जिनके कारण मैंने आपको नाराज़ किया है।"

मैं अपनी श्वास थामे, अपने अविवेक पर खेद महसूस कर रही थी। यदि कर्ण ने मुझे देख लिया तो वह ऐसे नाज़ुक अवसर पर पकड़े जाने के लिए मेरे साथ भद्दा व्यवहार कर सकता था। वह प्रतिकार स्वरूप क्या नहीं कर सकता था? मुझे संदेह था कि इतना सब हो जाने के बाद भी उसके हृदय में मेरे लिए कोमलता थी, बल्कि अपनी शिकारी प्रवृत्ति के कारण वह तुरंत भाँप जाता कि मेरे पतियों को नीचा दिखाने के लिए मेरा अपमान करना सर्वश्रेष्ठ तरीका था - और वह ऐसा ही करता। मैंने अपने आवेगपूर्ण व्यवहार के कारण पांडवों के लिए यह कैसी नई परेशानी खड़ी कर दी थी?

मुझे वहाँ से चुपचाप निकल जाना चाहिए था, किंतु मैं जाल में फँसे पक्षी की भांति हो गई थी। इस जाल के तंतु उत्सुकता व अवज्ञाकारी हृदय के बने हुए थे।

भीष्म ने अपना हाथ कर्ण की ओर बढ़ाया। मैंने देखा उनकी अंगुलियाँ काँप रही थी। भीष्म की श्वास ऐसे सुनाई दे रही थी मानो कोई पुराने वस्त्र को पतली पट्टी फाड़ रहा था। उन्होंने कहा, "मैं तुमसे कभी सचमुच नाराज़ नहीं

था। मैंने सदा तुम्हारे भले के लिए तुम्हें डाँटा - क्योंकि तुम दुर्योधन की अनुचित महत्त्वाकांक्षाओं को बढ़ावा देते रहे। मैं अपने पौत्र से नाराज़ कैसे हो सकता हूँ?"

जब कर्ण ने भीष्म को पितामह कहकर पुकारा तो मुझे आश्चर्य नहीं हुआ। उनको सभी इसी नाम से पुकारते थे, परंतु उनका उत्तर शिष्टाचार से कुछ अधिक लग रहा था। जब मैंने भीष्म के उत्तर का आशय समझने का प्रयास किया तो मेरे हृदय को आघात लगा।

कर्ण ने झटके से ऊपर देखा। "आपको पता था? आप जानते थे कि पांडव मेरे भाई हैं? जब कुंती ने मुझे बताया तो क्या यह बात उन्होंने आपको भी बताई थी?"

इस आघात से मेरा सिर घूमने लगा। कर्ण? मेरे पतियों का भाई? मेरा मस्तिष्क उसके शब्दों को समझने का प्रयास कर रहा था - वह ऐसे शब्द थे जो उसके प्रति मेरी समस्त भावनाओं को बदल सकते थे। असंभव, मैंने स्वयं से कहा। फिर मुझे कर्ण और कुंती वाला वह स्वप्न याद आ गया।

सहसा वह सब बातें जो मेरे लिए पहेली बनी हुई थीं, अपने आप सुलझने लगीं।

भीष्म ने कहा, "मुझे यह बात उससे भी पहले से पता थी। व्यास ने मुझे यह बताया था - किंतु इस शर्त पर कि मैं चुप रहूँगा। उसके बाद से कितनी ही बार मेरे मन में आया कि काश, मैंने लापरवाही से वह प्रतिज्ञा न की होती! परंतु तुम मुझे जानते हो। एक बार मैंने जो प्रतिज्ञा कर ली, मैं उसे तोड़ नहीं सकता। तुम इसे मेरा सामर्थ्य कहो अथवा कमज़ोरी।"

कर्ण बिना खुशी के मुस्करा दिया। "मुझे पता है। मेरी भी यही समस्या है।" फिर उसका स्वर गंभीर हो गया। "कुंती ने मुझे बताया कि उसने मुझे बहुत कम उम्र में ही प्राप्त कर लिया था। उत्सुकतावश उसने दुर्वासा के वरदान को परखने के लिए सूर्यदेव को नीचे बुला लिया था। उन्होंने मुझे कुंती को उपहार स्वरूप प्रदान किया - किंतु जब मेरा जन्म हुआ तो वह डर गई कि लोग क्या कहेंगे।" उसने क्रोधावेश में अपनी अंगुलियाँ अपने बालों में फेरीं। "मैं समझ सकता हूँ कि उसे कैसा लगा होगा। मैं उसे दोष नहीं देता - नहीं, दोष तो देता हूँ! उसने मुझे ऐसे कैसे फेंक दिया, अपने बच्चे को, अपनी पहली संतान को? किंतु उससे भी बुरा यह हुआ कि जब उसने मुझे दोबारा हस्तिनापुर में देखा तो उसने मुझे बार-बार कष्ट और जारजपन का अपमान क्यों झेलने दिया?" उसका स्वर भावुक हो गया - मैं जिसे सुन रही थी वह कोई नया कर्ण था, इतना पीड़ित, अपने आत्म-नियंत्रण पर गर्व करने वाले उस पुरुष से इतना भिन्न। उस एक क्षण में मैंने, उसके द्वारा दुख में

अब तक किए गए समस्त दुष्कर्मों के लिए क्षमा कर दिया। "उसे वह सत्य मुझे गुप्त रूप से बता देना चाहिए था - मैं उसे अपने तक ही रखती, जैसे मैंने अभी रखा हुआ है। इससे प्रत्येक बात पर बहुत अधिक अंतर पड़ सकता था। इससे मैं वह ख़तरनाक भूलें नहीं करती जो मुझे आजीवन परेशान करती आई हैं। ओह, मेरी माँ ने मुझ पर विश्वास क्यों नहीं किया?"

अत्यंत कठिनाई के साथ भीष्म ने अपना काँपता हुआ हाथ कर्ण के सिर पर रखा। "मेरी भी इच्छा थी कि काश, कुंती में इतना साहस होता। उससे यह युद्ध रोका जा सकता था। तुम्हें याद है, जब युधिष्ठिर ने सिर्फ़ पाँच गाँव माँगे थे और कहा कि वह उतने से ही संतुष्ट हो जाएगा? यदि तुम्हें अपने जन्म का रहस्य पता होता तो तुमने दुर्योधन को उसे स्वीकार करने के लिए समझाया होता। तुम्हारे प्रति स्नेह एवं सम्मान के कारण दुर्योधन तुम्हारी बात अवश्य मान लेता। इस युद्ध में पहले ही कितने लोग मारे जा चुके हैं किंतु मुझे डर है कि उनकी पीड़ा उस दुख की तुलना में कुछ भी नहीं जिसका सामना तुम सभी को अभी करना है।"

"मैं पीड़ा से नहीं डरता," कर्ण ने कहा। "क्या मेरा जीवन एक के बाद एक पीड़ा से भरा हुआ नहीं रहा है? मुझे सबसे अधिक दुख इस बात का है कि हस्तिनापुर में हुई उस प्रतियोगिता के बाद से मैंने अपने ही भाइयों से कितनी घृणा की है। मैंने अकेले बिताए बचपन के दौरान हमेशा चाहा कि मुझे भी अपने प्रियजनों से प्रेम और दुलार मिलता! और द्रौपदी! मेरे छोटे भाइयों की पत्नी, जो हमारे शास्त्रों के अनुसार मेरी पुत्री के समान है - उसे मैंने भरे दरबार में अपमानित किया। मुझे पता था कि दुर्योधन और शकुनि क्या योजना बना रहे हैं। शिष्टाचार के नाते मुझे उन्हें रोकना चाहिए था, परंतु चूंकि मैं उस पर क्रोधित था, मैंने दुःशासन को उसके वस्त्र उतारने के लिए उकसाया! मैं..." उसका स्वर खंडित हो गया। "मैंने कितना लज्जाजनक कार्य किया है! रणभूमि में सबसे गौरवशाली मृत्यु भी उसकी क्षतिपूर्ति नहीं कर सकती।"

"प्रारब्ध क्रूर होता है," भीष्म ने धीरे से कहा, "और तुम्हारे साथ वह सामान्य से अधिक क्रूर रहा है, परंतु जो पाप तुमने अज्ञानतावश किए हैं उनमें तुम्हारा कोई दोष नहीं है।"

"मुझे उनका फल तो फिर भी भोगना ही होगा," कर्ण बोला, "कर्म का सिद्धांत तो ऐसे ही काम करता है न? पांडु को देखिए, जिन्होंने भूल से ऋषि को वन्य हिरण समझकर मार दिया था, उनके साथ क्या हुआ। उन्हें शेष जीवन उसका परिणाम भुगतना पड़ा।"

खाँसी के खुटके ने भीष्म को हिला दिया। फिर उन्होंने कठिनाई से बोलना आरंभ किया। "अब भी देर नहीं हुई है। अपने भाइयों का साथ दो। मैं उन्हें जानता हूँ - वह तुम्हारा स्वागत करेंगे और तुम्हें अपने ज्येष्ठ भाई होने का सम्मान भी देंगे।"

कर्ण ने सिर हिला दिया। "नहीं। जब आचार्य कृप ने मुझे अपमानित करके यह घोषणा की थी कि मैं प्रतियोगिता में भाग नहीं ले सकता और दुर्योधन ने मुझे राज्य प्रदान करके अपमानित होने से बचाया था, तभी बहुत देर हो गई थी। दुर्योधन ने ऐसी घड़ी में मेरा साथ दिया जब सभी मेरे विरुद्ध हो गए थे। मैंने उसका नमक खाया है। अब मैं उसे अकेला नहीं छोड़ सकता।"

भीष्म ने लंबी, गहरी श्वास ली। मुझे पता था कि वह कुछ महत्त्वपूर्ण कहने की तैयारी कर रहे थे। "तुमने अनेक बार उसका ऋण चुकाया है। तुमने उसके शत्रुओं के साथ युद्ध किया है, उसके लिए संपत्ति जीती है, उसके राज्य की सीमाओं को विस्तार दिया है। शायद उसे छोड़कर तुम उसकी सबसे बड़ी सेवा करोगे। तुम्हारे बिना दुर्योधन युद्ध को जारी रखने का साहस नहीं कर सकता। वह युद्ध को समाप्त करने के लिए बाध्य हो जाएगा, परंतु यदि तुम उसको सहयोग देते रहोगे तो उसकी - और उसके सभी समर्थकों की - मृत्यु निश्चित है।"

"दुर्योधन मर जाएगा लेकिन पराजय स्वीकार नहीं करेगा," कर्ण ने कहा, "वह रणभूमि पर मरने से नहीं डरता - और न ही मैं डरता हूँ, बल्कि मैं ऐसी मृत्यु का स्वागत करूँगा। इससे मेरे मस्तिष्क के भीतर चल रही सतत पीड़ा का अंत हो जाएगा। इससे मुझे उस जीवन से मुक्त होने का गौरवशाली अवसर मिलेगा, जिससे मैं तंग आ चुका हूँ, जहाँ सब कुछ ग़लत हो रहा है, जहाँ मुझे वह कभी नहीं मिलेगा जिसकी मुझे इच्छा रही है।

"जहाँ तक दुर्योधन का ऋण चुकाने का प्रश्न है, तो नमक का ऋण सिर्फ़ रक्त देकर चुकाया जा सकता है। आपसे बेहतर यह कौन जानता है! क्या यही कारण नहीं कि आपने भी उसकी ओर से युद्ध किया जबकि आप पांडवों को अधिक चाहते थे और जानते थे कि उनका उद्देश्य न्यायसंगत है? इसीलिए, यह जानते हुए भी कि उसका विनाश निश्चित है - नहीं, इसी कारण - मुझे अपने भाइयों के विरुद्ध उसका साथ देना होगा।"

भीष्म ने आह भरी। "तो फिर जाओ पौत्र, अपना कर्त्तव्य निभाओ और गौरवशाली मृत्यु का वरण करो। जब उचित समय आएगा, तो हम स्वर्ग में मिलेंगे।"

परंतु कर्ण नहीं गया। उसने भीष्म का सिर अपने हाथों में लिया और आगे

झुक गया। "परंतु इससे भी बुरा यह है कि जो मुझे पता है, वह जानते हुए भी, मैं उसे चाहता हूँ! मैंने स्वयंवर में जो उसका दमकता हुआ अभिमानी चेहरा देखा था, उसे मैं भुला नहीं सकता - आह, कितने वर्ष बीत गए?"

वह मेरे विषय में कह रहा था! मैं सोच भी नहीं सकती थी कि वह यह बात बोल देगा। मेरे हाथ काँपने लगे। मैंने उन्हें काँपने से रोकने के लिए कसकर बंद कर लिया और उसकी बात को ठीक से सुनने के लिए अपनी श्वास रोक ली।

"जब उसने अपनी ठुड्डी ऊपर की," वह बोलता रहा, "तो उसकी लंबी गर्दन। उसके सुंदर भरे हुए होंठ। उसका वक्ष स्थल किस प्रकार उत्तेजना के कारण ऊपर नीचे हो रहा था। इतने वर्षों तक मैं स्वयं को यही कहता रहा कि उसने मेरा जितना अपमान किया उतना कभी किसी ने नहीं किया और यह कि इसके लिए मैं उससे अत्यधिक घृणा करता हूँ। यह कि मैं प्रतिशोध लेना चाहता था, परंतु स्वयं से झूठ बोलता। जब दुःशासन ने उसकी साड़ी खींचना आरंभ किया तो मुझसे सहन नहीं हो रहा था। मैं दुःशासन को धक्का देकर गिरा देना चाहता था और द्रौपदी को वहाँ उपस्थित लोगों की नज़र से बचाना चाहता था। जब बारह वर्ष वह वन में रही, तो उसकी असुविधा के विषय में सोचते हुए मैं भी ज़मीन पर सोया। कितनी ही बार मैंने विचार किया कि मैं उसके पास जाऊँ और मेरे साथ चलने, मेरी रानी बनने के लिए याचना करूँ, परंतु मैं जानता था कि वह सब व्यर्थ था। वह अपने पतियों के प्रति पूरी तरह निष्ठावान थी। मेरी बात से उसके भीतर सिर्फ़ घृणा जागृत हो जाती।

"जब कुंती ने मुझसे कहा कि यदि मैं उसके पुत्रों के साथ आ गया तो युधिष्ठिर के स्थान पर मैं राजा बन जाऊँगा, तो भी मैं इस प्रलोभन में नहीं आया, परंतु जब उसने अपना अंतिम अस्त्र प्रयोग किया और यह कहा कि उसका पुत्र होने के नाते मैं भी पांचाली का पति बन जाऊँगा - मैं अपनी प्रतिष्ठा, अपना सम्मान, अपना सर्वस्व खोने के लिए तैयार हो गया था! मुझे मौन रहने के लिए अपनी समस्त इच्छा शक्ति का उपयोग करना पड़ा था!"

मेरा हृदय इतनी ज़ोर से धड़क रहा था कि मुझे लगा कि कर्ण उसकी आवाज सुन लेगा। मेरे दिमाग़ का एक भाग कुंती पर क्रुद्ध था। उसका इतना साहस कैसे हुआ कि वह मुझे कर्ण को सौंप दे मानो मैं कोई दासी हूँ! साथ ही मुझे कर्ण का उत्तर सुनकर हर्ष हो रहा था। क्या यही वह बात नहीं थी जो मैं जीवन भर चाहती रही, कि मुझे यह पता लग सके कि वह अपनी इच्छा के विरुद्ध भी मेरी ओर आकर्षित था? यह कि अपने तिरस्कारपूर्ण बाह्य आवरण के नीचे वह मेरे लिए

अत्यंत मृदु भाव रखता था? तो फिर इन शब्दों को सुनकर मेरे ऊपर दुख का पहाड़ क्यों टूट पड़ा था?

भीष्म मौन थे। क्या वह भी मेरी तरह कर्ण की इस स्वीकृति से स्तब्ध हो गए थे? अंत में वह बोले, "परंतु पौत्र, तुम फिर भी चुप रहे। कोई व्यक्ति अपने विचारों को नियंत्रित नहीं कर सकता - किंतु तुमने अपनी पसंद की स्त्री के लिए अपने सिद्धांतों का त्याग नहीं किया। मैं तो इतना भी नहीं कर सका।"

इसके बाद, कर्ण को सांत्वना देने के लिए उन्होंने उसे एक अंतिम वस्तु दी। उन्होंने कर्ण को अपनी पूर्वजन्म की कथा सुनाई जब वह एक वसु थे : आठ वसुओं में, प्रभास नामक सबसे छोटे व सबसे निर्विवेक वसु।

. . .

प्रभास की नई पत्नी को एक गाय चाहिए थी। उसने कहा कि यदि प्रभास सचमुच उसकी चिंता करता था, तो वह उसे यह छोटा-सा उपहार देने से मना नहीं करेगा। प्रभास ने बहुत प्रयास किया किंतु वह नहीं मानी। उसने हठ कर लिया और रूठकर बैठ गई।

जो गाय उसने पसंद की थी, वह कोई साधारण गाय नहीं थी। वह महर्षि वशिष्ठ की कामधेनु गाय थी जो व्यक्ति की सभी इच्छाएँ पूरी कर सकती थी। एक बार जब वसु पृथ्वी पर मनुष्यों का रहन-सहन देखने नीचे आए थे तब प्रभास की पत्नी ने वह सुंदर गाय देखी थी।

प्रभास जानता था कि महर्षि उसे वह मूल्यवान गाय न तो भेंट करेंगे और न ही बेचेंगे। उसे चुराना ही एकमात्र तरीका था। ऐसा करने से बहुत बड़ी परेशानी खड़ी हो सकती थी, परंतु वसु पत्नी से प्रेम करता था। अपने सात भाइयों के अनिच्छापूर्ण सहयोग से प्रभास ने वह गाय चुरा ली।

ध्यान की अवस्था में वशिष्ठ को इस घटना का पता लग गया। क्रोध में उन्होंने आठों वसुओं को शाप दे डाला। *तुम सभी को मर्त्यलोक में मनुष के रूप में जन्म लेना होगा और वहाँ के समस्त कष्ट भोगने पड़ेंगे।* जब उन्होंने महर्षि के चरणों में गिरकर उनसे क्षमा माँगी तो उन्होंने सात वसुओं पर तो दया कर दी। उन्हें जन्म तो लेना पड़ेगा किंतु जन्म के साथ ही उनकी माता उन्हें पानी में डुबो देगी जिससे वह मुक्त होकर फिर से अपनी दिव्य योनि में वापस आ जाएँगे, परंतु प्रभास को अनेक वर्ष पृथ्वी पर रहकर अनेक प्रकार के कष्ट झेलने होंगे। चूंकि वह अन्य तपस्वियों की तुलना में अधिक सहृदय थे, वशिष्ठ ने प्रभास को एक वरदान भी दिया : वह महानायक बनेगा, एक महान योद्धा जिससे सभी लोग भयभीत रहेंगे।

"जैसा कि तुम देख सकते हो," भीष्म ने अपनी बात समाप्त करते हुए कहा, "मैंने तुमसे भी अधिक बुरा कार्य किया था - और मुझे उसका दंड मिला। यद्यपि, मैंने अपने अनुभव से सीखा है। अपने इस जीवन में मैंने कभी किसी स्त्री पर विश्वास नहीं किया। मैं यथासंभव उनसे दूर रहा। इसके बावजूद एक स्त्री मेरे पतन का कारण बनी! इस वृद्ध पुरुष की सलाह मान लो : द्रौपदी को अपने दिमाग़ से निकाल दो और युद्ध पर ध्यान दो।"

. . .

जब कर्ण भीष्म के चरण स्पर्श करके वहाँ से जाने के लिए उठा, तो उसका चेहरा फिर से दृढ़ हो गया था। शायद कथाओं का यही चमत्कार होता है। यह हमें विश्वास दिलाती हैं कि भूल करने अथवा कष्ट सहने वाले हम अकेले नहीं हैं।

"पितामह," उसने औपचारिक ढंग से कहा, "इस उदारता के लिए धन्यवाद हालांकि मैं इसका अधिकारी नहीं हूँ। इस कारण मैं आपसे एक अंतिम अनुरोध करना चाहता हूँ। मेरी मृत्यु के बाद या पहले - किसी से मेरे जन्म का रहस्य मत कहिएगा। मैं अपने भाइयों को भ्रातृ हत्या के दुख की पीड़ा नहीं देना चाहता और सबसे महत्त्वपूर्ण है कि मैं नहीं चाहता कि *वह* मुझ पर दया दिखाएँ।"

"मैं देख सकता हूँ कि तुम द्रौपदी को भुला नहीं सकते," भीष्म ने कहा। "तुम्हारे इस रहस्य का ज्ञाता सिर्फ़ मैं ही नहीं हूँ, किंतु मैं तुम्हें वचन देता हूँ। यद्यपि, एक अपवाद है : तुम्हारी मृत्यु के बाद, मुझे दुर्योधन को सत्य बताना पड़ेगा। वह अत्यंत स्वार्थी है, इसलिए उसे यह जानना चाहिए कि तुम्हारी मित्रता कितना गहरी थी और तुम्हारा बलिदान कितना पीड़ादायक था। शायद इससे उसका कुछ भला हो सके, किंतु मैं इस बात का ध्यान रखूँगा कि वह किसी अन्य व्यक्ति को यह बात न बताए। अब जाओ - सूर्योदय होने वाला है और फिर युद्ध आरंभ हो जाएगा। तुम्हें आराम की आवश्यकता है।"

कर्ण के जाने के बाद मैंने भीष्म से बात नहीं की। मेरा प्रश्न - जो आखिर एक ऐसी घटना के विषय में था जो हो चुकी थी - कर्ण की वर्तमान दुविधा की तुलना में अत्यंत क्षुद्र था, परंतु उससे अधिक महत्त्वपूर्ण यह था कि मेरा संपूर्ण शरीर कर्ण द्वारा उद्घाटित किए गए रहस्यों से काँप रहा था। एक हलके-से आघात से भी मैं टूट सकती थी।

मुझे लगता है कि भीष्म को मेरी उपस्थिति का पता लग गया था, किंतु उन्होंने मुझे पुकारा नहीं। शायद वह मुझे छिपकर बात सुनने से होने वाली लज्जा से बचाना चाहते थे। शायद उन्हें मेरी वर्जित भावनाओं का भी पता लग गया था।

शायद मेरी तरह उनका मस्तिष्क भी कर्ण की चुनौती के विषय में विचार कर रहा था : कल युद्ध में अपने भाइयों का सामना करना और उनकी आँखों में अनभिज्ञता की घृणा को देखना। शायद, जैसे-जैसे उनका अंत समय निकट आ रहा था, वह पुरुषों - तथा स्त्रियों - के जटिल मामलों से तंग आ चुके थे और सिर्फ़ शांति चाहते थे।

मैंने काँटेदार झाड़ी की ओट में स्वयं को कसकर समेट रखा था और मैं अपने धूल-भरे उलझे बालों में अपना चेहरा छिपाए उन दोनों के लिए रो रही थी, जो अपनी-अपनी जल्दी में व लापरवाही से ली गई प्रतिज्ञाओं से बँधे हुए थे। स्वयं से अथवा किसी अन्य व्यक्ति को दिया कोई वचन किस तरह व्यक्ति के जीवन को निष्क्रिय बना सकता है! उनके गर्व ने किस प्रकार उन्हें अपनी भूल को स्वीकार करने से रोका हुआ था और फलस्वरूप उस खुशी से वंचित कर रखा था जो अन्यथा उनकी हो सकती थी।

कुछ देर बाद, मुझे समझ में आया कि मैं स्वयं के लिए और प्रतिशोध की उस घातक प्रतिज्ञा के लिए भी रो रही थी जिसने पांडवों व कौरवों को शत्रुता की अवस्थिति में क़ैद कर दिया था।

. . .

मैं जानती थी कि जो मुझे पता लगा था वह मुझे अपने तक ही रखना था, किंतु यह कठिन था। मैं पूरे दिन पहाड़ी के ऊपर कुंती से दूर रही, किंतु शाम को जब मैं उसके सामने आई तो मेरा हृदय क्रोध से ऊपर नीचे हो रहा था। मैं उसे घूर रही थी।

यही वह स्त्री थी जिसने अपनी प्रतिष्ठा बचाए रखने के लिए एक असहाय बालक को अर्द्धरात्रि में पानी पर तैरता छोड़ दिया था, जहाँ से कर्ण के दुखों का आरंभ हुआ था। जब कुंती ने उसे युवावस्था में देखा तो उसने वह रहस्य फिर छिपा लिया और कर्ण की कीमत पर स्वयं की रक्षा कर ली। और अब भी, उसने यह बात कर्ण को उसके प्रति चिंता के कारण नहीं, अपितु अपने पुत्रों को बचाने के लिए कही थी। इसीलिए उसने कर्ण को पांडवों के साथ आने के लिए कहा। कर्ण को और अधिक उत्साहित करने के लिए, कुंती ने मुझे उसे पुरस्कार के रूप में प्रस्तुत कर दिया! क्या उसकी चालाकियों का कोई अंत नहीं था?

मेरा कुछ क्रोध अवश्य मेरी आँखों में झलक रहा होगा क्योंकि कुंती ने मुझसे कठोरता के साथ पूछा कि क्या मैं किसी बात से व्याकुल थी।

"मुझे पता है कि तुम्हारे लिए प्रतिदिन उस पहाड़ी पर चढ़कर जाना होगा, किंतु नहीं! तुम्हें सदा दूसरों से भिन्न कुछ न कुछ करना होता है। तुम्हें कल हमारे

साथ शिविर में ही रहना चाहिए। तुम जानती हो कि तुम अब उतनी युवा नहीं हो।"

"मैं ठीक हूँ," मैंने बिना बात बढ़ाए संक्षेप में कहा क्योंकि मुझे स्वयं पर अधिक भरोसा नहीं था।

"उस रात्रि, सारी बातें कर्ण के विषय में होती रहीं। युधिष्ठिर ने घोषणा कर दी कि भीष्म के घायल हो जाने के बाद कर्ण युद्ध में आ चुका था, परंतु उसने सेनापति बनने का दुर्योधन का आग्रह अस्वीकार कर दिया था!"

मैंने जल्दी से कुंती की ओर देखा। उसके चेहरे पर निराशा, राहत और गर्व के भाव तेज़ी से आ रहे थे और फिर अंत में उस पर सामान्य विरक्त भाव आ गए।

मैंने यथासंभव सामान्य होकर पूछा, "वह ऐसा क्यों करेगा?"

"उसने कहा कि वरिष्ठ नेतृत्व पर द्रोण का अधिकार था," भीम ने उत्तर दिया। "मैं - मैं तो इतना उदार होकर गौरव का यह एक - एक अवसर नहीं खो सकता। कौन जाने वह और कितने दिन जीवित रहेगा?"

अर्जुन शाम से ही मौन था - मुझे लगा कि वह भीष्म का विचार नहीं त्याग पा रहा था। यद्यपि, इस अवसर पर उसने चिल्लाकर कहा कि वह कर्ण के साथ युद्ध करने और उसका वध करने के लिए और अधिक प्रतीक्षा नहीं कर सकता था।

तुरंत बाद, कुंती अपना भोजन समाप्त किए बिना ही अपने शिविर में यह कहकर लौट गई कि आर्द्र वातावरण से उसके जोड़ों में दर्द हो रहा था। वहाँ से जाते समय वह सहसा बहुत दुर्बल दिखाई दे रही थी।

मेरा कुछ क्रोध ठंडा हो गया। मुझे कर्ण की अज्ञात माँ के प्रति अपने बचपन के करुणा के भाव याद आ गए। जब कुंती ने कर्ण को जन्म दिया तो उम्र कम थी और वह भयभीत थी और किसी को कुछ नहीं बता सकती थी। उसके स्थान पर यदि मैं होती तो क्या कुछ बेहतर कर सकती थी? उसने कर्ण को पीड़ा पहुँचाई थी, हाँ, किंतु उसने क्या स्वयं भी वही पीड़ा नहीं भोगी थी? और अब बहुत देर हो चुकी थी। यदि वह युधिष्ठिर को उसके बड़े भाई के विषय में बताती तो निश्चय ही, बहुत दुखी हो जाता। जिस प्रकार का उसका स्वभाव था, उसके अनुसार वह भ्रातृ हत्या करने की अपेक्षा युद्ध ही छोड़ देता। इसलिए, अब यह जानते हुए कि वह स्वयं इस युद्ध के लिए उत्तरदायी थी, कुंती को अपने पुत्रों को एक-दूसरे का वध करते हुए देखना ही होगा। यही कारण था कि उसने इस विध्वंस को रोकने के लिए अंतिम उपाय के रूप में मेरी बलि देने का भी प्रयास किया था।

मुझे याद था कि मेरे स्वप्न में किस प्रकार रोते हुए कर्ण ने कुंती को उठाकर उसके हाथों को चूमा था। यदि कर्ण - जो कुंती के भय का प्राथमिक शिकार बना

था - कुंती को क्षमा कर सकता था, तो क्या मुझे ऐसा करने का प्रयास भी नहीं करना चाहिए?

मैं उसके पीछे गई और देखा कि वह मुँह नीचे करके अपनी शय्या पर लेटी हुई थी। वह रो रही थी। मेरी आवाज सुनकर, उसने जल्दी से अपने आँसू पोंछे और मेरी ओर देखा।

"तुम्हें क्या चाहिए?" उसने पलटकर पूछा।

पहली बार, खीज भरी कठोरता के स्थान पर, मुझे अहं के नीचे दबी हुई असुरक्षा सुनाई पड़ी। मैंने उससे कहा कि मेरे पास हल्दी और शल्लकी का बना मरहम था जो जोड़ों के दर्द में अत्यंत लाभकारी था। क्या वह मरहम मैं उसके लिए लेकर आऊँ? उसने मुझे संदेह की दृष्टि से देखा, किंतु फिर हामी भर दी और इस प्रकार, पहली बार मैं उनकी पुत्र-वधु बन सकी - मैंने उसके लिए कुछ ऐसा किया जो उसने करने के लिए नहीं कहा था। मैं उसके पैरों की मालिश करती रही और कुछ देर में वह सो गई। उसकी पेशियाँ मेरी अंगुलियों के स्पर्श से शिथिल हो गई थीं। किसी अवर्णनीय परासरण के द्वारा कुंती का रहस्य अब मेरा रहस्य बन गया था। मुझे भी अब उसकी रक्षा करनी थी।

शायद मरहम की गंध से मैं भी बेहोशी-सी अवस्था में चली गई थी क्योंकि जिस बीच मैं अपने हाथ आगे-पीछे हिला रही थी, उस दौरान मुझे रात्रि के समय आकाश में एक विशाल जाल लटकता हुआ दिख रहा था जिसके चमकदार तंतु हमारे वर्तमान स्वभाव तथा पूर्व कर्मों से बुने हुए थे। मेरी तरह कर्ण भी उसमें फँसा हुआ था। अन्य लोग भी उसमें उलझे हुए थे : कुंती, मेरे पति, भीष्म और यहाँ तक कि दुर्योधन व दुःशासन भी थे। यदि उस जाल में से निकलने का कोई मार्ग था तो वह मुझे दिखाई नहीं दे रहा था। हमारे क्षुद्र संघर्ष हमें उस जाल में और उलझाते जा रहे थे। हवा के साथ सब लोगों को हिलते-डुलते देखकर मेरे भीतर एक विचित्र करुणा का भाव जाग उठा।

इस करुणा के भाव की बहुमूल्यता समझते हुए मैंने इसे पकड़े रखने का प्रयास किया, किंतु जैसे ही मैं उसे पकड़ने के लिए आगे बढ़ी, वह ढेर में गायब हो गया। किसी भी रहस्योद्घाटन को शांत व शुद्ध मन के अभाव में सहन नहीं किया जा सकता और मुझे डर था कि मेरे पास वैसा मन नहीं था।

# 35

## हिमस्खलन

अब युद्ध के दानव पर सवार होने की द्रोण की बारी थी। द्रोण पर मुझे पितामह से कम विश्वास था। द्रोण को विजय के तरीकों से अधिक विजय पाने की चिंता थी। उनके नेतृत्व में कौरवों के व्यवहार में परिवर्तन हुआ था। भीष्म की अपनी कमियाँ थीं क्योंकि वह हठी और तानाशाह थे, परंतु उन्होंने मूल्यों के साथ कभी समझौता नहीं किया। उन्होंने सदाचार का पालन किया और अपनी सेना से भी वह ऐसा ही करने की अपेक्षा रखते थे - और लोग उनकी आज्ञा का, स्नेहवश नहीं तो भय से, पालन करते थे। अब भीष्म की पैनी दृष्टि की अनुपस्थिति में, कौरवों के मूल्यों का क्षरण होने लगा। जैसे-जैसे एक हिमस्खलन की गूँज से अन्य हिमस्खलन का आरंभ होने लगा, दुर्योधन के कृत्यों का हमारी सेना पर प्रभाव पड़ने लगा था।

द्रोण अब भी एक भयानक योद्धा थे, किंतु उनके ऊपर आयु का प्रभाव भीष्म की तुलना में अधिक हो गया था। अपने भीतर वह जानते थे कि भीष्म प्रतिज्ञाबद्ध थे, किंतु वह स्वयं अपनी इच्छा से युद्ध कर रहे थे। इससे उनकी निश्चिंतता कुछ हद तक कम हो गई थी। उन्हें कुछ अतिरिक्त कठोर होकर इसकी क्षतिपूर्ति करनी होगी।

उनके पहले दिन, जब वह सैनिकों को ताने मारकर परेशान कर रहे थे, तो इसे देखकर मेरा मन उनका मस्तिष्क पढ़ने का हुआ, जहाँ सबसे संदिग्ध व्यक्ति भी सत्य से भाग नहीं सकता। वह सोच रहे थे कि वह चाहते तो बहुत पहले कौरवों का पक्ष छोड़कर अपने तपस्वी जीवन में लौट सकते थे। वास्तव में, ब्राह्मण होने के नाते, उन्हें राजकुमारों की शिक्षा पूर्ण होने तथा उसके बदले अपना प्रतिशोध पूरा हो जाने के बाद ही ऐसा कर लेना चाहिए था। किस प्रलोभन ने उन्हें रोक लिया? क्या वह प्रतिष्ठा थी? अपने आश्रम में, उन्हें भुला दिया जाता किंतु दरबार में वह

नेत्रहीन राजा के पास बैठते थे और उनका आसन पितामह के प्रतिष्ठित आसन के बाद लगता था। क्या उसका कारण वह शानदार वेतन था जो उन्हें सैन्य परामर्श के बदले में दिया जाता था? नहीं। धन व कीर्ति का सुख उनके लिए बहुत समय पहले फीका पड़ चुका था। उसका कारण प्रेम का धूर्त बंधन था जिसने उन्हें निश्चल कर दिया था।

द्रोण का एकमात्र पुत्र अश्वत्थामा, दुर्योधन के दल में सम्मिलित हो गया था और राजकुमार की भांति उसे भी ठाठ-बाट से रहने की आदत हो गई थी। अश्वत्थामा जिसके, एक गिलास दूध के लिए गिरे अश्रुओं ने इस नाटक के प्रथम भाग को गति दी थी, के विषय में सोचते हुए द्रोण ने एक गहरी श्वास ली। वह क्रोधी व शिकायतों से भरा युवा अश्वत्थामा, जिसने उस समय दुर्योधन का पक्ष ले लिया जब दुर्योधन ने द्रोण पर अर्जुन के साथ पक्षपात करने का आरोप लगाया था। वह कटु भाव से चिल्लाया था, कि आप मुझसे अधिक अर्जुन का ध्यान रखते हैं। अस्त्र-शस्त्रों में निपुण द्रोण, उसे शब्दों में यह नहीं समझा सके थे कि उन्होंने अब तक जो कुछ भी किया था, जो भी समझौते किए थे, वह सब सिर्फ़ अश्वत्थामा के प्रति उनके स्नेह के कारण ही किए थे। एक बार जब द्रोण ने दरबार का कार्य त्यागने की बात कही थी तो अश्वत्थामा अविश्वास व तिरस्कारपूर्ण ढंग से हँसा था। आप चाहते हैं कि मैं अपने सब मित्रों को छोड़कर आपके साथ पिछड़े हुए क्षेत्र के किसी गाँव में रहने लगूँ? द्रोण, जिन्हें इस संसार की समझ अपने पुत्र से अधिक थी, जानते थे कि दरबार में उनकी उपस्थिति और राजा के सलाहकार के रूप में उनकी शक्ति अश्वत्थामा की लोकप्रियता का प्रमुख कारण था। इसलिए, अपने पुत्र के लिए वह स्वयं से, एक वर्ष और, एक वर्ष और, कहते हुए मौन रह गए। आखिर वह दिन आ गया जब द्रोण ने स्वयं को एक रक्तिम सरोवर के किनारे रौंदे हुए मैदान में खड़ा पाया जहाँ हज़ारों लोगों को एक ऐसे उद्देश्य के लिए युद्ध में धकेल दिया गया था जिसमें द्रोण का कतई विश्वास नहीं था - और वह जानते थे कि अब बहुत देर हो चुकी थी।

. . .

बहुत समय पूर्व, अर्जुन ने मुझे एक कथा सुनाई थी।

एक बार, राजकुमारों की शिक्षा के परीक्षा लेने के उद्देश्य से द्रोण उन्हें जंगल में ले गए। अर्जुन हमेशा की भांति सर्वश्रेष्ठ निकला : उसने सबसे तेज़ गति से उड़ने वाले पक्षियों के सिर्फ़ पंखों की आवाज सुनकर तीर चलाकर उन्हें मार गिराया। उसने अत्यंत ख़तरनाक शूकर को एक बाण से मार डाला। जब

राजकुमारों को प्यास लगी तो उसने धरती में एक बाण चलाकर ठंडे पानी का सोता निकाल दिया।

तभी एक विचित्र घटना हुई। उसका शिकारी कुत्ता भागता हुआ वन में थोड़ा आगे निकल गया और भौंकने लगा। सहसा उसके भौंकने की आवाज बंद हो गई। जब वह रोता हुआ लौटा तो उसकी थूथन सात परस्पर बँधे हुए बाणों से बंद थी जिन्हें अत्यंत सावधानी से कुत्ते को बिना चोट पहुँचाए सिर्फ़ उसे शांत करने के लिए चलाया गया था। अचंभित होकर, वह सभी यह देखने आगे गए कि यह शानदार कार्य किसने किया था। वन के भीतर, उन्हें शेर की ख़ाल लपेटे एक युवक मिला।

"तुम्हारा गुरु कौन है?" द्रोण ने पूछा।

युवक द्रोण के चरणों में गिर पड़ा और बोला, "आप मेरे गुरु हैं।"

द्रोण को बहुत आश्चर्य हुआ। उन्हें फिर याद आया कि कई वर्ष पूर्व, हस्तिनापुर में एक सुदूर पहाड़ी जनजाति का एक लड़का उनके पास धनुर्विद्या सीखने आया था। द्रोण ने उसे यह कहकर मना कर दिया था कि वह निम्न जाति में उत्पन्न बालकों को धनुर्विद्या नहीं सिखाते। वह लड़का बिना तर्क किए वहाँ से लौट गया था। द्रोण ने उस लड़के को पहचान लिया, यह वही युवक था जो अब श्रेष्ठ धनुर्धर बन गया था। युवक - उसका नाम एकलव्य था - ने बताया कि द्रोण के मना कर देने के बाद वह वन में लौट आया। वहाँ उसने द्रोण की मिट्टी की एक प्रतिमा बनाई। प्रतिदिन वह अभ्यास से पूर्व उसके समक्ष प्रार्थना करता था - और इस प्रकार उसने वह सब आश्चर्यजनक चीज़ें सीखीं।

अर्जुन को बहुत क्रोध आया। द्रोण ने उसे यह वचन दिया था कि वह उसे संसार का सर्वश्रेष्ठ धनुर्धर बनाएँगे, परंतु यहाँ तो यह सरल युवक, स्वयं सीखकर अभी से अर्जुन से इतना अधिक प्रतिभावान बन चुका था कि अर्जुन उसके साथ समानता करने की कल्पना भी नहीं कर सकता था!

द्रोण ने अर्जुन के मन की बात का अनुमान लगा लिया। उन्होंने एकलव्य से कहा, "यदि मैं तुम्हारा गुरु हूँ, तो तुम्हें मुझे दक्षिणा देनी चाहिए।"

"निश्चित!" युवक यह सोचकर प्रसन्न हो गया कि आखिरकार गुरु ने उसे स्वीकार कर लिया था। "आप जो भी कहेंगे, मैं दूँगा।"

"मुझे तुम्हारे दाहिने हाथ का अँगूठा चाहिए," द्रोण ने कहा।

वहाँ खड़े सभी लोग - यहाँ तक कि अर्जुन भी - आश्चर्य से मौन रह गए, किंतु एकलव्य ज़रा भी नहीं हिचका। उसने तुरंत अपना अँगूठा काटकर गुरु के चरणों में रख दिया - और इस प्रकार अर्जुन का कोई प्रतिद्वंद्वी नहीं रहा।

अर्जुन के समक्ष इस घटना से यह प्रमाणित हो गया कि उसके गुरु उससे कितना स्नेह करते थे, परंतु मैं नीचे कुरुक्षेत्र के मैदान को देखते हुए एकलव्य की सदा के लिए लुप्त हो गई प्रतिभा के विषय में यह सोच रही थी, कि क्या इससे द्रोण की निष्ठुरता तथा विजय प्राप्त करने के लिए कुछ भी कर सकने की तत्परता नहीं झलकती थी? अगले कुछ दिनों में यह निष्ठुरता क्या रूप लेने वाली थी?

. . .

यद्यपि मैं इस बात से चिंतित थी कि द्रोण क्या करेंगे, तथापि उनकी ओर मेरा आंशिक ध्यान ही था। मेरा शेष भाग यह जानने को आतुर था कि कर्ण क्या कर रहा था और वह किस प्रकार युद्ध लड़ रहा था, परंतु मेरी दृष्टि मुझे नियंत्रित कर रही थी और मैं उसे नहीं देख पा रही थी। इस बात के पीछे क्रूर उद्देश्य क्या था? कर्ण के आस-पास महत्त्वपूर्ण गतिविधियाँ घटने के बावजूद मुझे उनका विवरण किसी और से सुनने को मिल रहा था।

यही बात घटोत्कच की मृत्यु के साथ हुई।

वह मधुर और सौम्य मुख-मंडल वाला युवक घटोत्कच, नृशंस योद्धा सिद्ध हुआ और वह शत्रु के सैनिकों को मारने में अपने पिता भीम की बराबरी कर रहा था। उसके पास एक अतिरिक्त लाभ था : राक्षस होने के नाते, वह निशाचर था और दिन ढलने के साथ उसकी शक्तियाँ बढ़ जाती थीं। संध्या काल में युद्ध विराम के शंखनाद होने से एकदम पहले जब कौरव सैनिक अत्यधिक थके-माँदे होते थे तो वह उनके ऊपर टूट पड़ता और उनका वध कर डालता था। ऐसी ही एक शाम को जब ऐसा लग रहा था कि वह रुकेगा ही नहीं, परेशान होकर दुर्योधन ने कर्ण से घटोत्कच द्वारा किए जा रहे नरसंहार का अंत करने की प्रार्थना की। कर्ण हिचका। उसके पास केवक एक ही ऐसा अस्त्र था - शक्ति - जिससे घटोत्कच को मारा जा सकता था, परंतु वह अस्त्र कर्ण ने अर्जुन को मारने के लिए बचा रखा था।

यद्यपि घबराए हुए दुर्योधन ने कहा, "मैं तुम्हारा राजा होने के नाते तुम्हें आदेश देता हूँ - घटोत्कच को मारने के लिए जो संभव है, वह करो।"

कर्ण के पास कोई विकल्प नहीं था। उसने मंत्रोच्चारण द्वारा शक्ति का आह्वान किया। जब घटोत्कच ने उस घूमते हुए अस्त्र को अपनी ओर आते देखा, तो उसे पता चल गया था कि उसका अंतिम क्षण आ पहुँचा था। शायद उसका हृदय डर गया था किंतु उसने स्थिर स्वर में भीम से कहा कि वह उसकी माँ को उसके मरने का ढंग अवश्य बताए। उसके बाद राक्षसी माया से उसने अत्यंत विशाल

आकार ले लिया। जब अस्त्र से उसके वक्षस्थल में विस्फोट हुआ, तो वह आगे की ओर गिरा जिससे अधिक से अधिक शत्रुओं को कुचलकर मार सके।

युद्ध में अब तक हम लोग अपने असंख्य प्रियजनों को मरते हुए देख चुके थे, किंतु घटोत्कच की मृत्यु से हमें एक भिन्न प्रकार की पीड़ा हुई। वह हमारे पुत्रों में से मरने वाला पहला था। भीम ने अपने आस-पास अस्थिर दृष्टि से देखा और धीरे से कहा कि यह प्रकृति का विकृत रूप है। सामान्यतः पुत्र को पिता की अंत्येष्टि की व्यवस्था करनी चाहिए, न कि इसका विपरीत होना चाहिए। हालांकि मैं भीम को शांत करने का सच्चा प्रयास कर रही थी, मेरा अपना दुख बहुविध व ग्लानिपूर्ण था। मुझे डर था कि अब उस एकमात्र अस्त्र के अभाव में, जो उसे अर्जुन से बचा सकता था, कर्ण की मृत्यु निश्चित थी। क्या कुंती भी उत्कंठावश इसी विरोधी विचार के कारण विचलित हो रही थी?

. . .

द्रोण को आरंभ से ही इस बात का पता था कि वह पांडवों को खुले युद्ध में पराजित नहीं कर सकते। उन्होंने एक अलग रणनीति बनाई। वह युधिष्ठिर को बंदी बना लेंगे और इस प्रकार युद्ध का अंत कर देंगे। यद्यपि, जब तक अर्जुन अपने भाई की रक्षा कर रहा था, ऐसा करना भी असंभव था। इसलिए प्रतिदिन सुबह, द्रोण किसी नए राजा को अर्जुन के साथ युद्ध करने के लिए कहते थे और इस बहाने अर्जुन को वहाँ से दूर ले जाने का प्रयास करते थे। हालांकि अर्जुन जानता था कि उसके साथ क्या चालाकी की जा रही थी, वह चुनौती को अस्वीकार नहीं कर पाता था : क्षत्रिय नियम इतने असंगत थे! जब वह एक चुनौती देने वाले का वध करता तो दूसरा उसके सामने आ जाता था। सुशर्मा, सत्यरथ, सत्यधर्म - उनके नाम मेरी स्मृति में वायु के समक्ष घास के तिनकों के समान बिखरे पड़े हैं। तथापि, अर्जुन प्रतिदिन समय से लौटकर अपने भाई की रक्षा करके द्रोण की योजना को विफल कर देता था।

समय बीतने के साथ द्रोण का क्रोध बढ़ता गया। युद्ध के तेरहवें दिन, अर्जुन के युद्ध-क्षेत्र से दूर निकल जाने के उपरांत द्रोण ने नई योजना बनाई। उन्होंने अपनी सेना को पद्‌म-व्यूह नामक विध्वंसक व अजेय आकार में सजाया और धीरे-धीरे पांडव सेना की ओर बढ़ने लगे। यहाँ तक कि सर्वश्रेष्ठ पांडव योद्धा भी उस रचना को तोड़ नहीं सके क्योंकि पद्‌मव्यूह, हज़ार पत्तियों वाले कमल के समान होता है जिसे सिर्फ़ भीतर से ही तोड़ा जा सकता है। दुर्योधन इससे प्रसन्न हो गया। “क्या शानदार योजना है!” वह चिल्लाया। “अब चूंकि अर्जुन यहाँ नहीं

है, हमारे इस व्यूह को कोई नहीं तोड़ सकता। हमें इस अवसर का लाभ उठाकर शत्रु की अधिक से अधिक क्षति कर देनी चाहिए। शायद आज हम युधिष्ठिर को पकड़ ही लेंगे!"

द्रोण ने झुककर अपनी प्रशंसा पर हर्ष व्यक्त किया, किंतु वह बोले, "पांडव सेना में एक और योद्धा है जो इस पद्म-व्यूह को भेद सकता है।"

दुर्योधन का उल्लास कम हो गया। "वह कौन है?" उसने पूछा।

"अभिमन्यु, जिसने अपने पिता से इस व्यूह को भेदने की कला सीख ली थी।"

"हमें, जैसे भी हो, उसे रोकना होगा।"

द्रोण ने सिर हिलाया। उनके चेहरे पर क्रूर मुस्कान छा गई, "हम उसे नहीं रोक सकते। वह भी बहुत कुशल योद्धा है, परंतु चिंता मत करो। उसके पीछे भीतर कोई नहीं आ पाएगा। अभिमन्यु ने व्यूह के भीतर घुसने के बाद उसमें से बाहर निकलना अभी नहीं सीखा है।"

द्रोण की शैतानी योजना के बारे में सोचकर मेरा सिर घूमने लगा। काश, मैं युधिष्ठिर के पास यह संदेश भिजवाकर अभिमन्यु को बचा पाती! परंतु यह असंभव था।

दुर्योधन ने अपने मुकुट में से सबसे मूल्यवान रत्न निकालकर द्रोण को दिया। "सचमुच आप अत्यंत दक्ष नीतिकार हैं! यहाँ तक कि भीष्म भी ऐसी अचूक योजना नहीं सोच पाए। तो इस प्रकार हम अर्जुन को समाप्त कर देंगे!"

द्रोण की प्रत्याशा सही थी। हताश होकर युधिष्ठिर ने अभिमन्यु को व्यूह को भेदने के लिए कहा और उसे यह भी वचन दिया कि वह और उसके भाई अभिमन्यु के पीछे व्यूह के अंदर घुस जाएँगे। मैंने अपनी समस्त मानसिक ऊर्जा अभिमन्यु पर केंद्रित करके उसे इस कार्य के लिए मना करने का संदेश दिया, परंतु मैं इसमें असफल हो गई। उत्तेजित अभिमन्यु अपने चाचाओं की सहायता करने में अत्यधिक प्रसन्नता अनुभव कर रहा था।

. . .

जब अभिमन्यु ने युधिष्ठिर को प्रणाम करके अपना रथ सामने खड़ी विशाल कौरव सेना की ओर घुमाया, तो मैंने निराशा से अपनी आँखें बंद कर लीं, परंतु वह दृश्य अत्यंत निर्मम था। मैंने अपनी बंद पलकों में से भी सब कुछ देखा : अभिमन्यु के भीतर प्रवेश करने पर किस प्रकार व्यूह का द्वार पूरी तरह बंद हो गया; किस

प्रकार उस द्वार पर जयद्रथ पहरा दे रहा था जिसने एक बार मेरा अपहरण कर लिया था और जिसे अर्जुन की अनुपस्थिति में पांडवों को जितनी देर वह चाहे, रोक पाने का वरदान मिला हुआ था; किस प्रकार अपने भतीजे की सहायता न कर पाने से पांडव हताश हो रहे थे। व्यूह के भीतर यह समझ लेने के बाद कि वह फँस चुका था, अभिमन्यु ने निश्चय किया कि वह अपनी मृत्यु द्वारा शत्रु को यथासंभव क्षति पहुँचाएगा। अपने पिता की तरह, उस बालक के सामने कोई नहीं ठहर पा रहा था, लेकिन फिर युद्ध के सबसे महत्त्वपूर्ण नियम का उल्लंघन करते हुए छह सर्वश्रेष्ठ कौरव महारथी उस अकेले बालक पर टूट पड़े। उसके पीछे से वार करके उन्होंने उसके धनुष की डोरी व तलवार की मूठ काट दी। उन्होंने उसके सारथियों व घोड़ों को मार डाला तथा उसका रथ नष्ट कर दिया। फिर भी, वह अपने टूटे रथ का पहिया लेकर उनकी ओर दौड़ा और उनसे एक-एक करके लड़ने के लिए कहने लगा, परंतु उन्होंने उसकी अंतिम प्रार्थना नहीं मानी। इस प्रकार, वह मारा गया और गिरते समय उसका सुंदर मुख स्त्रियों के शिविर की ओर था जहाँ उत्तरा उसकी प्रतीक्षा कर रही थी। अभिमन्यु की आँखें उन लोगों के विश्वासघात को देखकर आश्चर्य से भर उठी थीं जिन्हें वह नायक समझकर उनका आदर करता था। उसके हत्यारे - युद्ध ने उन्हें इतना परिवर्तित कर दिया था - अपनी विजय पर हर्ष से चीख रहे थे।

वह हत्यारे कौन लोग थे, ऐसे योद्धा जिन्होंने ऐसा नृशंस कार्य करने हेतु अपनी प्रतिष्ठा को अपने ही पैरों के नीचे रक्त से रंगी भूमि में कुचल डाला था? वहाँ द्रोण थे, और अश्वत्थामा था और - हाँ, दिव्य दृष्टि ने मेरी इच्छा पूरी करने के लिए यह दृश्य चुना था कि मैं उसे लड़ते हुए देख सकूँ - कर्ण भी वहाँ था।

. . .

उस रात मैं पहाड़ी पर ही रही। मुझे पता था कि व्यथा के उन क्षणों में पांडव पक्ष में किसी का भी ध्यान मेरी अनुपस्थिति पर नहीं जाएगा। उत्तरा को जब वह समाचार मिलता तो उस समय मेरा वहाँ रहने का साहस नहीं था, परंतु उस क्रूर रात्रि का प्रत्येक आर्त स्वर मुझ तक पहुँच रहा था। उत्तरा उन्माद में अपने बाल नोंच रही थी, अपनी छाती पीटती हुई मौत को अपने पास भी आने का निमंत्रण दे रही थी। अपने गर्भस्थ शिशु के प्रति बेपरवाह उसने स्वयं को धरती पर गिरने दिया, जबकि अन्य स्त्रियाँ अपनी पीड़ा छोड़कर उसे सँभालने का प्रयास कर रही थीं। मैं अपने पतियों की पीड़ा को महसूस कर पा रही थी, उनके भीतर का अत्यंत कष्टदायी अपराध बोध उनके क्रोध से अधिक दिखाई दे रहा था क्योंकि यदि उन्होंने

अभिमन्यु को विवश नहीं किया होता तो वह उस व्यूह में अपने आप कभी नहीं घुसता। प्रत्येक व्यक्ति यह चाह रहा था कि काश, अभिमन्यु के स्थान पर वह मारा जाता! परंतु उन्हें इतनी जल्दी मुक्ति नहीं मिलने वाली थी।

जब अर्जुन को इस घटना का पता लगा तो वह इतनी गहन मूर्छा में चला गया कि उसके भाइयों को लगा कि दुख के कारण उसकी मृत्यु हो गई है, परंतु कृष्ण ने उसकी छाती को स्पर्श करते हुए कठोर स्वर में कहा, "तुम्हारे पुत्र को अत्यंत उच्च मृत्यु प्राप्त हुई है। उसकी तरह एक योग्य पिता बनो!" अर्जुन उठ बैठा और उसने अपने हाथ में जल लेकर भीषण प्रतिज्ञा कर डाली : यदि कल सूर्यास्त होने से पहले उसने जयद्रथ का वध नहीं किया, जिसने उसके भाइयों को व्यूह के भीतर जाकर अभिमन्यु की सहायता करने से रोका था, तो वह स्वयं आत्महत्या कर लेगा।

मैं पहाड़ी के ऊपर लेटी टिमटिमाते तारों को देख रही थी। मुझमें, जिसके लिए क्रोध जीवन का सहज अंग था, क्रोध करने की ऊर्जा भी शेष नहीं थी। धुँध ने अँधकार को धूमिल कर दिया था और आकाशीय पिंड फीके पड़ गए थे। मुझे ऐसा प्रतीत हो रहा था कि अभिमन्यु की हत्या - वह हत्या ही थी - के साथ पृथ्वी पर से आनंद कहीं चला गया था। हम लोग पूरी तरह अन्याय के युग, कलि की जकड़ में आ चुके थे। युद्ध अब सड़ाँध से भर चुका था। न कौरव और न ही पांडव अब इसके संक्रमण से बच सकते थे। मैं अभिमन्यु के लिए रो रही थी। वह निष्कपट और प्रतिभावान बालक था जो युधिष्ठिर के बाद हम सबका प्रिय राजा बनने वाला था। मैं भयभीत होकर रो रही थी और यह सोच रही थी कि यदि अर्जुन अपनी प्रतिज्ञा पूरी करने में असफल हो गया तो क्या होगा। मुझे पांडवों को इस युद्ध में धकेलने की अपनी भूमिका पर पश्चाताप हो रहा था क्योंकि अब मुझे इसकी पूर्ण विभीषिका का एहसास हो रहा था। अंत में मुझे कर्ण पर रोना आ रहा था क्योंकि जिस प्रतिष्ठा के लिए आज तक जिया था, उसने आज वह गँवा दी थी। उसने अपना कवच काटकर दिया था और उसी के साथ उसने विजय की आशा भी गँवा दी थी किंतु अपना वचन नहीं तोड़ा। अपनी कीर्ति की रक्षा के लिए उसने अपने भाई के स्नेह की संभावना का त्याग कर दिया था। अपने मित्र के प्रति निष्ठावान रहने के लिए उसने मेरे प्रति अपनी अभिलाषा को नियंत्रित कर लिया था, परंतु अब उसे एक निस्सहाय बालक के हत्यारे के रूप में याद किया जाएगा।

युद्ध की यह कैसी विध्वंसकारी शक्ति थी जिसने ऐसे व्यक्ति को भी हत्यारा बना दिया था?

. . .

शायद यह अच्छा ही हुआ कि अभिमन्यु की जब मृत्यु होनी चाहिए थी तब हो गई। उसे मरते समय इस बात का तो विश्वास था कि कम से कम पांडवों ने तो युद्ध के सभी नियमों का पालन किया जिसकी शिक्षा उन्होंने उसे दी थी। उसे इस बात का साक्षी नहीं बनना पड़ा कि आने वाले दिनों में, किस प्रकार पांडव भी आवश्यकता के समय प्रतिष्ठा के मार्ग से भटक गए थे और किस प्रकार उन्होंने निहत्थे व आहत लोगों पर आक्रमण किया था और अपने कार्यों को यह कहकर औचित्यपूर्ण बताया था कि इसमें सबकी भलाई थी। यहाँ तक कि कृष्ण ने भी सूर्यास्त का भ्रम उत्पन्न करके इसमें अपनी भूमिका निभाई थी जिसके कारण जयद्रथ स्वयं को सुरक्षित मानते हुए जैसे ही विजयोल्लास के साथ बाहर आया, अर्जुन ने उसका सिर धड़ से अलग कर दिया, परंतु द्रोण का वध करने का उनका तरीका सबसे बुरा था।

अभिमन्यु की मृत्यु के बाद, द्रोण ने राक्षस की तरह पंद्रह दिन पूर्व अपने ही द्वारा बनाए युद्ध के नियमों को ताक पर रखकर लड़ना आरंभ कर दिया। दुर्योधन के कटु वचन अथवा आत्म-जुगुप्सा से प्रेरित, उसने अपने थके हुए सैनिकों को रात्रि में आक्रमण करने पर विवश कर दिया जब पांडव सेना अपने शिविर में आराम कर रही थी। द्रोण ने साधारण व असहाय सैनिकों पर अपने दिव्यास्त्र चलाए जिनके कारण सेना की टुकड़ियाँ झुलसे हुए ढेर में परिवर्तित हो गईं। धृ के उत्साह को क्षीण करने तथा अपनी मृत्यु की भविष्यवाणी को झूठा सिद्ध करने के लिए उन्होंने मेरे परिवार को चुना और एक दिन दोपहर को, मेरे पिता के साथ धृ के तीनों पुत्रों को भी मार डाला।

शायद कृष्ण का यह कहना ठीक था कि जैसे भी हो, द्रोण को रोकना आवश्यक था। फिर भी, जिस तरह से यह कार्य किया गया, वह अत्यंत शर्मनाक था। भीम ने द्रोण के पुत्र ने नाम वाले एक हाथी को मार दिया और यह घोषणा कर दी कि द्रोण पुत्र अश्वत्थामा मारा गया, परंतु द्रोण ने कहा, "मेरा पुत्र इतना कुशल योद्धा है कि तुम्हारे जैसे लोग तो उसे मार ही नहीं सकते! मैं इस बात को तभी मानूँगा यदि युधिष्ठिर, जो सदा सत्य बोलता है, यह बात कह देगा।" युधिष्ठिर दुविधा में पड़ गया, परंतु अपने निजी हित की तुलना में जब युधिष्ठिर ने उन सभी लोगों के जीवन को तौला जो युद्ध में उसका साथ देने के लिए एकत्रित हुए थे, तो उसने अपने उस गुण का त्याग कर दिया जिसका उसने आजीवन समर्थन किया था और ऐसा ही कह दिया।

इसके बाद द्रोण ने हताश होकर अपने अस्त्र नीचे रख दिए और अपनी आँखें बंद करके वह प्रार्थना में बैठ गए। ऐसा देखकर धृ - मेरा सौम्य भाई जो अब

तक युद्ध के उन्माद का शिकार नहीं हुआ था – अपनी तलवार उठाकर द्रोण की ओर दौड़ा। मैंने अपनी पूरी शक्ति से चिल्लाकर उसे रोकने का प्रयास किया – किंतु एक बार फिर वही हुआ। मैं सिर्फ़ दृष्टा थी और हस्तक्षेप में असमर्थ थी। पांडवों ने भी कहा कि द्रोण के प्राण छोड़कर उनको सिर्फ़ बंदी बना लिया जाए, परंतु धृ ने अपने समय के सर्वश्रेष्ठ आचार्य, द्रोण का सिर काट डाला। द्रोण का रक्त मेरे भाई के ऊपर छिटक गया। उसने द्रोण के रक्त से सने अपने हाथ ऊपर उठाकर ज़ोरदार ठहाका लगाया और अपने पिता व पुत्रों की मृतात्माओं का आह्वान करते हुए उन्हें दिखाया कि उसने किस प्रकार अपना प्रतिशोध ले लिया था। मैं काँप उठी। पित्त की खटास मेरे गले तक आ गई। उसकी हँसी अभिमन्यु के हत्यारे लोगों से इतनी मिलती-जुलती थी कि यदि मैंने यह दृश्य देखा न होता तो मुझे उनका अंतर पता नहीं लगता।

इस प्रकार मेरे भाई ने, प्रतिशोध लेकर व स्वयं को खोकर अपनी उस नियति को प्राप्त कर लिया जिसके लिए उसका जन्म हुआ था। इसके साथ ही, घृणा के एक और नाटक का जन्म हो गया (प्रतिशोध की यही प्रकृति होती है)।

36

# *पहिया*

कर्ण के सेनापति बनने के बाद युद्ध में कुछ हद तक व्यवस्था पुनर्स्थापन की झलक दिखाई देने लगी। उसने दोनों पक्षों से दोबारा सदाचार से युद्ध करने की लिखित प्रार्थना की। उसने लिखा, *मुझे यह विश्वास है कि हम में से अधिकतर लोग इस रणभूमि से जीवित नहीं लौटेंगे। तो हमें अपने इन अंतिम दिनों में कैसा व्यवहार करना चाहिए? क्या आप, बल्कि देवता हमारा स्वागत नायकों वाले लोक में करेंगे, अथवा क्या आप नरक की यातनाओं को झेलना चाहेंगे?* शायद इस नरक-विषयक चेतावनी ने राजाओं के हृदयों को प्रभावित किया क्योंकि अगले कुछ दिनों तक वह एक-दूसरे के प्रति अनिच्छा से शौर्य प्रदर्शन करते रहे।

अपनी ओर से कर्ण अपने दर्शन का पालन करता रहा। मुझे लगा कि अभिमन्यु की मृत्यु में अपनी भूमिका पर उसे पश्चाताप हो रहा था जब युद्ध के आवेश में वह स्वयं को भी भुला बैठा। शायद प्रतिदान स्वरूप - अथवा उस रहस्य के कारण जो उसे हृदय में कचोट रहा था - वह सहदेव, नकुल, भीम - और सबसे महत्त्वपूर्ण, युधिष्ठिर को अवसर मिलने के बावजूद एक के बाद एक छोड़ता गया। इस एक क्षण में उसने दुर्योधन के साथ विश्वासघात किया था। हालांकि वह इस बात की भी सावधानी बरत रहा था कि उन लोगों को इस बात का संदेह न हो जाए, और इसलिए वह दयापूर्वक उन्हें छोड़ते समय उन पर ताने भी मारता गया। सिर्फ़ मैंने देखा कि वह किस प्रकार बाद में उन्हें दुख व सहृदयता से देख रहा था।

साधारण सैनिक कर्ण को पसंद करते थे। कर्ण के कारण, उन्हें अब निर्दयी अस्त्रों का भय नहीं था जो पलक झपकते ही अनुशासनपूर्ण सैन्य टुकड़ी को पीड़ा के तड़पते हुए ढेर में बदल सकती थी। वह रात्रि में निश्चिंत होकर सो सकते थे और उन्हें इस बात का भय नहीं था कि सोते समय कोई उनपर सहसा

आक्रमण कर देगा, परंतु वह उसे अधिक पसंद इसलिए करते थे क्योंकि शाम को महारथियों के अपने शिविर में लौट जाने के बाद, वह उनके पास आता था। वह आहत सैनिकों को सांत्वना देता और उन्हें इस बात का भरोसा दिलाता था कि उन्हें हर संभव सुविधा प्रदान की जाएगी। जिन लोगों को अगले दिन युद्ध में जाना होता था, उनसे वह स्पष्टता व ईमानदारी से बात करता था। *मैं आप लोगों को सुरक्षा का अश्वासन तो नहीं दे सकता, किंतु मुझे एक बात मालूम है। जो भी जीतेगा - युधिष्ठिर अथवा दुर्योधन, वह इस युद्ध में निष्ठावान योद्धाओं के परिवारों की देखभाल करेगा।* उसके शब्दों का इतना प्रभाव था कि जिन सैनिकों ने युद्ध छोड़ने का निर्णय कर लिया था, उन्होंने फिर अपना विचार बदल लिया। मुझे नहीं लगता कि दुर्योधन को इस बात का पता था कि वह कर्ण के कहे इन शब्दों का ही प्रभाव था जिसने उसकी बिखरती हुई सेना को अंतिम क्षणों में एकजुट कर रखा था। युद्ध के सत्रहवें दिन, जब अर्जुन और कर्ण आमने-सामने आए तब यह स्थिति थी।

आरंभ से ही यह बात स्पष्ट थी कि उनका युद्ध पिछले टकरावों जैसा नहीं होने वाला था। लोगों को पता था कि इसका अंत तभी होगा जब दोनों में से एक की मृत्यु हो जाएगी। किसी अव्यक्त सहमति के अंतर्गत, दोनों पक्ष लड़ाई छोड़कर उन दोनों का युद्ध देखने लगे। (यदि वह जीवित रहे तो वे लोग यह कथा अपने नाती-पोतों को सुनाएँगे।) व्यास ने लिखा था कि इस युद्ध को देखने के लिए देवतागण भी आए थे। मुझे इस बात पर विश्वास है क्योंकि यद्यपि, मैं उन्हें देख नहीं सकी, तथापि मैं वातावरण में एक गहरी, अनौपचारिक उदासी महसूस कर पा रही थी।

जहाँ तक मेरा प्रश्न है, मैं प्रार्थना कर रही थी कि यह दृष्टि - कम से कम इस लड़ाई के दौरान - मुझसे वापस ले ली जाए। इसका परिणाम कुछ भी हो (और मुझे पहले से ही उसका अनुमान था), मुझे तो सिर्फ़ पीड़ा ही होनी थी, परंतु, वह निर्मम दृष्टि पहले से भी अधिक स्पष्ट हो गई और ऐसा लग रहा था मानो मैं उस युद्ध के मध्य में थी और दर्द के प्रत्येक स्वर को साफ़ सुन सकती थी।

व्यास ने इसे गौरवशाली युद्ध बताया है, जो बिल्कुल बराबरी का था और जिसमें प्रत्येक योद्धा एक-दूसरे के अस्त्रों का प्रतिकार कर रहा था। यह बात अर्जुन के लिए पूरी तरह सत्य थी। पहली बार मुझे उसकी एकाग्रता विशुद्ध व आनंदित लग रही थी और उसने अपने कार्य पर इस प्रकार ध्यान केंद्रित किया हुआ था मानो वह डूबते अँधकार में प्रकाश का कोई बिंदु हो। इतनी शुद्ध और घातक प्रतिभा की प्रशंसा कौन नहीं करेगा? मैं नहीं करूँगी क्योंकि मेरा हृदय इस भय से आक्रांत था कि कर्ण का क्या होगा।

जब कर्ण ने अपना रथ अर्जुन की ओर ले जाने के लिए कहा तो उसका चेहरा भी अर्जुन जैसे ही शांत था, परंतु मैं उसके भीतर चल रहे तूफ़ान से अवगत थी। वह स्वयं को धोखा देने वाला व्यक्ति नहीं था। वह जानता था कि शक्ति का प्रयोग कर लेने के बाद, अब उसके लिए अर्जुन को पराजित करना संभव नहीं था, परंतु वह मृत्यु के भय से परेशान नहीं था और न ही पांडवों का मामा शल्य उसे अर्जुन की महानता सुनाकर हतोत्साहित कर पाया था। नहीं। कर्ण के अपने ही ज्ञान ने उसे क्षीण कर दिया था। जहाँ अर्जुन घृणित शत्रु का सामना कर रहा था, वहीं कर्ण के सामने उसका छोटा भाई था।

क्या कुंती ने सोचा था कि कभी ऐसा भी होगा? क्या उसने कर्ण को अपना रहस्य जानबूझकर बताया था, ताकि जब अवसर आए तो कर्ण अपनी समस्त ऊर्जा कुंती के उस पुत्र पर केंद्रित न कर सके जिसे वह अधिक प्रेम करती थी?

तथापि, कर्ण सच्चा योद्धा और सच्चा मित्र था। उसने उस युद्ध में अपना सर्वस्व लगा दिया। उसने अर्जुन के अग्नि बाणों को तूफ़ान लाने वाले बाणों से बुझा दिया। उसने अपने गुरु के नाम पर भार्गव अस्त्र का आह्वान किया जो हज़ारों सैनिकों को एक साथ मार देने में सक्षम था। जब अर्जुन ने उसे ब्रह्मास्त्र से निष्फल कर दिया, तो उसने नाग अस्त्र चला दिया। वह विषैले सर्प में परिवर्तित हो गया और तेज़ी से अर्जुन की ओर बढ़ा। कौन जाने क्या हो जाता यदि कृष्ण ने हस्तक्षेप न किया होता? उन्होंने अपने अश्वों से कुछ बात की। वह उत्तर स्वरूप झुक गए और रथ का अगला भाग थोड़ा नीचे हो गया। कर्ण का चलाया हुआ बाण अर्जुन के रत्न-जड़ित मुकुट के पार हो गया और उसे नष्ट कर दिया किंतु अर्जुन बच गया।

सूर्यास्त होने वाला था, यह देखकर मैंने राहत महसूस की। युद्ध अगले दिन के लिए स्थगित होने वाला था। मैंने गहरी श्वास छोड़ी, जिसे मैंने बहुत देर से रोक रखा था और जिससे मेरे फेफड़ों में जलन होने लगी थी। मेरे पूरे शरीर में तनाव के कारण दर्द हो रहा था, परंतु मुझे राहत मिल गई थी! मैंने निर्णय किया कि मैं आज वह करूँगी जो मुझे बहुत पहले करना चाहिए था। मैं अपने पतियों को कर्ण के विषय में सत्य बता दूँगी। अनेक लोग ऐसा करने के लिए मुझसे घृणा करेंगे। हो सकता है कि इससे युद्ध की स्थिति हमारे विरुद्ध हो जाए। तथापि, मैं अपने पति को अनजाने में उसके भाई की हत्या करते हुए नहीं देख सकती थी।

जिस समय मैं दोनों ओर के सेनापतियों को युद्ध-विराम का संकेत देने की प्रतीक्षा कर रही थी, अचानक कर्ण का रथ एक ओर झुक गया। उसके रथ का एक पहिया ज़मीन में धँस गया था - यह बहुत विचित्र बात थी क्योंकि वह लोग सख़्त और ऊँची ज़मीन पर खड़े थे। कर्ण ने नीचे कूदकर उसे निकालने का प्रयास किया

किंतु वह उसमें असफल हो गया। उसका चेहरा पीला पड़ा गया और उसकी भँवों पर पसीने की बूँदे झलकने लगीं। उसे ब्राह्मण का शाप याद आ रहा था : *तुम्हारी मृत्यु उस समय होगी जब तुम असहाय हो जाओगे।* नहीं! वह इस तरह दयनीय स्थिति में नहीं मर सकता था कि उसे लड़ने का अवसर भी न मिले! रथ के पहिए को निकालने की कोशिश करते हुए उसने अर्जुन से युद्ध के नियम का आदर करने और उसे फिर से तैयार होने का अवसर देने के लिए कहा।

अर्जुन कुछ कह पाता, उससे पूर्व कृष्ण ने कहा। "ऐसा मत करो! यही वह व्यक्ति है जिसने राजदरबार में सबके सामने दुःशासन को पांचाली को अपमानित करने के लिए उकसाया था! क्या इसने उस समय किसी आदर का विचार किया था?"

*नहीं!* मैं चिल्लाई। वह घटना कितनी भी भयंकर क्यों न रही हो, मैं वह प्रेरक नहीं बनना चाहती थी, कृष्ण जिसका प्रयोग करके अर्जुन द्वारा कर्ण को मरवा दें।

अर्जुन के चेहरे पर क्रोध छा गया किंतु वह झिझका। वह सोच रहा था कि वह एक ऐसे योद्धा के रूप में नहीं पहचाना जाना चाहता था जिसने एक निहत्थे योद्धा पर आक्रमण किया। वह चाहता था कि लोग यह मानें कि वह न्यायसंगत युद्ध में कर्ण को पराजित कर सकता था।

"इसने तुम्हारे पुत्र की हत्या कर दी जिस समय वह अकेला पाँच अन्य योद्धाओं से लड़ रहा था। इसने पीछे से आकर उसके धनुष की डोरी काट दी थी," कृष्ण बोलते रहे। "तुम्हारी इस अनुचित दया को देखकर अभिमन्यु की आत्मा कैसा महसूस करेगी?"

ओह कृष्ण! उन्हें हमारी भावनाओं की बाँसुरी पर सही सुर छेड़ना आता था! अर्जुन का जबड़ा सख़्त हो गया। उसकी भँवें तन गईं। कर्ण ने अर्जुन का चेहरा देखा। उसने रथ का पहिया छोड़ दिया और वह कोई मंत्र पढ़ने लगा - कोई भी साधारण मंत्र जिससे उसे एक अस्त्र, कोई भी अस्त्र मिल सके किंतु वह लड़खड़ाने लगा। उसे समझ में आ गया कि उसके साथ क्या हो रहा था। उसके प्रिय गुरु का कठोरतम शाप प्रभावी होने लगा था। परशुराम ने गुस्से में कहा था, *जिस समय तुम्हें विद्या की सबसे अधिक आवश्यकता होगी, उस समय तुम्हारा ज्ञान तुम्हारे किसी काम नहीं आएगा।* वह समझ चुका था कि उसका अंत समय आ चुका था। उसने अपना हाथ ऊपर उठाया जो देखने से अनुनय की मुद्रा लग रही थी किंतु मैंने जान लिया कि वह क्षमा का भाव था। अर्जुन ने अपना बाण चला दिया। वह बाण अग्नि छोड़ते धूमकेतु की तरह हवा को चीरता हुआ तीव्रता से आगे बढ़ा। इससे पूर्व कि वह तीर अपने लक्ष्य को प्राप्त करता, कर्ण मुस्कराया।

. . .

कर्ण की मृत्यु पर मुझे कैसा महसूस हुआ? मुझे आंशिक तौर पर अच्छा लग रहा था कि युद्ध का असहनीय तनाव समाप्त हो गया था। आंशिक रूप से इस बात की प्रसन्नता थी कि मेरे पति की विजय हुई थी और यह कि वह सुरक्षित था। एक अंश को इस बात की तसल्ली थी कि हम अपने इच्छित प्रतिशोध के अब बहुत निकट पहुँच गए थे - हालांकि मुझे इससे कोई संतोष नहीं मिल रहा था। मैं आंशिक रूप से इस बात की आभारी थी कि यह भयंकर युद्ध अब समाप्त होने को था - क्योंकि कर्ण के बिना, दुर्योधन को अब किस बात की आशा थी? मुझे इस बात का दुख भी था कि एक महान योद्धा और नेक व्यक्ति की मृत्यु हो गई थी, परंतु मेरे भीतर का वह अंश, जो स्वयंवर में खड़ी उस कन्या को दर्शाता था जिसने अपने सामने खड़े युवक को अपने शब्दों से आहत कर दिया था, वह अंश जो अब भी पांडवों के प्रति निष्ठावान नहीं था, अपने आँसू नहीं रोक सका। पश्चाताप ने मुझे व्याकुल कर दिया था। यदि मैंने उस दिन कर्ण को प्रतियोगिता में भाग लेने दिया होता तो उसका जीवन कितना भिन्न होता? यदि वह जीत गया होता? यह कामना, जिसे मैंने अपने भीतर इतने वर्षों से दबा रखा था, मेरे ऊपर एक विशाल लहर की भांति टूट पड़ी जिसके कारण मैं घुटनों के बल नीचे बैठ गई। वह इस विचार के साथ मर गया कि मैं उससे घृणा करती थी। काश, इसका विपरीत हो पाता!

व्यास लिखते हैं : *जिस क्षण कर्ण की मृत्यु हुई, सूर्य इतने गहन बादलों के पीछे छिप गया कि लोगों को लगा कि वह दोबारा बाहर नहीं आएगा। निर्मम मृत्यु के बावजूद, कर्ण के चेहरे पर रहस्यमय मुस्कान थी। उसके शरीर से एक दिव्य प्रकाश पुंज निकला और उसने रणभूमि को घेर लिया मानो इस संसार को त्यागने से पूर्व वह कुछ खोज रहा हो।* कुछ लोगों को उनके इन शब्दों पर संदेह है, किंतु मैं इसके सत्य की पुष्टि कर सकती हूँ।

हालांकि कुछ ऐसा भी है जो व्यास ने अपने *महाभारत* में नहीं लिखा : रणभूमि छोड़ने के बाद, वह पुंज निकट की एक पहाड़ी पर गया जहाँ वह एक रोती हुई स्त्री के ऊपर ठहर गया। ऊपर आकाश में जाकर ओझल होने से पूर्व, वह मेरे आस-पास एक अत्यंत देदीप्यमान आभा में बदल गया। उसमें से जो भावना प्रस्फुटित हुई, उसके लिए मेरे पास शब्द नहीं हैं। वह न दुख था और न ही क्रोध। अपने नश्वर बँधन से मुक्त होने के बाद, शायद कर्ण की आत्मा को वह बात पता लग गई थी जो मैं उसे कभी नहीं कह पाई।

उस आभा के फीके होने के बाद, मुझे एक विचित्र सुख महसूस हुआ और यह विश्वास हो गया कि यह कर्ण की कथा का अंत नहीं था।

# 37

## उलूपी

कर्ण की मृत्यु के बाद मेरी पहाड़ी पर जाने की इच्छा नहीं हो रही थी। युद्ध में अब मेरी कोई रुचि नहीं थी। परंतु मैं नहीं चाहती थी कि किसी को इस बात पर संदेह हो, इसलिए मैंने वहाँ जाना जारी रखा, परंतु मैं वहाँ पहुँचने के बाद लेट जाती और आँखें बंद करके अपने विचारों को दूर भटकने देती। अब मुझे समझ में आया कि व्यास से दिव्य दृष्टि प्राप्त करने का मेरा मुख्य कारण कर्ण को युद्ध करते हुए देखना था, उसके रहस्य को समझना था, जो मैं सचमुच में कभी नहीं कर पाती। मैं अब उसे समझ पा रही थी - उसकी श्रेष्ठता, उसकी निष्ठा, उसका गर्व, उसका क्रोध, जीवन के अन्याय के प्रति उसकी बिना शिकायत स्वीकृति, उसकी क्षमाशीलता, परंतु इस बोध का भार, कि मैं इसे किसी को बता नहीं सकती, मुझे दबा रहा था।

हमें आशा थी कि कर्ण की मृत्यु के साथ युद्ध समाप्त हो जाएगा, किंतु दुर्योधन ने पराजय स्वीकार करने से मना कर दिया। ऐसा वह कैसे कर सकता था? कर्ण की मृत्यु के बाद शेष बचे अपने मित्र अश्वत्थामा को उसने कहा : पृथ्वी का अधिपति बनने, जीवन के समस्त सुखों का भरपूर उपभोग करने तथा अपने शत्रुओं का संहार करने के बाद अब मैं अपने उन निकृष्ट भाइयों के पास हाथ जोड़कर दया की याचना लेकर कैसे जा सकता हूँ? पहली बार, मुझे उसकी बात समझ में आई और ठीक भी लगी। अपने अंतिम श्वास तक युद्ध करने के अतिरिक्त और किसी भी प्रकार का अंत, कौरव राजकुमार के क्रुद्ध जीवन के लिए दुखांत होता।

मैंने आँखें बंद कर लीं किंतु जैसा कि मुझे डर था, उस दृष्टि से मुझे मुक्ति नहीं मिली। फिर मैंने कौरवों के अंतिम सेनापति शल्य को युधिष्ठिर के भाले से मरते हुए देखा। मरते समय उसने अपने भांजे को आशीर्वाद दिया जिसके कारण अनजाने में युधिष्ठिर पर ग्लानि का भार और अधिक बढ़ गया। मैंने कौरवों के अंतिम रथ को फटते, अंतिम अश्वों व सैनिकों को मरते हुए देखा। अब केवल

चार योद्धा शेष थे : दुर्योधन, कृप, कृतवर्मा और अश्वत्थामा। आहत और हताश दुर्योधन एक सरोवर के भीतर जा छिपा और मंत्रोच्चारण करने लगा। ऐसा करके वह कुछ समय आराम करके अपनी थकान मिटाना चाहता था, परंतु गुप्तचरों ने यह बात पांडवों को बता दी। वह लोग उस सरोवर के पास आए और दुर्योधन को अंतिम युद्ध के लिए ललकारने लगे। मैंने देखा कि कौरव राजकुमार अहं द्वारा प्रेरित होकर अपने आश्रय स्थल से बाहर निकल आया। उसका यही अहं सदैव उसके पतन का कारण बनता था।

इस प्रकार अंतिम युद्ध के लिए समंतपंचक नामक स्थान चुना गया जो उस समय पावन माना जाता था किंतु अब युद्ध के बाद वीरान पड़ा था। मेरे पतियों के आस-पास की धरती जर्जर व फीकी पड़ चुकी थी और अस्त्रों के फटने से उसमें बड़े-बड़े गड्ढे हो गए थे। शेष बचे कुछ वृक्ष पत्रहीन कंकाल में परिवर्तित हो गए थे। कुछ सप्ताह तक यहाँ स्वच्छंद भाव से विचरण करने वाले पक्षियों एवं वन्य पशुओं का कहीं अता-पता नहीं था। अत्यंत गंभीर व शांत वातावरण में, मुर्झाई हुई शाखाओं पर सिर्फ़ गिद्ध बैठे प्रतीक्षा कर रहे थे। हमने अपनी धरती का यह हाल कर दिया था।

. . .

नकुल ने कहा : "तुम्हें तो पता ही है कि ज्येष्ठ भाई अत्यंत श्रेष्ठ व प्रशंसनीय हैं हालांकि वह कभी-कभी बातों पर ठीक से विचार नहीं करते। इसलिए उन्होंने दुर्योधन से कहा है कि तुम अकेले व थके हुए हो और तुम्हारे विरुद्ध हम पाँच लोग हैं जो कि अनुचित है। तुम हम पाँच में से - अपनी इच्छा से - किसी एक से युद्ध कर लो और तुम अपना अस्त्र भी चुन सकते हो। जो जीतेगा, वह हस्तिनापुर का राजा होगा।"

"हम सब भयभीत होकर उनकी ओर देखने लगे। हम जानते थे कि भीम को छोड़कर हम में से कोई भी गदा युद्ध में, दुर्योधन का सामना नहीं कर सकता था क्योंकि वह तो निश्चय ही अपना मनपसंद अस्त्र, गदा चुनेगा। कृष्ण को बहुत क्रोध आया। उन्होंने युधिष्ठिर से कहा कि तुम मूर्ख हो। तुम्हें दुर्योधन से बचाने के लिए हज़ारों लोगों ने अपने प्राण गँवा दिए। तुम्हें विजय दिलाने के लिए तुम्हारे भाइयों ने कितने संकटों का सामना किया है। कष्ट व अपमान झेलते हुए पांचाली ने तेरह वर्ष इस क्षण के लिए आँसू बहाए हैं तथा प्रार्थना की है। मैंने स्वयं तुम्हारी सहायता हेतु धर्म के साथ छल किया है। अब तुम इस एक भव्य चेष्टा द्वारा सब कुछ गँवा देना चाहते हो? तुम्हें तो पता है कि दुर्योधन ने मेरे बड़े भाई व संसार के सर्वश्रेष्ठ गदा

योद्धा बलराम से गदा-युद्ध सीखा है। विश्व में ऐसा कोई नहीं है जो गदा युद्ध में इसे पराजित कर सके। तुम्हें उसे अवसर रहते मार देना चाहिए था।"

"बात अत्यधिक बिगड़ सकती थी, परंतु दुर्योधन के घमंड ने हमें बचा लिया। उसने कहा कि शायद, भीम को छोड़कर, तुम लोगों में कोई भी मेरा विरोधी बनने के योग्य नहीं है। मैं उसे युद्ध के लिए चुनौती देता हूँ। इस प्रकार जब मैं उसे मारकर अधिकार के साथ अपना राज्य वापस लूँगा, तो मुझे इस बात की संतुष्टि होगी कि मैंने मुक़ाबले का युद्ध किया।"

"हमने राहत की श्वास ली, किंतु हमारी यह खुशी अधिक समय नहीं टिक पाई। जैसे ही उनका युद्ध आरंभ हुआ हमने देखा कि दुर्योधन गदा-युद्ध में माहिर था, वह कितनी सहजता से भीम के वार से बच जाता था और कितनी चतुराई परंतु कितनी बुरी तरह वह वार करता था। हमारे गुप्तचरों ने जो बात हमें बताई थी, वह हमें याद आ गई : वर्षों पहले, दुर्योधन ने अपने कवच-निर्माताओं से भीम की लौह-प्रतिमा बनवाई थी। वह प्रत्येक रात उस मूर्ति पर गदा-वार का अभ्यास करता था और उसके हर वार के साथ भीम के प्रति उसके मन में बसी घृणा बढ़ती जाती थी। वह उसे अपने साथ कुरुक्षेत्र में भी ले आया था। आज, उसने अपनी उस समस्त घृणा का आह्वान कर लिया था। हमारे भीम के मन में दुर्योधन के प्रति इतनी घृणा नहीं थी कि वह दुर्योधन की बराबरी कर पाता।"

"वह एक घंटे तक लड़ते रहे। फिर दो घंटे बीत गए। मैं देख सकती थी कि भीम को थकान होने लगी थी। दुर्योधन ने उसके वक्ष पर इतनी ज़ोर से प्रहार किया कि वह लड़खड़ाकर लगभग गिर ही गया। उस वार से सँभलने के बाद, उसने दुर्योधन के कंधे पर अपनी पूरी ताक़त से प्रहार किया। उस प्रहार से किसी की भी हड्डियाँ चकनाचूर हो सकती थीं, परंतु दुर्योधन हिला तक नहीं। हमें गुप्तचरों की बताई हुई एक अन्य बात याद आई : युद्ध आरंभ होने से पूर्व, उसकी माँ गांधारी ने दुर्योधन से उसके समक्ष पूर्ण नग्न होकर आने के लिए कहा था। (परंतु शर्म के कारण, वह अधोवस्त्र पहनकर आया था।) गांधारी ने अपनी आँखों की पट्टी खोलकर अपने तप की शक्ति दुर्योधन के तन में भर दी, जिसके कारण जिस-जिस अंग पर गांधारी की दृष्टि पड़ी, दुर्योधन का वह अंग अपराजेय हो गया।"

"इसके विरुद्ध भीम के पास क्या था?"

"यहाँ तक कि युद्ध देखकर कृष्ण भी परेशान हो रहे थे। उन्होंने अर्जुन के कान में कुछ कहा, जिसके बाद अर्जुन ने भीम से आँखें मिलाई और अपनी जाँघ पर हाथ मारा। यह मुद्रा - कुछ परिचित लग रही थी। फिर याद आया : उस

अपमानजनक दिन का, सभा में दुर्योधन ने अपनी जँघा को उघाड़ते हुए तुम्हें वहाँ बैठने के लिए बुलाया था। भीम ने प्रतिज्ञा की थी कि वह उसका प्रतिशोध लेगा। और उसने वह लिया! वह गदा हाथ में लेकर दुर्योधन की ओर दौड़ा। उसके वार से बचने के लिए दुर्योधन ऊपर उछल गया, किंतु भीम ने सिर्फ़ ऐसा करने का बहाना बनाया था। वह घूमा और उसने दुर्योधन की जँघाओं पर ज़ोरदार वार किया और बिजली की स्फूर्ति से उन्हें तोड़ दिया। युद्ध समाप्त हो गया था।"

"हम प्रसन्न थे किंतु व्याकुल भी हो रहे थे। भीम ने दुर्योधन को नाभि के नीचे वार करके, गदा-युद्ध के सबसे महत्त्वपूर्ण नियम का उल्लंघन किया था। उसका परिणाम तो होना ही था। आकाश में अँधकार छा गया। पृथ्वी हिलने लगी। तुमने भी उस कंपन को यहाँ स्त्रियों के शिविर में महसूस किया होगा। बलराम - क्या मैंने तुम्हें बताया था कि वह भी वहीं थे? - नाराज़ हो गए। वह भीम के पीछे दौड़े और उसे मार डालने की धमकी दी और कृष्ण के उनके हाथ पकड़ लेने और शांत होने का आग्रह करने के बाद ही वह रुके। वहाँ से जाने से पहले, वह भीम से बोले, चूंकि तुमने इतना निकृष्ट कोटि का छल किया है इसलिए दुर्योधन का अधिक सम्मान होगा और गदा-युद्ध में वही सर्वश्रेष्ठ माना जाएगा। उसे स्वर्ग की प्राप्ति होगी जबकि तुम्हें शाश्वत रूप से अपयश मिलेगा।"

"भीम ने आदर के साथ बलराम के सामने सिर झुका लिया, किंतु उसकी पीठ हठ से ऐंठी हुई थी। उसने कहा, मैंने जो भी किया, ठीक किया। मैंने यह युधिष्ठिर के लिए किया, जिसके साथ दुर्योधन ने उसकी विरासत छीनकर छल किया था। मैंने यह पांचाली के लिए किया, जिसे दुर्योधन ने इस तरह से अपमानित किया जैसे किसी स्त्री को नहीं किया जाना चाहिए। मैं कैसा पुरुष कहलाऊँगा यदि मैंने इसे दिए वचन का पालन नहीं किया?"

"तुमने पूछा कि इन सब बातों में कृष्ण का क्या मत था?"

"जब दुर्योधन ने कृष्ण को हमें छलपूर्ण तरकीबें सिखाने के लिए अपशब्द कहे, तो कृष्ण मुस्कराए और बोले, मैं अपने लोगों का - जैसे भी संभव हो - ध्यान रखता हूँ। जिस क्षण द्रौपदी ने दु:शासन से संघर्ष करना छोड़कर मुझे रक्षा के लिए बुलाया, उसी क्षण तुम्हारी मृत्यु का आज्ञा-पत्र लिख दिया गया था। यदि मैंने कोई पाप किया है तो पांचाली के लिए। मैं उसे सहर्ष स्वीकार करता हूँ।"

"क्या हुआ? तुम रो क्यों रही हो? क्या मैंने कुछ अनुचित कह दिया? अब तुम हँस रही हो? ओह, स्त्रियाँ! मैं इन्हें कभी नहीं समझ पाऊँगा!"

. . .

उस रात, प्राचीन नियमों का पालन करते हुए, हम लोग अलग-अलग शिविरों में रुके। कृष्ण व मेरे पाँच पति कौरवों के पराजित शिविर में सोए, जैसा कि विजेताओं से किया जाना अपेक्षित होता है। धृ, शिखंडी, मेरे पाँच पुत्र और संहार में बचे मुट्ठी-भर सैनिक पांडव शिविर में सोए। मेरी इच्छा उनके पास जाने की थी। मैं प्रत्येक से बहुत कुछ कहना व सुनना चाहती थी। सबसे अधिक तो मैं अपने पुत्रों को स्पर्श करना चाहती थी, उनके हाथ और पैर व चेहरों को महसूस करना चाहती थी और उनके घावों को अपने हाथ से सहलाना चाहती थी। ऐसा करने के बाद ही मुझे इस बात का विश्वास हो पाएगा कि यह वीभत्स युद्ध समाप्त हो चुका था और वह सब जीवित बच गए थे। मैंने वचन दिया कि मैं अब से एक अच्छी माँ बनूँगी, उनका पूरा ध्यान रखूँगी और उस संबंध को सुधारने का प्रयास करूँगी जिसकी मैंने इतने वर्षों तक उपेक्षा की, परंतु एक रात और मुझे धैर्य रखते हुए अपने शिविर में रुकना होगा।

सभी स्त्रियाँ इतनी उत्सुक थीं कि उन्हें नींद नहीं आ रही थी और इतनी रात्रि में हमने विजय-भोज की तैयारी की। उसमें अवश्य ही दुख सम्मिलित हो जाएगा किंतु कम से कम यह भयंकर युद्ध समाप्त तो हो गया था। यहाँ तक कि उत्तरा भी कुछ अच्छा महसूस कर रही थी। आज शिशु ने पहली बार गर्भ के भीतर पैर चलाया था। हमने उसे शुभ संकेत माना। जब मैं मीठे आटे की गोलियाँ तल रही थी, तो मैंने मौन रहते हुए देवताओं को धन्यवाद दिया कि इस विनाश के बीच भी, वह सभी लोग (एक को छोड़कर) जिनकी मुझे चिंता थी, जीवित बच गए थे। मैं अन्य कितनी ही स्त्रियों की अपेक्षा बहुत सौभाग्यशाली थी : सुभद्रा, उत्तरा, कुंती, दूर कहीं हिडिंबा जिसे अब तक अपने एकमात्र पुत्र की मृत्यु का समाचार मिल गया होगा, और गांधारी जो शीघ्र ही अपने सभी सौ पुत्रों से वंचित हो जाएगी। एक गहन विचार मेरे मस्तिष्क में उठा : इस भयंकर विनाश का एक मुख्य कारण होने के नाते मुझे इतना सौभाग्यशाली होने का कोई अधिकार नहीं था। मैं ज़ोर-ज़ोर से बात करती और हँसती हुई भोज की तैयारी में जुट गई किंतु यह विचार मुझसे दूर नहीं जा रहा था।

अंत में, जब मैं अपनी शय्या पर सोने चली गई तो मैंने एक स्वप्न देखा जो अब तक देखे सभी स्वप्नों से भिन्न था। उसमें मैं पुरुष बन गई थी - मुझे नहीं पता कि वह कौन था हालांकि मैं उसका आशाविहीन आवेश महसूस कर पा रही थी। क्या वह दुर्योधन था? नहीं। मैं पेट के बल सरकती हुई आगे बढ़ी ताकि कोई मुझे देख न ले। मैं किसी वीरान स्थल के पास जाकर एक क्षत-विक्षत तन के ऊपर गिरकर रोने लगी। वह कौरव राजकुमार था - मेरा राजकुमार, जो पीड़ा के

कारण तड़प रहा था किंतु अभी तक जीवित था। कितने अन्यायपूर्ण ढंग से उसे इस दयनीय स्थिति में छोड़ दिया गया था! मैंने उससे प्रतिशोध (यह शब्द मेरी जिह्वा पर अत्यंत परिचित रूप से चढ़ गया था) लेने का वादा किया और विचारों में खोई हुई सरकते हुए एक वृक्ष के नीचे बैठ गई। मेरे पास कोई सेना, कोई रथ, कोई अश्व, मार्गदर्शन के लिए कोई पिता (आह, इन लोगों ने उनकी हत्या कर दी थी) नहीं था। मेरी दो सहेलियाँ जो मेरी तरह आहत थीं, अत्यधिक थकान के कारण मेरे निकट सो रही थीं, परंतु हताशा मुझे आराम नहीं लेने दे रही थी। मैंने ऊपर वृक्ष की उलझी हुई शाखाओं की ओर देखा जहाँ एक घोंसला था जिसमें कौवे सो रहे थे। मेरे देखते-देखते, वहाँ एक उल्लू आ पहुँचा। वह नीचे कूदा तो उसके पंख धुएँ की तरह लग रहे थे। (मैंने इसे पहले कहाँ देखा था?) वह अपने साथ लाई मृत्यु के समान शांत था। उसने सोते हुए प्रत्येक कौवे को मार डाला और फिर संतुष्ट होकर धुँध में ओझल हो गया।

मैंने उल्लास के मारे अपने जबड़े पीस लिए। मुझे पता था कि मुझे क्या करना था। मैंने अपनी सहेलियों को उठाया। जब उन्होंने मेरा चेहरा देखा तो उन्हें लगा कि मैं पागल हो चुकी हूँ। उन्होंने याचना की, शांत रहो, अश्वत्थामा, किंतु वह शांत रहने का समय नहीं था। मैंने उन्हें अपनी योजना बताई। उनकी आँखों में दिख रहे खौफ से मैंने जाना कि वह योजना अच्छी थी। उन्होंने विरोध किया परंतु फिर मैंने उन्हें वह प्रतिज्ञा याद दिलाई जो हमने अपने राजकुमार से की थी। मैंने आगे क़दम बढ़ाए और वह मेरे पीछे आ रही थीं जिससे मुझे पता लग गया कि वह मेरी आज्ञा मानेंगी।

. . .

मैं चीखती-चिल्लाती नारी-शिविर में जाग उठी। मुझे शांत करवा पाने में असमर्थ मेरी सेविकाएँ अन्य रानियों को जगाने चली गईं। कुंती ने यह घोषणा कर दी कि मेरे ऊपर किसी दुष्टात्मा का साया था और उसने लाल मिर्च मँगवाकर उन्हें जलाया जिससे हम सबको खाँसी उठने लगी। सुभद्रा ने मेरे मुँह पर पानी के छींटे मारे और वह प्रार्थना करने लगी। उत्तरा अपने पेट पर हाथ रखे, परेशान-सी द्वार पर खड़ी मुझे देखती रही। मैंने उन सबको धकेल दिया और इस बात की परवाह किए बिना कि मैं उस समय रात्रि-वस्त्र पहने हुए थी, मैंने बाहर जाकर एक रथ मँगवाया और कुछ रक्षकों को साथ चलने के लिए कहा। मेरे चेहरे से उन्हें महत्त्व का पता लग गया होगा, तभी वह अपने अस्त्र लेकर दौड़े। यहाँ तक कि कुंती भी शांत हो गई, किंतु तब तक बहुत देर हो चुकी थी। रात्रि की धुँध छँटने लगी थी। मैं

स्वप्न की भूलभुलैया में बहुत देर विचरती रही थी।

जब हम वहाँ पहुँचे तो पांडव शिविर जल रहा था। कुछ सेवक रोते-चीखते हुए, इधर-उधर भाग रहे थे और शवों को बाहर निकाल रहे थे। हमारे रक्षकों ने आग बुझाई और शवों को एकत्रित करने में सहायता की। वह एक व्यक्ति को मेरे पास लेकर आए। वह मेरे पैरों में गिर पड़ा और भय से बड़बड़ाने लगा। कालिख और घावों के बीच से मैंने उसे पहचान लिया : वह धृ का सारथी था। धृ ने मुझे एक बार बताया था कि वह उसके ऊपर पूरा भरोसा करता था। कुरुक्षेत्र के उस नरसंहार के बीच भी उसने मेरे भाई को सुरक्षित रखा हुआ था।

उसने बताया कि अश्वत्थामा शिविर में घुस गया था और उसने मेरे सोते हुए भाई को दबोच लिया। जब धृ ने अश्वत्थामा से कहा कि वह उसे लड़ने का अवसर दे, तो वह पागलों की तरह हँसा और फिर वह धृ का गला दबाने लगा।

दम घुटते हुए भी, मेरे भाई ने उससे याचना की। कम से कम मुझे किसी अस्त्र से मारो जिससे कि मुझे एक योद्धा जैसी मृत्यु प्राप्त हो सके!

अश्वत्थामा ने उत्तर दिया, जिस व्यक्ति ने अपने निहत्थे गुरु की हत्या की हो, उसके लिए इससे अच्छी मृत्यु और क्या हो सकती है? मैं तुम्हें इस तरह मारूँगा कि नरक के लिए तुम्हारा मार्ग प्रशस्त हो जाए।

उसने मेरे मूर्छित भाई को लातों से मारा जब तक वह मर नहीं गया।

"वह किसी राक्षस की भांति शक्तिशाली व खूँखार लग रहा था," सारथी बोला, "और उन्हीं की भांति उसने रात्रि में चुपचाप आक्रमण किया। जब तक हमें यह पता लगा कि वह शिविर के भीतर था, तब तक उसने आपके भाई शिखंडी और आपके पाँचों पुत्रों की हत्या कर दी थी। काश, वह मुझे भी मार...।"

मैं इसके आगे कुछ नहीं सुनना चाहती थी या शायद मेरे मस्तिष्क ने काम करना बंद कर दिया था। मैं उस स्थान पर पहुँची जहाँ शव रखे हुए थे। धृ का चेहरा घावों से इतना फीका और सूजा हुआ लग रहा था कि पहले तो मैं उसे पहचान ही नहीं सकी। मैंने बैठकर उसका सिर अपनी गोद में रखा। मैंने रक्षकों को अपने पुत्रों और शिखंडी के शव अपने आस-पास लगाने के लिए कहा। उसके लंबे बालों को उसके सिर पर से उखाड़ दिया गया था। मैंने अपना हाथ उसके चिरे हुए सिर पर रखा। मैं इतनी दुखी थी कि मुझे रोना नहीं आ रहा था। मेरे पुत्रों के मुँह रक्त से भरे व खुले हुए थे मानो वह अब भी चिल्ला रहे हों।

मैं भीतर से भी चिल्ला रही थी किंतु मेरी आवाज नहीं निकली। इतना सब सहन करने के बाद भी मेरे साथ यह सब क्यों हो रहा था - जबकि मुझे लग रहा

था कि मेरी समस्याएँ अब समाप्त हो चुकी थीं? मेरे भीतर से ही आवाज आई, जो प्रतिशोध के बीज बोता है, उसे उसका कटु फल मिलकर ही रहता है। क्या अश्वत्थामा को ऐसा राक्षसी रूप प्रदान करने में तुम्हारा हाथ नहीं है? परंतु मेरा भीतर का एक बड़ा भाग उस पर विश्वास नहीं कर पा रहा था, जो मैं देख व स्पर्श कर रही थी। जिस प्रकार सुबह होने पर स्वप्न की छवियाँ ओझल हो जाती हैं, उसी प्रकार मैं भी इस दृश्य के अपने सामने से ओझल हो जाने की प्रतीक्षा कर रही थी। जब ऐसा नहीं हुआ तो मेरे मस्तिष्क ने स्वयं को मेरे शरीर से मुक्त किया और वह अन्यत्र उड़ चला। मैंने देखा कि मैं फिर से कांपिल्य में उसी कन्या के रूप में, पर्दे के पीछे से धृ को उसके पाठ के वह शब्द बता रही थी जो उसे याद नहीं थे। बाद में, अपनी एकांत छत पर, मैं उसके कहे शब्दों को याद करती रही जब वह मुझे न्यायसंगत युद्ध के नियम समझा रहा था। मैंने शिखंडी को अपने कक्ष में सामने से आते देखा। उसने अंबा के रूप में अपने पूर्वजन्म में भोगे गए दुख के विषय में बताया। अपने द्वार पर, मैंने उसके छालों से भरे हाथों को पकड़ा और उससे न जाने का आग्रह किया। कुछ बड़ा होने पर, मैं देखा कि मैं अपने पुत्रों के पीछे माया महल के उद्यान में भागते हुए उन्हें उनकी शरारतों के लिए डाँट रही थी और वह मुझे झाँसा देकर हँस रहे थे। एक ने अपराजिता का पुष्प तोड़कर मेरे बालों में लगा दिया। मैंने उसे अपने बाँहों में भर लिया। मैं उसे - उनमें से किसी को भी - जाने नहीं दूँगी।

परंतु बाँसुरी के एक मधुर व सतत स्वर मुझे पुकार रहा था और मुझे बेचैन कर रहा था। मैं चिल्लाई कि मैं शांति से रहना चाहती थी। मैं बहुत थक चुकी थी और संसार अत्यंत कठोर है, परंतु उस बाँसुरी के स्वर लगातार मुझे परेशान करते रहे और मुझे किसी गहरी खाई के पार खींचते रहे। जब मैं जागी (क्या *जागना* वह शब्द है जिसकी मुझे प्रतीक्षा है?) तो कृष्ण मेरे चेहरे पर हाथ फेर रहे थे।

"हिम्मत रखो!" वह बोले। "युद्ध की यही प्रकृति होती है और इसका दुष्परिणाम झेलने वाली तुम अकेली नहीं हो। विजेता होने के नाते तुम विस्मृति का सरल मार्ग नहीं चुन सकतीं। अनेक उत्तरदायित्व तुम्हारी प्रतीक्षा कर रहे हैं। हम इसके विषय में फिर बात करेंगे - किंतु अभी मुझे जाना है। भीम पहले ही अश्वत्थामा की खोज में निकल चुका है। अर्जुन और मुझे उसकी सहायता करनी चाहिए, अन्यथा अश्वत्थामा उसे भी मार डालेगा।"

इस प्रकार, प्रतिशोध का रथ, जिसे अश्व अथवा पहियों की आवश्यकता नहीं होती, आगे चल दिया।

. . .

उन्होंने अश्वत्थामा को गंगा के किनारे खोज लिया, जहाँ वह अपने द्वारा किए गए कार्य को मरणासन्न दुर्योधन को बताकर भाग आया था। अश्वत्थामा ने हताशा को शक्ति बनाकर अर्जुन के साथ युद्ध किया, किंतु जब उसे यह स्पष्ट हो गया कि उसके लिए जीतना असंभव था तो उसने एक आदेश देकर कि, *पृथ्वी पर से पांडवों का वंश समाप्त हो जाए,* अपना भयंकर ब्रह्मास्त्र चला दिया। अर्जुन ने अपना अस्त्र चलाकर उसे काट दिया।

व्यास लिखते हैं : *जब आकाश में यह दो अग्नि-शिखाएँ चलीं तो समुद्र सूखने और पर्वत विदीर्ण होने लगे। मनुष्य व पशु भय से चीत्कार करने लगे, क्योंकि संसार नष्ट होने को था। मैं इस कथा को सिरे से देखते हुए इसमें हस्तक्षेप करने को विवश था हालांकि यह मेरी प्राथमिकता नहीं है। मैं उन अग्निशिखाओं के मध्य कूद गया और मैंने अपने हाथ ऊपर उठाए। मेरे तप के बल से, एक क्षण को वह दोनों अस्त्र अपने-अपने स्थान पर रुक गए। अपने को एवं देवी पृथ्वी के प्रति अपने उत्तरदायित्वों को भुला बैठने के लिए मैंने उन दोनों योद्धाओं की घोर निंदा की। मैंने उनसे अपने-अपने अस्त्र वापस लेने के लिए कहा।*

अर्जुन ने मेरी बात मान ली, किंतु कलंकित (जैसा कि अब से उसे जाना जाएगा) अश्वत्थामा को अपना अस्त्र वापस लेना नहीं आता था। वह बड़बड़ाते हुए व्यर्थ मंत्रों का उच्चारण करने लगा। तभी उसका अस्त्र उत्तरा के गर्भ की ओर चल पड़ा। स्त्री-शिविर में उन्होंने देखा की आकाश जल रहा था। वायु इतनी गर्म हो गई कि श्वास ले पाना दूभर हो गया। उन्हें समझ नहीं आ रहा था कि उनके ऊपर वह क्या अथवा क्यों आ रहा है। सुभद्रा स्वयं को उत्तरा - जो पांडवों की अंतिम आशा को अपने भीतर जीवित रखे हुए थी - के सामने ले आई और उसने ज़ोर से कृष्ण को पुकारा। मूर्छित होने से पूर्व उसे अपने आस-पास ठंडक का एहसास हुआ और परीक्षित, जिसे युधिष्ठिर छत्तीस वर्ष के बाद हस्तिनापुर के राजसिंहासन पर बैठाने वाला था, जीवित बच गया।

. . .

जब भीम लौटा, तो उसने मेरे हाथ पर अश्वत्थामा की सबसे मूल्यवान संपत्ति, उसकी प्रसिद्ध मणि रख दी, जो देवताओं ने उसके स्वर्णिम दिनों में उसके मस्तक में स्थापित की थी। उस मणि की शक्ति से उसे धारण करने वाला अस्त्र-शस्त्र, रोग व भूख से सुरक्षित रहता था। अपने हाथ पर रखी उस चमकती हुई मणि को मैं ध्यान से देखती रही। उसके कोनों पर रक्त लगा हुआ था क्योंकि भीम ने वह मणि अश्वत्थामा के मस्तक से खींचकर निकाली थी। मुझे उस शानदार

वस्तु को पाकर अत्यंत हर्ष हो रहा था और मैं उसे माया महल के किसी गौरवान्वित स्थान पर रख सकती थी, परंतु आज उसका मूल्य मिट्टी के ढेले से अधिक कुछ नहीं था। इससे भी बुरा यह था : उस मणि के प्रत्येक चमकते मुख पर मेरे किसी न किसी प्रियजन का मृत्यु की पीड़ा झेलता हुआ चेहरा दीख रहा था।

मैं उसे अपने सामने से फेंक देना चाहती थी, किंतु मुझे पता था कि मुझे सांत्वना देने की आशा से भीम ने अश्वत्थामा से इसे प्राप्त करने के लिए बहुत संघर्ष किया था। भीम को प्रसन्न करने के लिए मैंने वह मणि युधिष्ठिर को दे दी और उसे अपने मुकुट में धारण करने के लिए कह दिया। युधिष्ठिर ने वह मणि तो ले ली लेकिन उसके चेहरे पर बहुत विचित्र अवसाद छाया हुआ था और मैं देख सकती थी कि उसने वह मणि सिर्फ़ मेरी संतुष्टि के लिए स्वीकार की थी। मेरा मस्तिष्क हलका हो गया। ऐसा लगा मानो समय पानी की सतह पर हवा के प्रवाह की भांति बीत रहा था। मैंने सोचा कि हम अपने अगले कुछ दशक इसी प्रकार स्वयं को एक प्रत्याशित कार्य से दूसरे तक खींचते हुए बिताएँगे और एक-दूसरे को छोटी-छोटी खुशियाँ देने के अपने कर्त्तव्य का सतर्कता से निर्वाह करते रहेंगे, परंतु कर्त्तव्य से प्राप्त होने वाला सुख अधिकतर निरुत्साही होता है। खुशी, जो किसी चंचल पक्षी की भांति एक फुनगी से दूसरी पर फुदकती फिरती है, हमारे जीवन से दूर थी। दुर्योधन द्वारा युधिष्ठिर से कहे गए अंतिम शब्द मेरे कानों में गूँज रहे थे : *मैं तो अपने मित्रों के साथ समस्त सुखों को भोगने स्वर्ग जा रहा हूँ। तुम विधवाओं और अनाथ बच्चों से भरे राज्य पर शासन करोगे और प्रतिदिन सुबह हानि के संताप के साथ उठोगे। तो फिर, वास्तव में कौन जीता, और कौन हारा?*

# 38

## चिता

रणभूमि की ओर अपने प्रियजनों के शवों को देखने के लिए अनिच्छा से जाते समय, सतत, दयनीय व तेज़ी से बढ़ती हुई दुर्गंध हमें सता रही थी। वमन करने से बचने के लिए मैंने अपने होंठों को कसकर दबा रखा था। जिस स्थान पर सैनिकों ने पहले अपनी रसोई की अँगीठी जलाई थी, वहाँ अब चिताएँ जल रही थीं - वह भी इतनी सारी थीं कि हमारे सामने धुएँ का विशाल धुँधलका छाया हुआ था। मैंने अपनी जलती हुई आँखों को झपकाया। चंडाल, जिनका कार्य चिताओं को अग्नि देना होता है, अपना दंड घुमाते हुए और शोकाकुल लोगों को दूरी बनाए रखने के लिए कहते हुए एक चिता से दूसरी की ओर दौड़ रहे थे। मात्र अधोवस्त्र पहने हुए और धुएँ व पसीने से लथपथ, वह नरक के सुरक्षाकर्मी दिखाई देते थे। जब मैंने उन्हें देखा तो मुझे एक विचित्र दृश्य दिखाई दिया। रणभूमि श्वेत आकृतियों से भरी हुई थी। मेरी दुविधाजनक स्तब्धता में वह मुझे पंखहीन हिमपक्षी जैसी प्रतीत हो रही थी जिनके विषय में कवियों ने गीत लिखे हैं और जो संसार के उत्तरी छोर पर रहते हैं जहाँ न पौधे उगते हैं और न अन्न। वह आकृतियाँ अनिश्चित ढंग से घूम रही थीं मानो वह कोई ऐसे जीव हों जो तूफ़ान में अपना मार्ग भटक गए हों और उसके थम जाने के बाद बाहर निकले हों और उन्होंने स्वयं को किसी विचित्र व भयावह स्थान पर पाया हो। बीच-बीच में, उनके मुख से तीखी, शब्दहीन चीख निकलती थी।

मुझे एक क्षण के बाद समझ में आया कि मैं क्या देख रही थी : पक्षी नहीं अपितु वह विधवा स्त्रियाँ थीं जो हस्तिनापुर एवं इंद्रप्रस्थ - और न जाने कौन-कौन से नगरों से वहाँ आई थीं। वह उस स्थल पर उस कृत्य के लिए एकत्रित हुई थीं जिसे पशु-पक्षी नहीं किया करते - सिर्फ़ हम मनुष्यों ने अपने लिए ऐसे त्रासद कर्त्तव्य बनाए हैं : अपने मृतकों को पहचानना तथा उनका अंतिम संस्कार करना।

यह स्पष्ट था कि उनके लिए पहला कार्य ही अति कठिन था। राजागण व सेनापतिगण को, जो युद्ध में मारे गए थे, पहचाने जा रहे थे, परंतु इन स्त्रियों के पति और पुत्र - आम सैनिक जो युद्ध में सबसे पहले मारे जाते हैं - अस्त्रों द्वारा नष्ट हो गए थे अथवा रथों व भागते हुए पशुओं के पैरों के नीचे कुचले जा चुके थे। उनके शरीर में सड़ते हुए माँस के अतिरिक्त कुछ शेष नहीं था। जब उन स्त्रियों को यह पता लग गया कि वह अपने प्रियजनों के शवों को नहीं देख पाएँगी, तो वह हताशा से पागल हो गईं। कुछ ने तो मेरे पतियों को इतने अपशब्द कहे कि मैं काँप उठी। (आश्चर्य था कि वह दुर्योधन को कुछ नहीं कह रही थीं। शायद उसकी मृत्यु ने उसे उनके मस्तिष्क से मुक्त कर दिया था, या शायद किसी ऐसे व्यक्ति को शाप देने में संतुष्टि नहीं होती जो उसे सुन नहीं सकता।) कुछ स्त्रियों ने भूमि में बिखरे पड़े अस्त्रों से स्वयं को मार डालने का प्रयास किया। अनेक स्त्रियां उन शवों के साथ स्वयं भी चिता पर बैठ गईं। उनके श्वेत वस्त्रों के झुलसने के साथ उनकी दर्दनाक चीखें अभी तक रण में सुनी चीखों से अधिक असहनीय लग रही थीं। उनकी पीड़ा देखकर मुझे अपना दुख कम लग रहा था।

घबराकर युधिष्ठिर ने रक्षकों को उन स्त्रियों को खुद को हानि पहुँचाने से रोकने और उसके पास लेकर आने का आदेश दिया। यह आसान नहीं था। भय और दुख से आक्रांत, उन स्त्रियों ने अपनी बची हुई शक्ति से रक्षकों के साथ संघर्ष किया। उनमें से कुछ ज़मीन पर बिखरे रक्तिम-कीच में ही लेट गईं और उन्होंने उठने से मना कर दिया। कुछ ने भागने की कोशिश की। कुछ ने अपने मृत पतियों की आत्माओं को अपनी रक्षा के लिए पुकारा। उन्हें युधिष्ठिर पर भरोसा नहीं था। वह उसके पास नहीं आना चाहती थीं। क्या वही उनके पतियों की मृत्यु का उत्तरदायी नहीं था? क्या उसी ने उन्हें विधवा नहीं बनाया था? कौन जाने वह उनके साथ क्या करेगा?

एक बार तो रक्षक उन स्त्रियों के हमले की तीव्रता से आश्चर्यचकित रह गए। वह उन्हें समझाने का प्रयास करने लगे। जब बात नहीं बनी तो उन्हें बल का सहारा लेना पड़ा। निहत्थी स्त्रियाँ किसी सैन्य-दल का सामना कितनी देर कर सकती थीं? आखिरकार उन्हें एक अस्थायी मंच के समक्ष लाया गया जहाँ युधिष्ठिर ने उन्हें आश्वासन दिया कि उन्हें डरने की आवश्यकता नहीं थी।

उसने उन्हें वचन दिया कि किसी पराजित राज्य की स्त्रियों को जो कष्ट भोगने पड़ते हैं, उन्हें वे सब नहीं झेलने पड़ेंगे। उसने उन्हें भोजन-पानी और आराम करने के लिए एक सुरक्षित स्थान उपलब्ध करवाया जिस बीच उनके मृतकों

का ध्यान रखा जा रहा था। परंतु वह स्त्रियाँ रोती-बिलखती रहीं और फिर दुख का स्थान क्रोध ने ले लिया। उन्हें युधिष्ठिर का दान नहीं चाहिए था! उनका सर्वत्र छीन लेने के बाद वह क्या यह समझ रहा था कि ज़रा-सा जलपान करवाकर उन्हें प्रसन्न कर सकेगा? स्त्रियाँ अपनी छाती पीट-पीटकर उससे कहती रहीं कि वह उनकी भी हत्या कर दे और उन्हें वैधव्य की निराशा और उसकी अनंत परेशानियों से बचा ले। उन्होंने कहा कि यदि वह इतना डरपोक है कि उनकी हत्या नहीं कर सकता, तो फिर वह उन्हें उनके पतियों की चिताओं के साथ सम्मानजनक ढंग से मर जाने दे।

*हम अवश्य मरेंगी!* उनमें कुछ लड़ाकू किस्म की स्त्रियों ने कहा। *यहाँ किसमें इतना साहस है जो हमें पतिव्रता पत्नी के अधिकार से वंचित कर देवताओं के कोप का भागी बना सके?* वह वहाँ से भागकर जलती हुई चिताओं की ओर दौड़ीं। अन्य स्त्रियाँ भी उनके पीछे दौड़ पड़ीं। दैवी कोप की बात से डरकर, रक्षकों ने उन्हें आधे मन से रोकने का प्रयास किया। उनमें से कुछ, जो हस्तक्षेप करने के लिए अनिच्छुक थे, वहीं रुके रहे। शीघ्र ही यदि कोई समाधान नहीं किया जाता तो वहाँ भगदड़ मच जाती जिसके कारण सामूहिक आत्म-हत्या हो सकती थी।

युधिष्ठिर स्तब्ध खड़ा देखता रहा। यदि वह युद्ध होता तो उसे पता था कि उसे अपने सैनिकों को क्या आदेश देना चाहिए, परंतु यहाँ उन स्त्रियों ने एक प्राचीन एवं भयंकर परंपरा का आह्वान किया था और वह स्वयं अपराध-बोध व करुणा के कारण शिथिल हो चुका था। मैंने उसके चेहरे पर एक अन्य चिंता का भाव भी देखा : उसके शासन के आरंभ में ही इतनी सारी स्त्रियों की दुखद मृत्यु उसके राजकाज पर एक धब्बा होगा, सहन करने हेतु एक सर्वनाशी कर्म, परंतु न उसे और न ही मेरे अन्य पतियों को पता था कि उसे कैसे रोका जाए।

जब मैं उस अस्थायी मंच पर चढ़ी, तो मेरा उद्देश्य सिर्फ़ युधिष्ठिर के पास खड़ा होना था क्योंकि वह बहुत अकेला दीख रहा था। पर मुझे यह देखकर बहुत आश्चर्य हुआ कि वह स्त्रियों चिताओं के लिए झगड़ना छोड़कर मुड़कर मुझे देखने लगीं। क्या उन्हें एक स्त्री का वहाँ खड़ा होना अप्रत्याशित लग रहा था? अथवा उन्हें मेरी - आरंभ से कल रात तक की - कहानी का पता लग गया था क्योंकि कहानियाँ बहुत तेज़ी से फैलती हैं? मुझे लगा कहीं वह यह तो नहीं सोच रही थीं कि मेरे साथ जो हुआ मैं उस सबकी पात्र थी।

मुझे याद है, कि युद्ध आरंभ होने से भी पहले, किस प्रकार एक स्त्री ने मेरे ओर देखते हुए बुरी नज़र का संकेत किया था। मुझसे घृणा करने के लिए इन स्त्रियों को अभी और कितने कारण चाहिए थे? उनके कठोर होते चेहरों को देखकर

मेरी हथेलियाँ पसीने से गीली होने लगीं। मेरी आँखें जल रही थीं किंतु मैं रो नहीं सकती थी। मेरे पुत्रों की मृत्यु के बाद से मेरे आँसू मानो सूख चुके थे। मेरा मुँह सूख गया था मानो किसी ने मेरे मुँह में रुई ठूँस दी हो। मुझे पता था कि यदि मैं अधिक देर वहाँ खड़ी रही तो मैं फिर कभी बोल नहीं सकूँगी। और फिर यह एक अवसर, यह एक क्षण जब यह मुझ पर ध्यान दे रही थीं, मैं हमेशा के लिए खो बैठूँगी। इससे पहले, मैंने कभी भीड़ को संबोधित नहीं किया था हालांकि मुझे याद था कि धृ का शिक्षक सशक्त शब्दों के महत्त्व पर गंभीरता से बहुत देर तक चर्चा करता रहता था। वह कहता था कि शब्द ही सबसे तीक्ष्ण व सबसे सूक्ष्म अस्त्र होते हैं। शासकों को उनका प्रयोग उचित ढंग से करना चाहिए, अपने दर्शकों को उचित स्वर शैली के साथ प्रभावित करते हुए उनके हृदय को उसी प्रकार छूने का प्रयास करना चाहिए जिस प्रकार एक संगीतकार अपने वाद्य के तारों को झंकृत करते हुए अपने श्रोताओं को सम्मोहित करता है।

मैं यदि इस प्रकार की शैली में सक्षम होती तो भी अपनी आँखों के सामने अपने प्रियजनों के शवों का विचार आने के कारण, मेरी ऐसा करने की इच्छा नहीं थी। मैंने बहुत गति से और बहुत ज़ोर से बोलना शुरू कर दिया। मुझे पता नहीं था कि मैं क्या बोलूँगी। मैं उनके साथ अपना दुख साझा करने लगी क्योंकि उनकी तरह मैंने भी अपने पिता और भाइयों को खोया था। मैंने इस युद्ध को आरंभ करने में अपनी भूमिका को स्वीकार किया और उनसे क्षमा माँगी। जब मैंने बच्चों की बात की तो मेरा स्वर टूटने लगा और मुझे रुकना पड़ा।

मैंने उन्हें बताया कि मैं तो पुत्रहीन हो चुकी थी किंतु अपने पुत्रों व पुत्रियों, जिन्हें वह घर पर छोड़कर आई थीं, के प्रति उनका कुछ उत्तरदायित्व था। यदि उन्होंने स्वयं को मार डाला तो उनके बच्चों की देखभाल कौन करेगा? मुझे ठीक से पता नहीं कि मैंने उसके बाद क्या कहा। मैं मानो ध्यानावस्था में बोल रही थी। शायद मैंने यह कहा कि इस दुख के बावजूद, हमें अपने भविष्य के लिए जीवित रहना होगा। मैंने उनको वचन दिया कि उसी भविष्य की ख़ातिर मैं उनके बच्चों (निश्चित ही मेरा अपना तो कोई था ही नहीं) की अपने बच्चों की तरह देखभाल करूँगी और उन्हें किसी चीज़ का अभाव महसूस नहीं होने दूँगी। मैं उन्हें ऐसे संबोधित कर रही थी जैसे एक रानी अपनी प्रजा से बात करती है, किंतु जैसे-जैसे यह शब्द मेरे मुख से निकल रहे थे, मैं उन माताओं के बीच माँ की तरह बोल रही थी और फिर हम सब मिलकर रोने लगे।

. . .

अपने मृतकों के शवों तक अपने पतियों को ले जाने का दुरूह कार्य मुझ पर आ पड़ा। मेरे अतिरिक्त कोई उस बात को नहीं जानता था जिसे मैं भूल जाना चाहती थी : उनकी मृत्यु कहाँ और कैसे हुई, मृत्यु के समय उनकी मुद्रा कैसी थी। मैंने क्षत-विक्षत पड़े शरीरों की ओर संकेत किया : घटोत्कच जिसने अत्यंत पीड़ा भरे अपने अंतिम समय में भी सिर्फ़ हमारी भलाई के विषय में सोचा; उत्तर और उसके पिता विराट, जिन्होंने अपनी मेहमान नवाज़ी की कीमत सोचे बिना, परेशानी में हमें अपने यहाँ आश्रय दिया था; मेरे पिता, जिनकी आँखें खुली हुई थीं और जिनका मुख निराशा से खुला हुआ था क्योंकि वह उस प्रतिशोध को नहीं देख सके जिसके लिए वह आजीवन योजना बनाते रहे थे। युवा अभिमन्यु के विकृत शव के पास पहुँचकर मैंने अपने पतियों को बताया कि इतने सारे अनुभवी योद्धाओं से घिरा होने के बावजूद कितनी वीरता से लड़ा और उसके गौरव में किस प्रकार उन योद्धाओं के चेहरों की उदासी घुल गई थी।

परंतु आगे जाने पर हम दुविधा में पड़ गए। मैं किस शव को देखूँ और किसकी उपेक्षा कर दूँ? पांडवों के मामा शल्य का क्या, जिन्हें दुर्योधन ने छल से अपने पक्ष में कर लिया था परंतु फिर भी उन्होंने हमारी यथासंभव सहायता की? द्रोण, जिनका सिर कटा धड़ उनके रथ में पड़ा था, जिन्होंने पांडवों के छोटे-छोटे हाथों को अपने हाथ में लेकर उन्हें कैसे पहली बार धनुष मोड़ना सिखाया था? मैंने दुर्योधन के पुत्र, लक्ष्मण कुमार का खून से रंगा चेहरा देखा, उसकी आँखें आश्चर्य से खुली हुई थीं मानो उसे इस खेल में मृत्यु की विजय होने की बिल्कुल आशा नहीं थी, और उसका चेहरा धीरे-धीरे मेरे अपने एक पुत्र के चेहरे में विलीन हो गया।

उसके बाद हम कर्ण के शव के पास पहुँचे। मैंने अपना चेहरा अलग रखा किंतु मुझे ऐसा लग रहा था कि मेरा हृदय आवेश से फट जाएगा। मुझसे यह सहन नहीं हो रहा था कि इस महान व दुर्भाग्यशाली योद्धा की मृत्यु पर कोई रोने वाला भी नहीं था। उसके सभी मित्र मर चुके थे, कुंती उसके साथ अपना संबंध बता नहीं सकती थी और मैं अपना दुख नहीं व्यक्त कर सकती थी। मेरे पतियों ने कर्ण के चेहरे पर ठहरी हुई मुस्कान को देखकर कोई साधारण टिप्पणी की। नकुल ने पूछा कि कर्ण के शव से अन्य शवों जैसी भयानक दुर्गंध क्यों नहीं आ रही थी? अर्जुन ने कर्ण की वीरता का उदारतापूर्वक वर्णन किया क्योंकि आप जिनसे घृणा करते हैं उन्हें मार डालने के बाद आपके लिए उनकी प्रशंसा करना सरल हो जाता है। जब युधिष्ठिर ने कहा कि पता नहीं इसके माता-पिता कौन हैं और क्या उन्हें पता है कि इसकी मृत्यु हो चुकी है तो मुझसे सहन नहीं हुआ। मैं अपने घुटनों के बल

नीचे बैठ गई और बोली, "पतिदेव, आप लोगों को कुरुक्षेत्र में मरे प्रत्येक योद्धा का सम्मानपूर्वक अंतिम संस्कार करना चाहिए। आपको इन सभी के लिए अग्नि में घी डालना चाहिए और अक्षत व जल द्वारा इनका तर्पण करना चाहिए ताकि इनकी आत्माओं को शांति मिल सके।"

युधिष्ठिर ने तुरंत हामी भर दी, किंतु ज्यों ही उसने व्यवस्था करने के लिए अनुचरों को बुलाया, हमें अपने पीछे से एक आवाज आई। "नहीं," उसने कहा। "तुम्हें मेरे पुत्रों को छूने का कोई अधिकार नहीं है, जिनकी तुमने उनके मित्रों सहित निर्ममता से हत्या की है। मैं तुम्हें उनके तर्पण की अनुमति देकर तुम्हारे उस दंड को कम नहीं होने दूँगा जो इस जन्म तथा अगले जन्मों में तुम्हारी प्रतीक्षा कर रहा है। मैं अपने मृतकों की अंत्येष्टि स्वयं करूँगा।"

वह धृतराष्ट्र था। अपनी विकलांगता के बावजूद वह बलिष्ठ एवं लंबा था, परंतु एक ही रात्रि में वह वृद्ध लगने लगा था - उसकी कमर झुक गई थी, बाल सफ़ेद हो गए थे और माथे पर विनाश का दुख अंकित हो गया था। यद्यपि, गांधारी, जो उसका हाथ थामकर उसे ला रही थी, पहले से अधिक वृद्ध दिख रही थी। आँखों पर बँधी बर्फ़-सी श्वेत पट्टी के समान उसके सफ़ेद चेहरे पर झलक रहा क्रोध मुझे उसके पति के आक्रोश से भी अधिक भयभीत कर रहा था। वर्षों की उसकी प्रार्थना व तपश्चर्या ने उसे महान शक्तियाँ प्रदान कर दी थीं। क्या वह अब उनका प्रयोग मेरे पतियों को क्षति पहुँचाने के लिए करने वाली थी? मैंने युधिष्ठिर को सावधान करने के लिए उसका हाथ पकड़ लिया - किंतु मुझे देर हो चुकी थी।

सभी जानते हैं इसके आगे क्या हुआ। किस प्रकार वृद्ध धृतराष्ट्र ने मुँह में दया और हृदय में हत्या का भाव रखते हुए युधिष्ठिर की क्षमा-याचना को स्वीकार करने का स्वाँग रचा और वचन दिया कि वह उन्हें अपने पुत्रों के समान मानेगा। उसने क्षमादान की मुद्रा में अपना हाथ उठाया और सबसे पहले भीम को अपने पास बुलाया जिसने उसके सभी पुत्रों का संहार किया था। एक बार कृष्ण ने फिर हमारी रक्षा कर ली। उन्होंने भीम को पीछे खींच लिया और सेवकों से कहकर भीम की वही लौह-प्रतिमा आगे करवा दी जिसके ऊपर दुर्योधन अपनी घृणा उतारा करता था। धृतराष्ट्र ने प्रतिमा को अपनी बाँहों में भरकर इतनी ज़ोर से दबाया कि वह चकनाचूर हो गई। उसके बाद वह सच्चे मन से पश्चाताप करता हुआ रोने लगा - क्योंकि क्रोध व घृणा के पीछे, उसके मन में अपने अनुज के पुत्रों के प्रति थोड़ी चिंता भी छिपी हुई थी।

यह देखकर, कृष्ण ने उसे अपनी चाल बताई और फिर धृतराष्ट्र से कहा कि उसके अपने पुत्र ने पांडवों को युद्ध में ज़बरदस्ती धकेला था। "दुर्योधन के हाथों

इन लोगों ने जो कष्ट व अत्याचार सहे हैं, उनकी क्षतिपूर्ति के लिए तुम कम से कम इतना तो कर ही सकते हो कि इन्हें सच्चे हृदय से क्षमा कर दो और इन्हें अपना आशीर्वाद दो ताकि इनके हृदय को भी शांति मिल सके।"

धृतराष्ट्र ने कृष्ण की बात मान ली, किंतु मेरे पतियों के सिरों पर अनिच्छा से हाथ रखते हुए धृतराष्ट्र के भीतर कुछ टूट रहा था। शायद यह बात कि अब मरते दम तक उसे पांडवों का नमक खाना पड़ेगा उसे सहन नहीं हो रही थी। उस दिन के बाद से वह बहुत कम बोलने लगा और उसने समस्त राजसी सुखों का त्याग कर दिया। वह दिन में सिर्फ़ एक बार भोजन करता और फ़र्श पर सोता था और हालांकि युधिष्ठिर ने अनेक बार उससे हस्तिनापुर का राज्य सँभालने की प्रार्थना की, उसने त्यक्त सिंहासन पर बैठने की इच्छा से फिर कभी राजसभा में प्रवेश नहीं किया।

और गांधारी? वह अपने पति से अधिक विवेकी थी। वह जानती थी कि उसके पुत्र स्वयं अपनी मृत्यु का कारण बने थे, परंतु विवेक भी एक माँ की पीड़ा का मुक़ाबला नहीं कर सकता। जब युधिष्ठिर ने उसके पैर छुए तो उसके क्रोध ने अग्नि का रूप धारण कर लिया जिससे युधिष्ठिर के पैर के नाखून जलकर काले हो गए। और जब कृष्ण ने उसे पीछे खींचा तो गांधारी ने अपना सारा क्रोध कृष्ण पर उँड़ेल दिया। "मेरे पुत्रों के विनाश का मूल कारण तुम हो। इसलिए, तुम्हारा वंश एक दिन के भीतर स्वयं अपना नाश कर लेगा। उस दिन तुम्हारे राज्य की स्त्रियाँ भी उसी प्रकार विलाप करेंगी जैसे अब हस्तिनापुर की स्त्रियाँ कर रही हैं। तब तुम मेरी पीड़ा समझ सकोगे।"

मैं आश्चर्य से गांधारी को देखती रही, किंतु कृष्ण ने अपने सामान्य धैर्य के साथ कहा, "एक दिन तो सब कुछ नष्ट होना है। ऐसे में, यदु वंश इसका अपवाद कैसे हो सकता है?" उसके बाद उनका स्वर कठोर हो गया। "परंतु आप बताइये, क्या आप इस युद्ध के लिए उत्तरदायी नहीं हैं? बाल्यावस्था में दुर्योधन को अपने चचेरे भाइयों के साथ अनुचित कार्य करने से रोकने के स्थान पर, उसे ऐसा करने के लिए कौन प्रेरित करता था? अपने महल से शकुनि को निर्वासित करना - चूंकि वह आपका भाई था - किसे सहन हो रहा था जबकि दुर्योधन पर उसका बुरा प्रभाव पड़ रहा था?"

गांधारी ने सिर झुका लिया। कृष्ण फिर से विनम्रतापूर्वक बोलने लगे, "दुर्योधन ने बार-बार अपना वचन तोड़ा। उसने छल द्वारा अपने भाइयों से उनका वह सब छीन लिया जो ईमानदारी से उन्हीं का था - और जब, उन्होंने उसकी सभी शर्तें पूरी कर दीं, उसने फिर भी उनकी संपत्ति वापस नहीं की। आपको यह सब

पता था। क्या इसीलिए, कुरुक्षेत्र जाने से पूर्व जब दुर्योधन आपसे आशीर्वाद लेने आया था, तो आपने उसे 'विजयी भव!' नहीं कहा था?" गांधारी रो रही थी। कृष्ण ने उसके कंधे पर हाथ रखकर उसे हिलाया। "उसके स्थान पर आपने दुर्योधन से कहा, 'धर्म की विजय हो!' मैं जानता हूँ कि एक माँ के लिए यह शब्द बोलना अत्यंत कठिन है, परंतु आपने वही किया जो उचित था। अब जब आपके कहे हुए शब्द सत्य हो गए हैं तो आप उन लोगों से घृणा कैसे कर सकती हैं जो वैश्विक नियम के माध्यम मात्र बने हैं, जिसे अंत में असंतुलन को ठीक करना ही होता है?"

गांधारी मुड़ी और कृष्ण के वक्ष पर सिर रखकर रोने लगी। "मुझे क्षमा कर दो! मैं उस भयंकर शाप को वापस लेना चाहती हूँ!"

"क्षमा करने को कुछ नहीं है," कृष्ण उसे शिविर को ओर ले जाते हुए बोले। "आपने जो कुछ कहा - वह भी उसी नियम का अंश है।"

. . .

जब धृतराष्ट्र ने अपने मृतकों का दाह-संस्कार स्वयं करने की बात कही थी तब जो बात कृष्ण ने उसे कही वह मुझे बिल्कुल स्पष्ट रूप से याद है : *तुम इन्हें अपना और अन्य लोगों को उनका कहते हो। कितनी शर्म की बात है! जब से पांडु के पिताविहीन पुत्र हस्तिनापुर आए हैं, क्या यही बात तुम्हारी परेशानियों का कारण नहीं है? यदि तुमने इन सबको अपना मानकर स्नेह किया होता, तो इस युद्ध की नौबत नहीं आती।* क्या मेरी परेशानियों का भी यही कारण नहीं था? इस संसार की सभी परेशानियों का कारण?

. . .

हमने सोचा कि उस दिन की आश्चर्यजनक बातें समाप्त हो गई थीं, किंतु अभी एक रहस्य उजागर होना शेष था। पांडव जब अपने पुत्रों का दाह करने के लिए मशाल हाथ में लिए खड़े थे, तभी कुंती उनके पास आई। उसकी आँखें धूमिल दिख रही थीं। उसके स्वर में शांत व भयंकर निश्चय भरा हुआ था। "रुको" , वह बोली। "तुम्हें यह संस्कार अपने ज्येष्ठ भाई को सम्मान देकर आरंभ करना चाहिए।" सभी पांडव उसे आश्चर्य व आघात-भरी दृष्टि से देखने लगे। तब उसने उन्हें कर्ण के विषय में - हालांकि उसमें अब जीवनभर का विलंब हो चुका था - संपूर्ण सत्य बता दिया।

# 39

## शरव

युद्ध के बाद अंत्येष्टि हुई। अंत्येष्टि के पश्चात् राख को गंगा में प्रवाहित कर दिया गया। राख व अस्थियों के अंतिम अवशेष को गंगा में प्रवाहित करते ही युधिष्ठिर वहीं नदी के पास उदासीनता में डूब गया। पिछले तेरह वर्षों से उसका जीवन इस क्षण की ओर उसी तरह प्रेरित था जिस प्रकार किसी श्रेष्ठ धनुर्धर के धनुष से छोड़ा हुआ बाण अपने लक्ष्य की ओर प्रेरित होता है, परंतु अपना लक्ष्य नष्ट कर देने के बाद उस बाण के पास करने के लिए क्या शेष रह जाता है?

हम सभी के बहुत प्रार्थना करने के बावजूद युधिष्ठिर नदी के तट से हटने व हस्तिनापुर लौटकर अपने राज्याभिषेक के लिए नहीं माना। कई सप्ताह तक वह बैठकर उस निर्जन स्थल को देखता रहा जहाँ अब कुछ नहीं उगेगा और जहाँ की वायु उस स्थान पर मारे गए हज़ारों लोगों के मृत्यु-विषाद से विषैली हो चुकी थी, परंतु उसे सबसे अधिक अपने भाई कर्ण का विचार आ रहा था जिससे वह इतने लंबे समय तक घृणा करता रहा।

उन सप्ताहों के दौरान मैं उसके साथ रही क्योंकि मैं उसे अकेले छोड़ने में डर रही थी। प्रति दिन हम वही बातें दोहराते रहते थे मानो उसका मस्तिष्क किसी गहरे गड्ढे में चला गया था जिसमें से बाहर निकल पाना उसके लिए मुश्किल था।

"उसकी मृत्यु पर मैं कितना प्रसन्न हुआ था!" युधिष्ठिर ने कहा। "मैं अपने स्वार्थी सुख में यह भी भूल गया कि उसी दिन उसने मुझे - और उससे पहले भीम, नकुल व सहदेव को प्राण दान दिया था। मैंने तब यह सोचा क्यों नहीं? हम में से किसी ने भी क्यों नहीं सोचा? हम भागकर उसका शव देखने पहुँच गए। हमने प्रसन्नता से चिल्लाकर अर्जुन को बधाई दी जबकि हमें पता था कि अर्जुन ने उसे अनुचित ढंग से मारा था। आह, भ्रातृ हत्या का भयंकर पाप अर्जुन को नहीं, अपितु

मुझे लगेगा क्योंकि उसने वही किया जो मैंने उसे करने के लिए कहा था!"

उसकी बात से मेरा अपना प्रायश्चित भाव भी उभर आया। यदि मैंने उसे यह सब पहले बता दिया होता, तो आज उसे इतना हृदयाघात न होता! परंतु मैं इस प्रकार पश्चाताप के साथ समय नहीं बिता सकती थी। मुझे युधिष्ठिर की सहायता करनी थी। विवाह के इतने वर्षों में मैंने उसे कभी इतना हताश नहीं देखा - नहीं, दुर्योधन की सभा में हुए मेरे अपमान के समय भी नहीं।

मैंने इस विचार की पीड़ा की अनदेखी करते हुए कहा, "तुमने जो भी किया वह दुर्भावना के कारण नहीं, बल्कि अज्ञानवश किया।"

परंतु वह कुछ सुनने को तैयार नहीं था। उसने मुझे कंधे से पकड़ा। उसकी अंगुलियाँ मेरे शरीर में गड़-सी गईं पर उसका दुर्बल मुख बोल रहा था। "मेरी माँ ने, जो हर मामले में वैसे इतनी समझदार है, यह बात छिपा कैसे ली? अब मैं उनके ऊपर दोबारा विश्वास कैसे करूँगा?"

एक समय था जब मुझे उस स्त्री के विषय में यह बात सुनकर प्रसन्नता अनुभव होती, जिसे मैं युधिष्ठिर की अन्य पत्नियों से अधिक अपनी प्रतिद्वंद्वी मानती थी, परंतु अब यह तुच्छ विचार भी मुझे अरुचिकर प्रतीत हो रहा था। कर्ण की अंत्येष्टि पर कुंती की उपस्थिति से मेरे मन की एक गाँठ खुल गई। वह अत्यंत जीर्ण, शर्मिंदा व थकी हुई लग रही थी। इसके अतिरिक्त, युधिष्ठिर की बात से मैं स्वयं भी अपराध-बोध में बही जा रही थी क्योंकि मैंने भी तो उसकी माँ की तरह यह रहस्य उससे छिपाया था। यदि उसे यह पता लग गया तो वह मुझसे कितना नाराज़ होगा?

मैंने कहा, "अपनी माँ के कर्मों का मूल्यांकन करने का काम तुम्हारा नहीं है। हमें क्या पता कि वह कर्ण के जन्म पर कितनी भयभीत हो गई होगी?"

परंतु युधिष्ठिर एक बार फिर दुख में डूब चुका था और उसने बात नहीं सुनी।

युधिष्ठिर की निरंतर उदासीनता से परेशान होकर मैं अपने पतियों के साथ उसे भीष्म के पास ले गई। हमें लगा कि शायद अपने पितामह से दार्शनिक चर्चा के बाद उसे अच्छा लगने लगे। हमें पता था कि युधिष्ठिर को यह बातें कितनी अच्छी लगती थीं। मरणासन्न भीष्म ने अपना दर्द भुलाकर युधिष्ठिर को राजकाज की कला सिखाई : *राजा को अपनी कमज़ोरी छिपानी आनी चाहिए। उसे अपने सेवकों का चयन सावधानी से करना चाहिए। उसे अपने शत्रु राज्य के उच्चवर्ग में मतभेद डालने की कला आनी चाहिए। वह क्षमाशील हो, किंतु इतना अधिक नहीं कि दुष्ट*

*लोग उसका अनुचित लाभ उठा लें। उसे अंतरतम भाव अपने प्रियजनों से भी छिपाकर रखना चाहिए।* युधिष्ठिर ने हालांकि उनकी सभी बातें सम्मानपूर्वक सुनी किंतु भीष्म भी उसे उसकी हताशा से बाहर नहीं निकाल सके।

आखिरकार कृष्ण को आगे आना पड़ा। उन्होंने बताया कि इस समय जब युधिष्ठिर अपने दुख में डूबा हुआ था, कुरु राज्य के अन्य छोर पर लुटेरे उसकी असहाय प्रजा को डरा रहे थे। ओह कृष्ण! उन्होंने युधिष्ठिर को एक ही बात कहकर झकझोर दिया था : उसका कर्तव्य। युधिष्ठिर ने राज्य लौटकर अपना राज्याभिषेक करवा लिया, यद्यपि उसे इस कार्य में कोई आनंद नहीं आ रहा था।

मैंने उसे दोष नहीं दिया। हस्तिनापुर में किसी के लिए हर्ष महसूस करना कठिन था। वह महल, जो दुर्योधन के समय में उग्र व उत्तेजित ऊर्जा से भरा रहता था, अब नम तथा शोकाकुल हो चुका था। वहाँ जो लोग - शायद वृद्ध राजा व रानी के आदर के कारण - शेष रह गए थे दुख का दुशाला ओढ़े चुपचाप घूम रहे थे। मैंने उन्हें अभिषेक समारोह के लिए अच्छे वस्त्र पहनने के लिए कहा। उन्होंने भयवश मेरी आज्ञा का पालन तो कर लिया किंतु उन्होंने उत्सव-संबंधी वस्त्र अपने तन पर सिर्फ तिरछे-से लटका लिए थे। मुझे दाई माँ कितनी याद आ रही थी! उनके कर्कश अपशब्द उन सभी को तुरंत हरकत में ले आते। मैंने अपने सेवकों को धूल-भरे भारी पर्दे हटाकर खिड़कियाँ खोलने को कहा। मैंने अपनी सेविकाओं को बुलाकर अपने उलझे हुए बालों में इत्र लगाने के लिए कहा। इसके बावजूद सभी ओर से, मुझे अंत्येष्टि की गंध आ रही थी। जैसे-जैसे वह गंध मेरी नाक में भर रही थी, मुझे लगा कि मैं भी युधिष्ठिर की भांति उदासीनता के दलदल में धँसती जा रही थी। राज्याभिषेक से पहले वाली रात्रि को, मैं अनिद्रा से परेशान होकर अपनी खिड़की के पास खड़ी थी। मुझे यह सोचकर उदासी महसूस हो रही थी कि मुझे अपना शेष जीवन ऐसी जगह बिताना पड़ेगा। मैंने नव-वधु के रूप में आने के बाद भीष्म से जो कहा था, वह आज भी सत्य था : यह मेरा घर कभी नहीं बन सकेगा।

राज्याभिषेक के दिन, मेरे लिए सबसे बड़ी चुनौती सिंहासन कक्ष में दोबारा प्रवेश करने की थी। मैं उसकी देहरी पर लड़खड़ा गई, मेरी बग़लों में पसीना उभर आया और मेरी श्वास असमान रूप से चलने लगी। मुझे उस कक्ष के भीतर प्रविष्ट होने के लिए अपनी पूरी शक्ति का प्रयोग करना पड़ा जो मेरे अपमान का दृश्य-स्थल था। मेरे पतियों के लिए यह कार्य उससे भी अधिक दुरूह रहा होगा। उनकी स्मृतियाँ मेरी स्मृतियों से अधिक कटु थीं। किसी प्रियजन को कष्ट में देखना स्वयं कष्ट सहने से अधिक पीड़ादायक होता है। यह युद्ध ने मुझे सिखाया था। यद्यपि, हमें पता था कि हमारे पास कोई अन्य विकल्प नहीं है। कुरु वंश का

राजसिंहासन अनेक पीढ़ियों से उसी सभा में स्थित था। उस समय जब एक डूबते हुए राज्य को स्थिर करने हेतु हमें पारंपरिक सहायता चाहिए थी, तब उसे वहाँ से हटाना संभव नहीं था।

एक बार फिर कृष्ण - और कौन! - हमारी रक्षा के लिए आ पहुँचे। अपने महल से उन्होंने रसोइये, माली, संगीतकार और नर्तकियाँ और यहाँ तक कि राजकीय शोभायात्रा में युधिष्ठिर के बैठने के लिए अपना मनपसंद हाथी भी भेजा। राज्याभिषेक वाले दिन, वह अपने साथ समस्त यदु वंश को साथ लाए और वह सभी, अपने आसन्न दुर्भाग्य से अनजान, अच्छे भोजन, अच्छी मदिरा और अपनी निस्तेज हरकतों से मिलने वाले साधारण सुख द्वारा हमें प्रसन्न करने का प्रयास कर रहे थे। यदुवंशियों के बिना हम से राजसिंहासन के दोनों ओर सजे रिक्त आसन, जिन्हें युधिष्ठिर ने आदरवश अथवा ग्लानि भाव से खाली छोड़ दिया, देखे नहीं जाते। दाहिनी ओर भीष्म का आसन, बाईं ओर द्रोण का, थोड़ी ऊँचाई पर स्थित एक कुंज में दुर्योधन के लिए विशेष रूप से अलंकृत सिंहासन रखा था और उसके साथ ही अत्यंत साधारण आसन था जिसे कभी कर्ण ने प्रयोग किया था।

. . .

युद्ध के बाद हस्तिनापुर मुख्य रूप से विधवा स्त्रियों का नगर बनकर रह गया था, जिन्होंने कभी यह सोचा भी नहीं था कि उनके परिवार के पालन-पोषण का उत्तरदायित्व उनके ऊपर आ जाएगा। निर्धन स्त्रियों को काम करने की आदत थी किंतु अब पुरुष संरक्षण के अभाव में उनका शोषण होने लगा था। धनाढ्य, सुपोषित व आश्रित स्त्रियाँ सरलतम शिकार बनीं। कहीं से भी पुरुष आकर उनके संबंधी होने का दावा करते और उनकी संपत्ति पर पूर्णाधिकार कर लेते थे। स्त्रियाँ अवैतनिक सेविकाएँ बनकर रह गईं। कभी-कभी उन्हें घर से निकाल भी दिया जाता था। उन्हें राजा से व्यय माँगने का तरीका यदि पता भी होता तो भी ऐसा करने में उन्हें डर लगता। मैं प्रायः उन्हें मार्ग के किनारे पर अपने बच्चों को गोद में उठाए भिक्षा माँगते देखती थी। अनेक ऐसी भी थीं जिन्हें मैंने नहीं देखा, किंतु सुना था कि वह रात्रि के समय किसी कोने में खड़ी होकर अपने पास बची अंतिम वस्तु बेच दिया करती थीं।

यह भयंकर स्थिति थी - और इसने मुझे बचा लिया।

मुझे पता था कि असहाय व आशाहीन होना कैसा लगता है। क्या इसी नगर में मुझे लगभग निर्वस्त्र करके अपमानित नहीं किया गया था? क्या मेरा अपहरण करके विराट के दरबार में मुझ पर हमला नहीं हुआ था, जबकि लोगों ने सोचा था

कि मेरा कोई रक्षक नहीं था? क्या मुझे आज भी अपने प्रत्येक बंधु-बांधव की मृत्यु का दुख नहीं होता? और यदि मैं सावधान न रहती तो क्या मैं भी इन्हीं स्त्रियों की तरह आँखों में शून्यता लिए, व्यर्थ स्मृतियों के बीच मात्र घूमती नहीं रह जाती?

मुझे अपने ऊपर दया करना छोड़कर कुछ करना था। मैंने एक अलग दरबार लगाने का निर्णय किया जहाँ स्त्रियों को अपनी व्यथा अन्य स्त्रियों से कहने का अवसर मिल सके।

कुछ समय पहले, अपने अहं के जोश में शायद मैं यह कार्य अपने आप कर लेती परंतु अब मैंने कुंती व गांधारी से सहायता माँगी। वह मान गईं। हम मिलकर युधिष्ठिर के पास गए। स्त्रियों के महल में एक कक्ष बनाया गया जिसमें मंच के ऊपर विधवा स्त्रियों के लिए आसन लगाए गए। सुभद्रा और मैं नीचे बैठ गए। मैंने उत्तरा को भी अपनी सहायता के लिए बुला लिया। मैंने सोचा था कि वह मना कर देगी क्योंकि उसकी गर्भावस्था का अत्यंत कठिन समय चल रहा था, परंतु मुझे आश्चर्य हुआ जब उसने मेरी बात स्वीकार कर ली। प्रायः वह सबसे अधिक ज्ञानवान थी और समस्या को भीतर तक स्पष्ट देख लिया करती थी। शायद इन्हीं सभाओं में, उसके गर्भस्थ बालक परीक्षित की न्यायिक समझ विकसित हो गई थी, जिसके कारण आगे चलकर उसकी तुलना राजाओं में शिरोमणि राजा राम से की जाती थी।

केवल भानुमति ने हमारे साथ आने से मना कर दिया। वह अपने पिता के राज्य में लौट गई और उसका भी इसमें क्या दोष था? दुर्योधन (और कर्ण, मेरे भीतर की आवाज ने कहा) की मृत्यु के साथ, उसके लिए इस महल में बचा ही क्या था जहाँ वह पहले से ही स्वयं को बाहरी व्यक्ति मानती थी? जिन दिन वह गई, उस दिन श्वेत वस्त्रों में अपने रथ पर चढ़ते समय, उसका सूना माथा, खनकती चूड़ियों से विहीन उसके खाली हाथ के साथ, उसने मुड़कर मुझे एक बार देखा। उसकी दृष्टि में दहकती हुई घृणा झलक रही थी। उसे देखकर अपराध-बोध से मेरा हृदय बिंध गया। युद्ध ने उस भोली कन्या को, जो छोटी-सी बात पर प्रसन्न होने को आतुर रहती थी, किस प्रकार परिवर्तित कर दिया था! उस कन्या की - और उस पुरुष जिसे हम दोनों ने अलग-अलग ढंग से, किंतु गुप्त रूप से प्रेम किया था - ख़ातिर मैं उसके लिए बचपन के घर में शांति मिलने की प्रार्थना करने लगी।

. . .

मात्र दरबार लगाना स्त्रियों की सहायता हेतु पर्याप्त नहीं था। युधिष्ठिर ने अनुमति दे दी थी, क्योंकि वह इसमें इससे अधिक हमारे लिए कुछ कर भी नहीं

सकता था। हस्तिनापुर का कोष उस महा युद्ध के बाद खाली होने लगा था, परंतु जब तक हमारे निर्णय को लागू करने की शक्तियाँ हमें नहीं दी जाती, उन निर्णयों का पालन कौन करता?

हम इस कार्य में असफल हो रहे थे जब उत्तरा हमारे पास आई - यह परीक्षित के जन्म से कुछ दिन पहले की बात है - और उसके पीछे दो सेविकाएँ थीं जिनके पास एक संदूक था। उसकी अलंकृत सजावट देखकर हमने उसे तुरंत पहचान लिया - उसमें उसके विवाह के आभूषण थे। उसने संदूक का ढक्कन खोलकर कहा, "अब यह सब मेरे किसी काम का नहीं है। इसका उपयोग मुझसे अधिक दुर्भाग्यशाली लोगों की सहायता के लिए कर लीजिए।"

उन आभूषणों को बेचने से जो धन प्राप्त हुआ, उससे हमने विधि की व्याख्या के लिए कुछ शास्त्रियों तथा हमारे निर्णयों की अनुपालना हेतु कुछ सुरक्षाकर्मियों की व्यवस्था की। इससे हो सकता है कि कुछ अधिक अंतर न पड़ा हो, किंतु उत्तरा के काम ने हम सबको प्रेरित कर दिया। हम इधर-उधर घूम-घूमकर अपने अनावश्यक आभूषणों व वस्तुओं को एकत्रित करने लगे। कुंती ने पांडु की वह शिल्प-कृतियाँ भी दे दीं जिन्हें उसने इतने वर्षों से सँभालकर रखा हुआ था। इन सबकी सहायता से हमने निस्सहाय लोगों को उनके अपने घरों में बसा दिया और उन्हें व्यापार करने के लिए सामान भी ख़रीदकर दिया। समय के साथ, यह स्त्री-चालित बाज़ार नगर में व्यापार का एक समृद्धशाली केंद्र बन गया क्योंकि नए मालिकों को अपने सामान पर गर्व होता था और वह चतुराई किंतु उचित ढंग से व्यापार करते थे। जिन्होंने कन्याओं व लड़कों के लिए शिक्षक बनने की इच्छा व्यक्त की, उन्हें हमने प्रशिक्षण दिया। अनेक वर्षों बाद परीक्षित के शासनकाल में भी, जब संसार अपने चौथे युग में प्रविष्ट कर गया था और कलि की काली छाया ने संसार को अपने शिकंजे में जकड़ लिया था, तब भी हस्तिनापुर कुछ ऐसे नगरों में से एक था जहाँ की स्त्रियाँ बिना शोषण का शिकार हुए स्वच्छंदता से अपना जीवन यापन कर सकती थीं।

# 40

## सर्प

दुख की प्रकृति ऐसी ही होती है : यह प्रायः समय के साथ हलका पड़ जाता है किंतु कभी-कभी यह बहुत नीचे अंगुली के नाखून में फँसे काँटे की तरह कहीं दबा रह जाता है और जब तब रगड़ लगने पर अपने होने का एहसास करवाता रहता है। (मुझे यह इतनी अच्छी तरह इसलिए पता था क्योंकि अकस्मात होने वाली घटनाएँ मुझे उन पुरातन आँखों की याद दिला देती थीं।) युधिष्ठिर के मामले में यह शूल समय के साथ और भीतर धँस गया और घाव में परिवर्तित होने लगा। दरबार में वह न्यायसंगत व दयालु रहता था। राज निवास में वह उदार होता था एवं अधिक अपेक्षा नहीं रखता था, परंतु वह निरंतर उन लोगों के जीवन के विषय में विचार करता रहा था जो उसकी महत्त्वाकांक्षा के कारण हुए युद्ध में मारे गए थे। हस्तिनापुर के समृद्धशाली नगर में बदल जाने के बाद और वहाँ पहले के समान लोगों के निवास करने के बाद भी, हमने उसे कभी मुस्कराते नहीं देखा।

परीक्षित के जन्म के साथ उसमें परिवर्तन आया।

जिस दिन उत्तरा को प्रसव आरंभ हुआ, उस दिन तेज़ तूफ़ान आया था। कुंती ने कहा कि आकाश इसलिए रुदन कर रहा था क्योंकि वह जानता है कि पिताविहीन बालक के लिए यह संसार कितना दुष्कर होता है और जब प्रसव पीड़ा कई घंटे चलती रही तो वह बोली कि शायद उस बालक को भी इस बात का पता है और इसीलिए वह जन्म नहीं लेना चाहता।

ऐसे नकारात्मक शब्दों का प्रत्युत्तर देने से स्वयं को रोके रखने के लिए मैंने अपने होंठ दबा लिए किंतु युधिष्ठिर ने कहा, "माँ, आप ग़लत कह रही हैं! जब तक मैं जीवित हूँ, इस बालक को पिता का अभाव कभी महसूस नहीं होगा।" प्रसव-कक्ष में घुसकर उसने सबको चौंका दिया क्योंकि उस स्थान पर पुरुषों का प्रवेश वर्जित होता है। उसने अपना हाथ पुत्रीवत् उत्तरा के माथे पर रखा और परीक्षित का नाम

पुकारा (कृष्ण ने यह नाम पहले ही निश्चित कर दिया था)। क्या यह उसकी इच्छा भरी पुकार का परिणाम था कि बालक शीघ्र ही बाहर आ गया? पारंपरिक स्नान से भी पहले, युधिष्ठिर ने उसे अपनी गोद में लेकर उसका माथा चूमा। मैंने जब उसके चेहरे पर कोमल व राहत के भाव देखे तो मुझे लगा कि अब मुझे उसकी चिंता करने की आवश्यकता नहीं थी।

मेरे अन्य पतियों ने भी परीक्षित को पिता का भरपूर स्नेह दिया जो उनके हृदय में दबा पड़ा था। अपनी अशांत नियति में उलझा होने के कारण उन्हें अपने बच्चों के साथ समय बिताने का अवसर ही नहीं मिल पाया था। जब उन्हें लगा कि युवा होने पर वह बच्चों के साथ समय बिता पाएँगे, तो युद्ध नें उन्हें उनसे छीन लिया। उन्होंने प्रण किया कि वह ऐसा दोबारा नहीं होने देंगे, परंतु उससे भी अधिक शायद वह परीक्षित को इसलिए चाहते थे क्योंकि हमने उसे एक बार लगभग खो दिया था।

जिन दिनों परीक्षित इतना छोटा था कि उसे वस्त्र में लपेटा जाता था, उसी समय से मेरे पति उसकी शिक्षा की योजना पर घंटों चर्चा करते रहते थे। वह उसे एक आदर्श राजा बनाना चाहते थे जिसके हाथों में हस्तिनापुर को निश्चिंतता से छोड़ा जा सके और जो अपने सत्कार्यों द्वारा उन्हें उनके अपराधों से मुक्ति दिला सके। ज्यों ही परीक्षित चलने लगा, भीम ने उसे मल्ल के दाँव-पेंच सिखाने आरंभ कर दिए; अर्जुन ने उसके लिए छोटा-सा धनुष बनवाया; नकुल उसके साथ अपने मनपसंद अश्व पर बैठकर उसे घुमाता था; सहदेव ने उसे पशुओं के साथ बात करने की कला सिखाई और युधिष्ठिर उसे संत-महात्माओं की कथाएँ सुनाया करता था। उसके नामकरण संस्कार पर उन्होंने सभी महत्त्वपूर्ण तपस्वियों को बुलाया और उन्हें अपनी क्षमता से अधिक संपत्ति दान में दी। उन्होंने व्यास को संस्कार का कार्य सँभालने की प्रार्थना की और उसका भविष्य जानने के लिए उन्होंने व्यास का पीछा तब तक नहीं छोड़ा जब तक व्यास ने यह नहीं कह दिया कि परीक्षित शक्तिशाली व सदाचारी राजा बनेगा।

यद्यपि, जाने से पूर्व, व्यास मुझे एक ओर ले गए। “इस बालक के क्रोध को नियंत्रित करना आवश्यक है,” वह बोले, “यदि यह सावधान नहीं रहेगा तो मुश्किल में पड़ सकता है।”

मेरा मुँह सूख गया। “इस बात से आपका क्या आशय है?”

व्यास ने कंधे उचकाते हुए कहा, “वही जो मैंने अभी कहा : बालक का क्रोध उसके पतन का कारण बन सकता है।”

मेरे सिर में धमक शुरू हो गई। इतिहास एक बार फिर अपने को दोहरा रहा था, परंतु इस बार मैं व्यास की इन पहेलियों से परीक्षित का जीवन नष्ट नहीं होने दूँगी। मैंने उनकी बाँह पकड़ ली, हालांकि मुझे पता था कि एक स्त्री के लिए किसी तपस्वी को स्पर्श करना सर्वथा अनुचित था। "एक बार तो स्पष्ट कहिए।"

मेरे चेहरे को देखकर व्यास को समझ में आ गया कि मैं संतुष्ट हुए बिना उन्हें नहीं जाने दूँगी। "बहुत अच्छा," वह बोले, "एक दिन आएगा, तुम लोगों के चले जाने के कुछ ही समय बाद, एक तपती हुई दोपहर को परीक्षित आखेट पर निकलेगा। अपने दल से अलग होने पर वह वन में भटक जाएगा। वह अत्यंत भूखा एवं प्यासा होगा। वहाँ उसे शमीक ऋषि का आश्रम मिलेगा और वह शमीक को द्वार पर ही बैठे देखेगा। परीक्षित पानी माँगेगा, परंतु गहन ध्यान में होने के कारण ऋषि उसकी बात सुन नहीं सकेंगे। इसे अपना अपमान समझकर परीक्षित को क्रोध आ जाएगा। वह निकट पड़े हुए एक मृत सर्प को उठाकर ऋषि के गले में डाल देगा और वहाँ से लौट जाएगा।

"ऋषि को फिर भी इस बात का पता नहीं लगेगा, परंतु संध्या के समय आश्रम पर लौटकर ऋषि के पुत्र को अपने पिता का अपमान देखकर क्रोध आएगा। उसी क्रुद्ध अवस्था में वह अपने हाथ में पवित्र जल लेकर अपने समस्त जीवन की तपस्या की शक्ति से परीक्षित को शाप दे देगा। *जिसने मेरे पिता के साथ यह किया है, अगले सात दिनों में साँप के काटने से उसकी मृत्यु हो जाए।* अपने ध्यान से उठने के बाद शमीक को घोर आश्चर्य होगा, परंतु अत्यंत शक्तिशाली होने के कारण शाप को वापस लेना संभव नहीं होगा। वह इतना ही कर पाएगा : राजा को उसके आसन्न अंत की पूर्व चेतावनी भिजवा देगा।"

"अब आप यहाँ रुक नहीं सकते!" मैंने ज़ोर से कहा जबकि मेरी हृदय-गति इतनी धीमी हो गई थी कि मैं कुछ बोल नहीं पा रही थी। "उसके बाद क्या होगा?"

व्यास ने फिर कंधे उचकाए। "यहाँ मार्ग विभक्त हो जाता है, जैसा कि प्रायः नियतियों के मामले में होता है। परीक्षित प्रतिशोध में उन्मत्त हो सकता है। वह ऋषि का आश्रम ध्वस्त करके अपनी मृत्यु होने तक आनंद में डूबा रह सकता है। अथवा वह अपनी भूल को समझकर क्षमा माँग सकता है और अपने जीवन के शेष दिन पावन सान्निध्य में व्यतीत कर सकता है। यह इस बात पर निर्भर करेगा कि तुम उसका पालन-पोषण कैसे करते हो! जो भी हो, यदि तुम पांडव वंश को आगे चलाना चाहते हो तो उसका विवाह जल्दी कर देना।"

व्यास के स्वर से स्पष्ट था कि हालांकि वह निष्ठुर नहीं थे, उनके लिए यह बात बहुत अधिक अनर्थकारी नहीं थी। उनके लिए वह किसी खेल और उसके होने

वाले परिणाम को देखने जैसा था। शायद ऐसा तब होता है जब आप हज़ारों लोगों की मृत्यु की भविष्यवाणी पहले ही कर चुके होते हैं। उनकी इस विरक्ति को देखकर मुझे क्रोध आ रहा था।

व्यास ने मेरी ढीली होती पकड़ से अपना हाथ छुड़ा लिया। "ओह हाँ, एक बात और : इस बात को अपने तक ही रखना।"

"क्यों?" मैंने पूछा। "और यह बात आपने मेरे पतियों को क्यों नहीं बताई? उन्हें भी हमारे परिवार में होने वाली इस दुर्भाग्यपूर्ण बात का पता होना चाहिए ताकि वह सावधानी बरत सकें।"

"मैं सिर्फ़ लोगों को वह बात बताता हूँ जिसे वह सहन कर सकते हैं। अभी, जबकि युधिष्ठिर अपनी लंबी उदासीनता से बाहर निकल रहा है, परीक्षित के भाग्य के विषय में जानकर वह टूट जाएगा। उसके भाई इस बात को सहन नहीं कर सकेंगे - किंतु मुझे पता है कि तुम अपने पतियों से अधिक मजबूत हो।"

इससे पहले कि मैं इस आश्चर्यपूर्ण वाक्य से उबर पाती, व्यास जा चुके थे।

. . .

मैं इस विषय पर कृष्ण की सलाह लेना चाहती थी किंतु वह आजकल बहुत कम आते थे। शायद उन्हें भी अपने राज्य की देखभाल के लिए समय चाहिए था जो इतने समय से यूँ ही उपेक्षित था। शायद उन्हें लगता था कि हमारे लिए जो कर सकते थे, उतना वह कर चुके थे। इसलिए, मैं अपने ही असंगत विवेक के आधार पर परीक्षित को सँभालती रही और जब कभी उसमें क्रोध के संकेत देखे तो मैंने उसे अनुशासित करने का प्रयास किया। मैं इस कार्य में अकेली थी। कुंती और गांधारी उसे अतिशय स्नेह करती थीं, और सुभद्रा भी जो अपने पुत्र के साथ अधिक कठोर थी, परीक्षित को किसी बात के लिए मना नहीं कर पाती थी। मैं उन्हें कैसे दोष दे सकती थी? उनके जीवनकाल में उस महल में कोई अन्य बालक तो होने वाला नहीं था। जहाँ तक उत्तरा का प्रश्न था, अभिमन्यु की मृत्यु के बाद जीवित रहने के लिए उसके पास यही तो एक कारण था।

मैंने अपने पतियों से याचना की कि कम से कम वह तो परीक्षित को अनुशासन में रखें किंतु उन्होंने मुझ पर अत्यधिक कठोर होने का आरोप लगा दिया और कहा कि दादी माँ होने के नाते ऐसा करना मुझे शोभा नहीं देता था। वह परीक्षित को हर संभव सुविधा प्रदान करते थे। उसके आस-पास बीसियों सेवक घूमते रहते और वह सदैव राजसी गोद में बैठा रहता था। मुझे संदेह था कि उसे *भूख* अथवा प्यास शब्द का अर्थ भी पता होगा।

जब मैंने कहा कि थोड़ा अनुशासन के साथ परीक्षित का पालन-पोषण करने से वह बेहतर राजा बन पाएगा तो वे लोग लापरवाही से मुस्करा दिया करते थे। युधिष्ठिर बोला, "इसे अपने बचपन का आनंद लेने दो, पांचाली। मुझे एक दिन भी याद नहीं जब मेरी माँ ने मुझे यह याद न दिलाया हो कि हमें अपने मृत पिता का गौरव बढ़ाना है।"

अन्य सभी ने उसकी बात पर हामी भरी।

सहदेव बोला, "प्रत्येक क्षण हमें अपने जीवन का लक्ष्य पता रहता था।"

नकुल ने कहा, "हमने जो कुछ सीखा - जो भी वार्तालाप सुना - उन सब का एक ही उद्देश्य था : युधिष्ठिर अपने पिता का खोया हुआ राज्य फिर से प्राप्त कर सके।"

भीम ने भी जोड़ा, "मैंने कभी बिना इस विचार के भोजन नहीं किया, यह भोजन मुझे इतना शक्तिशाली बना दे कि मैं समय आने पर दुर्योधन से अपना राज्य वापस ले सकूँ।"

अर्जुन ने कहा, "मैंने कभी कोई रात ठीक से सोकर नहीं बिताई। जब सब लोग सो रहे होते थे तो मैं रात में ही उठकर धनुर्विद्या का अभ्यास करता था - अन्यथा हमारी विजय संभव नहीं थी।"

"क्या तुम परीक्षित को इसी प्रकार बड़ा करना चाहती हो?" युधिष्ठिर ने पूछा।

व्यास के आदेश से बँधी, मैं क्या कह सकती थी?

. . .

इतना स्नेह पाकर कोई भी बालक बिगड़ सकता है, परंतु परीक्षित आत्मविश्लेषी, मृदु एवं स्वप्नशील आँखों वाला बालक था। यद्यपि, उसके संबंधियों ने उसका जीवन मनोरंजन के प्रचुर साधनों से भर रखा था, उसे सादगी व शांति पसंद थी। मुझे यह देखकर आश्चर्य होता था कि मेरी सख़्ती के बावजूद वह मुझसे स्नेह करता था और प्रायः मेरे साथ बाहर जाया करता था। ऐसा सोचना शायद मेरा मिथ्याभिमान भी हो सकता है! अपने पितामह कृष्ण की भांति उसमें भी यह विशेष गुण था कि वह जिनके साथ होता था उस पर पूर्ण रूप से तथा विनम्रतापूर्वक ध्यान देता था, जिससे उन्हें यह लगता था कि वह उनसे अतिशय स्नेह करता था। मुझे उसके साथ बातचीत करना अच्छा लगता था क्योंकि विवेक के मामले में वह अपनी आयु से बहुत आगे था। अपने बचपन में धृ के अतिरिक्त, मुझे ऐसा

कोई नहीं मिला जिसने मेरी बात को तुरंत समझा हो - और उसे मान लिया हो। कभी-कभी मेरे भीतर एक शक्तिशाली इच्छा जागृत होती थी कि मैं इस बालक से - कर्ण के लिए अपनी भावनाओं सहित - वह सब कुछ कह दूँ जो मैं अन्य किसी को नहीं कह पाती थी, परंतु हर बार मैं अपनी जीभ दबाकर स्वयं को रोक लेती थी। मुझे अपनी विषादमय स्वीकारोक्ति द्वारा इस बालक पर बोझ डालने का कोई अधिकार नहीं था। उसका भविष्य कठिन हो जाता!

परीक्षित की एक विचित्र आदत थी : यदि वह किसी नए व्यक्ति से मिलता तो वह उसे उसके पास जाकर उसकी आँखों में देखने लगता था। एक बार मैंने उससे ऐसा करने का कारण पूछा।

"मैं किसी को ढूँढ़ रहा हूँ," उसने शरमा कर कहा। "मुझे नहीं पता कि वह कौन है। मैंने उसके जैसा सुंदर व्यक्ति आज तक नहीं देखा - सिर्फ़ बात यह है कि वह कोई व्यक्ति नहीं था। वह बहुत छोटा था, आपके अँगूठे जितना। उसकी त्वचा सुंदर चमकीली नीले रंग की थी। वह मेरे और एक विशाल अग्नि पुंज के मध्य खड़ा मुस्करा रहा था - और फिर वह अग्नि बुझ गई। हो सकता है, वह सिर्फ़ एक स्वप्न हो।"

मैं उसे आश्चर्य से देखने लगी। इस बालक का उस दुर्ग्राह्य रहस्य के साथ सामना हो चुका था, जिसे मैं आजीवन खोजती आई थी। जिस छोटे जीव की वह बात कर रहा था, वह शास्त्रों में वर्णित ईश्वर के समान था। क्या इसने छद्म रूप में कृष्ण को देखा था, जिन्होंने अपने उस विराट रूप के दर्शन कुरुक्षेत्र में अर्जुन को दिए थे?

सुभद्रा ने हमें यह बात कई बार बताई थी कि कृष्ण ने ही परीक्षित को जीवनदान दिया था जब अश्वत्थामा का अस्त्र उसे मारने के लिए आया था। सुभद्रा को यह विश्वास था कि ऐसा इसलिए हुआ क्योंकि कृष्ण स्वयं ईश्वर हैं। मुझे उसकी बात के पहले अंश पर तो विश्वास था परंतु मेरा संदेहास्पद व्यक्तित्व दूसरे अंश को मानने के लिए तैयार नहीं था। यह आवश्यक नहीं कि विशेष शक्तियाँ होने से कोई ईश्वर हो जाता है। तथापि, मैं भीतर ही भीतर, अपने उद्वेलित हृदय को शांत करने के लिए इस बात पर विश्वास भी करना चाह रही थी।

मैं धैर्यपूर्वक प्रतीक्षा करने लगी जिससे मैं देख सकूँ कि अगली बार कृष्ण के आने पर परीक्षित क्या करता है। मुझे उसके ज्ञान एवं उसकी बाल-दृष्टि की स्पष्टता पर पूरा भरोसा था। यदि उसने कृष्ण को अपने उद्धारक के रूप में पहचान लिया तो मेरे सभी संदेह दूर हो जाएँगे, परंतु जब परीक्षित ने कृष्ण को देखा तो

उसने उनके साथ वैसा ही सामान्य व्यवहार किया जैसा अपने अन्य पितामह के साथ करता था। अंतर सिर्फ़ इतना था कि परीक्षित उनसे कम बात कर रहा था क्योंकि उसने उन्हें बहुत दिन बाद देखा था। उसने पहले तो झुककर कृष्ण को प्रणाम किया और औपचारिक अभिवादन किया किंतु शीघ्र ही उसकी झिझक दूर हो गई और वह कृष्ण के पास बैठकर उनके द्वारा उसके लिए द्वारका से लाए उपहारों को देखने लगा और विस्तार से अपने मनपसंद बंदर की हरकतें उन्हें बताने लगा।

. . .

क्या परिक्षित हम सबको प्रसन्न रखता था? ऐसा नहीं था।

समय के साथ, धृतराष्ट्र पहले से अधिक एकांतप्रिय हो गया। वह अपने कक्ष से बहुत कम बाहर निकलता था और भीतर ही बेचैनी से चहल-कदमी करता, माला जपता रहता था, यद्यपि, उससे उसे कोई लाभ होता प्रतीत नहीं हो रहा था। अन्य दिनों में वह खिड़की के पास बैठ कुरुक्षेत्र की ओर मुँह किए रहता और सूर्यास्त के बाद तक वहीं रहता जब दासियाँ दीपक ले आती थीं जिसे वह देख नहीं पाता था। हर बार जब हम उससे मिलने जाते थे तो वह पहले से अधिक दुर्बल लगता था। वह बीच-बीच में गहरी श्वास लेता और हलके-फुलके प्रत्यारोप करता रहता था। यद्यपि, वह मेरे पतियों के साथ विनम्रता से बात करता था वह उन्हें जीवित रहने के लिए क्षमा नहीं कर पाया था जबकि उसके अपने पुत्र मृत्यु को प्राप्त हो चुके थे। मैं उसके रोम-रोम से घृणा को काले रंग के तैलीय धुएँ के रूप में निकलता हुआ महसूस कर सकती थी। उसे अवश्य ही परीक्षित से भी घृणा रही होगी क्योंकि उसके माध्यम से पांडु का वंश तो चलता रहा जबकि उसका वंश समाप्त हो गया था। पांडु से वह सदैव चिढ़ता रहा क्योंकि उसे लगता था कि पांडु को जो मिला वास्तव में वह सब उसका था : राज्य, अधिक सुंदर पत्नियाँ, कीर्ति तथा जयघोष। यहाँ तक कि पांडु की मृत्यु भी उत्तेजनापूर्ण और क्षणप्रभ थी जबकि वह स्वयं प्रतिदिन पीड़ादायक शून्य की ओर बढ़ रहा था। परीक्षित को शायद इस बात का अंदाज़ा था, क्योंकि वह यूँ तो गांधारी को पसंद करता था किंतु हमारे साथ धृतराष्ट्र के कक्ष में नहीं जाता था। हमारे ज़ोर देने पर, वह हमारे पीछे हठी बनकर चुपचाप खड़ा रहता और अवसर मिलते ही वहाँ से निकल जाता था।

केवल सदा निष्कपट रहने वाले युधिष्ठिर को आश्चर्य हुआ जब धृतराष्ट्र ने एक दिन यह घोषणा कर दी कि वह अब और अधिक राजसी सुख नहीं भोगना चाहता था। उसके लिए वह अत्यंत कष्टदायक हो गया था। वहाँ अनेक पुरानी स्मृतियाँ थीं। (क्या उसने बात करते-करते कोई आरोप भरी निश्वास मेरे पतियों

की ओर केंद्रित की थी?) मृत्यु लगभग उसके सिर पर थी और वह वानप्रस्थ द्वारा उसकी तैयारी करना चाहता था। युधिष्ठिर ने उससे पुनर्विचार करने की प्रार्थना की किंतु वह सदाचारपूर्वक अपनी बात पर अडिग रहा, परंतु शायद मैं पूर्वाग्रह से ग्रस्त थी। शायद उसने सचमुच अपना मन परलोक गमन की दिशा में लगा लिया था।

निश्चय ही, गांधारी के साथ भी यही बात थी। जब उसने यह घोषणा की कि वह भी धृतराष्ट्र के साथ जाएगी तो उसकी पट्टी के नीचे उसका पतला तपस्वी चेहरा विश्वास से दमक रहा था। मुझे उसे खोने का दुख था। वह दुख को पार करके अत्यंत विवेकी हो चुकी थी। उसे देखकर मुझे आशा रहती थी कि एक दिन मैं भी इस यात्रा को पूर्ण करूँगी। जब मुझे अपने मृत प्रियजनों की याद आती तो मैं उसके कक्ष में जाकर उसके पास बैठती थी। वह अपना हाथ मेरे ऊपर रखती और पता नहीं कैसे, मुझे शांति महसूस होती थी।

हमें सबसे अधिक आश्चर्य उनके विदाई वाले दिन हुआ जब गांधारी का हाथ थामे कुंती भी उसके साथ खड़ी थी। उसने भी हम से विदा ली और हमारे बहुत याचना करने पर भी उसने अपना विचार नहीं बदला।

"माँ," युधिष्ठिर ने कहा, "अब आप हमें छोड़कर क्यों जाना चाहती हैं जबकि हमें अपने पिता का राज्य वापस मिल गया है? क्या इसी के लिए आपने पूरे जीवन प्रतीक्षा नहीं की थी? क्या अपने प्रपौत्र को राजा बनते हुए नहीं देखना चाहतीं?"

उसका प्रिय पुत्र सहदेव उसके चरणों में गिर पड़ा। "क्या आप हमसे नाराज़ हैं?"

वह मुस्कराई और गर्दन हिलाकर हम सबको आशीर्वाद दिया। उसने मेरे पतियों को अपने साथ आश्रम तक चलने की अनुमति भी दे दी ताकि उन्हें अधिक चिंता न हो, परंतु उसने अपने निर्णय का स्पष्टीकरण नहीं दिया और अपने पुत्रों के लिए रहस्य बने रहना ही पसंद किया। क्या मेरा ऐसा सोचना कृपणता है कि कुंती को पता था कि ऐसा करने से वह अपनी मृत्यु के बाद तक भी अपने पुत्रों के मन में बसी रहेगी?

कई महीनों तक मेरे पति कुंती की विदाई का दुख मनाते रहे और बार-बार उस पर चर्चा करते रहे हालांकि वह उसे समझ नहीं पाए। उन्होंने मुझसे भी उसका कारण पूछा किंतु ऐसा पहली बार था कि मुझे पता नहीं था। हाल के कुछ वर्षों में मैंने कुंती की अधिकतर बातों को स्वीकार कर लिया था। (कुरुक्षेत्र के युद्ध के बाद

नियंत्रण की मेरी इच्छा समाप्त हो गई थी। शायद कुंती के साथ भी ऐसा ही था क्योंकि वह भी अपनी इच्छा मुझ पर आरोपित नहीं करती थी।) मुझे लगा कि हम सबकी तरह - मृतकों के लिए दुखी - उसने भी इस क्षति से समझौता कर लिया था। आखिरकार, वह अधिकतर माताओं से ज्यादा सौभाग्यशाली थी : उसके छह में से पाँच पुत्र जीवित थे।

कुछ वर्ष बाद, जब मैं और मेरे पति महाप्रयाण के लिए निकले, तब मुझे उसके जाने का कारण समझ में आया था।

# 41

## सरकंडा

संदेशवाहक हाँफता हुआ, सिंहासन के सामने आ गिरा। उसके श्वेत वस्त्र - जो शोकाकुल होने का संकेत दे रहे थे - मैले और फटे हुए थे। बिखरे हुए बालों और बाहरी निकलती आँखों के कारण वह पागल जैसा लग रहा था। बोलने का प्रयास करते हुए उसकी छाती फूल रही थी किंतु उसके मुँह से शब्दों के स्थान पर सिर्फ़ कंठ्य रुदन सुनाई दे रहा था। उसके प्रतीक से हम उसे पहचान सकते थे : वह कृष्ण की नगरी द्वारका का राजसी संदेशवाहक था।

चिंतित होकर युधिष्ठिर ने उसके लिए पानी व औषधि मँगवाई। वह हकलाकर असष्ट ढंग से बोल रहा था और उसके मुख से वह समाचार रुकते लँगड़ाते किसी अवांछित भिक्षु की भांति बाहर आ रहा था। यदु वंश का नाश हो गया था। बलराम की मृत्यु हो गई थी। कृष्ण के विषय में किसी को नहीं पता था किंतु उनके जीवित होने की संभावना नहीं थी। एक रात में, द्वारका - युद्ध के बाद हस्तिनापुर की भांति - रोते-बिलखते बच्चों व विधवाओं की नगरी में बदल गई, परंतु यह अधिक आघातपूर्ण था क्योंकि हम उन दिनों शांतिपूर्ण माहौल में रह रहे थे और हमारा संतुष्ट मस्तिष्क इस प्रकार की त्रासदी के लिए तैयार नहीं था।

मैं इस समाचार पर विश्वास नहीं करना चाहती थी किंतु मेरा दूसरा नकरात्मक अंश जानता था कि यह सत्य था। गांधारी द्वारा कुरुक्षेत्र के मैदान में दिए उस भयंकर शाप के बाद क्या मैं भीतर कहीं इस विनाश की प्रतीक्षा नहीं कर रही थी? मैं शुरू में जब भी गांधारी को देखती तो मुझे यह याद आ जाता और मैं काँपते हुए उससे घृणा करती थी। प्रतिदिन मैं ईश्वर को पुष्प व जल चढ़ाती और कृष्ण की सुरक्षा के लिए प्रार्थना करती थी, परंतु बिना किसी दुर्घटना के कई वर्ष बीत गए - दस, बीस, पच्चीस। गांधारी की कमर झुक गई और उसका स्वभाव मृदु

हो गया। वह अपना अधिकांश समय पूजा-पाठ में व्यतीत करती थी। धीरे-धीरे, शाप की बात मेरे मस्तिष्क से धुँधली होती गई और अन्य हो सकने वाली बातों के बीच लुप्त हो गई। ज्यों-ज्यों मेरी और गांधारी की मित्रता बढ़ी, मुझे उसकी ख़ातिर यह आशा थी कि वह भी इस बात को भूल चुकी होगी। किसी ऐसे शाप का रचयिता होना अत्यंत शर्मनाक होता है जो सर्वनाश का वचन देने के बाद किसी सीले हुए पटाखे की भांति फुस्स हो जाए!

जिस पल मुझे लगा कि वह सुरक्षित थे, तभी मृत्यु ने एक बार फिर एक प्रियजन को अपना ग्रास बना लिया। यह कैसी विडंबना थी कि गांधारी के शाप का प्रभाव ऐसे समय पर हुआ जब उसका क्रोध पीछे छूट चला था और वह आखिरकार शांत हो गई थी!

मेरा मस्तिष्क इस बात को स्वीकार नहीं कर पा रहा था कि कृष्ण अब जीवित नहीं थे, कि वह अपनी आदतानुसार, अपनी व्यंग्यात्मक मुस्कान के साथ अचानक आ जाएँगे और मेरी सभी परेशानियों को हल कर देंगे। एक विशाल ख़ालीपन मेरे पैरों के नीचे मुँह फैलाए मुझे निगल जाने को तैयार था। मुझे दुख के वह क्षण याद आ गए जब यज्ञ के दौरान मुझे लगा था कि शिशुपाल ने कृष्ण को मार डाला है, किंतु यह संवेदनशून्यता उससे भी बुरी थी, परंतु अभी दुख मनाने का समय नहीं था। मृतकों के लिए रस्म-रीति करने का भी समय नहीं था। समाचार यह था कि द्वारका के आस-पास लुटेरे एकत्रित होने लगे थे। यदि उन्होंने आक्रमण किया तो उन्हें कौन रोकेगा? युधिष्ठिर ने अर्जुन को कृष्ण द्वारा समुद्र के किनारे पर बड़े ध्यान से बसाई उस नगरी की ओर भेज दिया। उसे वहाँ उत्पात करने वालों का पता लगाकर उन्हें उचित रूप से दंडित करने का कार्य सौंपा गया था। उसके बाद उसे वहाँ से स्त्रियों व बच्चों को सकुशल हस्तिनापुर लेकर आना था। युधिष्ठिर ने कहा कि हम उनका दुख तो कम नहीं कर सकते किंतु उन्हें आश्रय तो दे ही सकते हैं।

जिस बीच हम प्रतीक्षा कर रहे थे, उस समय अफवाहें संध्याकाल के पतंगों के समान हमारे आस-पास फैलने लगीं। (बाद में हमें पता लगा कि उनमें से प्रत्येक में कुछ न कुछ कपटपूर्ण सचाई थी।) यदु वंश के योद्धा एक तपस्वी के शाप के कारण मारे गए थे। जब वह प्रभास के सुखकारक उद्यानों को देखने गए थे तो समुद्र में से किसी विशाल सर्प ने निकलकर उन्हें निगल लिया। समुद्र-तट पर उगे सरकंडे राक्षसी माया से बाणों में परिवर्तित हो गए। वह तीर की तरह उड़-उड़कर उनके लग रहे थे जिनके स्पर्श मात्र से ही उनकी मृत्यु हो रही थी। यदु वंशियों ने किसी नशीली मदिरा का सेवन कर लिया था जिसके कारण वे पागल हो गए और

एक-दूसरे को मारने लगे। वहाँ से गुज़रते हुए एक लोक-गायक ने गीत में गाकर यह बताया कि कैसे कृष्ण एक उपवन में एक शिकारी के हाथों मारे गए थे जिसने उन्हें हिरण समझ लिया था। यद्यपि, हमें यह इतना असंभव प्रतीत हुआ कि हमने उसे नगण्य पारिश्रमिक देकर वहाँ से लौटा दिया था।

प्रतिदिन हम अपने अनुचरों को छत पर भेजते थे ताकि वह वहाँ से अर्जुन को देख सकें किंतु वह प्रतिदिन सिर हिलाते हुए वास आ जाते थे। भारत के सर्वश्रेष्ठ योद्धा को इस दुखद किंतु सरल-से कार्य को करने में इतना समय क्यों लग रहा था? हमारे आस-पास अपशकुन घट रहे थे जिससे लगता था कि संसार नष्ट होने वाला था। दिन के उजाले में अचानक उल्लू चिल्लाने लगते थे और आकाश में धुआँ भर जाता था जबकि आस-पास आग नहीं जल रही होती थी। देवताओं की आराधना के लिए आने पर, राजपुरोहित को पत्थर की मूर्तियों के गाल पर सूखी हुई अश्रु-धारा के निशान मिलते थे। सूर्योदय के समय, मुर्गों की बाँग के स्थान पर हमें भेड़िये व मादा-गीदड़ जैसे निशाचरों की आवाजें आती थीं। जिस दिन मैंने छत पर खड़े होकर कौवों को एक चील पर हमला कर उसे भगाते हुए देखा, उस दिन मुझे विश्वास हो गया कि कृष्ण सचमुच पृथ्वी से जा चुके थे।

. . .

अर्जुन जब लौटकर आया तो एक पल के लिए उसे कोई पहचान नहीं सका। उसके बाल सफ़ेद हो गए थे। उसका चेहरा अत्यंत दुर्बल हो गया था और उसकी पसलियाँ दिखाई देने लगी थीं। उसकी आँखें तेज़ी से इधर-उधर देख रही थीं जिससे हमें द्वारका के उस संदेशवाहक की याद आ गई। वह अपने पैरों पर खड़ा हिल रहा था और बोलते समय उसका स्वर टूट रहा था। इससे पहले कि युधिष्ठिर उसे पकड़ पाता, अर्जुन मूर्छित होकर गिर पड़ा। तब हमारा ध्यान इस बात पर गया कि वह अपने साथ किसी को नहीं लेकर आया था।

जब उसे होश आया, अर्जुन ने कहा : "उन मूर्खों ने एक-दूसरे को मार डाला! मुझे नहीं पता कि उनके ऊपर क्या पागलपन हावी था। वह सभी यदु वंशी आनंदपूर्वक दिन बिताने प्रभास गए थे। शायद उन्होंने मदिरापान अधिक कर लिया। शायद गर्मी अधिक थी। वह युद्ध में निभाई भूमिका को लेकर एक-दूसरे को अपमानित करने लगे हालांकि कृष्ण ने उन्हें ऐसा करने के लिए मना किया था। शीघ्र ही, वह एक-दूसरे का पक्ष लेने लगे। उनमें परस्पर लड़ाई छिड़ गई - और वह तब समाप्त हुई जब वह सब के सब मारे गए! सिर्फ़ कृष्ण का सारथी बच गया। उसी ने मुझे यह सब बताया। उसने मुझे यह भी कहा : यदुओं के पास कोई

अस्त्र-शस्त्र नहीं थे - वैसे भी, वह तो छुट्टी मनाने आए थे। वह समुद्र-तट पर उगे सरकंडों को तोड़कर एक-दूसरे पर फेंक रहे थे, किंतु वह सरकंडे तीर बनते गए और उनके हृदय को बींधते गए - क्या यह बात समझ आती है?

"नहीं, बलराम और कृष्ण की मृत्यु वहाँ नहीं हुई। वह उस लड़ाई में सम्मिलित नहीं थे हालांकि उन्होंने उसे रोकने का प्रयास भी नहीं किया। मुझे इसका कारण नहीं पता। वह इसे आसानी से रोक सकते थे। सभी लोग उनका सम्मान करते थे।"

"मुझे नहीं पता। शायद वह उन महान योद्धाओं की मूर्खता पर खिन्न थे। शायद उन्हें पता था कि अब उनका अंत समय आ चुका था। बलराम एक अनजान तट पर जाकर ध्यान में लीन हो गए। दारुक ने उनके मुख से प्राण-तत्व को श्वेत सर्प के रूप में निकलकर समुद्र में विलीन होते देखा था। कृष्ण ने भी उसे देखा। यद्यपि, वह बलराम से मतभेद होने के बावजूद अत्यधिक प्रेम करते थे, वह उनकी मृत्यु पर रोए नहीं। उन्होंने दारुक से कहा कि वह नगर को लौट जाए और पांडवों को संदेश भिजवा दे कि यदि संभव हो तो स्त्रियों को बचा लें। वहीं समीप एक उपवन था। कृष्ण वहाँ जाकर लेट गए। वहाँ की लंबी घास ने उन्हें आधा ढँक लिया। उसी स्थान पर एक शिकारी का बाण उन्हें लग गया। हाँ, हमारे प्रिय कृष्ण की मृत्यु एक क्षुद्र शिकारी के तीर से हो गई; वही कृष्ण जिन्होंने अपने विराट दिव्य रूप से मुझे हतप्रभ कर दिया था! मैंने इस बात पर भी विश्वास नहीं किया होता यदि मैंने स्वयं अपनी आँखों से उनका पार्थिव शरीर न देखा होता।"

"क्या तुम द्वारका में व्याप्त दुख का अनुमान लगा सकते हो? कृष्ण की पत्नियाँ मेरे पैरों में गिरकर रोने लगीं। उन्हें वापस लाओ। हम उनके बिना नहीं रह सकते। हमने उनका शरीर उनके मनपसंद पीले रेशमी वस्त्र में लपेटा। उनके चेहरे पर अब भी मुस्कान थी - तुम्हें उनकी मुस्कान याद है न? मुझे उनका शरीर चिता पर रखना पड़ा। उसे अग्नि देते हुए मेरे हाथ काँप रहे थे। ज्यों ही लपटें ऊपर उठीं, उनकी अनेक पत्नियाँ जलती चिता में कूद पड़ीं। नहीं, मैंने उन्हें ऐसा करने से नहीं रोका। यदि मैं आपके पास यह समाचार लाने के लिए कर्त्तव्य-बद्ध न होता तो मैंने भी यही किया होता। संपूर्ण जीवन वह मेरे साथ मेरा मार्गदर्शन करते रहे और मेरे अज्ञान को झेलते रहे। मैं आपको कैसे बताऊँ कि उनके बिना इस संसार में रहना कैसा लगता है?"

"मैंने अन्य लोगों को अपने साथ लिया और हस्तिनापुर के लिए निकल पड़ा। हम लोग नगर से बाहर भी नहीं निकले थे कि हमें अपने पीछे एक तेज़ दहाड़ सुनाई दी। मुड़कर हमने देखा कि एक विशाल लहर नगर की ओर बढ़ रही थी।

उसने द्वारका के सुंदर स्वर्णिम गुंबदों को चकनाचूर कर दिया। अब वहाँ चक्रवाती फेन तथा शैवाल के अतिरिक्त कुछ शेष नहीं है।"

"इससे बुरी घटना होना अभी बाकी थी। जब हम वन के मध्य से गुज़र रहे थे तो हमें लुटेरों ने घेर लिया। मैंने अपना गांडीव उठाया किंतु मैं उसकी प्रत्यंचा नहीं चढ़ा सका। मैंने अपने अस्त्रों का आह्वान करने का प्रयास किया किंतु सबसे सरल मंत्र भी मुझे याद नहीं आ रहे थे। मुझे अपने भाई कर्ण की याद आ गई कि मैंने उसे जिस प्रकार मारा था, शायद यह सब उसी का दंड था, परंतु वह उससे भी अधिक कुछ था। कृष्ण की मृत्यु के साथ ही, मेरी आत्मा भी - या आप उसे जो भी कहें जिसने मुझे महान बनाया था - निस्तेज हो चुकी थी। लुटेरे स्त्रियों के साथ उनका सोना भी ले गए - मैं - जिसने अपने समय में, एक तीर से योद्धाओं का समूचा व्यूह मार भगाया था - उन लुटेरों को रोक नहीं सका। स्त्रियाँ चिल्लाती रहीं - हमें बचाओ, हमें बचाओ! मैं कुछ नहीं कर पाया। सचमुच, अब मेरा अंत समय आ गया है!"

बाद में अर्जुन रोता रहा। आँखों से आँसू बहकर उसकी आँख के नीचे बने गड्ढों में भर गए। सफ़ेद दाढ़ी से भरी उसकी ठुड्डी काँप रही थी। मुझसे उसे देखा नहीं जा रहा था। मैंने उसे कभी इस तरह रोते नहीं देखा था। युधिष्ठिर भी रो रहा था। अन्य लोग भी रो रहे थे। उन्हें देखकर, उस क्षति से और इस विचार से मेरा हृदय फटा जा रहा था कि कृष्ण की तरह मेरे पतियों के जीवन का उद्देश्य भी समाप्त हो चुका था। पृथ्वी को पाप मुक्त कर, इतिहास का रुख परिवर्तित करके और एक बालक को सच्चा राजा बना देने के बाद, उनके जीवन ने अपना अर्थ खो दिया था।

अब युधिष्ठिर ने अर्जुन के काँपते हुए कंधों में से उभरती हुई हड्डियों पर हाथ रखा। वह बोला, "भाई, तुम ठीक कहते हो। अब तुम्हारा - हम सबका - अंत समय आ गया है।"

# 42

## हिम

मैं मुख्य द्वार के मेहराबदार पथ पर खड़ी हस्तिनापुर को विदा कहते हुए उसे अंतिम बार देख रही थी। उसके पंक्तिबद्ध वृक्षों के कुंज गर्मी में किसी स्वप्निल दृश्य की भांति जगमगा रहे थे। मैंने इससे पहले भी दो बार इस नगर को छोड़ा था। प्रत्येक बार यह कितना भिन्न लगता था।

पहली बार एक निष्कपट नव-वधु के रूप में जिसका हृदय उन सब चीज़ों के लिए विचलित था जो वह चाहती थी : रोमांच, प्रेम, रानी पद, उसका अपना एक महल। मैंने अपने सबसे अच्छे वस्त्र और अपना समस्त सोना धारण कर लिया था ताकि देखने वालों की आँखें चौंधिया जाएँ। मैंने अपनी घबराहट छिपाने के लिए धृतराष्ट्र द्वारा दिए गए भव्य किंतु अटपटे-से रथ को कसकर पकड़ रखा था क्योंकि मैं चाहती थी कि उस नगर के लोग मुझे प्रतापी नायिका की तरह याद रखें, ऐसी स्त्री की तरह, जिसके चहुँ ओर इतिहास विकसित होगा। मैं चाहती थी कि वह सुंदर पांचाली के विषय में कहानियाँ सुनाएँ और मेरे लिए रोएँ क्योंकि मैं उन्हें अधिक बेहतर कारण के लिए छोड़कर जा रही थी।

मैं दूसरी बार पैदल थी और मैंने सेवकों जैसे पुराने वस्त्र पहने हुए थे। मेरे बाल खुले हुए मेरे उद्विग्न चेहरे पर झूल रहे थे। मेरे पास कोई आभूषण नहीं था - मेरा पति उसे द्यूत में हार चुका था - किंतु मेरी आँखें हीरे की तरह चमक रही थीं। मेरा चेहरा घृणा व उस याद से कठोर हो गया था। क्या मेरा महल संसार का सबसे सुंदर महल नहीं था जिसे दुर्योधन ने छल से ले लिया था? मैंने अपनी ठुड्डी ऊपर उठाई। मैं चाहती थी कि नगर के लोग मेरे अपमान और मेरे द्वारा दिए हुए शाप को याद रखें। मैं चाहती थी कि वह, यह जानते हुए कि प्रजा को अपने शासकों की भूल की कीमत चुकानी पड़ती है, मेरी तीखी दृष्टि के सामने सिर झुकाएँ।

परंतु, आज मैंने अपने पतियों की भांति संन्यासियों जैसे वल्कल वस्त्र धारण किए हुए थे। मैंने तन पर सोना धारण नहीं किया था। मैंने अपने समस्त आभूषण दान कर दिए थे। वास्तव में, मैंने जो पहना हुआ था, उसके अतिरिक्त मेरे पास कुछ नहीं था। मेरे पीछे परीक्षित और उसकी पत्नी और उत्तरा तथा सुभद्रा खड़े रो रहे थे और उनके पीछे (जैसी मेरी इच्छा थी) मैं हस्तिनापुर के लोगों का रुदन सुन सकती थी जो हमारे जाने से दुखी थी, परंतु मुझे अब उनके आँसुओं की आवश्यकता नहीं थी। मैं इस बात से असमंजस में पड़ गई कि अपनी युवावस्था में मुझे लगता था कि मुझे इससे खुशी होगी। अब मुझे कुछ नहीं चाहिए था - परीक्षित भी नहीं, जिसे मैंने अपने पुत्रों से अधिक स्नेह किया था। मैंने उस नगर के लिए मन में शुभकामना की किंतु मन से, मैं उससे और उन सब चीज़ों से विरक्त हो चुकी थी जिन्हें मैं अपना जीवन समझती थी। मुझे यह सोचकर सहसा आश्चर्य हुआ कि अपने आस-पास की चीज़ों की तुलना में जीवन कितना छोटा है : संगमरमर की इमारतें, अग्नि-शिखा वाले पुष्प-वृक्ष, पीढ़ियों से पैरों के तले चिकने हो चुके पत्थर, सुदूर पर्वतों की नीली धुँध। शायद कुंती को भी ऐसा ही लगा होगा मानो किसी विशाल समुद्र के तट पर बिना बँधी कोई छोटी-सी नौका जो इस बात की प्रतीक्षा कर रही थी कि वह जल-प्रवाह उसे कहाँ ले जाएगा। हम स्वयं को जितना महत्त्वपूर्ण समझते हैं, उतने हम हैं नहीं - इस बोध से व्यक्ति को अप्रत्याशित स्वच्छंदता का एहसास होता है!

जैसे ही मैं द्वार से आगे बढ़ी, विश्वासघाती वायु का झोंका अपने साथ पारिजात की वही पुरानी सुगंध अपने साथ ले आया जो माया महल में मेरे उद्यान में से आती थी - और उसी के साथ उभर आया पश्चाताप। मैंने उसे यहाँ हस्तिनापुर में क्यों नहीं रोपा? परीक्षित के राज्याभिषेक के अवसर पर जिस प्रकार की आतिशबाज़ी दरबारी जादूगर ने सुलगाई थी, वैसा ही एक पश्चाताप मेरे हृदय में प्रस्फुटित हो गया जिसने अनेक ज्वलंत चिंगारियों को जन्म दे दिया। मैं अपने जीवन को गँवाना नहीं चाहती थी। विजयोल्लास, रोमांच तथा गर्व के क्षणों से अभिभूत मेरा जीवन कितना शानदार था! यहाँ तक कि गर्म लोहे की चोट की तरह मेरा अपमान भी, जिसने मेरे मस्तिष्क में प्रतिशोध का निशान बना दिया था, सहसा विशिष्ट रूप से मुझे अमूल्य लगने लगा था। मैं इस सबको एक बार फिर - इस बार अधिक विवेकपूर्ण ढंग से - जीना चाहती थी! मैं युधिष्ठिर के हाथ पर अपना हाथ रखकर उसे कहना चाहती थी कि वह एक वर्ष, एक माह या एक दिन भी और रुक जाए। मैंने अभी परीक्षित की पत्नी को उन रहस्यमय चीज़ों के साथ आम का अचार बनाना नहीं सिखाया था जिनसे वह एक दशक तक ताज़ा रह सकता था।

मैंने अभी उत्तरा को उसके साहस के लिए बधाई नहीं दी थी। मैंने अपने अत्याचारों के लिए सुभद्रा से अभी क्षमा नहीं माँगी थी। और परीक्षित! अभी उसे बताने को कितना कुछ बाकी था! मैं उसके समक्ष अपनी समस्त भूलें स्वीकार करना चाहती थी ताकि वह उन्हें अपने जीवन में कभी न दोहराए। मुझे व्यास की अवज्ञा करके परीक्षित को उसके जीवन पर आने वाले संकटों के विषय में बता देना चाहिए था, परंतु अब बहुत देर हो गई थी। युधिष्ठिर आगे निकल चुका था। उसका चेहरा शीशे की भांति स्थिर था। उसके भाई हमेशा की भांति दृढ़ता के साथ उसके पीछे चल रहे थे।

उस समय भी मैं अपना विचार बदल सकती थी। सभी ने मुझे जाने से रोका था। परीक्षित ने कहा कि मेरे पतियों के चले जाने के बाद, उसे मेरे मार्गदर्शन की आवश्यकता थी। स्त्रियाँ विलाप कर रही थीं और कह रही थीं कि उन्हें मेरी याद आएगी। उन्होंने पूछा कि मेरा जाना क्यों ज़ारी था। यदि मैं सात्विक जीवन जीने की इच्छुक थी तो वह हस्तिनापुर में भी संभव था।

क्या वहाँ मंदिर व पुजारी नहीं थे? क्या प्रत्येक पावन त्योहार को वहाँ राजसी उल्लास के साथ नहीं मनाया जाता था? मेरे पतियों ने भी मुझे रुक जाने के लिए कहा। उन्हें मेरी सुरक्षा की चिंता थी। हिमवान की जिन रहस्यमय गुफाओं में वह जा रहे थे, वहाँ बहुत ख़तरा था। कभी किसी स्त्री ने वहाँ जाने की चेष्टा नहीं की। युधिष्ठिर ने मुझे सावधान किया कि यदि मैं मार्ग में गिर पड़ी, तो मेरे पति मेरी सहायता के लिए वहाँ रुक नहीं सकेंगे। इस अंतिम प्रयाण का यही कठोर नियम था। लोगों ने मुझे जितना अधिक रोकना चाहा, मेरा निश्चय उतना ही दृढ़ होता गया। शायद हमेशा से यही मेरी समस्या थी कि मैं स्त्रियों के लिए समाज से तय सीमाओं के अतिक्रमण के लिए विद्रोह करना चाहती थी, परंतु इसका विकल्प क्या था? वृद्ध दादी माँओं के बीच बैठकर गप्पें मारना, शिकायतें करना, दंतहीन मसूड़ों से पान चबाना और अपनी मृत्यु की प्रतीक्षा करना? असहनीय! इससे बेहतर होगा कि मैं पर्वत पर अपने प्राण त्याग दूँ। वह अंत अचानक और साफ-सुथरा और भाट-चारणों द्वारा गीत गाने योग्य होगा।

पांडवों की अन्य पत्नियों पर मेरी अंतिम विजय : *वह अकेली ऐसी पत्नी थी जिसने पांडवों के साथ उनकी अंतिम भयंकर यात्रा पर साथ जाने का साहस किया। मृत्यु के समय उसने विलाप नहीं किया, अपितु सिर्फ़ हाथ उठाकर साहसिक विदाई दी।* मैं इसका विरोध कैसे कर सकती थी?

. . .

साधुओं ने हमें हिमालय के तल तक पहुँचा दिया। उन्होंने हमें वहाँ छोड़ दिया क्योंकि आगे के मार्ग पर केवल वही लोग जा सकते थे जिन्होंने सांसारिक जीवन का पूरी तरह त्याग कर दिया था। हमें उसके नाम के विषय बहुत कम पता था जो वैसे सुनने में सर्वव्यापी लगता था (हालांकि युधिष्ठिर उसे बार-बार चाव से दोहराता था) : महाप्रस्थान, अर्थात् महागमन का मार्ग। हमें उसके विषय में कुछ भी पता नहीं था। यहाँ तक कि अर्जुन भी, जिसने सबसे अधिक यात्राएँ की थीं, इस मार्ग पर पहले कभी नहीं आया था। साधुओं ने हमें बताया था कि वह मार्ग एक पवित्र शिखर तक जाता था जहाँ पृथ्वी का स्वर्ग से मिलन होता है। केवल पूरी तरह शुद्ध आचरण वाला व्यक्ति ही इहलोक को परलोक से अलग करने वाले इस आवरण के पार जा सकता था। शास्त्रों में इस अनुभव को सबसे गौरवशाली बताया गया है। साधुओं ने सावधान किया था कि जो लोग पूरी तरह शुद्ध नहीं हैं, वह एक निश्चित स्थान से आगे नहीं जा सकेंगे। पर्वत इस बात का स्वयं ध्यान रखता है। उदासी-भरी रुचि के साथ उन्होंने पर्वत के उतार-चढ़ावों तथा छिपे हुए गड्ढों का वर्णन किया। उनमें आदमखोर हिम-दैत्य भी शामिल थे।

जब युधिष्ठिर ने उस पर किए जा सकने वाले आवरण के विषय में सुना तो उसकी आँखें रुचि से ऐसे चमक उठीं कि मैंने उन्हें वैसा बहुत समय से नहीं देखा था। मुझे पता था कि उसे क्या चाहिए : सशरीर स्वर्ग में प्रवेश! वह उसके जीवन के अन्य अव्यावहारिक लक्ष्यों में नवीनतम लक्ष्य था जिसमें हम भी उसके पीछे थे।

मैंने कहा कि हम लोगों के तन पर सिर्फ़ वल्कल वस्त्र थे और हम नंगे पैर चल रहे थे। परंपरा के अनुसार महाप्रस्थान पर निकलते समय हमने अपने साथ भोजन भी नहीं लिया था। यदि सचमुच हिम-दैत्य प्रकट हो गए तो हमारे पास स्वयं को बचाने का कोई तरीका नहीं था। (युधिष्ठिर ने यह घोषित करके कि अस्त्र-शस्त्र अहं के सूचक होते हैं, मेरे सभी पतियों से उन्हें नीचे रखवा दिया था।) यह स्पष्ट था कि हम पवित्र या कैसे भी पर्वत शिखर तक नहीं पहुँच सकते थे। मुझे इसकी अधिक चिंता नहीं थी। मैंने यह स्वीकार कर लिया था कि हम लोग शायद पर्वत पर ही मर जाएँगे। (मैंने सुना था कि ठंड से होने वाली मृत्यु अन्य प्रकार से होने वाली मृत्यु से कम पीड़ादायक होती है और उसमें ऐसा ही लगता है जैसा निद्रा में तैरते हुए लगता है।) परंतु मुझे इस बात का अधिक बुरा लग रहा था : जब भी मार्ग में गिरकर हमारी मृत्यु होगी, तो उसका कारण शारीरिक कमज़ोरी न होकर आचरण की दुर्बलता माना जाएगा।

. . .

वह मार्ग सँकरा व अपर्यटित था जो तीखे पत्थर और बर्फ़ व कीचड़ से भरा हुआ था। ऐसा लगता था कि बहुत कम लोग संसार को पीछे छोड़कर जाने के इच्छुक थे! कुछ ही घंटों में मेरे पैर फटने लगे परंतु ठंड के कारण उनमें से खून नहीं बह रहा था। उनमें अधिक दर्द भी नहीं था। मेरे पैर सुन्न होते जा रहे थे किंतु मेरी अन्य इंद्रियाँ तेज़ हो गई थीं। मैंने कभी वन्य सौंदर्य को नहीं सराहा और सदैव अपने उद्यान की अलंकृत व सुगठित सुंदरता को पसंद किया। प्रकृति, जिसका मैंने अपनी अनेक वन्य यात्राओं पर निकट से सामना किया था, मुझे सदैव अपनी शत्रु लगती थी जो मेरी परेशानी बढ़ाती रहती थी, परंतु आज मैं अपनी दृष्टि पर्वत शिखरों तथा उनके ऊपर से फिसलते चमकते प्रकाश पर से हटा नहीं पा रही थी जो उनपर अलग-अलग रंग की स्वर्णिम छटाएँ बिखेर रहा था। हवा में एक तीखी मिठास थी। मैं बड़े-बड़े घूँट भरकर उसे ग्रहण कर रही थी किंतु मेरा मन नहीं भर रहा था। क्या उसकी सुगंध उस धूपबत्ती की तरह थी जिसे एक बार व्यास ने अग्नि में छिड़ककर उससे बुलवाया था?

मैंने सिर हिलाकर उसको दूर किया। मुझे पता था की पर्वतों का आकाश तत्व व्यक्ति को भ्रमित कर सकता है। पहले ही आगे चलना कठिन हो रहा था क्योंकि बर्फ़ में मेरे पैर धँसे जा रहे थे। फिर भी मुझे धूप की सुगंध और पक्षियों की चहचहाहट महसूस हो रही थी हालांकि हम इतना ऊपर आ चुके थे कि उनमें से किसी के भी वहाँ होने की संभावना नहीं थी। मैंने अपने पतियों को पुकारकर पूछा कि क्या उन्होंने कुछ देखा था। तब मुझे एहसास हुआ कि वह मुझसे बहुत आगे निकल चुके थे। अर्जुन सबसे आगे रहकर मार्ग में आने वाले संकट पर ध्यान रख रहा था और उसके पीछे नकुल व सहदेव चल रहे थे। भीम और युधिष्ठिर ने, जो आराम से परस्पर बात करते हुए जा रहे थे, मेरी आवाज सुन ली और रुक गए। भीम मुड़ा - वह मुझे लेने आ रहा था - तो युधिष्ठिर ने उसका हाथ पकड़कर उसे रोक लिया। वह उसे नियम याद दिला रहा था। एक बार मार्ग पर चलने के बाद, चाहे कुछ भी हो जाए, तुम पीछे नहीं लौट सकते थे।

मेरे भीतर आक्रोश भड़का उठा। युधिष्ठिर के लिए सदा से नियम मानवीय पीड़ा - अथवा मानवीय प्रेम से अधिक महत्त्वपूर्ण थे। मुझे तभी समझ में आ गया था कि केवल वही स्वर्ग के द्वार तक पहुँच पाएगा क्योंकि केवल उसी में मानवता त्याग देने का सामर्थ्य था। मैं उसे अपने अंतिम आवेग के रूप में यह बात कह देना चाहती थी जो उसे स्वर्ग में भी याद रहती, परंतु शाम के धुँधलके में घुलते उन सुदूर शिखरों की भांति मेरे शब्द भी मेरे मुँह में ही घुल गए। यदि मेरी बात ठीक भी थी तो उसे कहने का लाभ क्या था? निकटस्थ पर्वत पर पड़ी बर्फ़ का रंग उस

कमल-पुष्प की तरह हो गया था जैसा मैंने एक बार भीम से मँगवाया था। मेरी इच्छा थी कि वह भी उसे याद कर पाता और यह सोचकर प्रसन्न होता कि किसी समय में हम लोग कैसे थे : वह संसार का सबसे शक्तिशाली पुरुष जो प्रेम की ख़ातिर अपने प्राण संकट में डालने को तत्पर था; वह अग्नि से उत्पन्न स्त्री जिसकी एक दृष्टि में भीम को निर्विवेक बना ने का सामर्थ्य था। जीवन का अंत करने से पहले यह अच्छी स्मृति थी।

. . .

मैं जब मार्ग से नीचे गिरी तो मैंने अपने पतियों को चिल्लाते हुए सुना। उनके बीच दुविधापूर्ण उत्तेजना हो रही थी। मेरा अनुमान था कि भीम युधिष्ठिर से झगड़ रहा था और मेरे पास आना चाहता था, परंतु हमेशा की भांति युधिष्ठिर की विजय हुई क्योंकि कुंती ने अपने पुत्रों को बड़ा करने के दौरान युधिष्ठिर के छोटे भाइयों को बिना प्रश्न किए अपने ज्येष्ठ भाई की आज्ञा मानना सिखाया था। भीम सुबक रहा था। क्या अन्य लोग यह सुनकर विलाप करेंगे? निश्चय ही, युधिष्ठिर जैसा निष्ठुर व्यक्ति भी कुछ आँसू तो अवश्य बहाएगा! क्या उसके अच्छे और बुरे दिनों में मैंने हमेशा उसका साथ नहीं दिया था? परंतु नहीं! मैं सुन रही थी कि वह भीम को समझा रहा था, उसे सांत्वना देकर उनके बृहत् लक्ष्य की याद दिला रहा था। इस बात से मुझे क्रोध भी आया और शर्म भी। शायद इसीलिए जब मेरे मन में यह विचार आया तो मैंने उसे अपने से दूर नहीं किया : *कर्ण मुझे इस प्रकार कभी नहीं छोड़ता। वह मेरे साथ रुक जाता और हम दोनों की मृत्यु हो जाने तक मेरा हाथ पकड़े रखता। वह मेरे लिए सहर्ष स्वर्ग का त्याग कर देता।*

मैं बहुत दूर नहीं गिरी थी। मार्ग से एक हाथ की दूरी पर नीचे बर्फ़ से ढँकी चट्टानें थीं। मैं वहीं गिरी थी। मेरी श्वास थम गई और मेरा बायाँ हाथ मेरे शरीर के नीचे दबकर मुड़ गया था, किंतु - शायद ठंड के कारण अथवा इसलिए कि मैंने अपनी नियति का चुनाव स्वयं किया था - मुझे अधिक दर्द महसूस नहीं हो रहा था। मैं किसी तरह खुद को घसीटकर मार्ग पर लौट सकती थी - किंतु किसलिए? युधिष्ठिर का एक और प्रवचन सुनने के लिए? अपने कुछ अंतिम विचारों के साथ, यहीं शांति से पड़े रहना बेहतर था।

पहाड़ों में हवा के साथ शायद आवाजें अधिक दूर तक जाती हैं अथवा शायद मैं उनकी सिर्फ़ कल्पना कर रही थी। हालांकि भीम और युधिष्ठिर काफ़ी दूर जा चुके थे किंतु मुझे फिर भी उनकी बात करने की आवाज आ रही थी।

“वह क्यों गिर पड़ी?” भीम ने रोते हुए शुष्क स्वर में पूछा। “वह आगे क्यों

नहीं चल सकी? क्या उसकी स्त्री-शक्ति ने जवाब दे दिया?"

युधिष्ठिर ने अपने संयमी स्वर में उत्तर दिया, "नहीं भीम! ऐसा इसलिए हुआ है क्योंकि उसमें यद्यपि बहुत-से गुण थे, किंतु उसने एक बहुत बड़ा अपराध किया था। जैसे तुम सब लोगों ने किया है। उसकी तरह, तुम भी उस बिंदु तक पहुँच कर गिर जाओगे जहाँ से आगे उस अपराध के साथ जाना संभव नहीं है।"

"पांचाली?" भीम बोला। "मुझे विश्वास नहीं होता! वह तो सबसे निष्ठावान पत्नी थी।" (मैं उसकी बात सुनकर अपने सुन्न पड़े होंठ दबाकर मुस्कराने लगी। भीम भूल गया था कि मैंने उसे कितनी बार डाँटा-फटकारा था और कितनी बार उसे परेशानियों में डाला था।) "उसने क्या अपराध किया था?"

"उसने विवाह तो हम सबसे किया, परंतु सबसे अधिक प्रेम किसी अन्य व्यक्ति से किया।"

"वह कौन है?" मुझे भीम के स्वर में ललक सुनाई दे रही थी।

उस एक क्षण में यदि मुझे अवसर मिलता तो मैं भीम के प्रति अपना प्रेम अभिव्यक्त कर देती। मैंने स्वयं को इस बात से सांत्वना दी : कम से कम मैं अपनी भावनाएँ अपने पतियों से छिपा पाई थी। मैंने जिस व्यक्ति को इतने वर्ष तक हृदय से प्रेम किया, जिससे प्रशंसा प्राप्त करने की मेरी इच्छा रही, जिसके कटु वचनों ने मुझे सबसे अधिक आहत किया था, और जिसकी मृत्यु के बाद मेरा जीवन बदरंग हो गया था, उसके बोध से होने वाली पीड़ा से मैंने अपने पतियों को बचा लिया था।

"वह," युधिष्ठिर ने कहा - और फिर वह रुक गया।

उसे पता था! मुझे जिस गोपनीयता पर गर्व था - उसने उसे देख लिया था। वह हमेशा अपने आदर्शों के संसार में खोया रहता था, तो मैंने उसकी बोध-सामर्थ्य को कभी ज्यादा श्रेय नहीं दिया, परंतु मैंने उसे समझने में भूल की थी। मेरा हृदय रुककर प्रतीक्षा करने लगा कि वह क्या बताएगा, कि वह मेरे ऊपर क्या आरोप लगाने वाला था। मुझे आश्चर्य हो रहा था कि मैं कितनी अधिक घबराई हुई थी। मैं ग़लत सोच रही थी कि मुझे अब जीवन से कुछ नहीं चाहिए था। हालंकि मैं अब उनसे कभी नहीं मिलने वाली थी, मेरे पतियों की अंतिम राय मेरे लिए सहसा अत्यंत महत्त्वपूर्ण हो गई थी।

युधिष्ठिर ने जल्दी से अपनी बात कह दी। "अर्जुन। वह अर्जुन है। वह सबसे अधिक उसका ध्यान रखती थी।"

उसने मुझ पर दया की थी। उसने सत्य की अपेक्षा कृपा को चुना और मेरी प्रतिष्ठा की रक्षा के लिए अपने जीवन का दूसरा झूठ बोला!

इस प्रकार मेरे अंतिम समय में युधिष्ठिर ने यह सिद्ध कर दिया कि वह इतने वर्ष मुझसे प्रेम करता था। ऐसा करके उसने मुझे तुरंत अपना आभारी बना दिया तथा जो अनेक कटु वचन मैंने उसे कहे और कुछ जो अपने भीतर दबाए रखे, उनके लिए उसने मुझे लज्जित भी कर दिया था।

भीम ने हताशा-भरी श्वास छोड़ी। "मेरे विचार से उसे दोष देना ठीक नहीं होगा," वह बोला। "वह एक महान योद्धा है और अत्यंत सुंदर भी है। यहाँ तक कि इंद्र के दरबार की अप्सराएँ भी उसके आकर्षण से बच नहीं सकीं!"

जहाँ मेरा संदर्भ आता था, तो वह कितनी सरलता से क्षमाशील बन जाता था, कितना उदार! काश, मैं बता सकती कि मैं उसकी - और अपने अन्य पतियों की कितनी प्रशंसा करती थी - सबके अपने-अपने गुण थे, अपनी-अपनी सहृदयता। नकुल का परिहास, सहदेव का मनन और अर्जुन का साहस जिसने हमारे व संकट के बीच खड़ा रहने में कभी संकोच नहीं किया। जब मुझे उसकी प्रशंसा करने का अवसर मिला तो मैंने अपना असंतोष व्यक्त करके उस अवसर को गँवा दिया। अब बहुत देर हो गई थी।

"वह कौन-से अपराध हैं, जिनके कारण हम लोग भी मार्ग में गिर जाएँगे?" भीम ने पूछा।

"सहदेव को अपने ज्ञान पर बहुत गर्व है, नकुल को अपने सौंदर्य का अहंकार है, अर्जुन स्वयं को सर्वश्रेष्ठ योद्धा समझता है और तुम क्रोध आने पर अपने ऊपर नियंत्रण नहीं रख पाते।" युधिष्ठिर ने सदा की भांति शांत स्वर में कहा किंतु इस बार मुझे उसके स्वर में निराशा सुनाई दे गई थी। उसने इतने वर्षों तक सदाचार के लिए अपने भावावेश के चलते अपने प्रियजनों के मध्य रहते हुए भी एकाकी जीवन बिताया था। यह मेरी नासमझी थी कि मैं उसके ऊपर क्रोध करती थी और सोचती थी कि वह अपने कठोर व मूर्खतापूर्ण सिद्धांतों को त्याग देगा। सदाचार उसका स्वभाव था। वह उसका त्याग उसी प्रकार नहीं कर सकता था जैसे कोई बाघ अपनी धारियाँ नहीं त्याग सकता। इसी कारण, वह अपने प्रियजनों को उनके मृत्यु के क्षणों में अकेला छोड़ चरम एकाकीपन को प्राप्त कर लेगा : देवताओं के दरबार में पहुँचने वाला प्रथम मनुष्य!

# 43

## अग्नि

मुझे अब किसी की पदचाप सुनाई नहीं दे रही है। पर्वत पर बिखरी रोशनी क्षीण हो गई है अथवा मेरी दृष्टि मंद हो रही है? मेरा शरीर भी क्षीण होता जा रहा है और उसके अंग अलग-थलग हो रहे हैं : पैर, घुटने, अंगुलियाँ व बाल। मुझे अभी अचानक विचार आया कि मेरे प्रत्येक आवास की भांति मेरा यह तन भी - मेरा अंतिम विदीर्ण होता महल - मेरा साथ छोड़ रहा है।

मैं अपने जीवन के यह अंतिम क्षण किस प्रकार व्यतीत करूँगी? क्या मुझे अपनी ग़लतियों को याद करके पश्चाताप करना चाहिए? नहीं। स्वयं को डाँटने से अब क्या लाभ? इसके अतिरिक्त, मैंने इतनी गलतियाँ की थीं कि मैं बचपन से ही आगे नहीं बढ़ पाती! क्या मुझे उन लोगों को क्षमा कर देना चाहिए जिन्होंने मुझे हानि पहुँचाई? यह उद्यम अच्छा किंतु क्लांत कर देने वाला है, विशेषकर जब वह सभी लोग अब मर चुके हैं। शायद मुझे अपने प्रियजनों को याद करके उनके लिए प्रार्थना करनी चाहिए क्योंकि प्रार्थना ऐसा अनाकार भाव है जो इस लोक से दूसरे लोक तक जा सकता है। दाई माँ के फूहड़ चुटकले और उनकी ऊँची, प्रेम-भरी फटकार; अपनी मृत्यु शय्या पर वह बिल्कुल सीधा लेटकर मुझे उन्मादपूर्वक पुकारना। धृ की न्याय परायण भँवें तथा उसकी चौंकी हुई हँसी, मेरा प्रथम मित्र; वह मेरे कारण हुए युद्ध में मारा गया। मेरे पुत्र जो बिना माँ के बड़े हुए; जिस प्रकार अनेक वर्षों बाद वन में वह मुझसे मिले और मेरे प्रति उनकी आँखों में भयपूर्ण आदर था। अन्वेषी आँखों वाला परीक्षित; मैं उसके प्रश्न का उत्तर नहीं दे सकी जिसके कारण उसकी खोज अधूरी रह गई; मैं उसके ऊपर आने वाले संकट से उसे सावधान नहीं कर पाई थी। और कर्ण जो अशुभ नक्षत्र में पैदा हुआ था, जो अलंकृत दरबार में अपनी आँखों में कटुता का भाव लिए अकेला बैठता था, वह भाव जो मेरे कारण था। मेरे प्रति प्रेम व घृणा में बँटा हुआ कर्ण, जिसने कुंती के

प्रलोभन को अस्वीकार करके अपना बलिदान दे दिया। तुम भी, द्रौपदी के पति हो सकते थे। यह जानकर कि मैं अपने अंत समय में अपने पतियों के स्थान पर उसे याद कर रही थी, क्या वह दोषमुक्त हो पाता और अंतिम बार, यह सोचता कि मैंने स्वयंवर में ग़लत व्यक्ति का चुनाव किया?

यद्यपि मेरे याद करने के बाद भी चेहरे घूमते जा रहे थे - शायद इसलिए कि मैंने उन्हें आहत किया था, क्योंकि मैंने उन सबके साथ किसी न किसी ढंग से विश्वासघात किया था। वह एक-दूसरे में मिलते चले गए और फिर आकाश में व्याप्त अँधकार में विलीन हो गए और मैं अकेली रह गई हूँ। इस बर्फ़ीली पहाड़ी पर मरने के लिए अकेली छोड़ दी गई हूँ! कैसी विडंबना है कि अपने पाँच पतियों की आवश्यकताओं की पूर्ति में मेरा संपूर्ण जीवन बीत गया था किंतु मेरे जीवन के अंतिम क्षणों में आज उनमें से एक भी मेरे साथ नहीं था!

बहुत समय पहले, मैंने व्यास की अग्नि-आत्माओं से पूछा था, कि क्या मुझे प्रेम मिलेगा? उन्होंने मुझे आश्वासन दिया था कि मुझे प्रेम प्राप्त होगा, परंतु उन्होंने झूठ बोला था! मुझे प्रतिष्ठा मिली, आदर व भय मिला, प्रशंसा भी मिली, परंतु वह प्रेम कहाँ गया जिसकी मुझे बचपन से इच्छा थी? वह व्यक्ति कहाँ गया जो मुझे मेरी समस्त कमियों के साथ पूरी तरह स्वीकार करे और प्रेम भी करे। आत्म-दया का भाव (मुझे इस भाव से सदैव घृणा रही है) मेरे भीतर विद्यमान रहा है और उसमें से जो शेष है, उसने इस बोध के साथ मेरे साहसी संकल्पों को मिटा दिया है।

वर्षा आरंभ हो गई है - यदि बर्फ की नुकीली बूंदों को ऐसा कहा जा सकता है - वह मेरे चेहरे को बींध रही हैं। मेरे शरीर का यही एक भाग शेष रह गया है। अपना ध्यान अपनी पीड़ा से हटाने के लिए मैं सोचने लगती हूँ कि कृष्ण को वर्षा कितनी पसंद थी और कैसे जब मैं एक बार द्वारका गई थी तो उन्होंने मुझे अपनी गीली आलिंद में बुलाकर वर्षा में नृत्य करते मयूर दिखाए थे।

"मेरे विषय में सोचने का समय हो चुका है," उन्होंने मुझे कहा।

आश्चर्यचकित होकर मैं उस प्यारी परिचित आवाज को सुनने के लिए मुड़ना चाहती हूँ, किंतु मैं अब अपना चेहरा नहीं घुमा सकती। मुझे लगा कि अपनी आँख के एक कोने से मुझे पीला रंग दिखाई दिया, अथवा यह सिर्फ़ मेरी इच्छा का बल है?

"तो अब तुम्हें लग रहा है कि तुमने मेरी सिर्फ़ कल्पना की है! मैं तुम्हें बताना चाहता हूँ कि मैं सचमुच हूँ, परंतु तुम यहाँ, इस विचित्र और अत्यंत अराजसी मुद्रा में बर्फ़ में लेटी क्या कर रही हो?"

"मैं प्रार्थना करने का प्रयास कर रही हूँ," मैंने अपनी बची हुई प्रतिष्ठा के

बल को एकत्रित करके कहा। "परंतु समस्या यह है कि मुझे एक भी श्लोक याद नहीं आ रहा।"

"तुम्हें पहले ही कौन-से बहुत श्लोक आते थे!"

उन्होंने ठीक कहा - मैं कभी औपचारिक प्रथाओं के पक्ष में नहीं थी। तथापि, मैं उन्हें उनकी असमय चंचलता के लिए रोकना चाहती थी - जैसा कि मैंने पहले कई बार किया था, परंतु खीजने में बहुत ऊर्जा व्यय होती है। "यदि आपने ध्यान दिया हो तो मैं मर रही हूँ," मैंने मंद स्वर में कहा। "यदि मैंने इस समय प्रार्थना नहीं की, तो शायद मुझे नरक की अग्नि में - यदि वह सचमुच होती है - झोंक दिया जाएगा। क्या वह सचमुच होती है? मृतक होने के नाते आपको तो पता होगा।"

"सच होती है और नहीं भी," वह कह रहे हैं, "ठीक वैसे ही जैसे मैं मृत हूँ और नहीं भी हूँ।" मैंने देखा कि उनकी पहेलियों में बात करने की आदत अभी गई नहीं है। "परंतु नरक की आग के विषय में अभी मत सोचो। और यदि तुम्हें कोई प्रार्थना याद नहीं आ रही तो भी परेशान मत होओ। इसके स्थान पर कुछ ऐसा सोचो जिससे तुमको खुशी मिले।"

मैं अपने जीवन के विषय में विचार कर रही हूँ। किस चीज़ से मुझे प्रसन्नता होती थी? किस बात से मुझे शांति मिलती थी? शायद कृष्ण का तात्पर्य इसी प्रसन्नता से है, न कि उत्तेजना का वह पहिया जिस पर बैठकर मैं पूरी उम्र ऊपर-नीचे घूमती रही हूँ और जिससे एक पल खुशी तो दूसरे पल उद्विग्नता मिलती है। निश्चय ही, मेरे आस-पास रहने वाले किसी पुरुष अथवा स्त्री ने मुझे इस प्रकार की खुशी नहीं दी और सत्य कहूँ तो न मैंने उन्हें वह खुशी प्रदान की। यहाँ तक कि विचित्र व सुंदर कल्पनाओं से भरे मेरे महल ने भी, जिसे मैंने किन्हीं अर्थों में अपने पतियों से भी अधिक प्रेम किया था, जो मेरे गर्व का सर्वश्रेष्ठ प्रतीक था, मुझे अंत में दुख के अतिरिक्त कुछ नहीं दिया।

मैं अपने सिर पर कृष्ण के हलके स्पर्श की कल्पना कर रही हूँ क्योंकि मैं उसे देख नहीं सकती। वह मेरे सिर पर धीरे-धीरे हाथ फेर रहे हैं जैसे एक माँ अपने ज्वरग्रस्त बालक को प्यार से दुलारती है। हालंकि यहाँ भी मैं सिर्फ़ कल्पना कर रही हूँ, क्योंकि मेरी अपनी माँ नहीं थी और मैंने अपने पुत्रों को माँ का सुख न देकर उन्हें किसी अन्य के भरोसे छोड़ दिया था।

"याद नहीं आ रहा," मैंने कहा। शब्द मेरे मुँह में गाँठ की तरह इकट्ठे हो रहे हैं। मुझे पता है कि शीघ्र ही मैं ठीक से नहीं बोल सकूँगी। मैं अपने हृदय में इतने लंबे समय से दबे उस प्रश्न को लेकर नहीं मरना चाहती, इसलिए पूछ रही

हूँ, "भीष्म ने सभा में मेरा घोर अपमान देखकर भी मेरी सहायता क्यों नहीं की?"

"तुम्हारा मस्तिष्क किस प्रकार मत्त बंदर की तरह कूदता है! भीष्म नियमों के विषय में बहुत गहराई से सोचते थे। उसके कारण वह निष्क्रिय हो जाते थे। वह ठीक से इस बात का निश्चय नहीं कर पाए कि क्या तुम दुर्योधन की संपत्ति बन चुकी थीं। यदि ऐसा था तो उन्हें हस्तक्षेप करने का कोई अधिकार नहीं था, परंतु कभी-कभी व्यक्ति को तर्क का साथ छोड़कर हृदय के सहजबोध को मानना चाहिए, फिर चाहे वह नियमों के विरुद्ध ही क्यों न हो।"

मैं उनकी इस बात से सहमत होना चाहती हूँ किंतु एक कपटपूर्ण आलस्य मुझपर हावी हो रहा है। मैं संकेत को समझ रही हूँ और यद्यपि, इस पूरे समय मैंने साहसी बने रहने का संकल्प किया था, मुझे एहसास हो रहा है कि मैं सहसा शून्यता में हो रहे अपने विलय से भयभीत हो रही हूँ। मुझे छोड़ो मत, मैं कृष्ण को कह रही हूँ। मुझे नहीं पता किंतु, किसी कारणवश, यह महत्त्वपूर्ण है कि मेरी मृत्यु के समय वह मुझे स्पर्श करते रहें, परंतु मेरे मुँह से शब्द नहीं निकल रहे।

"चिंता मत करो," उन्होंने कहा मानो उन्होंने मेरी बात सुन ली हो। "अब ध्यान से सुनो : तुम्हें एक कार्य करना है। अपने जीवन पर एक दृष्टि डालो। क्या तुम्हें विश्वास है कि तुम्हें प्रसन्नता का एक भी क्षण याद नहीं आ रहा?"

अप्रत्याशित रूप से मुझे याद आ जाता है।

मैं हस्तिनापुर के द्वार पर कृष्ण के रथ के पास खड़ी उन्हें द्वारका के लिए निकलने से पहले नारियल का ठंडा पानी दे रही हूँ। मैं उनसे शिकायत करती हूँ कि आजकल वह अधिक मिलने नहीं आते और यह कि इससे तो हम लोग वन में अच्छे थे जहाँ कम से कम वह हमसे मिलने आते रहते थे। उन्होंने कहा, उस समय तुम्हें मेरी अलग ढंग से आवश्यकता थी, परंतु तुम्हारे हृदय में आज भी मेरा उसी तरह वास है! जब वह मुस्कराते हैं तो उनकी आँखों के कोने पर झुर्रियाँ पड़ती हैं। उनके बाल कहीं कहीं से सफेद हो गए हैं जो कि आयु बढ़ने का पहला संकेत है। युद्ध ने जिसमें वह हमारे लिए सहर्ष सम्मिलित हो गए थे, वृद्ध होने की प्रक्रिया को और तेज़ कर दिया था। खीजने का ढोंग करने के बावजूद मैं प्रेम के प्रवाह में बह गई थी। मैंने उनसे कहा, कि अगली बार इतना समय मत लगाना। वह बोले, नहीं लगाऊँगा। जब तुम्हें उम्मीद भी नहीं होगी, मैं तब आ जाऊँगा। मैं उन्हें रथ पर जाते हुए देखती हूँ। शरद ऋतु का सूर्य मेरे कंधों पर दुशाले की तरह कोमलता से बिखरा हुआ है। कोई यदि मुझसे उस क्षण पूछता कि मुझे क्या चाहिए, तो मैं कहती - कुछ नहीं।

मुझे नहीं पता था कि मैं उनको अंतिम बार अलविदा कह रही थी।

हवा में गिरते पत्तों की तरह अन्य कई स्मृतियाँ आ रही हैं। उनका कोई निश्चित क्रम नहीं है। कभी मैं अपने पिता के महल में बच्ची बनकर तितली का पीछा कर रही हूँ और पसीना तथा आँसू साथ-साथ बह रहे हैं कि तभी कृष्ण अपना हाथ आगे बढ़ा देते हैं। तितली उनके हाथ पर बैठ जाती है और वह चुपचाप उसे मुझे थमा देते हैं। और मैं, अपनी आयु से आगे कुछ सोचकर, उसे पकड़ती नहीं अपितु धीरे-से एक बार उसके पीले पंखों को झटक देती हूँ।

एक स्मृति इंद्रप्रस्थ में हमारे विशाल भवन की है जहाँ कृष्ण मेरी व मेरे पतियों की हस्त-रेखाएँ पढ़ने का ढोंग कर रहे हैं और जब मेरी बारी आती है तो वह मुझे यह कहकर अत्यधिक शर्मिंदा कर देते हैं कि मेरे डेढ़ सौ बच्चे होंगे। एक वह, जब मैं अपने बहुत-से रसोइयों को हटाकर स्वयं कृष्ण के लिए भोजन पकाती हूँ - जो मैंने अपने पतियों के लिए भी नहीं किया - और कृष्ण (मिथ्या रूप से) शिकायत करते हैं कि भोजन में नमक बहुत ज्यादा है। उसके बाद, एक यह जब मैं उन्हें अपना उद्यान दिखा रही हूँ - जो कि संसार का सबसे सुंदर उद्यान हो सकता है, बशर्ते उसमें एक पारिजात का वृक्ष लग जाए, जो मुझे कहीं नहीं मिला। वह मुस्कराकर अपनी मुट्ठी आगे करते हैं। जब मैं उसे खोलती हूँ तो उसमें एक बीज रखा हुआ होता है। मैं इसे बो देती हूँ और वह बड़ा होकर पारिजात के समूचे उपवन में बदल जाता है।

इसके बाद एक गंभीर क्षण याद आता है जब मैं अपने विवाह के बाद कांपिल्य से हस्तिनापुर जा रही थी। सहसा मुझे उस चारदीवारी को छोड़ने में डर लग रहा है जिससे मैंने इतने वर्षों तक घृणा की थी मानो उन्होंने मुझे क़ैद कर रखा था। मुझे अपने प्रिय भाई के स्थान पर पतियों के साथ रहने पर भी भय महसूस हो रहा था। कृष्ण मुझे हाथ पकड़कर - उनका यह भाव प्रदर्शन कितना चिर परिचित है, हालांकि मुझे विश्वास है कि उन्होंने ऐसा पहले कभी नहीं किया - युधिष्ठिर के रथ के पास ले जाते हैं। वह मुझे रथ पर चढ़ने में सहायता करते हैं और मुझे धीरे से कहते हैं कि यह अत्यंत रोमांचकारी होगा - और जब मैंने उन्हें यह कहते सुनती हूँ तो सचमुच ऐसा हो जाता है। यहाँ कई वर्ष बाद, जब हमारा राजसूय यज्ञ शिशुपाल के रक्त से कलंकित हो जाता है तो हम सब उदास हो जाते हैं, परंतु कृष्ण हमें ऐसे उदास नहीं रहने दे सकते। वह ताली बजाकर सेवकों को बुलाते हैं और उन्हें ढेर-से दीपक लाने को कहते हैं। उन दीपकों के उजास में वह मुझे आश्वस्त करते हैं - क्योंकि मेरे पतियों से बात करने समय भी वह मेरी ओर देखते हैं - कि शिशुपाल ने अपनी मृत्यु को स्वयं आमंत्रित किया, कि उस पूरी घटना के दौरान हमने अत्यंत शिष्टतापूर्वक व्यवहार किया था, और यह कि इसके कारण यदि कोई

शाप मिला तो वह हमारे ऊपर न आकर, अपितु उसके सिर पर आएगा।

एक और घटना जिसे मैं अभी तक भूली बैठी थी।

अपने अज्ञातवास के दौरान, मैं एक दिन शाम को रानी सुदेष्णा की एक कम उपयोग होने वाली आलिंद में खड़ी थी। मैं कीचक की कामुक दृष्टि से बचने के लिए और शांति के कुछ पल बिताने के लिए चुपचाप वहाँ आ गई थी। मैंने अपने पतियों को बहुत दिन से नहीं देखा था। यहाँ तक कि उनकी दूर से पड़ने वाली दृष्टि से भी मैं वंचित थी जिसके कारण मुझे बहुत खीज महसूस हो रही थी। मुझे इस तरह अकेले, बंद रहकर अभी कई महीने और व्यतीत करने थे। हताशा स्याही की भांति मेरे भीतर घुलती जा रही थी और मेरा हृदय डूब रहा था। इस दुविधा के बीच मुझे यह विचार आ रहा था कि क्या मुझे यह कष्ट इसलिए सहन करने पड़ रहे थे क्योंकि मैं अपने पतियों के प्रति पूरी तरह निष्ठावान नहीं थी। शायद मेरे लिए उसी समय, आलिंद से नीचे कूदकर आत्म-हत्या करना और इन सब कष्टों का अंत करना सरल था। वह मात्र एक छोटी-सी त्रासदी होती। मेरे पति कुछ समय चुपचाप विलाप करते किंतु अज्ञातवास का समय समाप्त हो जाने के बाद, वह उस दुख से बाहर निकल आते और अपनी नियति को पूर्ण करने में व्यस्त हो जाते।

उस आलिंद से बाहर एक सँकरा मार्ग दिखाई देता था जहाँ से अधिकतर विक्रेता या सेवक एक गृह से दूसरे की ओर दौड़ते रहते थे। यद्यपि, उस दिन अश्वारोहियों का एक समूह - जो वेशभूषा से अजनबी लग रहे थे - उस मार्ग से जा रहे थे। शायद वह मार्ग भटक गए थे। मैंने नगर की परंपरानुसार, चेहरे पर आंशिक रूप से पर्दा ले लिया। मुझे चिंता करने की आवश्यकता नहीं थी। दिशा पूछने में व्यस्त, उन लोगों का ध्यान मुझ पर नहीं गया था। वह लोग मेरे गृह-नगर की भाषा में बात कर रहे थे। मुझे सहसा घर की याद आ गई और मुझे उनका अभिवादन करने की अनुचित - और ख़तरनाक - इच्छा को दबाना पड़ा। वह मेरे सामने से निकल रहे थे, जब अंतिम व्यक्ति ने ऊपर मेरी ओर देखा। वह कृष्ण थे!

यह बात असंभव थी - किंतु वह कृष्ण ही थे। उनकी पगड़ी में मोर पंख हिलता हुआ साफ़ दिखाई दे रहा था। वह न कुछ बोले और न ही मुझे इशारा किया, परंतु उन्हें देखकर मेरे भीतर सांत्वना की लहर दौड़ गई। अगले एक महीने तक उनकी वह दृष्टि मेरी याद में ठीक वैसे ही रहने वाली थी, जैसे मेरे हाथ पर स्नेहमय हाथ का स्पर्श जो मुझे यह याद दिलाता रहेगा कि वह मुझे भूले नहीं थे। उसने मुझे वह शक्ति प्रदान की जो उस समय मेरे जीवित रहने हेतु, और स्वयं को ऐसे किसी भी उग्र कृत्य से दूर रखने के लिए आवश्यक थी जिसके कारण हमारा

भेद खुल सकता था।

अब मुझे पता लगा कि वह सदा मेरे साथ रहते थे - कभी सामने प्रत्यक्ष, तो कभी मेरे जीवन की परछाइयों में छिपे हुए रूप में। जब मुझे लगता था कि मैं अकेली हूँ तो उस समय वह इतने सूक्ष्म ढंग से मेरा साथ देते थे कि मैं उन्हें देख नहीं पाती थी। मेरे अत्यंत अप्रिय व्यवहार के बावजूद वह मुझसे प्रेम करते रहे। उनका यह प्रेम मेरे जीवन के अन्य सभी प्रकार के प्रेम से भिन्न था। अन्य लोगों की भांति, वह मुझसे किसी विशेष प्रकार के व्यवहार की अपेक्षा नहीं रखते थे। मैं उनकी बात नहीं मानती थी तो भी उनका प्रेम अप्रसन्नता, या क्रोध अथवा घृणा में नहीं बदलता था। वह सुखदायी था। यदि कर्ण के प्रति मेरी भावना दहकती अग्नि के समान थी, तो कृष्ण का प्रेम मरहम जैसा, किसी झुलसे हुए भूदृश्य पर शीतल चाँदनी के जैसा था। मैं कैसी अँधी थी जो उनके इस अमूल्य उपहार को देख नहीं सकी!

मेरे मन में बस, अब सिर्फ़ एक प्रश्न, एक इच्छा है। मैं अपने जीवन का पहला क्षण याद करना चाहती हूँ। वह क्षण जब वह मेरे जीवन में आए - तब क्या हुआ? उनके प्रथम शब्द क्या थे? यह प्रेम, मेरे अंत समय में मेरा सहारा बना यह एकमात्र प्रेम, आरंभ कैसे हुआ?

मैं यह प्रश्न ऐसे जमे हुए होंठों से कैसे पूछूँ?

परंतु वह जानते हैं। मैं उनकी स्नेही और अनजान-सी सुगंधित श्वास को अपने मस्तक पर महसूस कर सकती हूँ। मुझे याद आ गया।

मेरे आस-पास लालिमा थी हालांकि मैं किसी कक्ष में नहीं थी। वहाँ की ऊँची-नीची दीवारों से गरमाहट निकल रही थी। मेरा शरीर नहीं था, कोई नाम नहीं था। फिर भी मुझे पता था कि मैं कौन हूँ। किसी ने मुझसे परिचित ढंग से, प्रोत्साहन-भरे स्वर में बात की और कहा कि अब मेरी बारी थी। मुझे अपने कर्त्तव्य पालन के लिए आगे जाना चाहिए, परंतु मैं रुकी रही। उस स्थान पर इतना अच्छा लग रहा था। इतना सुरक्षित, जिसे मुझसे कुछ अपेक्षा नहीं थी। मैं अपने कार्य की विशालता के प्रति भी चिंतित थी।

क्या मैं सचमुच इतिहास बदल सकती हूँ? मैंने पूछा। इतने विनाश का कारण बनकर मैंने जो पाप किया है, उसका क्या होगा?

कंकड़ों के बीच से बहती किसी छोटी-सी नहर की तरह, उनका स्वर अत्यंत कोमल था। याद रखो कि तुम सिर्फ़ माध्यम हो और मैं कर्ता हूँ। यदि तुम इस बात को याद रख सकती हो, तो कोई पाप तुम्हें छू भी नहीं सकता।

माध्यम, मैंने दोहराया। कर्ता। यह सब सुनने में अति सहज लग रहा था

किंतु मुझे विश्वास था कि एक बार खेल आरंभ होने के बाद यह कहीं अधिक जटिल हो जाएगा। मैंने पूछा, यदि मैं भूल गई तो क्या होगा?

वह बोले, शायद तुम भूल ही जाओगी। अधिकतर लोग भूल जाते हैं। यही तो ठगी से भरी वह मोहक चाल है जो संसार तुम्हारे साथ खेलता है। तुम्हें इसके लिए कष्ट भोगना पड़ेगा - अथवा तुम्हें ऐसा प्रतीत होगा कि तुम कष्ट भोग रही हो, परंतु इसकी चिंता मत करो। तुम्हारी मृत्यु के समय मैं तुम्हें याद दिला दूँगा। इतना पर्याप्त होगा।

एक प्रेमपूर्ण किंतु निर्दयी बल ने मुझे आगे धकेला। मुझे लगा कि मैं उस लालिमा के मध्य से उड़ती हुई जा रही हूँ और मुझे आकार मिलता जा रहा है। अब मेरे हाथ और पैर थे, मेरे गले में आभूषण भी थे। मैं स्वर्णिम वस्त्र में लिपटी हुई थी। गर्मी बढ़ती जा रही थी। मुझे जल्दी करना होगा। अग्नि से निकल रहे धुएँ से मुझे खाँसी उठ रही थी और मेरा दम घुट रहा था। मेरे पैरों के नीचे का पत्थर, पिछले सौ दिन से पुरोहितों द्वारा अग्नि में डाले जा रहे घी के कारण चिकना हो गया था और वायु में ऐसी कटु गंध भर गई थी जो मैंने पहले कभी महसूस नहीं की थी। मैं जैसे ही चक्कर खाती हुई उसमें से बाहर निकली तो उस गंध का नाम प्रकट हो गया : *प्रतिशोध।* मेरे भाई ने मेरा हाथ पकड़ लिया ताकि मैं गिर न जाऊँ।

मेरे मस्तिष्क समेत, सब कुछ हिम-चूर्ण में परिवर्तित हो रहा है। अपने सामर्थ्य के अंतिम बल से मैंने एक विचार प्रतिपादित किया है : *यह वही यज्ञाग्नि थी जिसमें से मेरा जन्म हुआ था! क्या आप मेरे साथ उस समय भी थे, जब मेरा जन्म नहीं हुआ था?*

वह मुस्कराए। उन्हें खुशी है कि मैंने समय से बात समझ ली।

*मैं सब कुछ नहीं भूली, है न? बस, थोड़ी गड़बड़ कर दी थी?*

कुछ और भी है जो मैं पूछना चाहती हूँ, किंतु अपना ध्यान केंद्रित करना कठिन हो रहा है क्योंकि विचार इस प्रकार मेरे पार हो रहे हैं जैसे छलनी में से पानी निकलता है।

"तुमने वही किया जो तुम्हें करना था। तुमनी अपनी भूमिका अच्छी तरह निभाई।"

*जब मैंने क्रोध किया, तब भी? जब मैंने किसी से घृणा की? ग़लत व्यक्ति से प्रेम किया? अपने प्रियजनों को कष्ट दिया? इतने लोगों को क्षति पहुँचाई?*

"तब भी। तुमने उन्हें इतनी भी क्षति नहीं पहुँचाई देखो!"

मेरे ऊपर प्रकाश - या, अँधकार का भाव है। पर्वत गायब हो गए हैं। हवा में लोग ही लोग हैं - किंतु न पुरुष, न स्त्रियाँ क्योंकि उनके तन पतले और लिंगविहीन हैं और दीप्तिमान हैं। उनके चेहरे साफ़ व शांत हैं और उन पर किसी प्रकार का भाव नहीं है जो मनुष्य जीवन में होता था, किंतु थोड़े प्रयास से मैं प्रत्येक को पहचान सकती हूँ। यह कुंती और मेरे पिता हैं जो कुछ बात कर रहे हैं। यह भीष्म हैं जो शिखंडी और दाई माँ के साथ तैर रहे हैं। दुर्योधन मेरे भाई व द्रोण के मध्य है और वह सब मानो किसी परिहास पर मुस्करा रहे हैं। मेरे चार पति यहीं हैं (क्योंकि युधिष्ठिर तो अब भी अपनी यात्रा पर होगा), और गांधारी ने सहदेव को छोटे बालक की तरह अपने निकट पकड़ रखा है। इस सबके बीच, असंख्य लोग हैं। उनके तन के वह घाव भी मिट चुके हैं जिनके कारण कुरुक्षेत्र में उनकी मृत्यु हुई थी और उनके चेहरे पर इस बात का संतोष परिलक्षित हो रहा है कि उन्होंने इस महान नाटक में अपनी भूमिका सफलतापूर्वक निभाई है।

क्या यह सत्य है, या मैं कल्पना कर रही हूँ?

कृष्ण मूक निरुश्वास लेते हैं। "अंत समय तक संदेही! यह पर्याप्त रूप से सत्य है, हालांकि कल्पना इसके लिए उचित शब्द नहीं है। तुम्हें अब जो नए अनुभव होंगे, उनके लिए तुम्हें जल्द ही एक नई शब्दावली सीखनी होगी। अभी के लिए मैं इतना ही कह सकता हूँ कि प्रत्येक व्यक्ति इस क्षण को अलग ढंग से अनुभव करता है।"

*क्या मैं मर रही हूँ?* मैंने शायद प्रशंसनीय गंभीरता के साथ पूछा।

"तुम ऐसा कह सकती हो।"

मैं प्रतीक्षा करती हूँ कि भय अपनी जमी हुई नोंक से मेरी रीढ़ खरोंचेगा, किंतु मुझे उसके अभाव से आश्चर्य होता है। क्या ऐसा इसलिए है कि यह क्षण मृत्यु के विषय में मेरी कल्पना से एकदम अलग है?

"तुम इसे जागना," कृष्ण बोले, "अथवा अंतराल भी कह सकती हो, जैसे नाटक का एक अंक समाप्त होता है किंतु दूसरा आरंभ नहीं हुआ होता। लेकिन देखो..."

मेरे सामने एक लंबा, दुर्बल आकार तैर रहा है। उसके वक्ष और कानों में स्वर्ण चमक रहा है। वह आगे झुकता है और अपना हाथ बढ़ाता है। उसके चेहरे पर जो भाव है वह मैंने पहले कभी नहीं देखा - शांत, स्नेहमयी, संतुष्ट। मैं झिझकती हूँ कि मेरे पति क्या सोचेंगे, किंतु फिर मुझे लगता है कि इससे कोई फ़र्क नहीं पड़ता। अब हम पति और पत्नी नहीं हैं और न ही कर्ण (यदि अब उस प्रसन्न

व धीर नेत्रों वाले जीव को इस नाम से पुकारना उचित है) उसका स्पर्श वर्जित है। मैं सबके सामने उसका हाथ पकड़ सकती हूँ। यदि मैं चाहूँ तो उसे आलिंगनबद्ध भी कर सकती हूँ।

परंतु उससे पहले - क्योंकि एक क्षण बाद मानवीय पूछताछ अप्रासंगिक हो जाएगी - मुझे कृष्ण से वह प्रश्न पूछना है जो पहले मेरे दिमाग़ से निकल गया था और जिसने मुझे पूरी उम्र परेशान किया है।

क्या आप सचमुच ईश्वर हैं?

"क्या तुम्हारे प्रश्न कभी समाप्त नहीं होंगे?" कृष्ण ने हँसते हुए कहा। बछड़ों के गले में बँधी पीतल की घंटियों की खनक की तरह वह ध्वनि मेरी श्रवण शक्ति चली जाने के बाद भी मेरे साथ रहेगी। "हाँ, मैं हूँ। तुम भी हो, और यह तुम्हें पता है!"

मैं उनकी बात को समझने का भरसक प्रयास करती हूँ। मुझे पता है कि इसे समझना आवश्यक है, परंतु उनके शब्दों ने मुझे दुविधा में डाल दिया है। मैं तो स्वयं को दिव्य नहीं मानती। इस शरीर के नष्ट होने व इन विचारों के विस्मृत होने के साथ, मुझे तो ऐसा लगता है कि मैं शून्य से भी कुछ कम हूँ।

कृष्ण मेरे हाथ को स्पर्श करते हैं। पता नहीं इन प्रकाश की किरणों को, जो अंगुलियों व हथेलियों का आकार ले रही हैं, हाथ कहा जा सकता या नहीं। उनके स्पर्श के साथ, कुछ टूट जाता है, जैसे बर्फ़ पर गिरी स्त्री-आकृति के साथ बँधी कोई ज़ंजीर। मैं तरणशील, उन्मुक्त व अदम्य हो चुकी हूँ - वैसे तो मैं सदा ऐसी ही थी, सिर्फ़ मुझे इसका पता नहीं था! मैं नाम व लिंग और अहंकार के बंधक आकारों से परे हूँ। तथापि, पहली बार, मैं सचमुच पांचाली हूँ। मैं अपना दूसरा हाथ कर्ण की ओर बढ़ाती हूँ - उसकी पकड़ अद्भुत रूप से दृढ़ है! हमारे ऊपर हमारा महल, सिर्फ़ जिसकी मुझे आवश्यकता रही है, हमारी प्रतीक्षा कर रहा है। अंतरिक्ष इसकी दीवारें हैं, आकाश इसका फ़र्श है और सर्वत्र इसका केंद्र है। हम ऊपर उठते हैं; वह आकृतियाँ, ग्रीष्मकाल की संध्या में जुगनुओं की तरह घुलती, बनतीं और फिर घुलती, हमारे स्वागत के लिए एकत्रित हो जाती हैं।

# अनुवादक की ओर से

महाभारत का युद्ध मात्र एक युद्ध न होकर मानवता के एक कालखंड, एक युग के अंत का परिचायक भी है। यह कुरुक्षेत्र की भूमि पर कौरवों और पांडवों के बीच हुए एक ऐसे भीषण व नृशंस युद्ध की गाथा है जो भाइयों के मध्य हुए ईर्ष्या-जनित रक्तपात को दर्शाती है, और साथ ही छल, अपमान तथा उसके फलस्वरूप उत्पन्न प्रतिशोध के भावों को भी अत्यंत पुष्ट व प्रबल रूप में उजागर करती है।

प्रस्तुत उपन्यास में लेखिका ने पांडवों की पत्नी एवं पंचाल नरेश द्रुपद की पुत्री पांचाली के माध्यम से न सिर्फ़ महाभारत की संपूर्ण कथा को अत्यंत सजीव और रोचक ढंग से उकेरा है, अपितु नारी की सोच, उसकी समस्याओं, उसके द्वंद्व एवं गूढ़ आंतरिक मनोभावों का बेहद व्यापकता से वर्णन किया है। इस उपन्यास के अनुवाद के माध्यम से मुझे महाभारत की पृष्ठभूमि, उसके पात्रों एवं नारी-परक दृष्टिकोण को देखने-समझने का नया आयाम मिला है।

मैं इस उपन्यास की लेखिका श्रीमती चित्रा बैनर्जी दिवाकरुणी को उनकी बेजोड़ कल्पनाशक्ति व शानदार अभिव्यक्ति के लिए बधाई देता हूँ तथा मंजुल पब्लिशिंग हाउस का आभार व्यक्त करता हूँ जिन्होंने मुझे इस महान हिंदू-धर्मग्रंथ की कथा को हिंदी के सुधी पाठकों तक पहुँचाने का अवसर प्रदान किया।

**आशुतोष गर्ग** का जन्म 1973 में दिल्ली में हुआ। इन्होंने एम.ए. (हिंदी), स्नातकोत्तर डिप्लोमा (अनुवाद, पत्रकारिता) तथा एम.बी.ए. किया है। लेखन-प्रतिभा अपने पिता डॉ. लक्ष्मी नारायण गर्ग से विरासत में मिली। स्कूल के दिनों में काव्य-लेखन से लेखन का सफ़र आरंभ किया और अब तक इनकी दस पुस्तकें प्रकाशित हो चुकी हैं। आशुतोष अंग्रेज़ी व हिंदी दोनों भाषाओं पर समान रूप से अधिकार रखते हैं तथा अनुवाद के क्षेत्र में एक परिचित नाम हैं। इन्होंने लेखन व संपादन के क्षेत्र में भी सराहनीय कार्य किया है। *शिक्षार्थी हिंदी प्रयोग कोश, द्विभाषी प्रशासनिक शब्द-प्रयोग कोश, एक सौ एक रोचक पहेलियाँ तथा मैं अल्बर्ट आइंस्टाइन बोल रहा हूँ* इनकी मौलिक पुस्तकें हैं। इसके अतिरिक्त *घरेलू पीड़क जंतु एवं उनका नियंत्रण, दशराजन्* तथा *द लाइफ़ एंड टाइम्स ऑफ थॉमस एल्वा एडिसन* इनके प्रमुख अनुवाद हैं। इनकी कुछ अन्य पुस्तकें प्रकाशनाधीन हैं। समाचार-पत्र व पत्रिकाओं में नियमित रूप से लिखते हैं। आजकल, रेल मंत्रालय में उप निदेशक के पद पर कार्यरत हैं।